COLLECTION FOLIO

Dans les archives inédites des services secrets

UN SIÈCLE D'ESPIONNAGE
(1870-1989)

Sous la direction de
Bruno Fuligni

*Avec le soutien
de la Fondation d'entreprise La Poste*

Gallimard

Cet ouvrage a bénéficié, comme les précédents titres de la collection « Mémoires », du soutien de la Fondation d'entreprise La Poste qui a pour objectif de promouvoir l'expression écrite en aidant l'édition de correspondances, en favorisant les manifestations artistiques qui rendent plus vivantes la lettre et l'écriture, en encourageant les jeunes talents qui associent texte et musique et en s'engageant en faveur des exclus de la pratique, de la maîtrise et du plaisir de l'écriture.

Conventions d'édition

Dans les textes retranscrits et les citations d'ouvrages anciens, l'orthographe a été corrigée — sauf les cas où les fautes sont significatives — et la ponctuation, modernisée.
Les cotes des documents d'archives sont toujours précédées d'une abréviation indiquant leur fonds de provenance. APP : Archives de la Préfecture de police. DCRI : Direction centrale du Renseignement intérieur. SHD : Service historique de la Défense. AN : Archives nationales.

Il n'est point de secrets que le temps ne révèle.

JEAN RACINE,
Britannicus, 1669

PRÉFACE

LA POSTE ET LA COLLECTION « MÉMOIRES » : DIX ANS DE PARTENARIAT

Jean-Paul Bailly,
Président-Directeur Général du groupe La Poste,
Président de la Fondation d'entreprise La Poste

Notre complicité avec L'Iconoclaste est née il y a douze ans autour du beau livre de Sophie de Sivry et de Laurent Beccaria *L'Art et l'Écriture*. En effet, la Fondation d'entreprise La Poste milite en faveur de l'expression écrite et encourage les rencontres qui la rendent plus vivante encore. Et c'est dans le même esprit que nous avons accompagné cet éditeur au long de la collection « Mémoires » sur les pas des diplomates, sur les traces des explorateurs, dans le sillage de ceux qui ont affronté et parcouru la mer, dans les coulisses des surveillances, des enquêtes et des interventions policières — et aujourd'hui derrière l'ombre qui entoure par nature l'action des services secrets depuis 1870.

Chacun de ces ouvrages est, dans son univers, un livre d'aventures, et ce n'est pas son moindre intérêt. Bien plus, l'esprit qui les anime tous n'est pas seulement de choisir les épisodes les plus significatifs, connus ou méconnus, mais aussi de donner toute leur place aux documents : images (photos ou dessins) et textes (récits, rapports, listes ou fiches...), bien sûr les lettres et correspondances auxquelles notre Fondation prête tout particulièrement attention. Ils ne sont pas seulement les illustrations des synthèses demandées à des plumes qualifiées : ils fondent leur exposé, sont soumis à leur critique, apparaissent comme indice ou preuve ou révélation.

C'est dire si la valorisation des archives est la raison d'être de la collection « Mémoires » : il y a, dans ces fonds, des trésors instructifs et très souvent passionnants, que la volonté des organismes qui les conservent et les enrichissent s'emploie à rendre encore plus accessibles aux chercheurs et aux curieux et qui méritent d'être plus connus et appréciés du grand public. Ces livres s'efforcent d'y contribuer et s'il faut d'abord remercier les grandes institutions qui les ont rendus possibles en donnant un généreux accès à leurs collections, la Fondation La Poste est fière que son soutien ait en fin de compte concouru à ce qu'elle puisse faire mieux connaître leur histoire et leur rôle dans les grands événements de notre histoire commune.

Le parfum de l'ancien

Dans le cas présent, c'était sans nul doute un sacré défi que de publier un ouvrage sur ce qu'il y a de plus secret — les archives des services de renseignement : les archives se sont ouvertes, d'où un livre qui, grâce à un travail de sélection, de réflexion et d'écriture, éclaire d'une façon nouvelle, lève ou confirme les soupçons, révèle souvent l'engagement, le courage, la dépendance, la lucidité ou l'aveuglement de protagonistes célèbres ou inconnus. C'est un livre d'histoires, mais aussi d'Histoire : on se demandera quel effet ont eu ces épisodes secrets dans la succession des événements ; on s'interrogera sur la part du secret, entre les valeurs dont se réclame une démocratie et la réalité à laquelle elle doit faire face ; on scrutera aussi l'avenir : ce livre a, malgré tout, le parfum de l'ancien ; avec les enregistrements, les télécommunications, l'informatique, l'image sous toutes ses formes, les archives du futur auront — ont déjà — un nouveau visage, mais nous sommes persuadés que l'écrit — et la lettre — y auront une place spécifique et cruciale.

AVANT-PROPOS

AUX SOURCES DU SECRET

Dans les films, tout est simple : l'agent secret reçoit des instructions orales, paie en espèces et élimine les témoins. Dès lors, aucune chance que l'historien puisse un jour reconstituer sa mission, qui n'aura laissé aucune trace. Or, la réalité se révèle plus complexe. Peuplés en grande partie de diplomates, de militaires et de policiers, les services de renseignement sont aussi des administrations, qui produisent chaque année des masses de documents. S'ils peuvent comporter en leur sein des services secrets voués à l'action clandestine, ils n'en doivent pas moins transmettre des instructions, conserver les informations collectées ou en donner une interprétation. Messages, correspondances, questionnaires, notes secrètes, une multitude d'écrits sont émis ou reçus, y compris les dossiers administratifs des agents et jusqu'aux rapports qui arrivent sur les bureaux des ministres ou du chef de l'État : autant de matériaux passionnants qui nous montrent, à un moment du temps, de quelles informations dispose le pouvoir pour anticiper l'avenir et prendre des décisions.

Retrouver, rassembler et publier cette documentation depuis 1870, tel est l'enjeu de ce livre : deux ans de travail ont été nécessaires, une tâche d'autant plus ardue que la pluralité des services induisait la diversité des fonds à consulter.

Les Archives de la Préfecture de police (APP) comportent nombre de dossiers indiscrets sur les personnalités les plus diverses, avant comme après la création des Renseignements généraux en 1907.

Le 2e Bureau de l'état-major des Armées, en charge du renseignement et du contre-espionnage, a déposé quant à lui ses archives au château de Vincennes : le Service historique de la Défense (SHD) y conserve les dossiers secrets des quatre armes — Terre, Marine, Air, Gendarmerie —, ainsi que les fonds issus de la Résistance et de ce 2e Bureau que le général de Gaulle constitua en exil à Londres et qui devint le BCRA (Bureau central de Renseignement et d'Action).

Les Archives nationales (AN) ont été elles aussi mises à contribution : outre le fichier de la Haute-Commission interalliée en Rhénanie, elles détiennent les dossiers de l'ancienne cour de Sûreté de l'État, qui jugea les affaires d'espionnage de 1963 à 1981. Ce fonds-là n'est pas ouvert aux chercheurs, mais il a été possible d'obtenir des dérogations.

Quatre « musées secrets »

Ces investigations à travers les différents fonds d'archives occasionnent en outre de curieux jeux de miroir, dus aux relations croisées entre les services.

Ainsi, c'est la police qui épie et arrête Mata Hari, mais les rapports de filature et le récit de l'arrestation se trouvent au Service historique de la Défense, qui conserve le dossier du conseil de guerre. Et celui-ci, bien connu des historiens, a pu être complété par un autre dossier contenant de nombreuses pièces inédites, découvert dans la partie encore non inventoriée du « fonds de Moscou » : ainsi appelle-t-on ces archives prises aux Français par les Allemands en 1940, puis aux Allemands par les Soviétiques en 1945 et restituées au cours des années 1990. Dans leurs boîtes en bouleau, étiquetées en caractères cyrilliques par les petites mains du KGB, elles contiennent nombre de surprises...

Enfin, les services eux-mêmes renferment de vrais trésors, que nous avons la fierté de rendre publics pour la première fois. D'une part, l'établissement d'une bonne documentation faisant partie intégrante de l'activité de renseignement, des rapports inédits peuvent encore nourrir la compréhension des dernières décennies. D'autre part, dans les locaux mêmes de la DCRI (Direction centrale du Renseignement intérieur) et de la DGSE (Direction générale de la Sécurité extérieure), se trouvent pas moins de quatre « musées secrets », véritables salles de trophées qui abritent la mémoire du renseignement français : faux papiers, prises de guerre, prototypes d'émetteurs clandestins, appareils photo miniatures, matériel réformé d'écoute ou de détection, rapports déclassifiés, tels sont les étranges souvenirs qui ont été exposés sous vitrine, pour la nostalgie des anciens et la formation des nouveaux.

L'ouverture de ces collections marque une rupture qu'il importe de signaler. Les services de renseignement britanniques et américains, depuis longtemps, ont appris à exfiltrer une part de leurs archives en vue de soigner leur image de marque : l'importance des crédits, la qualité des recrutements, ne sont pas sans rapport avec l'aura de légende qu'une centrale réussit à susciter autour d'elle. Les services français, dans la tradition du « Secret du roi », ont longtemps cultivé le silence. Ils acceptent aujourd'hui de dévoiler une part de leur patrimoine.

Espionner les espions

Mais un document peut mentir et c'est pourquoi une équipe de quarante-deux auteurs s'est constituée pour examiner, analyser et commenter cet ensemble de dossiers secrets d'une ampleur exceptionnelle. Historiens et journalistes connus pour leur expertise, ils ont étudié non le seul fonctionnement des services, mais surtout l'Histoire du monde vue par les espions, ces sources bien informées qui ont souvent de l'avance sur la chronologie. Dès 1911, on sait que les Allemands sont prêts pour une guerre de tranchées ; dès 1936, la tactique de la Blitzkrieg est décrite noir sur blanc ; dès 1941, la Gendarmerie dispose d'un rapport circonstancié sur ce qui se passe à Mauthausen... De « l'honorable correspondant » de base à la présidence de la République, tout le cycle du renseignement est représenté, y compris quand les agents se trompent, par exemple lorsqu'ils prennent pour argent comptant les aveux extorqués par Staline pendant les procès de Moscou.

Manipulations et machinations ne sont pas toute l'Histoire, mais qui niera le rôle déterminant des réseaux de l'ombre dans la préparation du Débarquement ou la réalité d'une guerre secrète entre l'Est et l'Ouest jusqu'à l'affaire Farewell ?

Codes, réseaux, barbouzeries, coups fourrés et autres « opérations humides », comme on surnomme celles qui font couler le sang : le roman et le cinéma ont popularisé ces thèmes, qu'exploitent aussi les espions à la retraite quand ils publient leurs mémoires invérifiables. À rebours du sensationnalisme, nous avons voulu appliquer au monde sulfureux du renseignement la méthode historique dans toute sa rigueur, en allant aux sources, en rapprochant les dossiers issus des différents fonds et services, en soumettant ces précieux témoignages à l'analyse critique des meilleurs spécialistes.

Sans écoutes et sans microfilms, nous avons eu de la sorte le rare privilège de pouvoir espionner les espions.

Jean-Baptiste Bourrat, directeur éditorial
Bruno Fuligni, directeur scientifique

Première partie

LES SECRETS DE LA BELLE-ÉPOQUE

1870-1918

MINISTERE de l'INTERIEUR

DIRECTION
de la
SURETE GENERALE

CONTROLE GENERAL
des Services de
RECHERCHES JUDICIAIRES

N° 12532/CE

PARIS, le 4 Mars 1916

C I R C U L A I R E

-----ooOoo-----

Comme suite à ma circulaire N° 8862/CE du 13 Février dernier dernier, je vous signale que la chanteuse désignée sous le nom de RADJA pourrait bien être la nommée SCHULER Marguerite, dite "RADHJAH" sujette allemande, artiste lyrique, ayant joué au Corso Theater Variétés à Zurich.

Cette femme est née le 13 Mars 1888 à Berlin, de Maxime et de Claire UNTERWALDER.

Elle a été à notre service comme agent d'information de Juin en Octobre 1915. A cette dernière date elle a quitté Zurich pour se rendre à Munich où elle avait un engagement. Son adresse est inconnue depuis.

...t sa photographie./.

CONTROLEUR GENERAL

Avis de recherche de Marguerite Schuler dite Radhjah, 4 mars 1916.

Épaules nues, mine langoureuse, telle apparaît sur son avis de recherche l'espionne Marguerite Schuler, dite Radhjah, artiste lyrique au service des Français. Censément du moins, car la belle Allemande au nom de scène oriental, comme une autre Mata Hari, est soupçonnée de jouer double jeu…

Depuis sa défaite en 1870, qu'elle attribue volontiers à la qualité de l'espionnage prussien, la France s'efforce de moderniser son dispositif de renseignement. Bien sûr, elle envoie ses officiers à travers le monde : sous couverture diplomatique, à Pékin comme à Berlin, ils observent et envoient des rapports, comme les ambassadeurs le font depuis toujours. Mais la République née en 1870 prend soin de se doter d'un contre-espionnage efficace, sous l'impulsion des polytechniciens Paul Cuvinot et Charles de Freycinet. C'est l'âge d'or du « service moustaches », ainsi qu'on surnomme les militaires du 2e Bureau, dont la « section de statistique » est tout spécialement vouée à la détection des espions étrangers et des traîtres. Les errements de l'affaire Dreyfus, pourtant, vont entamer sérieusement leur crédit, de sorte qu'en 1899 le civil Jules-Alexis Durand est nommé au poste de contrôleur général des services extérieurs. Avec lui, la police revient sur le devant de la scène. L'activité de renseignement est ancienne chez les policiers : ils surveillent les gares, les hôtels, les cafés, infiltrent les organisations subversives et fichent les étrangers... Quand Alfred Nobel est soupçonné de vouloir subtiliser des secrets de fabrication à la poudrerie nationale de Sevran, c'est déjà la Sûreté que l'armée se propose d'avertir. Quand l'officier de marine Ullmo tente de vendre les codes de la flotte, c'est encore la police qui lui tend un piège. L'armée, toutefois, conserve son 2e Bureau, que viendra concurrencer le 5e Bureau à la fin de la Première Guerre mondiale. Le conflit se traduit d'abord par d'étonnantes innovations techniques : si les armées continuent de recourir aux pigeons voyageurs pour leurs transmissions, elles expérimentent les émissions radio et les interceptions, découvrent l'intérêt de la photographie aérienne, s'essaient à l'action psychologique et à la propagande... À l'arrière, la folie de « l'espionnite » s'empare des Français, qui accusent l'enseigne Maggi de travailler pour l'ennemi. Dans ce contexte, militaires et policiers se rapprochent, une « section de centralisation du renseignement » leur permettant de se coordonner. Les espionnes doivent faire preuve de prudence, même les plus séduisantes.

Comme jadis La Païva, comme sa contemporaine Mistinguett, l'énigmatique Radhjah compte user de son charme pour berner les services. Mata Hari, à ce jeu, s'est condamnée elle-même, trahie par les interceptions de la tour Eiffel... Pareil à des dizaines d'autres avis de recherche, celui de la demoiselle Radhjah est signé Jules Sébille, dit « le Puritain » : l'ancien patron des « brigades du Tigre » a repris du service, en tant que conseiller technique des Armées, tandis que Clemenceau, le Tigre lui-même, revient à la tête du gouvernement pour éliminer les traîtres (Bolo Pacha et quelques autres finiront au polygone de Vincennes).

Après la victoire, l'humiliation de 1870 est vengée. L'inconstante Radhjah s'évanouit dans l'impunité des femmes fatales, tandis que Jules Sébille connaît la consécration : il sera nommé directeur des services généraux de police dans l'Alsace-Moselle reconquise.

Une courtisane fortunée.

Mariée au comte Henckel de Donnersmarck et habituée du joaillier Boucheron, La Païva fuyait les photographes et n'a laissé que de rares images d'elle. Ce célèbre cliché d'Alophe, vers 1860, la montre au sommet de sa séduction.

ESPIONNE ET COURTISANE ?

La Païva dans la tourmente de la guerre de 1870

Gabrielle Houbre

« On assure que Madame de Païva, qui a vécu longtemps avec Hertz, se marie avec son amant Monsieur Henckel comte de Donnersmarck, gouverneur de la Lorraine pendant l'occupation allemande », rapporte une note anonyme au chef de la police municipale parisienne en date du 20 octobre 1871. « Avant la guerre, précise son rédacteur, elle donnait dans son hôtel des Champs-Élysées de superbes fêtes, où étaient principalement invités nos jeunes attachés d'ambassade. On causait politique et elle envoyait ses rapports au roi de Prusse. » En peu de mots, l'agent de la Préfecture de police donne à comprendre la violente détestation suscitée par cette diva de la galanterie, lorsqu'il évoque son incommensurable fortune et sa liaison avec un aristocrate allemand.

À cette époque, La Païva a éclipsé Thérèse-Blanche Lachmann, fille d'un modeste drapier, née dans le ghetto juif de Moscou en 1819. Baptisée catholique quelques années plus tard, elle est mariée en 1836 à un tailleur français, François Villoing, tout aussi modeste et souffreteux de surcroît. La jeune femme décide rapidement de quitter mari et bébé pour Paris, où elle se lance dans la prostitution. C'est le pianiste Henri Hertz qui, le premier, lui fait quitter le pavé des boulevards pour l'établir confortablement chez lui. Le couple se sépare en 1847, après plusieurs années de vie maritale et la naissance d'une fillette qui mourra à douze ans. Thérèse-Blanche part à Londres, où elle devient l'une des courtisanes les plus en vue. La rumeur — elle en provoquera beaucoup — la dit ensuite à Moscou avec un jeune prince russe, opportunément phtisique et assez épris d'elle pour lui léguer à sa mort une véritable fortune.

Femme de tête et d'alcôve

De retour à Paris, elle sélectionne quelques amants peu regardants à la dépense et fort bien titrés, tels les ducs de Gramont et de Guiche, affermissant ainsi sa réputation de femme de tête aussi bien que d'alcôve. Riche et veuve depuis 1849, elle conclut une alliance de prestige en épousant en 1851 un gentilhomme portugais, Albino-Francesco Araujo, marquis de Païva, passablement désargenté. Le couple vit séparé, le mari s'endette au jeu et finit par se suicider en 1872, un an après que celle que le Tout-Paris appelle désormais La Païva a obtenu, par l'entremise de Henckel, l'annulation de son deuxième mariage par le pape. La note de police dit juste que le 28 octobre 1871, La Païva, devenue luthérienne pour l'occasion, épouse à Paris Guido Henckel de Donnersmarck, de onze ans son cadet. Elle consacre enfin une liaison amoureuse de près de dix ans, rompant définitivement avec sa vie de courtisane.

Une figure suspecte

Généreux autant que fidèle, Henckel a déjà puisé dans les revenus qu'il tire de ses mines de Silésie pour offrir à sa maîtresse le château de Pontchartrain, estimé à deux millions de francs, et surtout lui faire construire au 25 des Champs-Élysées, pour le double de cette somme, un somptueux hôtel particulier dont le grand escalier d'onyx et les peintures de Baudry sont restés célèbres. Le couple s'y installe dès 1866 et La Païva tient un salon parmi les mieux fréquentés de la *high society*, recevant des artistes, des hommes de lettres et des personnalités aussi éclectiques que le général bonapartiste Fleury, le républicain Gambetta ou l'ambassadeur d'Allemagne.

En juillet 1870, peu avant la déclaration de guerre, le couple doit quitter Paris et rejoint le château du comte à Neudeck, en Silésie. Lui-même intègre l'armée prussienne ; il prend possession de la préfecture de Metz le 29 octobre 1870 et administre quelque temps la Lorraine d'une main de fer. Dès les prémices de l'armistice, Bismarck l'emploie comme ambassadeur officieux auprès des autorités françaises. Sitôt la guerre terminée, le couple retrouve son hôtel des Champs-Élysées et subit de plein fouet la vague de germanophobie qui suit la guerre franco-prussienne, d'autant que Henckel est connu pour avoir suggéré de réclamer six milliards de francs-or d'indemnités de guerre à la

France (voir document page 34). Le chancelier se contentera de cinq, mais la tradition orale veut que la désormais comtesse ait été sifflée par la salle alors qu'elle assistait à *La Périchole* d'Offenbach en 1872, et que Henckel ait obtenu pour elle un dîner en présence du président Thiers pour laver l'affront. La Païva est de fait suspectée pendant quelques années d'espionnage, mais la Préfecture de police ne donne pas suite aux accusations et nul rapport au roi de Prusse, non plus qu'aucune autre pièce, n'a permis à ce jour d'établir pareille éventualité. Les déplacements du comte, en revanche, seront longtemps surveillés et signalés par dépêche télégraphique.

À partir de 1882, la santé de la comtesse se détériore et elle se résout à accompagner son époux dans son château de Silésie. Elle y meurt en 1884, ayant institué Guido légataire universel de sa considérable fortune. Ultime fantasmagorie : la légende dit que l'époux inconsolable, malgré un prompt remariage, a conservé son corps dans l'alcool, à l'abri d'un caveau secret du château de Neudeck.

Le 20 octobre 1871.

Note

pour Monsieur le Chef de la police Municipale.

pr

On assure que Madame de Païva, qui a vécu longtemps avec Hertz, se marie avec son amant Monsieur Henckel Comte de Donersmarck, gouverneur de la Lorraine pendant l'occupation Allemande.

Madame de Païva, était alors à Metz.

Avant la guerre, elle donnait dans son hôtel des Champs Elysées de superbes fêtes, où étaient principalement invités nos jeunes attachés d'ambassade.

On causait politique et elle envoyait ses rapports au roi de Prusse.

Note au chef de la police municipale accusant La Païva d'espionnage, 20 octobre 1871 (transcription page suivante).

✦

LA PAÏVA ACCUSÉE D'ESPIONNAGE

Note ***adressée au chef de la police municipale,***
20 ***octobre*** **1871**

On assure que Madame de Païva, qui a vécu longtemps avec Hertz, se marie avec son amant Monsieur Henckel comte de Donnersmarck, gouverneur de la Lorraine pendant l'occupation allemande.

Madame de Païva était alors à Metz.

Avant la guerre, elle donnait dans son hôtel des Champs-Élysées de superbes fêtes où étaient principalement invités nos jeunes attachés d'ambassade.

On causait politique et elle envoyait ses rapports au roi de Prusse.

[APP Ba 1213]

✦

Couple doublement antipathique, car vous
n'ignorez pas que c'est à M. Henckel que
la France doit d'avoir payé 5 milliards
à la Prusse au lieu de trois milliards 500
millions

Extrait ***d'une note adressée de*** **Vienne** ***au sujet***
de **La** ***Païva et de son mari,*** **21** ***juin*** **1873 :**

« Couple doublement antipathique, car vous n'ignorez pas que c'est à M. Henckel que la France doit d'avoir payé 5 milliards à la Prusse au lieu de trois milliards 500 millions. »

AU CŒUR DE LA CHINE IMPÉRIALE

Le capitaine d'Amade et la « diplomatie de la canonnière »

Pierre Fournié

« La ligne fluviale de Peï-Ho est celle qui donne à une troupe de débarquement l'accès le plus direct sur la capitale de l'empire [...]. Le Peï-Ho est pour le Nord de la Chine ce qu'est le Si-Kiang pour le Sud, ce qu'est le Yang-Tze-Kiang pour les provinces centrales, avec cette différence stratégique qu'il débouche en moins de deux cents kilomètres sur une capitale sans défense. » Telles sont les premières lignes du rapport sur les troupes du vice-roi du Peï-Tchi-li — une province située à l'embouchure du fleuve Peï-Ho — que, le 13 mars 1890, le capitaine d'Amade adresse au 2e Bureau. Le jeune attaché militaire auprès de la légation de France en Chine vient de parcourir la région de Pékin, principalement la vallée du fleuve Peï-Ho, jusqu'au golfe de Peï-Tchi-li et à Port-Arthur.

Préparer le débarquement d'un corps expéditionnaire à Pékin ? C'est bel et bien l'objet principal de ce rapport. Son rédacteur se trouve pourtant en Chine à un moment d'accalmie. L'intervention franco-britannique de 1860, qui s'est terminée par le pillage des palais d'été, n'est plus qu'un souvenir. En revanche, la guerre franco-chinoise de 1885, au Tonkin, est trop récente pour que l'on n'envisage pas de nouvelles confrontations. Au cours de ce conflit, d'ailleurs, d'Amade a été affecté à l'état-major du corps d'occupation. L'officier note donc tout ce qui pourrait faciliter une expédition militaire au cœur de la Chine impériale. S'il s'intéresse avant tout aux localités où sont cantonnées les troupes chinoises, à la composition de celles-ci et aux absurdités de la chaîne de commandement, il donne aussi quantité d'informations pratiques sur la nature du terrain et des chemins, « tous praticables aux trois armes ». « En règle générale, écrit-il, dans ces terrains de plaine, ne pas s'occuper de la route mais surtout de la direction magnétique : en hiver, les cours d'eau, seuls obstacles qui pourraient arrêter une troupe, sont gelés assez fort pour supporter tous les fardeaux qu'une armée peut traîner. » Il donne une description précise des maisons des patrons de jonques, précisant que c'est auprès d'eux qu'on peut obtenir des renseignements « nautiques » — car, conclut-il, « en matière d'opérations militaires dans le nord de la Chine, c'est à la marine qu'appartiendra le premier mot ». On l'a compris, l'officier étudie ni plus ni moins que la mise en œuvre de ce qu'on a appelé la « diplomatie de la canonnière ».

Faiblesse de l'État chinois

L'officier français se tient en embuscade… Il attend et observe, tout comme le font les agents des puissances européennes, de la Russie et du Japon. Le vieil empire

Le *capitaine* d'Amade.

L'attaché militaire revêt l'habit local lors des nombreuses cérémonies lui permettant de fréquenter les autorités civiles et militaires chinoises.

du Milieu est plus que jamais le champ clos des rivalités extérieures et le *break up of China* — sa mise en pièces, selon l'expression des Britanniques — ne saurait tarder.

Après la décennie de prostration qui suit la chute du Second Empire en 1870, la France se lance aussi, en effet, dans une politique d'expansion en Extrême-Orient. L'Indochine, récemment conquise, doit être sécurisée ; d'où cette attention qu'on porte au Yunnan voisin, considéré comme une véritable zone d'influence. Il faut aussi protéger des investissements considérables, les concessions dans les villes portuaires, les établissements des congrégations et les petites communautés chrétiennes qu'on trouve un peu partout. Devant la faiblesse d'un État chinois menacé de banqueroute et miné par la guerre civile, chacun sait qu'il faudra un jour prochain faire intervenir des troupes, pour venir en aide à l'empereur ou le faire se plier aux exigences européennes. Ce sera la guerre des Boxers, en 1900, avec l'envoi d'un corps expéditionnaire international de dix mille hommes, dans cette même province du Peï-Tchi-li que le capitaine d'Amade a visitée dix ans plus tôt.

Espion officiel, en poste à la légation de France, l'attaché militaire agit au vu et au su de tout le monde. Chacun connaît son rôle : collecter des informations, les compiler, les communiquer au 2e Bureau. En métropole, la coopération technique entre le ministère de l'Intérieur et celui de la Guerre connaît encore quelques dysfonctionnements dans le domaine du contre-espionnage. À l'étranger, c'est l'échange d'informations entre diplomates et attachés militaires et les rapports hiérarchiques entre les deux corps qui suscitent le plus de remous et d'interrogations. Certes, les agents du réseau diplomatique et consulaire assurent depuis longtemps l'information du pouvoir. Ce qui est nouveau, c'est la mise en place de filières militaires et civiles, et surtout la centralisation de ces informations par le 2e Bureau, récemment créé. Aussi la petite quinzaine de missions militaires entretenues dans les ambassades va-t-elle faire l'objet de quantité de tractations entre le Quai d'Orsay et la rue Saint-Dominique, siège du ministère de la Guerre.

Espionnage officiel

Au-delà des questions de préséance et de subordination hiérarchique, la correspondance des attachés, et notamment son acheminement vers Paris, reste problématique. Le rapport du capitaine d'Amade porte en couverture la mention « sous couvert du ministre de France en Chine » : la précision n'est pas un détail bureaucratique. L'ambassadeur est supposé tout voir, mais il est admis, de temps en temps, que certaines informations de caractère très technique échappent à son visa… Or, y a-t-il des informations militaires qui n'aient pas un caractère politique ? On comprend sans peine que les diplomates puissent prendre ombrage de l'indépendance d'action de leurs attachés et que cet « espionnage officiel » soit, de temps à autre, très sévèrement critiqué à la Chambre des députés.

À bien des égards, le capitaine d'Amade apparaît comme l'attaché militaire idéal. Ses capacités de travail, son intelligence, sa finesse et sa prudence lui valent les éloges du chef de la légation. Considéré par les diplomates comme l'un des leurs, un « homme du monde » d'une conduite exemplaire et d'une parfaite tenue, il est tout aussi à l'aise au contact du corps diplomatique que dans ses relations avec les autorités chinoises.

Il ne se contente pas d'étudier la région de Pékin mais entreprend trois grands voyages d'études qui le conduisent en Mandchourie, en Corée et, surtout, dans les provinces occidentales et les zones frontalières avec l'Indochine : le Kouang-Si et le Yunnan. C'est au retour de ces périples qu'il impose le respect à son entourage. En dépit du caractère parfois aride et très technique des sujets qu'il aborde, il rédige des rapports de mission dont la lecture inspire l'admiration. Le propos est clair, précis, parfaitement documenté ; des considérations générales sur la géographie, la société, la politique alternent avec des récits plus personnels sur les événements auxquels il a été mêlé et les incidents de parcours. Comme un véritable explorateur, il agrémente sa relation de photographies qu'il a lui-même prises, de croquis, de cartes manuscrites et même d'idéogrammes pour les termes géographiques. Il procure aussi à l'état-major de précieuses cartes chinoises, véritables œuvres d'art tracées à l'encre noire sur de soyeux papiers joliment translucides.

En 1891, il quitte la Chine. On fera de nouveau appel à lui pour des missions de renseignement en Afrique du Sud, lors de la guerre des Boers, puis à Londres, au moment de l'Entente cordiale. Sans doute aurait-il mieux valu qu'il demeure cantonné aux bureaux d'état-major et aux missions d'observation, car sa fin de carrière n'a rien de très glorieux... Général en 1907, il est envoyé au Maroc pour pacifier la région de la Chaouïa, autour de Casablanca. La violence de la répression provoque une certaine émotion en France, où la presse anticoloniale le traite de « boucher » : on le remplace par Lyautey, aux méthodes moins brutales. En 1914, Joffre le relève de son premier commandement. L'année suivante, aux Dardanelles, son échec lui vaut d'être à nouveau relevé par le général Gouraud. Lointaine est la Chine où, jeune capitaine, il avait acquis la réputation d'un talentueux observateur.

✦

UN OFFICIER BIEN NOTÉ

Dès son arrivée en Chine, d'Amade est considéré comme « un officier d'avenir » par le représentant de la France à Pékin : un jugement confirmé trois ans plus tard, à l'issue de ses missions conduites « sans soulever le moindre incident ».

Note de la légation de la République française en Chine, 1890

Notes de l'envoyé extraordinaire et ministre plénipotentiaire de la République française en Chine, concernant M. d'Amade (Albert, Gérard, Léo) capitaine breveté au 81e régiment d'infanterie, attaché militaire à la Légation.

Le capitaine d'Amade, par son caractère affable, sa conduite excellente et sa tenue parfaite, a su s'attirer l'estime et la sympathie de toutes les personnes avec lesquelles il s'est trouvé en rapport. Les autorités chinoises et, en particulier, le vice-roi Hi-Hong-Chang se sont plu à constater le tact et la prudence dont il a fait preuve, au cours des trois pénibles voyages d'études qu'il a accomplis (Mandchourie, provinces occidentales de la Chine et frontière sino-annamite, Corée), pendant la durée de sa mission, et qui lui ont permis de réaliser le programme qu'il s'était tracé pour chacun d'eux, sans soulever le moindre incident et sans fournir aux autorités des pays qu'il a traversés, le moindre prétexte à critique ou récrimination.

Je ne saurais parler avec trop d'éloges de cet officier énergique, infatigable, toujours préoccupé d'employer son temps utilement pour le service du pays.

[SHD]

✦

LES TROUPES DU VICE-ROI DU PEÏ-TCHI-LI

Rapport sur les troupes du vice-roi du Peï-Tchi-Li, 13 mars 1890. Le document a été rédigé par le capitaine d'Amade, attaché militaire de la légation de la République française en Chine.

Rapport de l'attaché militaire de la légation de la République française en Chine au ministre de la Guerre, 13 *mars* 1890

Les troupes qui constituent la garnison de Kin-tcheou/Ta-Lienn-Wan comprennent une division à trois brigades. Chaque brigade comprend trois camps ou bataillons d'infanterie à 500 hommes, plus une batterie de campagne de 4 pièces Krupp de 7,85 cm. Outre les trois brigades, le général commandant la division dispose de troupes divisionnaires ou de réserve. [...]

Tous les camps d'une même brigade sont en liaison téléphonique avec le quartier général de la brigade. Les quartiers généraux de brigade et les magasins de réserve de Leou-Chou-Toun sont en liaison téléphonique avec le quartier général de la division. Ce dernier est en relation télégraphique avec Port-Arthur, New-Chivang et tout le reste sur le territoire. La ligne télégraphique est à 2 fils entre New-Chivang et Port-Arthur ; elle suit exactement la route mandarine.

Les communications par terre entre Ta-Lien-Wan et Port-Arthur comprennent 1 route carrossable pour les voitures chinoises et l'artillerie de campagne (elle serait classée comme route muletière en Europe) et deux sentiers muletiers, le premier, à travers le massif montagneux de la presqu'île, traverse les cols les plus élevés du massif ; le deuxième longe le bord de la mer sur le littoral sud de la presqu'île, passe au petit port de Siao-Ping-Tô et vient aboutir à Port-Arthur par la plage de Lien-Chan située au nord et en partie sous les feux du fort de Lao-lu-Tsoui. Le village de Lien-chan lui-même et la portion de côté qui le prolonge vers Port-Arthur se trouvent d'ailleurs complètement dans l'angle mort du fort.

Une dernière remarque concernant Ta-Lien-Wan, c'est que la division qui s'y trouve stationnée est complètement indépendante de l'autorité militaire de Port-Arthur et réciproquement. C'est le Tao-Taï [préfet] de Port-Arthur, autorité civile, qui exerce par délégation du vice-roi le commandement sur les deux places.

[SHD]

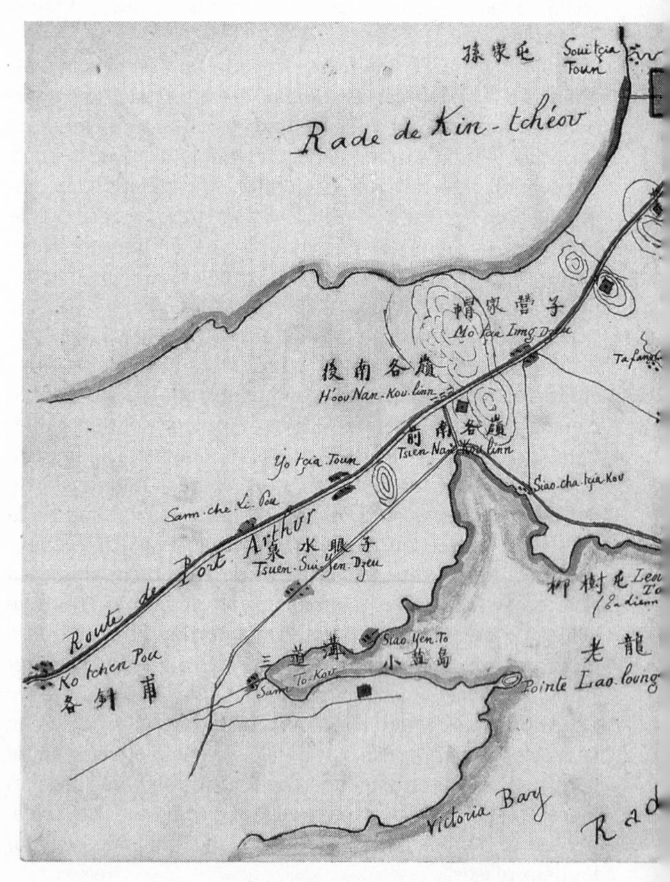

Croquis indiquant la répartition des troupes chinoises autour de Ta-Lien-Wan.

Les rapports du capitaine d'Amade, attaché militaire de la légation de la République française en Chine, sont truffés

de croquis et de cartes manuscrites faisant apparaître les toponymes en français et en chinois.

Alfred Nobel.

LES SECRETS DE LA POUDRE « B »

Alfred Nobel suspecté d'espionnage économique

Orlando de Rudder

En 1879, Alfred Nobel installe une usine d'explosifs à Sevran, près de la manufacture de poudres de l'État. Dans cette dernière, en 1884, le chimiste Paul Vieille invente la « poudre sans fumée ». Sans résidus de combustion, elle permettra d'y voir clair durant les combats : les champs de bataille ne seront plus noyés dans un brouillard à l'odeur âcre, les tireurs ne larmoieront plus et la cible restera visible. Désignée sous le nom de « poudre B », cette invention est un secret d'État. Une double barrière entoure les ateliers de fabrication, où les matières premières arrivent conditionnées sous de fausses dénominations pour cacher la composition réelle de la poudre. La fabrique commande en outre des produits inutiles, afin d'induire en erreur les éventuels indiscrets qui traîneraient à la gare.

Or, en 1888, des tracts sont distribués aux ouvriers de la poudrerie nationale, leur proposant un travail mieux payé à l'étranger. Cette manœuvre attire l'attention sur un « chimiste suédois » d'allure élégante, Nobel. Le directeur de la poudrerie en réfère à l'armée. Le général Saussier, gouverneur militaire de Paris, donne donc à la gendarmerie « les ordres nécessaires pour exercer une surveillance active et discrète sur les agissements du sieur Nobel ». L'affaire paraît suffisamment grave pour alerter la « Surtanche », la « Grande Maison », autrement dit la police de Sûreté, dont les équipes sont mieux formées à ce type d'affaires. Le 2 février 1889, le général Saussier écrit donc respectueusement à son ministre, « pour le cas où [il jugerait] convenable de demander à M. le ministre de l'Intérieur, de vouloir bien faire surveiller le sieur Nobel par les agents sous ses ordres ».

Le ministre de la Guerre, Charles de Freycinet, premier civil à occuper ce poste, compte parmi les fondateurs du contre-espionnage français. Quant au ministre de l'Intérieur, Charles Floquet, il est aussi président du Conseil. Nobel se trouve donc signalé en haut lieu, alors que la loi du 18 avril 1886 a durci la répression de l'espionnage.

Quand l'écrivain André Billy abordera ce sujet dans *Le Figaro littéraire* du 13 novembre 1948, il recevra une lettre du directeur de la poudrerie, publiée le 16 décembre. D'après les archives de Sevran, Nobel semblait « être à l'affût des renseignements ». Au lieu de l'arrêter, les Français lui auraient laissé parvenir des « indices volontairement erronés » pour l'engager sur une fausse piste : il n'en découvre pas moins la balistite, autre poudre sans fumée qu'il vend à l'Italie, alliée de l'Allemagne et de l'Autriche. Nobel a espionné certainement, mais avec une maladresse ridicule ! En 1891, il a eu raison de fuir pour l'Italie avant que l'étau se resserre. Aurait-il été fusillé… avec la poudre sans fumée ?

✦

L'ART DE « PASSER L'AFFAIRE »

Dans cette lettre du 2 février 1889, le gouverneur militaire de Paris suggère au ministre de la Guerre de saisir le ministre de l'Intérieur afin que la surveillance d'Alfred Nobel passe des militaires de la gendarmerie aux policiers de la Sûreté.

Lettre du gouverneur militaire de Paris *au ministre de la* Guerre, 2 *février* 1889

M. le Directeur de la poudrerie de Sevran-Livry m'a adressé une lettre, en date du 31 janvier, au sujet du sieur Nobel, chimiste suédois, qui possède à Sevran un établissement dans lequel il se livre à des recherches sur les explosifs. Il résulte du contenu de cette lettre que la présence de M. Nobel dans le voisinage de la poudrerie pourrait avoir des inconvénients sérieux. Ce chimiste semble en effet avoir fait plusieurs tentatives d'embauchage sur le personnel des ouvriers, dans le but de découvrir le secret de fabrication de notre nouvelle poudre.

J'ai donné à la gendarmerie les ordres nécessaires pour exercer une surveillance active et discrète sur les agissements du sieur Nobel.

Malgré cette mesure, il semble que, dans le cas présent, l'intervention du service de la Sûreté serait nécessaire. N'ayant pas qualité pour m'entendre directement avec ce service, j'ai l'honneur d'attirer votre attention sur cette question, pour le cas où vous jugeriez convenable de demander à M. le ministre de l'Intérieur, de vouloir bien faire surveiller le sieur Nobel par les agents sous ses ordres.

[DCRI]

Gouvernement m^re
de Paris

Etat-Major.

Paris, le 2 Février 1889.

Le Général SAUSSIER, Gouverneur militaire de Paris, à Monsieur le Ministre de la Guerre.

Monsieur le Ministre.

M. le Directeur de la Poudrerie de Sevran-Livry m'a adressé une lettre, en date du 31 Janvier, au sujet du Sieur NOBEL, chimiste suédois, qui possède à Sevran un établissement dans lequel il se livre à des recherches sur les explosifs. Il résulte du contenu de cette lettre que la présence de M. NOBEL dans le voisinage de la poudrerie pourrait avoir des inconvénients sérieux. Ce chimiste semble en effet avoir fait plusieurs tentatives d'embauchage sur le personnel des ouvriers, dans le but de découvrir le secret de fabrication de notre nouvelle poudre.

J'ai donné à la gendarmerie les ordres nécessaires pour exercer une surveillance active et discrète sur les agissements du Sieur NOBEL.

Malgré cette mesure, il semble que dans le cas présent, l'intervention du service de la Sûreté serait nécessaire. N'ayant pas qualité pour m'entendre directement avec ce service, j'ai l'honneur d'attirer votre attention sur cette question, pour le cas où vous jugeriez convenable de demander à M. le Ministre de l'Intérieur, de vouloir bien faire surveiller le Sieur NOBEL par les agents sous ses ordres.

Signé : Général SAUSSIER.

Lettre du gouverneur militaire de Paris au ministre de la Guerre, 2 février 1889.

« LE TRAÎTRE, LE VOICI ! »

Le dossier secret de l'affaire Dreyfus

Alain Pagès

À la fin de l'été 1894, le service de renseignement de l'armée, dirigé par le colonel Sandherr, intercepte une lettre adressée à Schwartzkoppen, l'attaché militaire allemand à Paris : cette lettre, désignée plus tard sous le nom de « bordereau », dresse la liste d'une série de documents qui vont être prochainement livrés, dont le dessin du nouveau canon de 75. À la demande du général Mercier, ministre de la Guerre, une enquête est menée dans les bureaux de l'état-major. Les soupçons se portent sur un jeune officier stagiaire, juif, le capitaine d'artillerie Alfred Dreyfus. Convoqué au ministère sans explication, il doit prendre un texte anodin en dictée : son écriture présentant des similitudes avec celle du bordereau, il est arrêté, le 15 octobre 1894. Accusé de haute trahison, Alfred Dreyfus est immédiatement incarcéré à la prison militaire du Cherche-Midi.

L'instruction dure un mois et demi, sous la conduite du commandant du Paty de Clam qui perquisitionne le domicile de la famille Dreyfus. Le procès, qui s'ouvre le 19 décembre, se tient dans les locaux du tribunal militaire du Cherche-Midi, en face de la prison. Défendu par Me Edgar Demange, Dreyfus est jugé par le premier conseil de guerre du Gouvernement militaire de Paris. Le huis clos est très vite prononcé.

Les débats, incertains, semblent tourner en faveur de l'accusé, lorsque, le 21 décembre, le commandant Henry, l'un des officiers du service de contre-espionnage, demande à prendre la parole. Debout, face aux juges, bombant le torse dans une pose théâtrale, il s'exclame en désignant du doigt Dreyfus : « J'affirme, moi, que le traître, le voici ! » C'en est fait. Le lendemain, les sept juges du conseil de guerre — à qui on a communiqué, de surcroît, un dossier secret dont les pièces semblent accablantes — rendent leur jugement, « au nom du peuple français ». Le « nommé Dreyfus, Alfred » est déclaré coupable d'avoir « livré à une puissance étrangère ou à ses agents un certain nombre de documents secrets ou confidentiels intéressant la défense nationale ». Il est condamné, « à l'unanimité », à la dégradation militaire et à la déportation dans une enceinte fortifiée. Le 5 janvier 1895, la cérémonie a lieu dans la grande cour de l'École militaire devant une foule hostile, criant sa haine. Pour Dreyfus, des deux peines qu'il doit subir, cette mise à mort symbolique sera la plus terrible.

Le bagne de l'île du Diable

Au large de la Guyane, l'archipel des îles du Salut est composé d'un ensemble de trois petites îles. Les deux premières, l'île Royale et l'île Saint-Joseph, rappellent

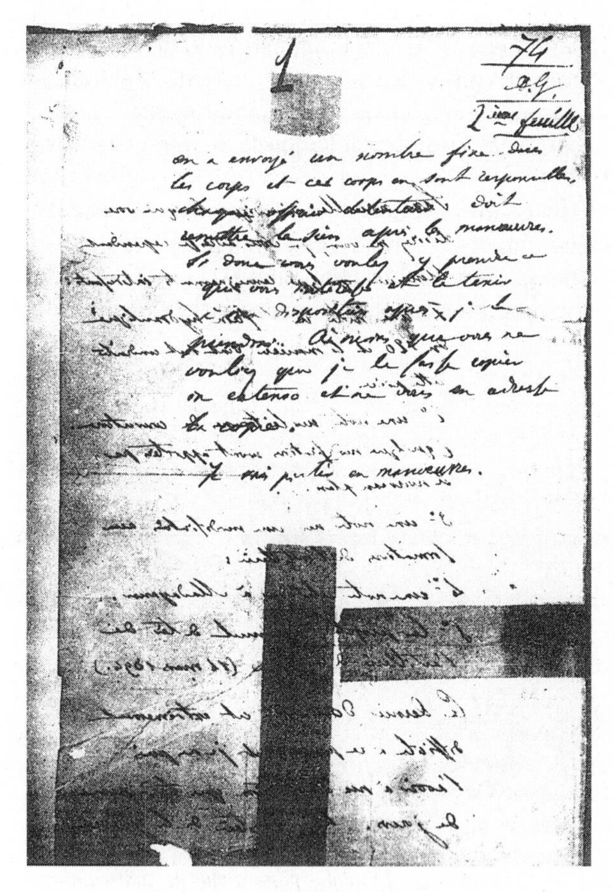
74

D.G.

2ème feuille

on a envoyé un nombre fixe dans
les corps et ces corps en sont responsables.
doit
remettre le sien après les manœuvres.
Si donc vous voulez y prendre ce
qui vous intéresse et la tenir
à ma disposition après, je la
prendrai. À moins que vous ne
vouliez que je le fasse copier
in extenso et ne vous en adresse
la copie.
Je vais partir en manœuvres.

Le « bordereau » qui déclenche l'Affaire a été prélevé dans une corbeille à papier de l'ambassade d'Allemagne par l'agent « Auguste », qui pourrait être la femme de ménage, Marie Bastian : attribué à Dreyfus, il est en réalité de la main d'Esterhazy.

par leur nom l'époque de leur colonisation. À la dernière s'attache une dénomination sinistre : l'île du Diable. L'endroit est insalubre. Le paludisme y sévit. C'est un bagne abandonné qu'on réaménage pour accueillir le « traître » et les gardiens chargés de le surveiller.

Les conditions de sa peine s'aggravent à partir de septembre 1896, lorsqu'une rumeur fait craindre au ministre des Colonies la possibilité d'une évasion. On supprime alors toute promenade : le prisonnier est

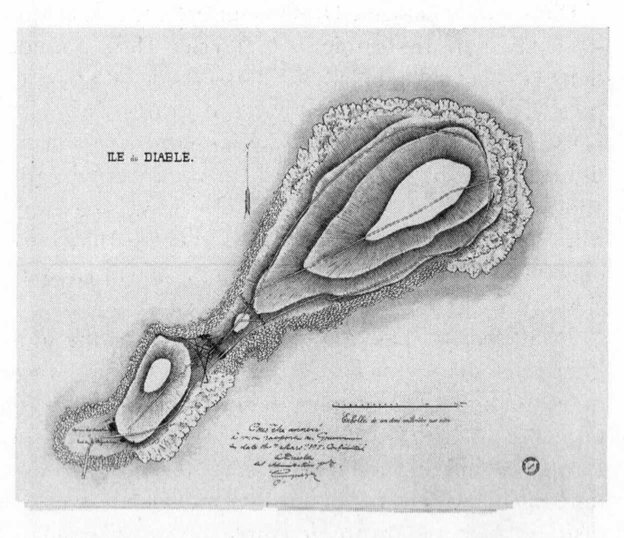

L'île du Diable. Alfred Dreyfus passera plus de quatre années sur cet îlot, enfermé la nuit dans une case et ne bénéficiant que de quelques moments de liberté dans la journée. « Dès que je sortais, j'étais accompagné par le surveillant de garde qui ne devait pas perdre de vue un seul de mes gestes », racontera-t-il plus tard dans Cinq années de ma vie.

enfermé dans sa case, elle-même doublée d'une palissade, et passe ses nuits au régime de la « double boucle », c'est-à-dire les fers aux pieds. Dreyfus résistera pourtant. À la chaleur étouffante, à la maladie, à la solitude surtout, occupée par quelques livres, sans cesse relus, et les lettres de sa femme qu'on lui transmet irrégulièrement. Un jour, malgré tout, au début de l'été 1898, un gardien osera s'approcher de lui et lui murmurer ces quelques mots d'espoir : « Il y a un homme qui s'occupe de vous. »

Dans son isolement, Dreyfus ignore tout de ce qui s'est passé en métropole le 23 février 1898 quand, dans la vaste salle de la cour d'assises de la Seine, le public attend l'issue du procès d'Émile Zola. Le romancier est poursuivi pour diffamation, à la suite de son « J'Accuse... ! » que *L'Aurore* a publié dans son numéro du 13 janvier. Dreyfus ne sait pas non plus que, depuis février 1895, son frère Mathieu cherche à l'innocenter et a demandé au journaliste Bernard Lazare d'établir l'erreur judiciaire.

Parallèlement, des changements déterminants sont intervenus à la tête de la « section de statistique », ainsi qu'est pudiquement désigné le contre-espionnage militaire. Au colonel Sandherr a succédé le commandant Picquart : l'interception d'un message de l'attaché militaire allemand (le « petit bleu »), a mis Picquart sur la piste du véritable traître, le comte Walsin Esterhazy, un officier d'infanterie d'origine hongroise, criblé de dettes, d'une moralité douteuse... Picquart s'est fait communiquer le dossier secret et a remarqué à quel point l'écriture d'Esterhazy ressemblait à celle du bordereau... Le 5 août 1896, il en informe le général de

Boisdeffre, chef de l'état-major — lequel ne veut pas entendre parler d'erreur judiciaire. Henry, adjoint de Picquart, fait opportunément apparaître un document qu'il prétend provenir de l'ambassade d'Allemagne et qui confirme la culpabilité de Dreyfus. Un faux, une « forgerie », pour sauver l'honneur de l'armée dans une France obsédée par l'idée de la Revanche.

Picquart est bientôt éloigné du ministère, puis muté en Tunisie : plus tard, Henry et du Paty de Clam ayant fait en sorte qu'Esterhazy soit lavé de tout soupçon, il sera accusé d'avoir fabriqué lui-même le « petit bleu », puis emprisonné et chassé de l'armée... Craignant pour sa vie, il révèle son secret à son ami l'avocat Leblois, Alsacien comme lui, qui en juillet 1897 alerte un autre Alsacien, Auguste Scheurer-Kestner, vice-président du Sénat. Ce dernier prend connaissance de l'enquête conduite par Bernard Lazare et rencontre Mathieu Dreyfus : les « dreyfusards » entrent en action. Zola les rejoint et c'est toute la machination ourdie au ministère de la Guerre qu'il révèle dans « J'Accuse... ! ». La sentence tombe : un an de prison et trois mille francs d'amende — le maximum de la peine encourue. S'élevant de la foule qui entoure le tribunal, des clameurs de joie saluent cette condamnation. « Ce sont des cannibales ! » s'exclame Zola... « Si l'on nous avait acquittés », dira plus tard Georges Clemenceau, directeur politique de *L'Aurore*, « pas un de nous ne serait sorti vivant ».

La réhabilitation d'Alfred Dreyfus

Zola doit fuir en Angleterre, mais le procès a relancé l'Affaire, d'autant qu'un des officiers entendus, le colonel de Pellieux, a eu la maladresse d'évoquer pendant l'audience la présentation d'un dossier secret devant le conseil de guerre, c'est-à-dire des pièces que la défense n'a pu examiner. Le ministre de la Guerre, Cavaignac, en donnera lecture le 7 juillet à la Chambre, mais le 13 août, ses services se rendent à l'évidence : la seule pièce véritablement accusatrice, le « faux Henry », n'est qu'un grossier montage.

Le commandant Henry, emprisonné au Mont-Valérien, est découvert dans une mare de sang le 31 août 1898 : suicidé, officiellement, avec un rasoir laissé dans sa cellule. Esterhazy s'enfuit en Belgique, puis en Angleterre. Dès lors, malgré la colère des « antidreyfusards » qui agite le pays, le procès Dreyfus doit être révisé.

Embarqué le 6 juin 1899 sur le croiseur *Sfax*, le capitaine quitte la Guyane pour passer devant un nouveau conseil de guerre, à Rennes : en septembre, il est condamné à dix ans de détention « avec circonstances atténuantes », verdict absurde qui conduit le président Loubet à le gracier.

Dreyfus est libre mais devra encore batailler pendant sept ans pour prouver son innocence. Le 12 juillet 1906, la cour de Cassation, toutes chambres réunies, annule le jugement porté contre lui : elle affirme solennellement que « c'est par erreur et à tort » que le capitaine a été autrefois condamné. Le lendemain, la

Chambre des députés vote une loi réintégrant Dreyfus dans l'armée avec le grade de commandant. Une autre loi, le même jour, réintègre Picquart avec le grade de général : Clemenceau, qui arrive à la tête du gouvernement le 25 octobre, le nomme ministre de la Guerre. Ainsi s'achèvent douze années d'une crise politique qui aura profondément divisé la France.

✦

UN DOSSIER FRAGILE

La perquisition opérée au domicile du capitaine Dreyfus ne donne rien de décisif, comme le montre l'inventaire ci-dessous. Si le 2e Bureau et sa « section de statistique » se préoccupent de l'activité déployée par l'attaché militaire allemand Schwartzkoppen et son homologue italien Panizzardi, aucun élément sérieux ne permet de prouver l'implication de Dreyfus. Accablé par des faux, ce dernier demande encore, depuis l'île du Diable où il est relégué, que l'enquête continue.

Inventaire des pièces et objets perquisitionnés au domicile du capitaine Dreyfus, 8 janvier 1895

[...] Scellé n° 1 : six volumes. Trois volumes du cours d'artillerie professé à l'École de guerre, un volume du cours professé à l'École supérieure de guerre sur la tactique de l'infanterie, un volume des conférences faites sur l'artillerie à l'École de guerre et enfin un volume du cours professé à l'École de guerre sur l'organisation des armées contemporaines.

Scellé n° 2 : six volumes. Deux volumes du cours d'artillerie professé à l'École de guerre, deux volumes du cours de fortification permanente professé à l'École de guerre, un volume du cours fait à l'École de guerre sur la guerre turco-russe ; enfin un volume du cours professé à l'École de guerre sur la tactique de l'infanterie.

Scellé n° 3 : six volumes. Deux volumes du cours d'histoire militaire, un volume du cours de tactique de cavalerie, un volume du cours de fortifications passagères, un volume du cours d'histoire militaire (campagne de 1805), professés à l'École de guerre, et enfin un volume du cours d'histoire militaire (campagne de 1809).

Scellé n° 4 : trois volumes et un carnet. Deux volumes (campagne 1870-1871), un atlas (fortification permanente), un carnet de notes sur la visite à la frontière du Jura et du nord-est en 1891.

Scellé n° 5 : deux cartons. Un carton contenant des cours autographiés de l'École de guerre avec cartes à l'appui, un carton renfermant des cartes de l'état-major au 180 millième.

Scellé n° 6 : trois cartons. Un carton renfermant des cartes d'état-major à diverses échelles ; deux cartons renfermant des cours autographiés de l'École de guerre avec cartes à l'appui.

Scellé n° 8 : douze fascicules. Cinq fascicules du cours d'art militaire (géographie) professé à l'École d'application de génie et artillerie ; un fascicule du cours d'histoire militaire et de stratégie (École de guerre), un fascicule du cours d'état-major, un fascicule du cours de télégraphie, un fascicule sur le mode de combat de l'infanterie, un fascicule sur l'artillerie de forteresse, une instruction tactique sur les manœuvres de cavalerie en 1888, enfin, une liasse de cartes, travaux et études de manœuvres.

Scellé n° 9 : échantillon de pyrotechnie, une boîte.

Scellé n° 10 : deux cahiers et cinq liasses et trois calepins. Deux cahiers cours de géographie, une liasse Kriegspiel, une liasse travail d'étude (service d'état-major), une liasse travail sur la tactique d'infanterie et d'artillerie, une liasse de travaux divers ; enfin, une liasse d'études diverses. Trois carnets de notes sur les grandes manœuvres, la frontière des Alpes et du Sud-Est.

[SHD 4J118]

✦

« *Comment sont nés les premiers soupçons de la culpabilité de* Dreyfus », *extrait d'une note du* 10 *septembre* 1898

Depuis 1870, l'Allemagne a organisé chez nous et contre nous un service d'espionnage dirigé par ses attachés militaires à Paris.

Ceux-ci se mettaient généralement en rapport personnel et direct avec des personnes qui se chargeaient de les renseigner. Souvent aussi, ils traitaient par l'intermédiaire de quelques-uns de leurs collègues, les attachés militaires étrangers.

Nous avons la preuve que, dès le commencement de l'année 1892, le colonel Panizzardi collaborait avec le colonel Schwartzkoppen à des menées d'espionnage. Cette collaboration s'est continuée pendant tout le temps où les deux colonels ont été réunis à Paris.

En 1892, les colonels Panizzardi et Schwartzkoppen ont obtenu la livraison de plans directeurs de places fortes. La correspondance saisie indique d'ailleurs que des actes de trahison de même ordre ont été commis antérieurement à 1892. Une lettre d'un officier du service des renseignements à Berlin (le major Dame), écrite dans les premiers mois de 1893, nous apprend que les plans proviennent du ministère de la Guerre. Un télégramme en allemand, adressé de Berlin à Schwartzkoppen, à la fin de cette même année 1893, permet de croire que d'autres documents, provenant également du ministère de la Guerre, ont été livrés. [...]

[SHD 4J118]

✦

Lettre de Dreyfus au général de Boisdeffre, îles du Salut, 20 septembre 1896

Mon Général,

Après une lutte de deux années contre la fatalité la plus épouvantable qui puisse s'acharner après un homme, épuisé aujourd'hui de corps et d'âme, je viens faire un appel suprême à votre cœur, mon Général, sûr que vous l'entendrez.

Je vous parle au nom de mes enfants.

Vous êtes père, mon Général, et vous me comprendrez.

Innocent d'un crime aussi abominable, qui pèse d'un poids si lourd sur mes chers petits, je vous en conjure, mon Général, je vous en supplie à mains jointes, faites poursuivre activement, infatigablement les recherches, faites faire tout ce qui est humainement possible pour déchiffrer l'énigme de cet effroyable drame.

C'est au nom de mes enfants, mon Général, que je vous jette ce cri d'appel suprême, sûr que vous l'entendrez.

Je vous prie de vouloir bien agréer l'expression de mes sentiments respectueux.

[SHD 4J118]

✦

LES JURÉS AU PROCÈS ZOLA FICHÉS

Au mépris de tout droit, les enquêteurs de la Préfecture de police se sont renseignés sur les jurés au procès Zola, dont chacun a fait l'objet d'une fiche détaillée. Celle d'Auguste Dutrieux (*voir p. 66*) *— à qui sera confiée la mission délicate de présider le jury — décrit un citoyen modèle. Habitant rue de la Chapelle, ce négociant en charbons « passe pour avoir des idées très modérées » : l'expression est soulignée sur la fiche. Il « appartient à la religion catholique » et ne lit guère les journaux, se contentant d'acheter quelquefois un numéro du* Petit Parisien, *plutôt conservateur.*

Issus de la petite bourgeoisie commerçante, tirés de leurs occupations quotidiennes et plongés soudainement dans un univers inconnu, les jurés ont accompli leur tâche avec sérieux, suivant avec attention l'ensemble des débats qui ont occupé quinze longues audiences, entre le 7 et le 23 février 1898.

Ils prononcent alors le verdict que le gouvernement attend, mais leur flottement a été perceptible au cours des débats. La condamnation de Zola n'est obtenue qu'à la majorité et les « circonstances atténuantes », à une voix près, auraient pu être accordées.

VICTOR BERNIER.

M. Bernier (Victor-Auguste), né à Pont-sur-Yonne (Yonne) le 21 juillet 1845, est marié et père de cinq enfants.

Il demeure depuis plus de 20 ans passage Saint-Sébastien n° 15 (et non rue), où il est établi entrepreneur de plomberie, tôlerie et fumisterie ; il occupe l'immeuble en totalité.

Son commerce est prospère et sa fortune s'élèverait à 300 000,00 francs environ.

Le sieur BOULDOIRES (Jean-François), marchand de vins en gros, né à Laguiole (Aveyron), le 31 Décembre 1845, appartient à la religion catholique, mais ce n'est pas un pratiquant .

Sa femme et sa fille assistent quelquefois aux offices religieux de leur paroisse .

Le susnommé professe des opinions républicaines radicales; il a déclaré dans maintes professions de foi, alors qu'il était candidat au Conseil municipal de Vanves, être un adversaire du cléricalisme et de la réaction .

Il a fait partie du conseil municipal de Vanves, de 1893 à 1896, et n'a pas été réélu aux dernières élections.

Le sieur BOULDOIRES lit comme journal quotidien Le " Petit Parisien " et quelquefois, soit " L'Eclair, soit " L'Intransigeant "

Il demeure,à Vanves, 2 rue Raspail et 39 rue de la Mairie, où sont situés ses magasins de vins et spiritueux; il est propriétaire de l'immeuble, et représenté comme se trouvant dans une position très aisée.

Il est électeur à Vanves .

Fiche du juré Bouldoires, *l'un des plus politisés puisqu'il a été conseiller municipal radical-socialiste de Vanves.*

Le susnommé, qui est du culte catholique, paraît ne s'occuper que de ses affaires commerciales et se désintéresser complètement de la politique ; on le croit toutefois républicain modéré.

Il n'est abonné, croit-on, à aucun journal politique, mais il achèterait au numéro *Le Petit Parisien*, *Le Petit Journal* et quelquefois *L'Écho de Paris* ou *Le Journal*.

Les renseignements recueillis sur le compte de M. Bernier sont favorables.

JEAN-FRANÇOIS BOULDOIRES.

Le sieur Bouldoires (Jean-François), marchand de vins en gros, né à Laguiole (Aveyron), le 31 décembre 1845, appartient à la religion catholique, mais ce n'est pas un pratiquant.

Sa femme et sa fille assistent quelquefois aux offices religieux de leur paroisse.

Le susnommé professe des opinions républicaines radicales ; il a déclaré dans maintes professions de foi, alors qu'il était candidat au conseil municipal de Vanves, être un adversaire du cléricalisme et de la réaction.

Il a fait partie du conseil municipal de Vanves, de 1893 à 1896, et n'a pas été réélu aux dernières élections.

Le sieur Bouldoires lit comme journal quotidien *Le Petit Parisien* et quelquefois, soit *L'Éclair*, soit *L'Intransigeant*.

Il demeure, à Vanves, 2 rue Raspail et 39 rue de la Mairie, où sont situés ses magasins de vins et spiritueux ; il est propriétaire de l'immeuble, et représenté comme se trouvant dans une position très aisée.

Il est électeur à Vanves.

ABEILLARD BRUNO.

Le sieur Bruno (Abeillard-Désiré), né le 28 novembre 1841, à Stains (Seine), est marié et père de famille.

Il habite, depuis sa naissance, 59 rue Carnot à Stains, où il est établi marchand de nouveautés, épicier et logeur.

Bruno est propriétaire de la maison qu'il occupe.

Il est catholique, mais ne pratique pas ; sans être clérical, il a des relations avec le curé de Stains, qu'il reçoit à sa table.

Ses sympathies politiques sont acquises au gouvernement actuel.

Il condamne la campagne menée en faveur de Dreyfus.

Bruno est bien représenté.

Il est abonné au *Petit Journal.*

ÉMILE CAHEN.

Le sieur Cahen (Émile), rentier, né au Havre (Seine-Inférieure), le 7 février 1848, demeurant, 4 rue de Sfax, est israélite.

Il est abonné au *Figaro* et à *L'Éclair.*

Il est bien représenté.

ERNEST CHEVANIER.

M. Chevanier (Ernest, Albert) né à Jouy-sur-Morin (Seine-et-Marne), le 24 février 1858, appartient au culte catholique, et ses sympathies paraissent acquises au parti républicain modéré.

Il est honoré d'avoir été désigné pour juger l'affaire Zola, mais par contre, il ne dissimule pas que cette affaire lui causera un certain préjudice, puisqu'il devra s'absenter plusieurs jours, à l'heure précisément où sa présence est la plus nécessaire à son commerce de vins-restaurant, 3 rue Monge, où il est établi depuis deux ans.

Il se propose de juger sans parti-pris, en toute conscience, et avec impartialité. Il compte que les débats l'éclaireront plus largement sur le procès que ne l'ont fait les journaux. En définitive, il condamnera si le prévenu est coupable, sans se laisser influencer par les campagnes de presse des partisans de l'ex-capitaine Dreyfus, pour lequel il ne manifeste aucune sympathie.

M. Chevanier montre volontiers l'assignation qui lui a été faite.

Il paraît dégagé de toute attitude avec le parti juif et animé d'un esprit indépendant.

Il est bien réputé et on n'a rien à lui reprocher.

Le susnommé lit les journaux achetés pour les consommateurs de son débit : *L'Intransigeant*, *Le Petit Journal* et *L'Éclair*.

HENRI DALLIER.

Monsieur Dallier Henri, Édouard, né à Reims (Marne), le 20 mars 1829, marié, demeure depuis plusieurs années, boulevard Péreire n° 7.

Il appartient à la religion catholique et est organiste à l'église Saint-Eustache, depuis plus de 30 ans.

Il reçoit les journaux suivants : *Le Gaulois*, *Le Figaro*, *La Croix* et *L'Autorité*.

On le dit patriote.

Son nom ne figure pas aux sommiers judiciaires.

AUGUSTE DUTRIEUX.

Monsieur Dutrieux Auguste, Nicolas, né le 22 novembre 1844 aux Roches de Coudrieux (Isère) est marié, sans enfants.

Il demeure depuis de nombreuses années rue de la Chapelle, 94, où il est établi marchand de charbons en gros.

Il est à la tête d'une maison assez importante et passe pour être dans une belle situation de fortune.

M. Dutrieux ne reçoit par l'intermédiaire de sa concierge, ni lettres, ni journaux, car il a sous sa porte d'entrée, une boîte aux lettres qui lui est spécialement affectée.

Il passe pour avoir des idées très modérées, ne s'occupant pas de politique et ne faisant partie d'aucune commission scolaire ou autre de l'arrondissement.

Il achète quelquefois des journaux dans un kiosque du voisinage et principalement *Le Petit Parisien*.

Il appartient à la religion catholique ; sa femme se rendrait régulièrement aux offices de l'église voisine, mais lui n'y assisterait pas.

Il jouit dans le voisinage d'une excellente réputation, tant au point de vue commercial, qu'au point de vue de la vie privée.

M. Dutrieux est inscrit sur les listes électorales du 18e arrondissement.

Son nom ne figure pas aux sommiers judiciaires.

ALFRED EGASSE.

M. Egasse (Alfred), né à Jouar-Pont-Chartrain [*sic*] (Seine-et-Oise) le 23 octobre 1838, est marié et père de deux enfants : un fils, âgé de 20 ans environ, et une fille de 16 ans.

Il demeure depuis une quinzaine d'années rue Perdonnet n° 14, où il occupe un appartement de 900 francs de loyer annuel.

Le susnommé, qui est architecte et métreur-vérificateur, s'occupe plus spécialement de règlements de mémoires et paraît se trouver dans une situation modeste.

Sa femme et sa fille s'occuperaient à des travaux de couture, et son fils serait employé dans une maison de commerce.

Il appartient à la religion catholique.

M. Egasse n'est abonné à aucun journal, mais il lit *L'Écho de Paris*, *Le Journal*, et quelquefois, *Le Temps*.

On n'apprend pas qu'il s'occupe de politique, mais on le représente partisan des institutions républicaines.

Les renseignements recueillis sur son compte sont favorables à tous égards et il est considéré comme un homme très honorable.

ÉDOUARD GRESSIN.

Le sieur Gressin (Édouard, Alphonse, Henri), propriétaire, né à Vaugirard (Seine), le 28 mai 1846, demeure boulevard Pasteur, 18, dans un immeuble lui appartenant.

Il est fort estimé dans son voisinage.

Le sieur Gressin, qui se dit homme de lettres, mène une existence assez retirée.

On le croit sympathique au gouvernement de la République.

Bien qu'on n'ait pu savoir exactement à quelle religion il appartient, on peut affirmer qu'il n'est pas juif.

ANTOINE JOURDE.

Monsieur Jourde Antoine, né à Larodde (Puy-de-Dôme) le 1er août 1859, est célibataire.

Depuis longtemps, il occupe, avec son frère, rue Vitruve, 85, une maison d'habitation avec dépendances, écuries et magasins.

Il est marchand de peaux de lapins, et on le dit dans l'aisance.

Les renseignements sur son compte, au point de vue de la conduite et de la moralité, lui sont favorables.

M. Jourde passe pour être un républicain modéré, cependant il n'a jamais paru s'occuper de politique.

Il ne serait abonné à aucun journal, mais lirait, dit-on, *Le Petit Parisien*.

Il appartient à la religion catholique.

Son nom ne figure pas aux sommiers judiciaires.

AUGUSTE LEBLOND.

Monsieur Leblond Auguste, né le 19 mars 1846 à Montmorency (Seine-et-Oise), est marié, sans enfant.

Depuis plusieurs années, il demeure rue Rochechouart, 53, et possède des ateliers de couverture de plomberie au n° 38 de la même rue.

On le dit dans une brillante situation de fortune.

Il appartient à la religion catholique, et a un de ses parents, un cousin, croit-on, prêtre.

Il lirait les journaux les plus divers et ne serait abonné à aucun.

Il est connu dans les environs comme favorable à la forme actuelle du gouvernement.

Il travaille, paraît-il, pour MM. Rothschild, Hirsch, et pour d'autres grands propriétaires de Paris.

Son nom ne figure pas aux sommiers judiciaires.

GEORGES LEDUC.

Le sieur Leduc, Georges, Victor, vérificateur à la Banque de France, né à Sevran (Seine-et-Oise), le 29 mai 1861, demeurant 58, avenue Malakoff, est catholique.

Il est abonné au *Petit Journal*. Il est bien représenté.

Son beau-père, qui demeure à la même adresse, est abonné au *Figaro*.

FRANÇOIS MATRAY.

Monsieur Matray François, né à Villié (Rhône), le 22 septembre 1859, marié, sans enfants, demeure depuis 1889, rue Sorbier 23 bis.

Sa femme, aidée d'une bonne, exploite à cette adresse depuis environ deux ans, un débit de vins.

M. Matray travaille au-dehors, chez un marchand de vins en gros.

M. STALBERGER (Adolphe-Simon), né à Guebwiller (Haut-Rhin) le 20 Décembre 1853, est marié, sans enfants.

Il demeure depuis de nombreuses années 42, boulevard du Temple, où est établi le siège de la Compagnie d'assurances contre la mortalité des bestiaux dite: "L'Avenir" (Assurances mutuelles à primes variables).- Le loyer est de 4000 fcs par an.

Cette Société est, affirme-t-on, sérieuse.

M. STALBERGER est représenté comme un très honnête homme.

On ignore s'il est abonné à un journal quelconque, mais il lit journellement "La Libre Parole" et "L'Intransigeant".

Au point de vue de la religion, on ne peut se prononcer; d'aucuns le disent israélite, d'autres au contraire le donnent comme catholique.

Fiche du juré Stalberger : les policiers n'arrivent pas à déterminer si ce nom alsacien est celui d'un juif ou d'un catholique, mais ils savent que cet « honnête homme » lit chaque jour le journal antisémite La Libre Parole.

Il y a quelques années, il avait un autre débit rue des Rondeaux 64.

Ses ressources reposent seulement sur le produit de son travail personnel ; son commerce de vins n'étant pas prospère.

Les renseignements recueillis sur son compte au point de vue de la conduite et de la moralité, lui sont favorables.

Il appartient à la religion catholique.

Au point de vue politique, il professe des opinions socialistes.

Aux dernières élections, il faisait partie des Comités Vaillant et Landrin.

On le représente comme un homme peu favorable à l'autorité.

Chez lui, on a remarqué, sur le comptoir de sa salle de débit, les journaux L'*Intransigeant* et *La Petite République*.

Son nom ne figure pas aux sommiers judiciaires.

LOUIS MISPOLET.

Le sieur Mispolet, Louis, Eugène né le 13 avril 1846 à Voves-Chartres (Eure-et-Loir), quincaillier, rue de Patay, 113, appartient à la religion catholique et c'est un lecteur assidu du journal L'*Intransigeant*.

Il est bien représenté sous tous les rapports.

CHARLES DE MONTIGNY-TURPIN.

M. de Montigny-Turpin (Charles) né à Clamart (Seine) le 18 février 1861, est marié à Mlle Larroumes, fille du juge de paix du XVIe arrondissement.

Il est employé au ministère des Affaires étrangères (chef de bureau, croit-on), et demeure rue Montalivet, 16.

Le susnommé est aussi conseiller municipal de la commune de L'Haÿ (Seine), où il est propriétaire 3, rue Bronzac.

Il appartient à la religion catholique et passe pour professer de sincères opinions républicaines.

En raison de sa situation au ministère des Affaires étrangères, il reçoit différents journaux.

Les renseignements recueillis sur sa conduite, sa moralité et son honorabilité sont favorables.

ADOLPHE STALBERGER.

M. Stalberger (Adolphe, Simon), né à Guebwiller (Haut-Rhin) le 20 décembre 1853, est marié, sans enfants.

Il demeure depuis de nombreuses années 42, boulevard du Temple, où est établi le siège de la Compagnie d'assurances contre la mortalité des bestiaux dite : « L'Avenir » (Assurances mutuelles à primes variables). Le loyer est de 4 000 fr. par an.

Cette société est, affirme-t-on, sérieuse.

M. Stalberger est représenté comme un très honnête homme.

On ignore s'il est abonné à un journal quelconque, mais il lit journellement *La Libre Parole* et *L'Intransigeant*.

Au point de vue de la religion, on ne peut se prononcer, d'aucuns le disent israélite, d'autres au contraire le donnent comme catholique.

[APP Ba 1303]

✦

LE RETOUR DU CAPITAINE DREYFUS

Rapatrié de Guyane pour la révision de son procès, Dreyfus est, à bord du croiseur Sfax, *un officier aux arrêts. « Dans l'intérêt de la discipline absolue du bord », le commandant a le souci d'éviter tout incident entre son passager et son équipage.*

Ordres de service concernant la garde et le séjour du capitaine Dreyfus *à bord du croiseur* Sfax *lors de son retour de* Guyane, 9 *juin* 1899

Conformément aux instructions ministérielles le capitaine Dreyfus dont la cour de Cassation a ordonné de réviser le jugement et qui doit être traduit devant un nouveau conseil de guerre, prendra passage à bord du *Sfax* comme un officier en prévention et aux arrêts de rigueur.

En exécution de ces prescriptions, le capitaine de frégate commandant, vu le décret du 21 juin 1858 ordonne :

CONSIGNES GÉNÉRALES POUR TOUTE PERSONNE DU BORD.

Il est absolument interdit à toute personne du bord d'entrer en communication verbale avec le capitaine Dreyfus.

Le commandant, dans l'intérêt de la discipline absolue du bord, ordonne à son équipage de s'abstenir de tout acte et de tout geste relatifs à l'officier passager.

En particulier il est défendu de s'attrouper, de stationner près des endroits où se trouve l'officier passager et si on le rencontre de le fixer des yeux avec insistance.

Pendant ses promenades sur le pont, il est interdit de venir sur l'arrière du kiosque des cuisines. Une toile sera tendue en travers d'un bord pour intercepter toute communication entre l'arrière et l'avant.

Il est également interdit de circuler devant la porte de la chambre occupée par l'officier passager. Cette partie de la batterie sera consignée et on devra faire le tour par tribord en passant sur l'avant du panneau de descente de la chaufferie arrière.

Logement. Le capitaine Dreyfus sera logé dans la chambre du maître de manœuvre (qui prendra provisoirement celle du 1er maître de mousqueterie ; le 2e maître de mousqueterie chargé p. i. [par intérim] couchera dans un cadre au poste de maîtres).

Le sabord sera muni d'un grillage intérieur.

La bouteille spécialement affectée à l'officier passager sera celle de tribord derrière dans la batterie.

GARDE ET SURVEILLANCE.

Un poste de quatre hommes (fusiliers ou canonniers) commandés par un quartier-maître de mousqueterie ou de canonnage sera de garde tous les jours. Le poste se tiendra et couchera auprès de la chambre affectée à l'officier passager.

Il fournira un factionnaire devant la porte, qui sera relevé toutes les heures et exercera une surveillance de tous les instants, de jour et de nuit.

Lorsque le capitaine devra sortir, soit pour se rendre à la bouteille, soit pour monter sur le pont aux heures réglementaires fixées par le présent ordre de service, il sera toujours accompagné du quartier-maître chef de poste qui le ramènera dans sa chambre.

Pendant la promenade sur le pont le poste fournira deux factionnaires qui se placeront sur l'avant et sur l'arrière du lieu assigné et qui devront en écarter toute personne.

Il y aura deux postes composés ainsi qu'il a été dit avec des canonniers et des fusiliers choisis parmi les plus disciplinés et les plus dévoués, qui prendront le service alternativement un jour sur deux. Ces hommes seront dispensés de tout autre service.

CONSIGNES À COMMUNIQUER
AU CAPITAINE DREYFUS.

Repas. Les repas seront fournis par la table des officiers. Ils seront servis dans sa chambre le matin de 10 à 11 h et le soir de 6 à 7 h. Les mets seront apportés par un des hommes de garde.

Promenades. Les promenades sur le pont, derrière entre la portière de coupée et la dunette (tribord ou bâbord suivant les circonstances de soleil ou autres) auront lieu aux heures suivantes : le matin de 9 à 10 h, et de 11 h à midi, le soir de 5 à 6 h.

Le capitaine Dreyfus pourra se coucher dès la fin de son repas du soir. Il devra se lever assez à temps pour aller prendre l'air sur le pont à 9 h (obligatoire).

Visites médicales. Monsieur le médecin-major visitera tous les matins l'officier passager entre 8 et 9 heures. Il rendra compte de sa visite au commandant.

COMMUNICATIONS AVEC L'AUTORITÉ
DU BORD.

Les communications avec l'autorité du bord auront lieu par notes écrites qui seront remises à un homme de garde pour l'officier en second spécialement chargé de la discipline et du service intérieur.

BORD LE 9 JUIN 1899.

Le capitaine de frégate commandant Nordeck.

[SHD-Marine BB7 155]

Procès-verbal de remise du capitaine Dreyfus *entre les mains de l'autorité maritime, croiseur* Sfax, 30 *juin* 1899

Procès-verbal de remise de M. le capitaine Dreyfus entre les mains de l'autorité maritime.

L'an mil huit cent quatre-vingt-dix-neuf, le trente juin à dix heures vingt minutes du soir.

Conformément aux ordres du ministre de la Marine. Le *Sfax* ayant mouillé à 9 heures.

Remise a été faite par nous Coffinières de Nordeck, capitaine de frégate commandant le croiseur *Sfax* entre les mains de M. l'enseigne de vaisseau Loizeau, commandant le *Caudan* de la personne capitaine Dreyfus (Alfred).

De tout quoi il a été dressé procès-verbal en quadruple expédition pour valoir ce que de droit.

A. COFFINIÈRES DE NORDECK ET LOIZEAU.

[SHD-Marine BB7 155]

UN MARIN EN EAUX TROUBLES

Opium, amour et haute trahison

Jean Martinant de Préneuf

Au départ, rien que de très classique dans cette marine de la Belle-Époque. Comme tant de ses camarades, Charles Ullmo ne résiste pas aux sirènes de l'Extrême-Orient. Jeune officier prometteur, sorti cinquième de l'École navale, il devient vite opiomane. Affecté à Toulon en 1903, comme second du contre-torpilleur *Carabine*, il mène grand train, entre fumeries et salles de jeu.

Sa situation financière, déjà fragile, subit un coup fatal quand il tombe sous l'emprise de la belle Marie-Louise Welsch. L'escadre sort peu et les deux tourtereaux partagent une vie d'insouciance et de plaisir à la villa Gléglé, dans le quartier du Mourillon. Mais la semi-courtisane a des goûts de luxe, que la modeste solde d'un enseigne de vaisseau ne saurait satisfaire. L'héritage paternel a tôt fait d'être dilapidé. Criblé de dettes, aliéné par l'opium et soumis aux injonctions pressantes de sa compagne, Ullmo finit par commettre l'irréparable.

À l'été 1907, il profite de l'absence de son pacha pour photographier les codes de l'escadre de la Méditerranée, conservés dans le coffre du bord. Puis il prend une permission à Bruxelles pour tenter de vendre incognito les précieux documents à un agent au service de Berlin. Mais l'entreprise tourne court : le marin se montre gourmand et l'affaire semble trop belle pour être vraie à l'agent du Kaiser.

Ullmo, dépité, imagine alors un plan de substitution aussi audacieux qu'invraisemblable : il écrit une lettre anonyme au ministre de la Marine, Gaston Thomson, dans laquelle il offre de restituer les précieux documents contre une forte somme — sous peine de les livrer à une puissance étrangère. Contact devra être pris via les petites annonces de *La République du Var*, en utilisant des pseudonymes. Un rendez-vous est bientôt fixé dans les gorges d'Ollioules. Le 23 octobre 1907, Ullmo se jette dans la gueule du loup et les inspecteurs de la Sûreté ont tôt fait de le maîtriser.

Sur l'île du Diable

Le procès s'ouvre le 12 février 1908. L'accusé reconnaît les faits et se montre coopératif. Reconnu coupable de haute trahison par le 1er conseil de guerre maritime permanent de Toulon, il est condamné à la dégradation publique et à la déportation à perpétuité. Le 12 juin 1908, l'infamante cérémonie se déroule place Saint-Roch devant une foule nombreuse et hostile. Ullmo subit sans broncher l'humiliation publique. Un mois plus tard, c'est un homme brisé qui est incarcéré à l'île du Diable, dans la case qu'a occupée avant lui Alfred Dreyfus. Deux ans à peine après la conclusion de l'Affaire, le scandale éclabousse le seul officier

Provient de l'École Navale

NOTES CONFIDENTIELLES.

M. Ullmo,
Charles, Benjamin,
Né le 17 Février 1882, à Lyon (Rhône)

GRADES.	DÉCORATIONS.
Entré au Service le 1er octobre 1898.	—
Aspirant de 2ème classe le 1er Août 1900.	
~ id ~ 1ère classe le 5 8bre 1901.	
Enseigne de Vaisseau, le 5 octobre 1903.	

Condamné, le 22 février 1908, par le 1er conseil de guerre maritime permanent de Toulon, à la déportation dans une enceinte fortifiée et à la dégradation militaire pour crime de haute trahison.

Dégradé le 12 Juin 1908

LE CHEF DU BUREAU
DE L'ÉTAT-MAJOR DE LA FLOTTE
ET DE LA JUSTICE MARITIME

Document extrait du dossier militaire de Charles Ullmo. On peut lire en travers de la page : « Condamné, le 22 février 1908, par le 1er conseil de guerre maritime permanent de Toulon, à la déportation dans une enceinte fortifiée et à la dégradation militaire pour crime de haute trahison. »

juif du Grand Corps. Le scénario semble identique : même accusation, même scène de dégradation, même lieu de déportation. Cette fois, pourtant, l'affaire ne suscite aucune manifestation significative d'antisémitisme. Certes, les faits sont prouvés, l'officier les a lui-même reconnus. Mais l'opinion et la presse se passionnent pour les détails scabreux de l'affaire, sans s'appesantir outre mesure sur l'appartenance religieuse. Il s'agit surtout d'éviter que ne se reproduise pareille dérive. Dès le 1er octobre 1908, un décret autorise à poursuivre les individus soupçonnés de détention ou de préparation d'opiacés.

Condamné repentant et détenu modèle, Ullmo finit par émouvoir. Le 15 mars 1923, le gouverneur de la Guyane l'autorise à séjourner à Cayenne. Bientôt, la République des lettres s'en mêle. Le grand Albert Londres en personne plaide sa cause auprès du président Gaston Doumergue. Son successeur, Albert Lebrun, finit par signer sa grâce en 1933. Mais Charles Ullmo, affaibli par ses excès de jeunesse et la rudesse de sa captivité, a sombré dans un profond mysticisme, allant jusqu'aux confins de la folie. Rentré en France, il ne parvient pas à se réadapter à la vie métropolitaine. Il meurt oublié de tous à Cayenne, en 1957, non loin de cette île du Diable où il a expié sa trahison.

✦

DEMANDE DE GRÂCE

Plus de vingt ans ont passé, Ullmo est devenu un détenu modèle oublié de tous. Il croupit en Guyane et son sort émeut le grand journaliste Albert Londres qui plaide sa cause auprès de Gaston Doumergue. La grâce présidentielle n'est accordée qu'en 1933 et c'est un homme à la santé morale et physique ébranlée qui recouvre la liberté.

Lettre d'Albert Londres au président de la République Gaston Doumergue, 17 novembre 1930

Voilà deux ans vous m'avez fait l'honneur de m'accorder une audience au sujet d'une demande de grâce formulée par le condamné à la déportation perpétuelle Charles Benjamin Ullmo. Je me suis permis, revenant de la Guyane, d'attirer votre attention sur le cas émouvant de ce condamné.

À cette heure, Ullmo expie depuis plus de vingt-deux ans, dont quinze années de solitude absolue, à l'île du Diable. Sa conduite, pendant cette longue expiation, n'a cessé d'être remarquablement exemplaire. L'administration pénitentiaire ne pourrait que confirmer ce fait, sans doute unique. Les derniers gouverneurs de la Guyane ont émis un avis favorable à la demande de grâce de ce condamné.

La demande de grâce pour laquelle vous m'avez fait l'honneur de me recevoir n'a pas abouti.

Aujourd'hui, Ullmo renouvelle sa supplique. C'est à ce sujet, monsieur le Président, qu'une fois encore je me permets de m'adresser à vous.

Une faute, une faute de jeunesse qui n'eut heureusement aucune conséquence pour la Patrie peut-elle être expiée ? La loi le reconnaît elle-même puisque le droit de grâce est inscrit dans nos institutions.

Si quelqu'un a expié totalement, humblement, proprement, c'est le condamné Ullmo.

Je suis sûr, monsieur le Président, que je ne ferai pas appel en vain autant à votre cœur qu'à vos hauts sentiments de justice.

Paris 17 Novembre 1930

A Monsieur le Président de la République Française.

Monsieur le Président,

Voilà deux ans vous m'avez fait l'honneur de m'accorder une audience au sujet d'une demande de grâce formulée par le condamné à la déportation perpétuelle Charles Benjamin Ullmo.

Je me suis permis, revenant de la Guyane, d'attirer votre attention sur le cas émouvant de ce condamné.

A cette heure, Ullmo expie depuis plus de vingt deux ans dont quinze années de solitude absolue à l'île du Diable. Sa conduite, pendant cette longue expiation n'a cessé d'être remarquable-

Lettre d'Albert Londres au président de la République,
17 novembre 1930.

Toute mesure légale qui dispose du sort des hommes ne doit-elle pas être humaine avant tout ?

C'est en toute confiance que je vous remets cet appel. Veuillez croire, monsieur le Président, à l'expression de mon profond respect.

[ANOM]

Photographies anthropométriques de Charles Ullmo après son arrestation.

Entretien avec Guillaume II.

En audience officielle, mais aussi à l'issue de manœuvres ou de parties de chasse à courre, le Kaiser accorde plusieurs entretiens particuliers à l'attaché militaire français, faveur d'autant plus remarquée que ces échanges excluent aussi bien le chancelier allemand que l'ambassadeur de France, Jules Cambon.

SI PROCHE DU KAISER

Un espion sous couverture diplomatique

Bruno Fuligni

Berlin, mai 1909. Un lieutenant-colonel français de quarante-six ans, parlant allemand, se rend à l'ambassade de France où il vient d'être nommé attaché militaire. Fils d'officier, né dans une famille aisée de Douai, Maurice Pellé a conscience des espoirs placés en lui. Sorti troisième de Polytechnique, il est d'abord un « officier politique » qui, de 1896 à 1898, a assuré pour trois ministres de la Guerre les relations avec les députés. Muté à Madagascar en 1900, il s'est révélé un bon meneur d'hommes sur le terrain — gagnant l'estime et la protection de son supérieur, Joffre. Pellé, en outre, a un joli coup de crayon et sait croquer très vite un nouveau modèle de harnachement vu au passage d'un cavalier.

L'attaché militaire, c'est l'espion en chef, l'espion officiel, agissant sous couverture diplomatique. Dans les salons, il doit être à l'affût des propos à caractère militaire et nouer les contacts qu'il juge fructueux. Il lit la presse, pour en tirer des rapports sur l'état d'esprit de la population, mais recherche aussi des renseignements à la source, qu'il s'agisse des armements, des réformes militaires ou de la vie privée du Kronprinz.

Pellé, qui a suivi « un stage sérieux au 2e Bureau », s'acquitte fort bien de sa tâche. « Rempli de tact, voyant juste, instruit et se faisant bien voir partout, le lieutenant-colonel Pellé envoie les rapports les plus intéressants », indique son livret à la date du 27 novembre 1910. Il hante les champs d'aviation, scrutant les zeppelins et leurs petits frères, ces aérostats d'observation qu'on surnommera bientôt les « saucisses ». Mondain accompli, il réussit à prendre part aux chasses à courre de Guillaume II lui-même, qui semble apprécier sa compagnie. Invité chaque année aux grandes manœuvres, il signale des changements troublants : ainsi, aux belles tenues héritées de l'histoire, l'armée allemande en campagne substitue des uniformes vert *feldgrau*, difficiles à distinguer du terrain avec leurs boucles et boutons d'un bronze mat. La France, fidèle aux cuivres rutilants et aux pantalons garance, attendra la guerre des tranchées pour découvrir les vertus du camouflage.

Le « coup d'Agadir »

En 1911, rappelant ses prétentions sur le Maroc, l'Allemagne envoie la canonnière *Panther* devant Agadir. Paris réagit vivement, d'autant que Londres se montre solidaire. L'Europe n'est pas loin d'une conflagration générale, que les diplomates cherchent à conjurer.

Dans ce contexte menaçant se déroulent les manœuvres impériales d'automne. Le dernier jour, selon l'usage, les attachés militaires prennent congé de l'Empereur : cette cérémonie, qui se passe « au milieu d'un cercle d'officiers très nombreux », s'annonce donc délicate pour le représentant de l'armée française. « L'Empereur a affecté de causer avec moi beaucoup plus longtemps qu'avec les autres et cela était voulu : car à deux ou trois reprises, la conversation est tombée et il est reparti sur un nouveau sujet. »

La discussion, cordiale, se prolonge une dizaine de minutes. « Eh bien ! nous sommes tout de même encore en vie tous les deux ? » plaisante le Kaiser. « J'ai bien conscience que nos existences ne sont pas en danger », répond respectueusement l'attaché militaire. Un échange anodin en apparence, s'il ne manifestait aux yeux de tous la volonté de trouver une issue négociée : ignorant son chancelier et l'ambassadeur de France, Guillaume II s'en remet à l'habileté de l'attaché militaire, qui rapporte la conversation à son ministre : « Je n'ai pas besoin de vous dire qu'elle était intensément regardée et a été fort commentée. On a remarqué non seulement que l'Empereur avait voulu être aimable, mais qu'il paraissait en gaîté et en abandon. »

L'étincelle qui mettrait le feu aux poudres

En échange de territoires au Congo, l'Allemagne laissera la France s'emparer du Maroc. Devenu colonel, Pellé y servira auprès de Lyautey, résident général dans le nouveau protectorat. Mais il sait la guerre inéluctable. « L'orgueil national blessé, l'irritation contre nous, le désir de briser l'encerclement, la crainte d'être attaqués plus tard et j'ajoute : une grande confiance dans l'instrument de guerre qu'on a sous la main et qu'on vient de fortifier, préparent le terrain pour l'explosion de colère ou d'amour-propre national qui pourrait un jour forcer la main à l'empereur et conduire les masses allemandes à la guerre », écrit Pellé dans son rapport du 26 mai 1912. « L'occasion, l'étincelle qui mettrait le feu aux poudres, pourrait naître d'un incident quelconque entre les deux pays, ou d'une cause extérieure, telle qu'une crise entre les Balkans. Mais elle naîtrait mieux encore des maladresses et des brutalités d'une diplomatie que tiraillent des influences diverses et qui a une revanche à prendre. » Un rapport si prophétique que le président Poincaré le citera dans ses Mémoires.

Dès 1914, Joffre appelle Pellé auprès de lui au GQG de Chantilly. Le temps n'est plus aux mondanités : l'attaché militaire passe au service actif.

Général en 1914, Pellé est nommé en 1919 chef de l'importante mission militaire française en Tchécoslovaquie. Il aide le nouvel État à se doter d'une armée, dont il prend d'ailleurs le commandement pour repousser l'offensive hongroise de Bela Kun.

En 1921, il prend pied à Constantinople en tant que haut-commissaire de la République française en Orient, avec rang d'ambassadeur. La maladie le ramène en France, où il s'éteint le 15 mars 1924. Élevé le même jour à la dignité de grand-croix dans l'ordre de la Légion d'honneur, il est honoré le 22 par des obsèques solennelles en la chapelle des Invalides.

✦

DES ÉTATS DE SERVICE EXPLICITES

Après avoir servi sous ses ordres à Madagascar, de 1900 à 1903, Maurice Pellé est un protégé de Joffre, qui va l'appuyer tout au long de sa carrière, puis l'entraîner dans sa disgrâce en 1916. Ce rapport vise à décorer l'attaché militaire « à qui l'Empereur avait donné maintes preuves de son estime et de sa confiance ». En audience officielle, mais aussi à l'issue de manœuvres ou de parties de chasse à courre, le Kaiser a accordé plusieurs entretiens particuliers à l'attaché militaire français, faveur d'autant plus remarquée que ces échanges entre hommes d'armes excluaient aussi bien le chancelier allemand que l'ambassadeur de France, Jules Cambon.

Rapport des généraux de Castelnau et Joffre au ministre de la Guerre, 21 mai 1912

Le colonel Pellé, attaché militaire à l'ambassade de la République à Berlin a demandé à rentrer en France pour y être pourvu d'un commandement de régiment. À cette occasion, M. le président du Conseil, ministre des Affaires étrangères, a informé M. le ministre que notre ambassadeur à Berlin lui a fait connaître le vif regret qu'il éprouvera à se séparer d'un officier aussi distingué qui avait su se créer à Berlin, tant auprès de l'autorité militaire que de la société, une excellente situation et à qui l'Empereur avait donné maintes preuves de son estime et de sa confiance.

M. le président du Conseil ajoute qu'il avait également apprécié le caractère exact et judicieux des informations recueillies par le colonel Pellé et qu'il confirme volontiers le témoignage que porte M. Jules Cambon à son sujet.

Ministère

de la Guerre

2e Bureau

RÉPUBLIQUE FRANÇAISE

Rapport fait au Ministre

le 21 mai 1912.

Analyse.

Demande d'inscription au tableau de concours pour officier de la Légion d'Honneur formée en faveur du Colonel PELLE.

Le Colonel PELLE, Attaché militaire à l'Ambassade de la République à Berlin a demandé à rentrer en France pour y être pourvu d'un commandement de régiment.

A cette occasion, M. le Président du Conseil, Ministre des Affaires Etrangères a informé M. le Ministre que notre Ambassadeur à Berlin lui a fait connaître le vif regret qu'il éprouvera à se séparer d'un officier aussi distingué qui avait su se créer à Berlin, tant auprès de l'autorité militaire que de la Société, une excellente situation et à qui l'Empereur avait donné maintes preuves de son estime et de sa confiance.

M. le Président du Conseil ajoute qu'il avait également apprécié le caractère exact et judicieux des informations recueillies par le Colonel PELLE et qu'il confirme volontiers le témoignage que porte M. Jules Cambon à son sujet.

L'Etat-Major de l'Armée en soumettant ces

hautes..........

Rapport des généraux de Castelnau et Joffre au ministre de la Guerre, 21 mai 1912.

L'état-major de l'armée, en soumettant ces hautes appréciations à M. le ministre, estime qu'il serait juste de reconnaître les excellents services rendus à Berlin par le colonel Pellé pendant ses trois années de séjour, en inscrivant d'office cet officier supérieur au tableau de concours pour le grade d'officier de la Légion d'honneur.

Le colonel Pellé a été promu colonel le 8 octobre 1911. Il compte actuellement 32 années de service, quatre campagnes de guerre et 9 années de grade de Chevalier, au total 45 annuités.

Si M. le ministre partage la manière de voir de l'état-major de l'armée au sujet de l'inscription d'office du colonel Pellé au tableau de concours pour la Croix d'officier de la Légion d'honneur, on le prie de vouloir bien revêtir le présent rapport de sa signature.

[SHD 9YD672]

Une antenne de trois cents mètres.

En dix ans, le poste de la tour Eiffel passe du stade expérimental à une intense activité d'intérêt national.

LA GRANDE BAVARDE

Gustave Ferrié et le poste de la tour Eiffel

Bernard Marrey

Le 9 août 1914, le ministre de la Guerre signe un arrêté chargeant le lieutenant-colonel Ferrié « de centraliser en qualité de directeur technique, toutes les questions relatives à la radiotélégraphie », et notamment celles qui concernent l'exploitation du réseau (ci-après).

Ce n'est en fait que la reconnaissance officielle d'un long parcours car, à quarante-cinq ans, Gustave Ferrié a fait toute sa carrière dans les télétransmissions. Fils d'un modeste ingénieur des Chemins de fer du Sud, boursier, cet enfant de la méritocratie républicaine s'est porté sur l'arme technique de préférence aux armes de tradition. Dès sa sortie de l'École polytechnique, il s'initie à la télégraphie optique, puis électrique et, en 1897, il est appelé à commander l'École de télégraphie électrique du Mont-Valérien.

En cette fin du XIXe siècle, nombreux sont les chercheurs qui, après le jeune Hertz, s'intéressent à la télégraphie sans fil : Marconi, Branly, Ducretet... Ferrié suit leurs travaux et commence à établir des liaisons dont les distances s'allongent, lorsque, le 8 mai 1902,

MINISTÈRE
DE LA GUERRE

DIRECTION
DU GÉNIE
BUREAU
DU PERSONNEL

NOTA. — Les réponses doivent, outre le numéro d'ordre, rappeler les indications de timbre ci-dessus.

RÉPUBLIQUE FRANÇAISE

LE MINISTRE DE LA GUERRE

A R R Ê T E :

Article Ier.- Le Lieutenant-Colonel FERRIE, Adjoint au Directeur du Matériel du Génie, est chargé de centraliser, en qualité de Directeur Technique, toutes les questions relatives à la radiotélégraphie et notamment celles qui concernent l'exploitation du réseau actuel, la construction et l'exploitation des lignes nouvelles, l'étude et la construction des postes fixes ou mobiles, le choix et la répartition du matériel et du personnel. Il aura qualité pour soumettre au Ministre (4ème Direction) toutes propositions utiles relatives au fonctionnement ou au développement de la Télégraphie Sans Fil.

Article 2.-Le présent arrêté entrera en vigueur à la date de ce jour.

Paris, le 9 Août I9I4.

Messimy

Arrêté du ministre de la Guerre chargeant le lieutenant-colonel Ferrié « de centraliser, en qualité de directeur technique, toutes les questions relatives à la télégraphie », 9 août 1914.

l'éruption de la montagne Pelée fait au moins trente mille morts en Martinique. L'île est alors totalement isolée, le câble qui la reliait à la Guadeloupe ayant été rompu. Ferrié propose d'établir une liaison par TSF. Il convainc ses supérieurs et parvient, le 4 décembre, à relier les deux îles, distantes de 180 km.

Trouver un rôle à la tour

Au cours de toutes ses expériences, il a vu que la distance à couvrir est en partie fonction de la longueur de l'antenne : il a donc imaginé d'en suspendre certaines à des ballons. Mais, revenu à Paris, il lorgne du côté de la tour Eiffel, haute de trois cents mètres.

En 1903, Gustave Eiffel n'est plus un héros, mais « l'affreux profiteur » du scandale de Panama. Ferdinand de Lesseps, aux abois, a fait appel à lui pour construire les écluses permettant de relier les deux océans. Mais la compagnie a été mise en liquidation sans qu'on soit certain qu'Eiffel ait commencé les travaux — ce qui n'aurait sans doute rien changé. Reste qu'il a été payé, et royalement : quatre fois le coût de la construction de la tour, alors que la plupart des épargnants ont été spoliés et certains, ruinés. Condamné à deux ans de prison en 1893, il a obtenu que le jugement soit cassé — pour prescription des faits, et non à cause de leur inexactitude... Entre-temps, il a transformé son entreprise en société anonyme et passé la direction à son gendre.

Dès la construction, Eiffel a voulu mettre sa tour au service de la science, faisant inscrire les noms de

Les principaux Centres de T.S.F.

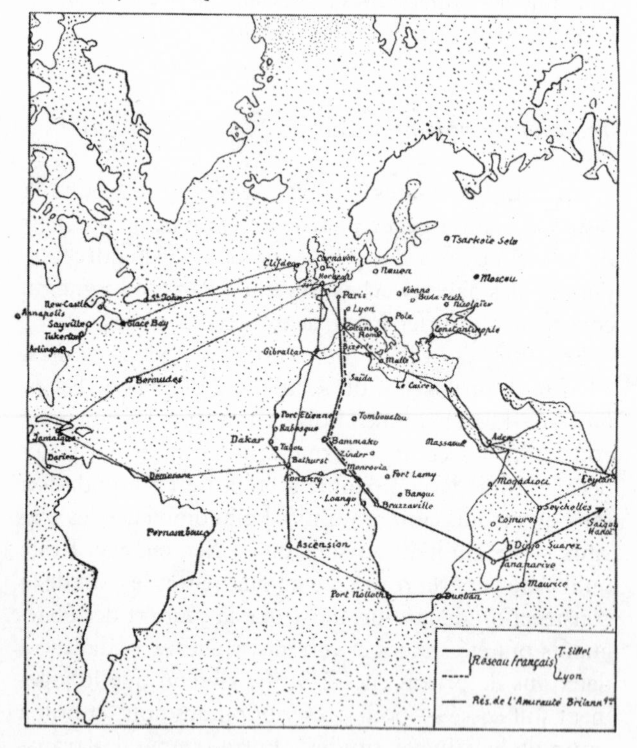

Carte des réseaux de télégraphie sans fil français et britannique.

nombreux savants sous la balustrade du premier étage. Mais il lui cherche aussi une justification scientifique, car son exploitation ne lui est concédée que pour vingt ans : le contrat doit expirer en 1909 et elle sera démantelée si on ne lui trouve aucune utilité sérieuse. Après avoir soutenu des études de météorologie, Eiffel vient de se tourner vers l'aérodynamique, lorsque, en 1903, il reçoit la visite du capitaine Ferrié. Trop heureux, il l'autorise à installer une station provisoire au sommet de la tour : les premiers essais permettent d'émettre jusqu'à 400 km !

Le 15 décembre 1903, Eiffel écrit donc au ministre de la Guerre pour lui offrir de prendre à sa charge tous les frais de l'installation et des expériences. La direction du génie accepte, le 24 janvier 1904, « sous la réserve qu'elle n'aurait aucune dépense à engager ». Ce n'est pas un vain mot : elle refusera même de payer les primes de nourriture lorsque le personnel est en déplacement ! La portée des liaisons, malgré tout, s'allonge.

Une grande première

La première application a lieu au Maroc, où l'armée envoie un corps expéditionnaire pour réprimer les insurgés, en 1907. Ferrié fait parvenir là-bas deux stations sur des voitures à cheval, lui-même s'embarquant sur le *Kléber*. Pour la première fois, des opérations militaires sont dirigées et suivies par radio entre Paris, Tanger et les zones de combat. La même année, le conseil municipal de Paris approuve une convention avec l'État, autorisant la construction d'une station souterraine pour remplacer les baraquements qui s'étalent sur le Champ-de-Mars. Sage prévision, car le rôle de la tour va devenir primordial pendant la guerre.

Décryptant de mieux en mieux les messages ennemis, Ferrié suit l'avancée de l'armée allemande. Il s'aperçoit qu'elle évite Paris et bifurque vers la Marne. Un message lui apprend que la division de cavalerie ne pourra couvrir le flanc droit de l'armée principale : aussitôt, il le transmet au général Joffre. La contre-offensive est lancée. Le général Gallieni réquisitionne les fameux taxis pour transporter la garnison de Paris et c'est la victoire de la Marne.

Les écoutes permettent aussi de repérer les réseaux d'espionnage ennemis. Les appareils se perfectionnent, le nombre de radiotélégraphistes grossit : 12 000 hommes en 1914, 55 000 en 1918 !

En 1917, les Allemands envoient les zeppelins, ces monstres de 150 à 180 m de longueur, survoler les villes. Les Parisiens craignent des bombardements. La station de la tour Eiffel réussit à localiser les engins dès le décollage et à signaler leur position aux postes frontières, qui brouillent alors la communication avec leur base et transmettent de fausses positions. Il s'en perd tant que l'état-major allemand finit bientôt par renoncer.

Le buste en bronze du général Ferrié veille sur le Champ-de-Mars aujourd'hui, près de cette « Grande Bavarde » qui a rendu tant de services.

AVANT L'ORAGE

Les télégrammes chiffrés de l'été 14

Serge Berstein

Du 31 juillet aux premiers jours d'août 1914, au ministère français de la Guerre, le tampon « À chiffrer » vient frapper une série de télégrammes pour éviter la divulgation de leur contenu. Ils sont adressés à des responsables militaires de haut rang, ou à des officiers basés dans des lieux stratégiques des frontières de l'Est. Tous concernent les mesures à prendre en cas de déclenchement des hostilités. La crise internationale ouverte le 28 juin par l'assassinat de l'archiduc héritier d'Autriche-Hongrie François-Ferdinand à Sarajevo par un jeune Bosniaque, Gavrilo Princip, dégénère en conflit armé européen.

Jusque-là, les diplomates avaient œuvré pour tenter d'éviter une conflagration entre les deux blocs rassemblant les pays du continent, la Triple Entente (France, Royaume-Uni, Russie) et la Triple Alliance (Allemagne, Autriche-Hongrie, Italie). Mais la volonté de l'Autriche-Hongrie, appuyée par l'Allemagne, de « régler son compte à la Serbie », va anéantir ces efforts. Soumis à l'influence russe, le petit royaume balkanique aspire à réunir les peuples slaves du Sud en les arrachant à l'orbite autrichienne. Le 28 juillet, l'Autriche déclare la guerre à la Serbie, provoquant en réplique la mobilisation russe. Or, la France est l'alliée du tsar et se trouve par conséquent impliquée dans le conflit.

Des troupes en état d'alerte

À ce stade, l'heure de la diplomatie est passée et l'initiative appartient aux états-majors, chargés de préparer une entrée en guerre plus que probable et de faire face à une possible attaque. Aussi s'agit-il de mettre les troupes en état d'alerte en exerçant une « surveillance très attentive » dès la nuit du 31 juillet 1914, comme le préconise le ministre de la Guerre, Adolphe Messimy, aux commandants des corps d'armée basés sur les frontières de l'Est, et d'embarquer dans le plus grand secret des troupes stationnées en Afrique du nord, comme il l'ordonne au résident général au Maroc. De son côté, le général Joffre, chef d'état-major général, prescrit aux généraux commandant les corps d'armée concernés d'interrompre les lignes électriques traversant la frontière allemande.

Toutefois, la France n'entend pas prendre l'initiative du déclenchement des hostilités : le gouvernement fait reculer les troupes à dix kilomètres des frontières et prévoit des mesures conservatoires. Le 2 août, alors que les armées allemandes pénètrent en Belgique et au Luxembourg, un télégramme chiffré du ministère de la Guerre ordonne de miner les ponts sur la Meuse de la région Dun-Stenay et au capitaine commandant le

Bureau central télégraphique de Belfort de détruire les lignes dès l'ouverture des hostilités (ci-dessous). Mesures qui deviendront effectives le 3 août avec la déclaration de guerre de l'Allemagne à la France. L'Europe s'embrase, changeant la face du monde.

MINISTÈRE
DE LA GUERRE.

RÉPUBLIQUE FRANÇAISE.

DÉPÊCHE TÉLÉGRAPHIQUE.

Paris, le 2 Août 1914.

à chiffrer

LE MINISTRE DE LA GUERRE

à M. Capitaine Andlauer
Bureau Central télégraphique
Belfort

Très urgent

n° 9053-2 SR/n Attendez pour faire exécuter destructions ouverture des hostilités.

Pour le Ministre et par son ordre :
Le Général
Sous-Chef d'Etat-Major de l'Armée,

Graziani

MINISTÈRE DE LA GUERRE — ÉTAT-MAJOR DE L'ARMÉE

Télégramme à chiffrer daté du 2 août 1914, veille de la déclaration de guerre de l'Allemagne à la France.

Belfort le 18/11. 1916

Monsieur Le Ministre de la Guerre
Paris.

Monsieur Le Ministre

J'ai l'honneur de porter à v/ connaissance que la Compagnie Maggi est une Société franco-boche.

Je suis très étonné que pareille Société peut exister en France ! et être fournisseur de L'armée !

La compagnie Maggi qui se dit Société française, a trouver moyen de se mettre en Société Franco-Suisse. Or le Franco-Suisse n'est autre chose que du Franco-Boche.

Les intérêts de cette société sont connexes avec L'allemagne.

La preuve en est que un des actionnaires boche avant la guerre, est actuellement à Wesserling et est actionnaire du Maggi de Paris

Lettre de dénonciation au ministre de la Guerre, 18 novembre 1916.

« MAGGI, C'EST BOCHE ! »

L'espionnite en action

Frédéric Pagès

L'échelle part à toute volée dans la vitrine du magasin Maggi dont l'enseigne est renversée. La foule applaudit au saccage : mort au Boche et à ses crèmeries ! Place de l'Opéra, devant le siège de la compagnie, en ce début d'août 1914, l'armée doit intervenir pour contenir des Parisiens ivres de colère. « Français, en achetant chez Maggi, à l'Allemagne vous donnez des fusils », proclament les agitateurs nationalistes. Ils ignorent qu'en réalité, Maggi est une société suisse, comme son fondateur, Julius Maggi, dont la première usine est implantée à Kemptthal, dans le canton de Zurich. Au diable la géographie !

Dès le début de la guerre, la presse multiplie les avertissements, voyant des espions partout. Le contrôleur général Jules Sébille adresse à la police et aux armées de nombreux avis de recherche. Agents de liaison, agents de renseignement, saboteurs, ils sont là, hommes et femmes, infiltrant le pays pour mieux préparer l'invasion — comme en 1870... Un mal nouveau s'empare des Français : l'espionnite, qui ne tarde pas à se cristalliser sur Maggi.

Depuis 1908, cette société fabrique et commercialise dans toute l'Europe le bouillon Kub, un extrait de viande aromatisé qu'elle vend sous forme de petits cubes. Son symbole : un K provocant, lettre funeste, concentré de germanité. K comme Kaiser et Krupp... Le Gaulois est prié d'« exiger le K », comme le proclame la publicité. Après l'Alsace et la Lorraine, voici la soupe annexée par les Germains.

Mais chacun sait qu'il y a des yeux dans le bouillon, des yeux ennemis qui observent la France. Le soupçon est relayé par des romans populaires qui paraissent en feuilleton, *L'Employé de chez Kub* et *Le Chef des K*. Maggi aggrave son cas par un recours massif à la « réclame », qui rend la marque rouge et or omniprésente. La police constate, dans tout le pays, l'apparition de plaques émaillées suspectes. Elles portent « par-derrière des signes de couleurs différentes incrustés dans l'émail et différant suivant la région notamment à la frontière », signale un enquêteur. L'affaire est entendue : sous couvert de publicité, le bouillon Kub renseigne l'envahisseur. Et l'implantation des plaques correspond au plan d'invasion de l'armée allemande.

La magie Maggi

La société Maggi réplique que ses chefs de vente sont tous Français et qu'ils ont fait leur service militaire : on peut être bon Français et aimer le bouillon en dés... Oui, mais le directeur de Maggi France porte un nom suspect : Soutter. Ses déplacements sont surveillés. Une note conservée dans les archives du

2ᵉ Bureau indique qu'« il voyage souvent en Suisse et chaque fois, il se rend aussi en Allemagne » et qu'il « est en rapports intimes avec des personnes très suspectes en Suisse ». Un ancien employé de Maggi écrit au ministre de la Guerre que « la compagnie Maggi est une société franco-boche... Les intérêts de cette société sont connexes avec l'Allemagne ». En 1915, les tribunaux français ont beau établir que « le Kub n'est pas allemand », l'Action française, Léon Daudet et ses Camelots du roy dénoncent « l'espionnage juif-allemand », « les Prussiens masqués » et un dangereux empoisonneur nommé Julius Maggi.

Les plus virulents sont les crémiers parisiens, dont le syndicat monte en première ligne pour bouter le concurrent hors des frontières. Car outre le bouillon Kub, Maggi vend du lait, un lait « boche » dont la rumeur prétend qu'il aurait empoisonné des enfants. En réalité, c'est le lait des détaillants français qui est à cette époque dangereux, souvent frelaté, mouillé d'eau plâtrée, additionné de graisse animale, de farine, de jus de carotte... Quand Julius Maggi propose ses bouteilles hermétiquement fermées, hygiéniquement irréprochables, Joseph Raguet, patron du Syndicat des crémiers de Paris et des départements, lance l'attaque contre les « capitalistes allemands » qui « parcourent les campagnes et sillonnent les routes dans leurs automobiles ».

Pourtant, après la défaite de l'Allemagne, le succès des produits Maggi ne se dément pas. Un bouillon nommé Duval ne fait pas le poids devant le Kub et le Viandox, autre concentré lancé par Liebig. Maggi gagne des parts de marché grâce à ses boîtes en métal et ses plaques d'émail. Le nouvel arôme devient aussi indispensable que le sel et le poivre. La ménagère, qui commence à se libérer des fourneaux, apprécie la magie Maggi. Adieu poule au pot du bon roi Henri, qui mijotait toute la journée !

Le bouillon Kub, enfin, contribue à bouleverser la perception du monde. On distingue nettement une publicité Maggi dans le *Paysage aux affiches* de Picasso. La critique bien-pensante hurle et qualifie par dérision de « cubiste » ce mouvement pictural d'avant-garde, étiquette que les artistes reprennent à leur compte. Apollinaire s'en amuse, lui qui dès 1913 appelait à « cubiquer » la réalité. Ainsi le bouillon Kub aura-t-il gagné la bataille en étant associé à l'une des plus grandes innovations artistiques de ce début de siècle.

Plaque publicitaire Maggi.

Les services de renseignement de l'armée française s'intéressent de près à ces plaques d'émail. Publicités ou panneaux indicateurs pour l'envahisseur allemand ?

✦

LETTRE DE DÉNONCIATION

Lettre adressée au ministre de la Guerre, Belfort, 18 *novembre* 1916

Monsieur le ministre,

J'ai l'honneur de porter à votre connaissance que la compagnie Maggi est une société franco-boche. Je suis très étonné que pareille société [puisse] exister en France ! Et être fournisseur de l'armée !

La compagnie Maggi, qui se dit société française, a trouvé moyen de se mettre en société franco-suisse. Or le franco-suisse n'est autre chose que du franco-boche.

Les intérêts de cette société sont connexes avec l'Allemagne. La preuve en est que l'un des actionnaires boche avant la guerre est actuellement à Wesserling et est actionnaire du Maggi de Paris.

[SHD 7NN2927]

✦

TÉLÉGRAMME SECRET

Télégramme du ministère des Affaires étrangères, Copenhague, 5 *février* 1918

La société Maggi avait placé en Danemark avant la guerre 15 000 affiches en métal émaillé dont elle se réservait la propriété. Ses produits étant depuis bien longtemps remplacés par des cubes de bouillon danois, les affiches viennent d'être déplacées. On a constaté qu'elles portaient par-derrière des signes de couleurs différentes incrustés dans l'émail et différant suivant la région notamment à la frontière. En raison de l'émotion publique, le ministre de la Justice vient d'[ordonner une enquête].

[SHD 7NN2927]

✦

On signale comme un
"Boche dangereux"
le n° Soutter - directeur de la
Sté Maggi - dt 101 boulᵈ Arago.
se disant d'origine danoise
ou suisse.

Extrait d'une note visant le directeur de la société Maggi.

DES MESSAGERS DANS LES AIRS

La colombophilie militaire pendant la Grande Guerre

Michaël Bourlet

En octobre 1917, un soldat allemand fait prisonnier dans les Flandres est interrogé immédiatement après sa capture par les officiers français du service de renseignement de la Ire armée. Ils cherchent à mieux connaître l'utilisation des pigeons voyageurs au sein du 45e régiment d'artillerie allemand. Combien la division compte-t-elle de colombiers ? Combien y a-t-il de pigeons par colombier ? Les colombiers sont-ils mobiles ? Comment sont-ils organisés et reliés aux postes de commandement ? Les réponses fournies par le prisonnier font l'objet d'un compte rendu d'interrogatoire, qui montre à quel point la colombophilie militaire constitue un enjeu pendant la Grande Guerre. Depuis 1914, à l'exception des Britanniques, toutes les armées européennes s'intéressent à ce mode de communication très ancien. Elles ne l'ont pas abandonné, malgré les progrès réalisés dans le domaine des transmissions avec l'apparition du télégraphe, de la télégraphie sans fil ou du téléphone. Ainsi, le 4 septembre 1914, le général Anthelme Fournier, gouverneur du camp retranché de Maubeuge, utilise un pigeon pour signaler au haut commandement la situation critique dans laquelle il se trouve.

Pendant toute la guerre, l'emploi du pigeon voyageur demeure le moyen le plus commode de communiquer pour les forteresses assiégées. L'exemple le plus connu est celui du fort de Vaux : le 4 juin 1916, le commandant Sylvain Raynal envoie le pigeon Le Vaillant, matricule 787-15. « Nous tenons toujours, mais nous subissons une attaque, par les gaz et les fumées, très dangereuse. Il y a urgence à nous dégager. Faites-nous donner de suite communication optique par Souville qui ne répond pas à nos appels. C'est mon dernier pigeon. » L'oiseau parvient à transmettre l'appel au secours, mais le fort, malgré tout, tombera.

En dépit des orages d'acier

Le pigeon voyageur reste un remarquable outil de communication et de transmission des renseignements. Au combat, les postes fixes près des troupes de ligne cohabitent bientôt avec des colombiers mobiles tel l'araba, un autobus à impériale converti en pigeonnier. Sûr et discret, le pigeon est employé quand les autres modes de liaison sont devenus trop lents, trop aléatoires ou ont cessé de fonctionner. Il assure le lien entre les premières lignes et le commandement avec une grande sûreté : échappant facilement aux nappes de gaz, aux bombardements et à l'orage d'acier, il risque moins de se perdre qu'un agent de liaison. Les oiseaux sont lâchés depuis les tranchées après avoir été orientés au sol du côté opposé aux lignes adverses. Envoyés en

Pigeon espion.

Grâce à un appareil photographique muni d'un déclencheur automatique, le pigeon permet aux armées d'obtenir des photographies aériennes du dispositif ennemi.

plusieurs exemplaires par différents pigeons, les messages parviennent aux destinataires régulièrement et rapidement. Ils renseignent le commandement sur la situation des troupes d'attaque, l'emplacement et la nature des obstacles rencontrés, ou fournissent à l'artillerie des précisions importantes quant à l'opportunité ou l'efficacité de ses feux.

Sur mer et dans les airs

Jusqu'en Orient, sur tous les fronts, le pigeon-soldat combat sur terre mais aussi sur mer et dans les airs. Il est embarqué à bord de navires, de sous-marins et même d'avions. La vie de milliers d'hommes est souvent suspendue à ce messager des airs. Les armées ne peuvent se passer de pigeons, qu'elles équipent d'appareils photographiques, de caméras ou encore de tubes porte-dépêches en aluminium contenant un croquis ou un message.

Les militaires découvrent que le pigeon peut être lâché sans aucun problème jusqu'à une altitude d'environ mille à mille cinq cents mètres. Il pique ensuite jusqu'à sa hauteur moyenne de vol, trois cents mètres. La multiplication des techniques permet aux armées de pénétrer derrière les lignes de l'adversaire et de transmettre des renseignements : le « procédé Pearson » consiste à parachuter des cages de pigeons voyageurs, que les informateurs utiliseront pour envoyer des messages côté français. Dans les « pays envahis » (les régions occupées par l'armée allemande), beaucoup de

Français et de Belges recourant à ce procédé y laisseront leur vie.

Les officiers utilisent de plus en plus les codes secrets et le chiffrage pour que le message ne puisse être compris par l'ennemi, si l'oiseau est capturé. C'est pourquoi le service colombophile français signale à plusieurs reprises la découverte, sur quelques pigeons capturés, de « petites piqûres sur certaines plumes des ailes et de la queue ». S'agit-il d'une maladie de la plume ? D'un parasite ? Ou d'un code ? Les services de renseignement français restent méfiants à l'égard de ce qui ressemble à un moyen de transmission des messages.

On estime que trois cent mille pigeons servent dans toutes les armées pendant la guerre. La France en mobilise environ soixante mille, dont un tiers vont mourir. Véritable phénomène, le pigeon voyageur est honoré dans le monde entier. Bel Ami, décoré par le commandant en chef américain, le général Pershing, pour avoir sauvé une division d'infanterie américaine en octobre 1917, est toujours conservé, naturalisé, au Smithsonian Institute de Washington. Le 23 avril 1936, un monument à la mémoire des pigeons voyageurs de la guerre est inauguré à Lille, au cœur d'une région où la colombophilie est une passion. Ce monument commémore aussi le sacrifice des hommes et des femmes qui ont maintenu le lien avec la France grâce à ce messager de la liberté.

✦

CONNAÎTRE LE DISPOSITIF ENNEMI

Ce compte rendu d'interrogatoire montre à quel point la colombophilie militaire constitue un enjeu pendant la Grande Guerre. Depuis 1914, toutes les armées européennes s'intéressent à ce mode de transmission très ancien.

Interrogatoire d'un prisonnier colombophile auxiliaire du 45e régiment d'artillerie, 21 octobre 1917

D'après les déclarations de ce prisonnier, chaque division allemande dispose d'un colombier. Une voiture de déménagement sert de colombier.

Elle contient 200 pigeons environ, les oiseaux sont donnés à l'infanterie et à l'artillerie. Les colombiers ne se déplacent pas : lorsqu'une division prend un nouveau secteur, il lui est affecté un colombier.

Un colombier transportable se trouve à Lichtervelde. Le PC de la division à laquelle il est affecté se trouve à Gits et un fil direct relie colombier et PC de division.

Il est fourni un poste de 4 PV par régiment. Ce poste est envoyé au bataillon en ligne qui ne doit s'en servir que lorsque les autres modes de liaison font défaut.

Chaque observatoire d'artillerie est doté également d'un poste de 4 PV. Le 45e régiment d'artillerie avait deux observatoires possédant chacun un poste de 4 PV. Dans les heures qui ont précédé sa capture, le prisonnier a lâché 3 pigeons. Ils couvrent la distance qui les sépare du colombier en 20 minutes environ. La relève a lieu toutes les 48 heures. Les colombophiles auxiliaires vont chercher les pigeons au colombier.

Ière Armée

Etat-Major

2me Bureau

N° 2033/2

Q.G.A. le 21 Octobre 1917 .

INTERROGATOIRE d'un PRISONNIER

Colombophile auxiliaire du 45° Régiment d'Artillerie

-0-0-0-0-0-0-0-0-0-0-0-0-

D'après les déclarations de ce prisonnier, chaque Division allemande dispose d'un colombier. Une voiture de déménagement sert de colombier. Elle contient 200 pigeons environ, les oiseaux sont donnés à l'Infanterie et à l'Artillerie.

Les Colombiers ne se déplacent pas : lorsqu'une division prend un nouveau secteur, il lui est affecté un colombier .

Un colombier transportable se trouve à LICHTERVELDE. Le P.C. de la division à laquelle il est affecté se trouve à GITS et un fil direct relie colombier et P.C. de Division.

Il est fourni un poste de 4 P.V. par régiment. Ce poste est envoyé au bataillon en ligne qui ne doit s'en servir que lorsque les autres modes de liaison font défaut.

Chaque observatoire d'artillerie est doté également d'un poste de 4 P.V. Le 45° Régiment d'Artillerie avait deux observatoires possédant chacun un poste de 4 P.V.- Dans les heures qui ont précédé sa capture, le prisonnier a lâché 3 pigeons. Ils couvrent la distance qui les sépare du colombier en 20' environ.

La relève a lieu toutes les 48 heures. Les colombophiles auxiliaires vont chercher les pigeons au colombier.

Le personnel technique de chaque colombier se compose de 4 colombophiles commandés par un sous-officier. A la division l'Ordonnanzöfficier s'occupe de la liaison par pigeons.

Le prisonnier avait passé 6 semaines dans un secteur du côté de CAMBRAI au mois d'août. La Division qui occupait ce secteur disposait de deux colombiers, mais l'un d'eux ne contenait que des jeunes pigeons à l'entrainement.

Ce Colombophile a été fait prisonnier dans les Flandres en Octobre 1917.

Interrogatoire d'un prisonnier colombophile auxiliaire du 45e régiment d'artillerie, 21 octobre 1917.

Le personnel technique de chaque colombier se compose de 4 colombophiles commandés par un sous-officier. À la division l'*Ordonnanzofficier* s'occupe de la liaison par pigeons.

Le prisonnier avait passé six semaines dans un secteur du côté de Cambrai au mois d'août. La division qui occupait ce secteur disposait de deux colombiers, mais l'un d'eux ne contenait que des jeunes pigeons à l'entraînement.

[SHD 16N2250]

✦

LE « PROCÉDÉ PEARSON »

Lettre du capitaine Delalande au chef du Bureau des services spéciaux, au sujet du lancement par avion de pigeons voyageurs en pays occupé, 17 octobre 1917

L'envoi de pigeons voyageurs en pays occupé, par le procédé « Pearson » donne des mécomptes comme l'a prouvé l'expérience faite le 16 septembre dernier (ces mécomptes paraissent avoir pour cause une évaluation trop inexacte de la vitesse du vent à l'altitude où le ballon s'est élevé).

Le vent favorable ne se produisant pas pour envoyer les ballons dans une direction déterminée, en temps voulu, le lâcher peut être retardé de plusieurs semaines ce qui entraîne de graves inconvénients au point de vue du renseignement urgent.

Les sondages faits jusqu'à une certaine hauteur ne permettent pas de connaître la vitesse du vent à une altitude plus grande (le 16 septembre, le seul ballon dont les pigeons sont rentrés a été porté à 20 km au-delà du point voulu parce que, étant monté à 2 000 m, il a trouvé un vent de 20 m à la seconde alors que le réveil était réglé pour un vent de

7 m, vitesse moyenne donnée par le service météorologique de l'armée).

D'autre part, au cours du lancement de plusieurs ballons, la vitesse du vent change et il est très difficile d'être tenu au courant des variations de vitesse, et d'orientation sur le terrain même du lâcher au cours de l'opération.

Enfin, l'expérience des aérostiers prouve que, quelle que soit la vitesse du vent, il y a toujours une déviation vers l'Est dans la direction suivie par un ballon libre ; cette déviation est variable suivant la vitesse du vent.

Ces considérations m'ont amené à faire l'essai de lancement par aéroplane du dispositif : panier et parachute du procédé « Pearson ». Les expériences faites ont été des plus concluantes. Elles ont été faites sur Doran (AR) et sur Sopwith, appareils biplaces ayant l'hélice à l'avant et [ne volant] pas trop vite. Le procédé adopté est le suivant :

1) Poser l'enveloppe renfermant les instructions, graines, crayons, tubes, allumettes, etc. à plat sur le panier après l'avoir attachée, comme le procédé « Pearson », au grillage sous lequel se trouve le journal du jour.

2) Plier le parachute et ses ficelles en accordéon dans le sens de la longueur du panier.

3) Fixer le parachute replié sur lui-même à l'aide d'un fil à bâtir tournant 2 ou 3 fois autour de l'ensemble : parachute, enveloppe, panier grillagé.

On peut prendre à bord de 4 à 6 paniers qui sont placés à côté de l'observateur.

4) Le pilote volant à une altitude de 250 à 300 m (normale dans les vols de nuit) cabre son appareil au moment du lancer. L'observateur prend un panier des deux mains, rompt le fil à bâtir en tirant dessus avec un doigt et lance en l'air vers l'arrière, tout le dispositif. La force de projection, le vent de l'hélice et le déplacement de l'appareil font que le paquet passe au-dessus du gouvernail de direction à une distance

IV° ARMEE
Etat-Major
2° Bureau S.R.
N° 1810/S.R.

COPIE
Secret

Q.G.A. le 17 Octobre 1917

Le Capitaine DELALANDE, Officier S.R.
de la 4° Armée

à M. le Lt-Colonel ZOPFF
Chef du Bureau des Services Spéciaux
au G.Q.G.

Objet : Lancement par avions de P.V. en pays occupé

L'envoi de pigeons-voyageurs en pays occupé, par le procédé " PEARSON " donne des mécomptes comme l'a prouvé l'expérience faite le 16 Septembre dernier (1)

Le vent favorable ne se produisant pas pour envoyer les ballons dans un direction déterminée, en temps voulu, le lâcher peut être retardé de plusieurs semaines ce qui entraine de graves inconvénients au point de vue du renseignement urgent.

Les Sondages faits jusqu'à une certaine hauteur ne permettent pas de connaître la vitesse du vent à une altitude plus grande - (le 16 Septembre, le seul ballon dont les pigeons sont rentrés a été porté à 20 km au delà du point voulu parce que, étant monté à 2.000 mètres, il a trouvé un vent de 20 mètres à la seconde alors que le réveil était réglé pour un vent de 7 mètres, vitesse moyenne donnée par le service météorologique de l'armée).

D'autre part, au cours du lancement de plusieurs ballons la vitesse du vent change et il est très difficile d'être tenu au courant des variations de vitesse, et d'orientation sur le terrain même du lâcher au cours de l'opération.

Enfin, l'expérience des aérostiers prouve que, quelque soit la vitesse du vent, il y a toujours une déviation vers l'Est dans la direction suivie par un ballon libre ; cette déviation est variable suivant la vitesse du vent.

Ces considérations m'ont amené à faire l'essai de lancement par aéroplane du dispositif : panier et parachute du procédé " PEARSON".

Les expériences faites ont été des plus concluantes.

Elles ont été faites sur DORAN (A.R.) et sur SOPWITH, appareils biplaces ayant l'hélice à l'avant et pas trop vite.

Le procédé adopté est le suivant :

1°- Poser l'enveloppe renfermant les instructions, graines, crayons, tubes, allumettes etc..... à plat sur le panier après l'avoir attachée, comme le procédé " PEARSON " au grillage sous lequel se trouve le journal du jour.
2°- Plier le parachute et ses ficelles en accordéon dans le sens de la longueur du panier.

3° .....

(1) Note du Bureau des Services Spéciaux . Ces mécomptes pa-

Lettre du capitaine Delalande au chef du Bureau des services spéciaux, au sujet du lancement par avion de pigeons voyageurs en pays occupé, 17 octobre 1917.

variant de 1 m à 1 m 50. Une seconde environ après le lancement, le parachute se déploie et, poussé par le vent, descend dans les mêmes conditions que lors du déclenchement du réveil dans le procédé « Pearson ».

Les pigeons lancés de cette manière se comportent admirablement après leur libération.

[SHD 16N2250]

✦

Extrait d'un rapport secret du capitaine Delalande, officier SR de la 4e armée, au lieutenant-colonel Zopff, chef du Bureau des services spéciaux au GQG, au sujet du « procédé Pearson », 17 octobre 1917

Le dimanche 16 septembre 1917 il a été procédé à deux lancements de ballons « procédé Pearson » porteurs de pigeons voyageurs à destination des régions envahies.

Les PV avaient été prélevés sur les colombiers de Châlons-sur-Marne. [...]

Résultats :

Les ballons n° 5 et 6 ont atterri dans nos lignes dans les environs de Prosnes.

Remarque : le ballon n° 5 avait été fourni en mauvais état et avait nécessité une réparation sommaire lors du gonflement.

Le 29 septembre 1917, soit donc 13 jours après le lancement deux pigeons du ballon n° 1 sont rentrés entre 16 h 45 et 17 h 10 à leur colombier porteurs de messages identiques dont ci-dessous la teneur :

« J'ai trouvé lundi dernier, deux pigeons fatigués dans panier vont bien maintenant et je suis heureux de rendre service à la France. Évite d'indiquer l'endroit d'où ils partent

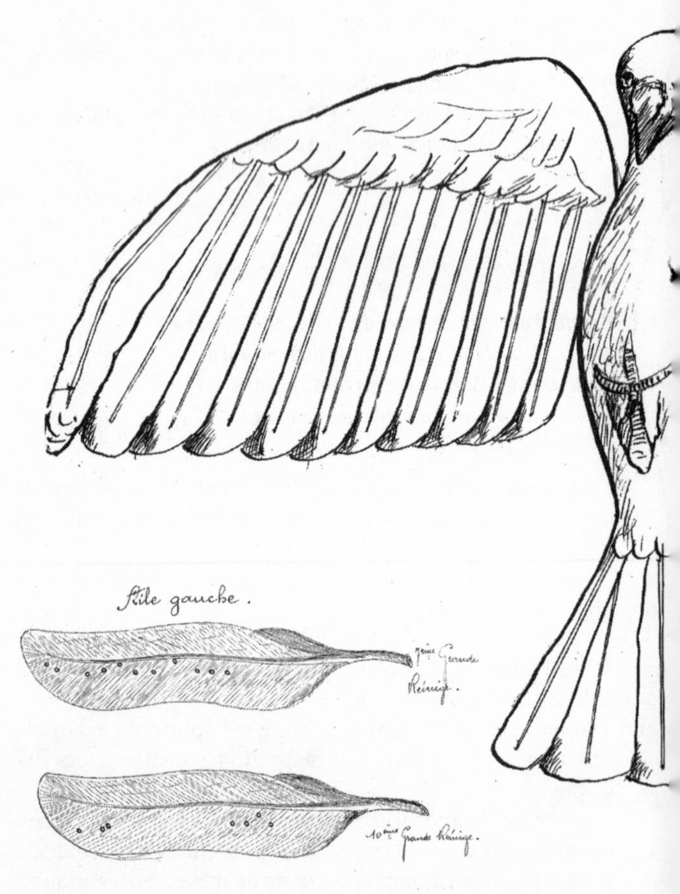

Dessin de pigeon aux plumes trouées. Le 2e Bureau cherchera vainement à comprendre si ces perforations sont dues à un parasite ou forment des messages codés.

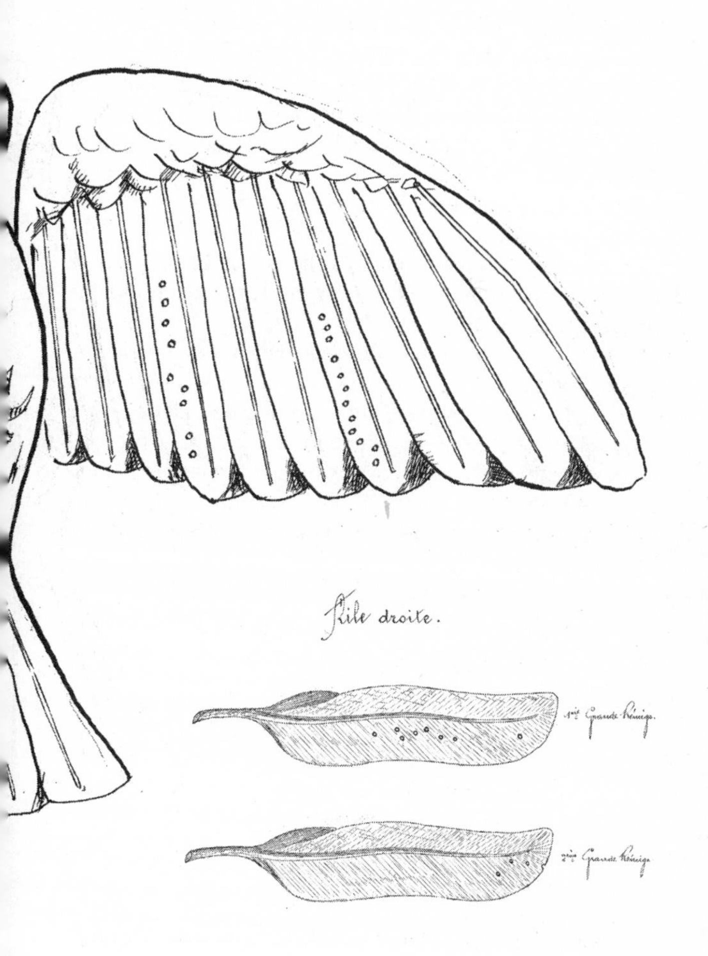
Aile droite.
1re Grande Rémige.
2me Grande Rémige

mais adressez-vous à mon cousin Ernest Drouin, à Montereau (Seine-et-Marne), cafetier, il saura vous renseigner. J'habite une ferme isolée située sur colline tout seul avec femme. Étions tous les deux en prison en Allemagne pour avoir donné à manger aux soldats français cachés. Sommes rentrés chez nous, sait (*sic*) beaucoup vous dire. Envoyez autres pigeons encore ou personne que je puis cacher bien des jours, pas de soldats près de nous.

« Dites à mon cousin que nous allons bien et qu'il l'écrive à nos deux fils Ernest du 40ᵉ régiment d'artillerie et Camille qui est soldat aussi.

« Vive la France ! Je suis content de pouvoir me venger de ces Boches.

« L'autre pigeon est parti aussi et porte un billet égal. »

Le SR a pu savoir par la référence que ces pigeons étaient tombés dans les environs de la ferme d'Isly (indiquée sur la carte au 1/80 000ᵉ), commune de Saint-Pierremont, canton de Busancy, arrondissement de Vouziers.

Il ressort des termes mêmes du message que ces pigeons n'ont été retrouvés qu'au bout du huitième jour de leur atterrissage.

[SHD 16N2250]

L'ESCADRILLE ESPIONNE

Le secret du capitaine Weiller

Marie-Catherine Villatoux

Sous la moustache drue du maréchal Foch s'ébauche un léger sourire. En ce 11 novembre 1918, dans l'intimité de son bureau de Senlis au Grand Quartier Général (GQG), il s'apprête à remettre l'insigne d'officier de la Légion d'honneur à deux légendes de la guerre aérienne : René Fonck, l'as de la chasse aux soixante-quinze victoires, et Paul-Louis Weiller, ce capitaine de vingt-cinq ans qu'il reçoit depuis près d'un an, chaque matin, à sa table de travail. Ce dernier a promis à Foch de ne rien révéler de ce secret qui a ouvert les portes de la victoire aux troupes alliées, lors des dernières offensives de l'été 1918. Le maréchal le sait, Weiller tiendra parole, même après sa démobilisation.

Sous-lieutenant de réserve d'artillerie lorsque le conflit éclate, Paul-Louis Weiller demande immédiatement à être affecté comme observateur dans une nouvelle arme qui le passionne, l'aviation. Les 162 appareils que compte alors l'aéronautique française effectuent surtout des vols de reconnaissance sur les arrières de l'ennemi. Ce travail, opéré au gré et au jugement du pilote, impressionne vivement le général

Joffre, même si l'observateur se contente d'esquisser ses relevés sur le vif.

Une nouvelle technique d'observation

La mission de reconnaissance menée par le célèbre pilote et constructeur Louis Breguet apporte au commandant en chef une information décisive : l'infléchissement vers l'Est des armées allemandes, prélude à sa manœuvre de la Marne. Dès lors, Joffre apporte un soutien inconditionnel au commandant Barès, responsable de l'aéronautique, qui dès l'hiver 1914 met en place une organisation adaptée à la guerre de position. Désormais, les escadrilles rattachées aux armées sont affectées aux premières missions de bombardement et de combat mais, plus encore, à la reconnaissance en profondeur, à 30 km à l'arrière des lignes allemandes. C'est au moyen de simples appareils d'amateur que les observateurs, penchés sur l'un des côtés de l'avion, réalisent leurs premières photographies verticales, donnant ainsi des renseignements d'une plus grande précision que les simples relevés visuels. Quant aux escadrilles de corps d'armée, elles ont pour missions le soutien à l'infanterie, le réglage des tirs d'artillerie et la reconnaissance photographique rapprochée, au-dessus des tranchées ennemies.

Mais l'esprit rigoureux et scientifique de Weiller, centralien de formation et breveté pilote dès 1915, ne peut se satisfaire du décalage entre les clichés obtenus à la suite de ses missions et les cartes d'état-major en

Départ en misson vers 1917.

Revêtu de sa célèbre « peau de biquette » pour se protéger du froid, ce photographe de l'escadrille 33 s'apprête à survoler les tranchées allemandes. DGSE

service, qui n'ont pas été corrigées depuis près de cinquante ans. Aidé par deux autres officiers, un polytechnicien et un centralien, il parvient à résoudre le problème, imaginant à partir de photographies aériennes obliques une méthode de restitution de cartes, s'appuyant sur des procédés de géométrie descriptive.

Adopté par le service géographique de l'armée dès janvier 1915, ce progrès considérable transforme radicalement la reconnaissance aérienne qui devient ainsi une spécialité scientifique et technique à part entière. À partir de l'été, apparaissent ainsi d'étonnants appareils à structure métallique, tout en hauteur, baptisés « tables de nuit », qui sont embarqués lors de chaque vol. Tandis que de nouvelles cartes à grande échelle sont réalisées au profit de chacune des armées françaises, des laboratoires mobiles de développement photographique apparaissent sur le front, auprès des escadrilles. Des interprétateurs photographiques étudient minutieusement chaque cliché, aux côtés d'officiers de renseignement qui traquent la moindre information trahissant les intentions de l'ennemi. Désormais, les photos sont annotées, toutes les positions adverses sont clairement identifiées, jusqu'au moindre dépôt de munitions.

Les clés de la victoire

Pourtant, le lieutenant Weiller est loin d'être totalement satisfait. Il veut fournir au commandement le renseignement décisif qui permettra, à terme, d'emporter la victoire. Devenu à l'été 1917 commandant de l'escadrille de reconnaissance 224, il conçoit un nouveau système de prise de vue permettant d'obtenir des agrandissements d'une extrême précision. Il fait installer à l'avant d'un avion monoplace un appareil photographique muni d'un viseur, équipé d'une focale de près de deux mètres de long. Selon les missions, l'avion de reconnaissance photographique évolue soit à basse altitude, de cinquante à trois cents mètres, protégé par des chasseurs, soit seul, à un plafond de plus de cinq mille mètres. Il apporte ainsi au commandement ces informations indispensables à la prise de décision.

Le groupement Weiller

De l'étude de ces clichés, Weiller tire un renseignement crucial : dans le mois qui précède toute offensive d'importance, les Allemands montent de nombreux hôpitaux marqués d'une croix rouge, afin d'assurer la protection des blessés en cas de bombardements. La multiplication ainsi que l'emplacement de ces hôpitaux de campagne sont autant de signes annonciateurs d'une manœuvre ennemie. Pour lui, aucun doute : des reconnaissances quotidiennes systématiques, à plus de 100 km à l'arrière des lignes allemandes sur un front de 150 km, permettraient de repérer ces indices déterminants. Il soumet cette idée au général Foch, commandant en chef des armées alliées, ainsi qu'au général Duval, nouveau responsable de l'aéronautique au GQG. Weiller propose même de créer un groupe de deux escadrilles : équipées du nouveau Breguet XIV, elles opéreraient en trinôme, protégées par des chasseurs, dans des zones patrouillées par les avions allemands. Cette ruse permettrait à un monoplace évoluant dans le même temps à un plafond élevé, entre cinq et six mille mètres, de réaliser en toute quiétude les clichés attendus. Dans cette nouvelle guerre de mouvement, le groupement Weiller traque inlassablement les convois ferroviaires et fluviaux, qui annoncent des déplacements de troupes.

C'est là le secret du capitaine Weiller. La reconnaissance aérienne de grande profondeur, méthode que les aviateurs allemands ont ignorée jusqu'à la fin de la guerre, a donné au maréchal Foch les clés de la victoire.

Insigne du groupement Weiller.

LES AVEUX DE MATA HARI

Les liaisons dangereuses de l'agent H 21

Frédéric Guelton

Le 21 mai 1917, Mata Hari avoue. Oui, elle sert les services de renseignement allemands, même si elle prétend œuvrer pour ses employeurs français. « Je ne pouvais pas passer en Allemagne avec une bouteille de vinaigre. Il fallait bien leur faire croire que je marchais pour eux, alors qu'en réalité c'étaient les Français qui tenaient le jeu », répond-elle effrontément au capitaine Bouchardon, chargé de mener l'enquête. Et tous ces officiers alliés qu'elle a séduits, ne les a-t-elle pas fait parler sur l'oreiller pour le compte de Berlin ? « J'aime les officiers, confesse-t-elle sans détour. Je les ai aimés toute ma vie. J'aimerais mieux être la maîtresse d'un officier pauvre que celle d'un banquier riche. Mon plus grand plaisir est de pouvoir coucher avec eux, sans penser à l'argent, et puis, j'aime faire entre les diverses nations des comparaisons… » (Document p. 141.)

Curieuse défense, qui n'apaisera guère la justice militaire quand, le 24 juillet, le procureur Mornet verra entrer dans le prétoire cette femme de quarante ans, aux traits lourds, à la beauté flétrie. Ce n'est plus la danseuse envoûtante qui a fait courir le Tout-Paris, mais une traîtresse fatiguée et conspuée, « la Bochesse », et elle risque gros. « La fille Zelle Marguerite, dite Mata Hari, habitant au Plaza Palace Hôtel, de religion protestante, née en Hollande le 7 août 1876, taille 1,75 m, sachant lire et écrire, est prévenue d'espionnage et de complicité d'intelligence avec l'ennemi, dans le but de favoriser ses entreprises. » Le procès est rondement mené. La France, meurtrie par trois années de guerre, ébranlée par les mutineries, veut faire un exemple. « La Salomé sinistre qui joue avec la tête du soldat français » est condamnée à mort.

Danseuse orientale

À Leeuwarden, aux Pays-Bas, la petite Margaretha Zelle a d'abord connu une enfance dorée jusqu'à la faillite de son père, chapelier. La jeune fille puise dans ses lectures des idées romanesques. À dix-neuf ans, elle répond à l'annonce matrimoniale du capitaine Mac Leod, officier de l'armée hollandaise d'origine écossaise, « passant son congé en Hollande, cherchant femme à sa convenance, même peu fortunée ». Le couple part s'établir aux Indes néerlandaises. Deux enfants, Norman John puis Jeanne Louise, naîtront de cette union.

Arrivée dans la petite garnison javanaise de Toempong, Margaretha déchante rapidement. Le jeune Norman John meurt d'une intoxication, peut-être empoisonné par une servante maltraitée. Le couple se déchire. En 1902, les Mac Leod reviennent aux Pays-Bas et divorcent. Margaretha, qui a perdu son fils, ne

Margaretha Geertruida Zelle.

Mata Hari dans les années 1900, au temps de sa splendeur, élégante et radieuse.

reverra plus sa fille. Elle change de nom et devient Mata Hari, « œil du jour » en malais.

La voici à Paris, capitale des arts : s'inventant un passé hindou merveilleux, elle débute sa carrière de danseuse dans la salle de spectacle installée au musée des Études orientales, bientôt connu sous le nom de son mécène, Émile Guimet. Pour la première fois, la bonne société peut admirer une bayadère officiant dans le plus simple appareil ou presque, sous prétexte d'ethnographie. « Ces danses brahmaniques d'une absolue authenticité ont été étudiées par madame Mata Hari à Java avec les plus habiles prêtresses de l'Inde... », rapporte candidement *La Vie Parisienne* en mars 1905. Moins naïve, Colette note : « Elle ne dansait guère mais elle savait se dévêtir progressivement et mouvoir un long corps bistre, mince et fier. » Dès cette époque, Mata Hari est persuadée que le mensonge paie. Elle multiplie auprès des journalistes les histoires les plus loufoques, ce qui demain lui fera croire qu'elle peut agir de même dans le monde des espions.

L'agent H 21

Mais les années passent et Mata Hari se démode. En août 1914, elle est à Berlin quand la guerre éclate. Sans contrat, sans argent, elle rentre aux Pays-Bas, restés neutres. C'est là qu'en 1916, criblée de dettes, elle reçoit la visite du consul d'Allemagne, Krämer : également officier de renseignement, il la recrute, la forme sommairement et lui remet vingt mille couronnes d'avance. Mata Hari devient l'agent H 21. Elle doit naviguer dans les milieux militaires, politiques et diplomatiques parisiens pour y glaner du renseignement d'ambiance et, si possible, mieux !

La demi-mondaine prend ses quartiers dans la capitale française. Elle y égrène de brèves rencontres avec des officiers de toutes nationalités, qu'elle n'a aucune peine à attirer dans ses suites du Plazza ou du Grand Hôtel. Parmi eux, un agent du contre-espionnage français « en mission » et un jeune officier russe, Vadim Masloff, dont elle tombe follement amoureuse.

Masloff, blessé aux yeux, doit suivre sa convalescence à Vittel. Mata Hari souhaite l'y rejoindre, mais Vittel est dans la zone des armées : il lui faut un laissez-passer, qu'elle demande au capitaine Ladoux, chef du 5e Bureau de l'état-major, en charge du contre-espionnage. Ladoux, qui fait suivre Mata Hari depuis son arrivée à Paris, sait à qui il a affaire. Il la veut comme agent double au profit des Français. Mata Hari accepte. Elle fera ses preuves en Espagne et en Hollande, pays neutres au cœur de la guerre secrète.

Elle finit par séduire l'attaché militaire allemand à Madrid, le major Kalle. Mais celui-ci — vrai professionnel du renseignement ou grand naïf — envoie à Berlin des télégrammes étonnants. Contrevenant aux règles de sécurité les plus élémentaires, il évoque l'agent H 21 au féminin, fait allusion à ses « rapports très complets », mentionne le lieu, aux Pays-Bas, où doivent lui être versés des fonds, explique qu'elle « a feint d'accepter les offres des services de renseignement français » pour mieux les tromper... Peut-il vraiment ignorer que, depuis la tour Eiffel, les Français interceptent les messages envoyés de Madrid ?

Lorsqu'elle rentre à Paris, Mata Hari n'a pas compris que les Allemands, convaincus qu'elle les a trahis, l'ont condamnée. Les agents de la Sûreté la filent sans même s'en cacher. Elle qui croit travailler pour les Français demande à Ladoux de faire cesser les filatures lorsque, le 13 février 1917 à l'aube, contre toute attente, le commissaire Priolet l'arrête.

C'est ainsi que Mata Hari se retrouve à la disposition du capitaine Bouchardon, à qui Ladoux fournit les pièces nécessaires à sa condamnation. Un message du 6 mars, soit plus de trois semaines après son arrestation, est écrasant : « Prière de nous faire savoir si H 21 a reçu l'avis d'avoir à se servir pour ses communications de l'encre secrète qui lui a été remise et si on lui a montré que celle-ci ne peut être développée qu'à Paris. » Le service de renseignement allemand ignorerait-il donc l'arrestation de H 21 ? Ou bien veut-il s'assurer que les Français la condamneront ? Les produits de beauté de Mata Hari sont analysés pour déterminer s'ils peuvent servir à produire de l'encre sympathique. Plus probant, un reçu de cinq mille francs au Comptoir national d'escompte, corroborant l'un des messages interceptés, atteste que Mata Hari est stipendiée par l'Allemagne.

Dans les fossés de Vincennes

La clé de l'affaire est là : vieillie, sa beauté fanée, Mata Hari a besoin d'argent pour vivre. Elle a cru, en monnayant des potins qu'elle assimilait à des secrets, berner les services de renseignement allemand et français, mais elle s'est trompée de monde et d'époque.

Le lundi 15 octobre 1917, à l'aube, Mata Hari fait face au peloton d'exécution. Elle meurt dignement, dans les fossés de Vincennes. La légende prétend qu'elle aurait simplement déclaré à l'instant suprême : « Quelle étrange coutume des Français que d'exécuter les gens à l'aube ! »

Mata Hari et son amant de cœur, le capitaine russe Vadim Masloff.

Le 5e Bureau a-t-il craint que son charme opère encore ? Le peloton d'exécution, normalement formé de soldats, est ce matin-là composé de sous-officiers choisis qui ont revêtu des redingotes de soldat.

✦

MATA HARI, ESPIONNE ET ESPIONNÉE

Avec aplomb, l'espionne écrit au capitaine Ladoux, pour demander qu'il fasse cesser la surveillance dont elle fait l'objet.

Lettre de Mata Hari au capitaine Ladoux, 15 *janvier* 1917

Mon capitaine,

Je vous serais très reconnaissante, si vous pouvez faire cesser la filature qu'on me fait depuis que je suis ici.

Je m'en suis aperçue. J'ai été avertie et ceux qui en sont chargés le font d'une façon telle que tout l'hôtel le voit et me regarde comme une bête curieuse. C'est complètement inutile.

Mes relations à Paris sont des plus connues, mes lettres à qui que ce soit ne contiennent jamais ce qui ne doit pas y être.

Faut-il que je vous répète, que je sais très bien ce que Mata Hari doit à Paris. Je n'oublierai jamais le bonheur que j'y ai eu et j'espère en avoir encore.

Depuis le jour où je vous ai donné ma parole, je me suis considérée à votre service et je vous en ai donné les preuves. Je vous répète que je ferai pour vous tout ce qui sera dans ma puissance et dans mon pouvoir, mais je me servirai des moyens que je juge en harmonie avec mon caractère et ma façon de voir la vie. Je n'admettrai jamais les « petits moyens là où on doit se servir des grands ».

HÔTEL PLAZA ATHÉNÉE
25, Avenue Montaigne – Paris
Télégramme : PLAZATHÉNÉE-PARIS

15 Janvier

Mon capitaine

Je vous serais très reconnaissante si vous pourrez faire cesser la filature, qu'on me fait depuis que je suis ici.

Je m'en suis aperçue – j'ai été avertie – et ceux qui en sont chargés, le font d'une façon telle, que tout l'hôtel le voit et me regarde comme une bête curieuse –

Lettre de Mata Hari au capitaine Ladoux, lui demandant de faire cesser la surveillance dont elle fait l'objet, 15 janvier 1917.

Je n'ai pas besoin de connaître les vôtres. Je ne veux même pas connaître vos intermédiaires. Dites-moi ce que vous désirez et laissez-moi faire.

Que je demande que ces services me soient payés, c'est légitime. Dans la vie, on n'a rien pour rien. Dites-moi donc, mon capitaine, si vous désirez continuer oui ou non et recevez l'expression de mes sentiments les meilleurs.

Marguerite Zelle Mac Leod

[SHD]

✦

Rapport secret de Lyautey au gouverneur militaire de Paris, 10 février 1917

J'ai l'honneur de vous faire connaître que la nommée Zelle, épouse de Mac Leod, dite Mata Hari, danseuse sujette hollandaise, est fortement suspectée d'être un agent au service de l'Allemagne. Des renseignements de source secrète et très sûre ont en effet amené à la connaissance du service de contre-espionnage de l'état-major de l'armée les indications suivantes :

1) Zelle Mac Leod appartient au centre de renseignements de Cologne où elle figure sous la désignation H 21.

2) Elle est venue deux fois en France depuis le début des hostilités, sans doute pour y recueillir des renseignements pour l'Allemagne.

3) Au cours de son second voyage, elle a fait des offres au service des renseignements français, alors qu'en réalité, comme il a été démontré par la suite, elle comptait faire part de ce qu'elle aurait appris au service des renseignements allemand.

4) Arrêtée par les Anglais lors de son retour en Hollande, elle a été refoulée par eux sur l'Espagne où elle entra en

relations avec l'attaché militaire allemand à Madrid, en même temps qu'elle offrait à l'attaché militaire français de le renseigner sur les agissements des Allemands en Espagne.

5) Elle a fait à l'attaché militaire allemand, ainsi qu'il est établi par un document secret émanant de celui-ci, les aveux mentionnés dans les paragraphes ci-dessus et elle lui a confié, en outre, avoir reçu à Paris, au commencement de novembre 5 000 F du service des renseignements allemand.

6) Elle a, de plus, remis à l'attaché militaire allemand toute une série de renseignements d'ordre militaire et diplomatique qui ont été ensuite transmis par lui à l'état-major à Berlin.

7) Elle a enfin accepté de revenir en France où une somme de 5 000 F devait lui être versée par les transmissions successives du consul allemand d'Amsterdam et du consul général de Hollande à Paris. Cette somme a été effectivement touchée par Zelle Mac Leod le 16 janvier 1917, ainsi qu'en fait foi la photographie ci-jointe du récépissé signé de M. Bunge, consul de Hollande, dont le rôle exact dans cette affaire ne pourra être établi que par l'instruction.

Je vous communique ces renseignements qui vous permettront d'apprécier l'opportunité qu'il y a de délivrer un ordre d'informer contre Zelle Mac Leod sur le compte de laquelle deux dossiers de renseignements et de filatures ont été constitués, l'un à l'état-major de l'armée et l'autre à la Préfecture de police, dossiers qui pourront être utilisés par l'instruction.

[SHD]

✦

LES AVEUX DE MATA HARI

Les comptes rendus manuscrits des interrogatoires subis par l'agent H 21 figurent dans le « fonds de Moscou » des archives militaires, c'est-à-dire des dossiers pris aux Français par les Allemands en 1940, puis par les Soviétiques aux Allemands après 1945. Restitués depuis 1993, ils ne sont encore que partiellement inventoriés.

Interrogatoire de Mata Hari, 21 mai 1917

Demande : Nous enregistrons vos aveux, mais nous vous faisons un raisonnement bien simple qui nous paraît être toute l'affaire.

Quand vous vous êtes trouvée en présence de notre service de renseignement, vous avez soigneusement caché vos relations avec Krämer, le numéro H 21 et la mission que vous aviez reçue. Quand, au contraire, vous vous êtes trouvée devant von Kalle, votre premier souci a été de lui révéler que vous aviez feint d'accepter une mission du service français. Ainsi donc aux Français vous cachez que vous avez été enrôlée au service allemand, et aux Allemands vous faites connaître vos relations avec les Français. Qui donc avez-vous servi dans ces conditions ? Qui donc avez-vous trahi ? La France ou l'Allemagne ? Il nous semble que la réponse vient d'elle-même.

Réponse : Si mon attitude a été différente envers les Français et envers les Allemands, c'est que je voulais faire du mal aux seconds, intention que j'ai réalisée, alors que je ne voulais faire que du bien aux Français, intention que j'ai pu réaliser également. Je ne pouvais pas passer en Allemagne avec une bouteille de vinaigre. Il fallait bien leur faire croire que je marchais pour eux, alors qu'en réalité c'étaient les Français qui tenaient le jeu.

Interrogatoire du 21 mai 1917

— Rep : J'aime les officiers. Je les ai aimés toute ma vie.
J'aimerais mieux être la maîtresse d'un officier
pauvre que celle d'un banquier riche. Mon plus grand
plaisir est de pouvoir coucher avec eux, sans penser à
l'argent, et puis, j'aime faire entre les diverses nations
des comparaisons, mais je vous jure que les relations que
j'ai eues avec les officiers que vous venez de dire ne se
sont inspirées que des sentiments dont je parle. Ce sont
au surplus ces messieurs qui m'ont cherchée. J'ai dit
oui de tout mon cœur. Ils sont partis contents, sans
m'avoir jamais parlé de la guerre et sans que je leur
aie rien demandé d'indiscret. Je n'ai gardé que
Masloff, parce que je l'adorais.

Extrait de l'interrogatoire de Mata Hari, 21 mai 1917.

Demande : Vous avez été surveillée en France à partir de juin dernier. Or, il résulte de l'enquête que vous avez cherché, au Grand Hôtel, à entrer le plus possible en relations avec des officiers de passage de toutes nationalités. [Suit l'énumération, avec les dates, de ces officiers.]

Vos relations journalières avec des officiers pouvaient, sans qu'il y ait sans doute à reprocher à vos informateurs autre chose que des imprudences, vous procurer, par recoupements et totalisations, un ensemble de renseignements de nature à intéresser l'Allemagne.

Réponse : J'aime les officiers. Je les ai aimés toute ma vie. J'aimerais mieux être la maîtresse d'un officier pauvre que celle d'un banquier riche. Mon plus grand plaisir est de pouvoir coucher avec eux, sans penser à l'argent, et puis, j'aime faire entre les diverses nations des comparaisons, mais je vous jure que les relations que j'ai eues avec les officiers que vous venez de dire ne se sont inspirées que des sentiments dont je parle. Ce sont au surplus ces messieurs qui m'ont cherchée. J'ai dit oui de tout mon cœur. Ils sont partis contents, sans m'avoir jamais parlé de la guerre et sans que je leur ai rien demandé d'indiscret. Je n'ai gardé que Massloff, parce que je l'adorais.

[SHD]

ARMES DE PAPIER

Des tracts pour démoraliser l'ennemi

Jean-Noël Jeanneney

Les lecteurs du célèbre livre de Roger Martin du Gard, *Les Thibault*, se souviennent du destin tragique de Jacques, le plus jeune des deux fils qui donnent leur nom au roman : au moment où éclate la Grande Guerre, il va se faire tuer en jetant depuis un avion, au-dessus des lignes, des feuilles de papier appelant les soldats tout juste mobilisés à refuser de se battre. Il est le précurseur de procédés qui sont voués à prospérer dès lors qu'on se bat aussi dans les airs : les hostilités se prolongeant, le souci devient lancinant sur chaque bord de peser par la propagande sur le moral des adversaires, c'est-à-dire des combattants sur le front et des populations civiles à l'arrière.

Dès septembre 1914, des avions allemands lancent sur Nancy des tracts destinés à saper la confiance des Lorrains en une victoire alliée. Mais il faut attendre encore un an pour que soit créé aux Armées, du côté français, un service de la propagande aérienne rattaché au 2ᵉ Bureau, sous l'autorité du Grand Quartier Général. Les documents, datés d'avril 1918, donnent une idée de la manière dont son rôle s'est progressivement affirmé. Ils témoignent du désir de partager l'expérience avec les alliés britanniques, très actifs dans ce domaine, à l'initiative du grand entrepreneur de presse que fut lord Northcliffe. Ils nous rappellent que des lots de tracts sont aussi projetés sur les lignes ennemies par des mortiers de 75 (document p. 150).

Deux hommes sont responsables, dans l'armée française, de cette offensive de papier. L'un, Ernest Tonnelat, officier interprète, est un normalien, universitaire spécialiste de la littérature germanique. L'autre, le dessinateur alsacien Hansi, s'est rendu célèbre avant la guerre en aiguillonnant, grâce à l'élégance et la simplicité de son trait, sur albums et cartes postales, la fidélité à la France des provinces perdues en 1871. Ils ont ensemble raconté leur expérience, après la guerre, dans un livre vibrant, intitulé *À travers les lignes ennemies. Trois années d'offensive contre le moral allemand* (Payot, 1922).

Une efficacité difficile à mesurer

Les obus porte-messages sont le fruit d'une rencontre entre Clemenceau et Hansi en janvier 1918 et de la résolution de Pétain d'en appliquer le principe. L'imagination a été sans limites, avec toutes sortes d'inventions, parfois baroques. On va jusqu'à remplir des grenades offensives de tracts enroulés sur eux-mêmes. On en fourre aussi de prétendues boîtes de harengs en conserve adressées en contrebande depuis la Suisse à destination des armées ennemies, et même de fausses saucisses — en vertu du stéréotype selon

A.P. 35.
BY BALLOON. Durch Luftballon.
Ein Platz in der Sonne.
Eure Herrscher fordern einen Platz in der Sonne; aber wo werdet Ihr Euren Platz finden?

« Une place au soleil »
Tracts britanniques destinés aux soldats allemands
(ci-dessus et suivant).

BY BALLOON.
Durch Luftballon.

Die erste Million.

lequel, dès qu'un Allemand aperçoit cette charcuterie, il se précipite sur elle...

Quant aux contenus, on en voit ici quelques exemples remarquables. Plusieurs jouent sur la tonalité la plus morbide, depuis le soldat crucifié jusqu'aux têtes de squelette, affreusement assoiffées d'avaler des troupes infortunées, ou offusquant le soleil à la lumière duquel on avait pourtant promis à chacun une place... mais pas dans un cimetière (voir p. 145).

L'image (voir en face) qui montre le premier des Américains débarquant sous la bannière étoilée et ouvrant la voie à un immense défilé de troupes — un million déjà — venues à travers l'océan depuis la cité de New York, que surmonte dans le lointain la statue de la Liberté, joue sur une autre corde : l'angoisse que l'on cherche à provoquer, en ces temps d'extrême lassitude, devant la perspective d'un nombre accablant de jeunes forces provenant du Nouveau Monde. Le trait, dans ce dernier cas, est sommaire, presque maladroit, et il fait penser aux images frustes que les colporteurs vendaient jadis dans les villages les plus écartés : comme si se perpétuait la tradition des sentiments simples suscités par des dessins rendus efficaces par leur maladresse même.

Demeure une incertitude générale : la réalité d'une influence. Les chiffres produits ne peuvent en rendre compte — quelques dizaines de milliers ici, cent mille largués chaque jour en Allemagne par les avions anglais durant le dernier été. L'effet en est impossible à mesurer, parmi la diversité des forces psychologiques au travail dans un affrontement si barbare. Mais peut-être le premier succès a-t-il été simplement de donner, du côté de ceux qui disséminaient ce papier ou savaient qu'on le faisait, le sentiment revigorant d'un désarroi provoqué, en face, chez ceux dont on souhaitait si fort que le moral s'effondrât ?

✦

LA PROPAGANDE AÉRIENNE

Note secrète au président du Conseil, Centre d'action de propagande contre l'ennemi, 2 octobre 1918

Afin de permettre aux armées d'imprimer par leurs propres moyens de courts tracts relatifs aux événements militaires et destinés à être lancés dans un délai aussi restreint que possible, il est indispensable de constituer dans les armées un stock de papier, les armées ne pouvant s'en procurer sur place.

Je vous demande de vouloir bien mettre à ma disposition le papier nécessaire à ces fins. Le papier serait du format prévu pour les tracts de petit modèle ; il serait expédié aux armées par quantité de 5 ou 10 rames leur permettant ainsi d'imprimer par leurs propres moyens 80 à 160 000 tracts.

Au cas où vous l'estimeriez nécessaire les frais occasionnés vous seraient remboursés par mes soins.

[SHD 16N1570]

Note secrète sur l'efficacité de la propagande aérienne, Grand Quartier Général des armées du Nord et du Nord-Est, 12 septembre 1918

L'activité des opérations de propagande aérienne au cours des derniers mois a permis d'obtenir de très intéressants résultats.

Des soldats ennemis (notamment des Alsaciens-Lorrains) ont été incités à se rendre par la lecture de nos tracts dont un grand nombre de prisonniers ont été trouvés porteurs.

De multiples témoignages démontrent que ces documents sont recherchés, lus et commentés et fréquemment adressés en Allemagne.

Les prisonniers, même ceux faisant preuve du meilleur moral, disent qu'ils lisent nos tracts avec intérêt, qu'ils y trouvent des vérités, et reconnaissent « qu'il en reste toujours quelque chose ».

Le commandant allemand se préoccupe de plus en plus de cette situation.

Il offre des primes relativement importantes pour tout tract remis par les hommes à leurs officiers.

Un ordre de la IXe armée, en date du 20 août 1918, déclare :

« Il est de nouveau rappelé que tous les tracts de propagande ennemie doivent être envoyés à l'officier du SR du GQG détaché au commandement de l'armée, avec indication du nom de celui qui a trouvé le tract et du lieu où celui-ci a été découvert.

« Les primes payées sont :

« pour un exemplaire encore inconnu : 3 marks

« pour chaque exemplaire d'un tract connu : 0,30

« pour les brochures de propagande : 5 marks. »

Des prescriptions analogues, émanant du commandant d'autres grandes unités, sont en notre possession :

Dans un ordre de la XVIIIe armée, en date du 29 août 1918, le général Von Hutier met en garde ses troupes contre les efforts de propagande de l'entente et conclut : « Remettez tous les tracts et brochures, portez-les à vos chefs qui les transmettront au haut-commandement, lequel saura en tirer des déductions précieuses sur l'état de l'opinion ennemie. Vous faciliterez ainsi la conduite de la guerre et contribuerez à la victoire. »

Obus porte-messages

pour mortier de 75 d'accompagnement

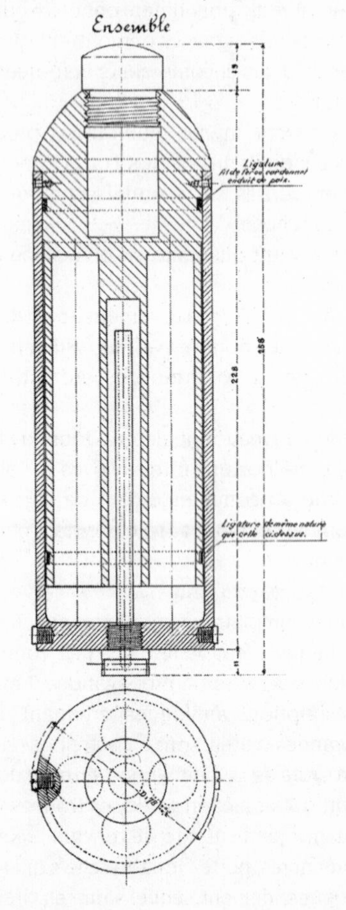

Plan d'un obus lance-tracts.

Les autorités allemandes interdisent particulièrement la circulation des tracts. On lit à ce sujet, dans un ordre du jour de la 15e division d'infanterie, en date du 12 août 1918 :

« Le 9 août, dans la matinée, sur la route du Bac d'Arblaincourt au Canal, des soldats allemands (en bourgeron de treillis et casquette noire) ont distribué des tracts subversifs apparemment jetés par des aviateurs ennemis, aux troupes qui passaient.

« Tous les hommes doivent être rigoureusement informés que les tracts jetés par les aviateurs ennemis ou trouvés isolément ou en paquets doivent être remis immédiatement à l'autorité supérieure compétente, en indiquant l'endroit où ils ont été trouvés. Il sera expliqué aux troupes à l'aide de l'exemple ci-dessus quel mal peuvent faire les hommes qui voudraient se rendre intéressants en distribuant les tracts, sans compter qu'ils s'exposent à une punition exemplaire.

« Tout homme à qui un de ces tracts est glissé dans la main est dans l'obligation de s'assurer immédiatement du nom du distributeur et du corps auquel il appartient, et de le signaler. »

Malgré ces prescriptions sévères il n'est pas douteux que nos tracts et brochures de propagande circulent sous le manteau et parviennent en Allemagne par la voie de la poste ou par les permissionnaires. Une lettre datée d'Hettlingen, 24 juin, trouvée sur un prisonnier, contenait cette phrase : « Si les Français vous lancent encore de ces tracts, envoie-les nous ; ils étaient très intéressants. »

Les publications à caractère officiel répandues dans la troupe ne manquent pas d'insister sur le danger de la propagande « gigantesque » à laquelle se livre l'ennemi. Le « Journal de campagne » (*Feldzeitung*) de la Ve armée (12 juillet 1918) fait remarquer que cette propagande « est devenue en ces derniers temps vingt-cinq fois plus active... ».

Or « il y a des poltrons partout, même parmi les plus braves au combat, dès qu'ils lisent seulement quelque chose d'imprimé...

« Mais les productions de la faculté persuasive de nos ennemis peuvent influer aussi fâcheusement sur les gens sensés qui ont percé à jour le subterfuge. On a pu fréquemment remarquer que justement les gens instruits, s'ils ne se laissent pas convaincre, se laissent cependant démoraliser par les radios et les rhéteurs ennemis... »

L'auteur de l'article conclut par un appel au « bon sens commun que le bon Dieu a déposé dans le berceau de chaque soldat allemand ».

Même mise en garde dans le « Bulletin de renseignements pour l'instruction patriotique » (*Vaterländischer Unterricht*) du 4 août 1918 :

« Il doit être accordé, dans le cadre de la propagande patriotique, une plus grande attention à la propagande aérienne ennemie. Pour la combattre il faut du tact et de la réflexion. La lutte contre cette propagande atteindra son maximum d'effet là où l'officier instructeur ou l'officier de troupe a gagné déjà la confiance de la troupe. On devra insister efficacement pour que les tracts ennemis soient tous remis et pour empêcher leur envoi à l'intérieur en se référant aux pénalités encourues. »

C'est enfin le maréchal Hindenburg lui-même dont toute la presse allemande publie, le 5 septembre, une « déclaration à l'armée et au peuple allemand » dénonçant l'activité de la propagande ennemie dont il reconnaît l'intensité croissante et dont il redoute les effets :

« ... En même temps qu'il lutte contre les armes allemandes, il a entrepris la lutte contre l'âme allemande. Il veut empoisonner notre âme, il croit que les armes allemandes seront émoussées le jour où l'âme allemande aura été rongée par le poison. Nous ne devons pas prendre à la légère ce plan de l'ennemi.

« Dans cette campagne contre notre moral, l'ennemi emploie différents moyens ; il ne se contente pas de déchaîner sur notre front un feu roulant d'artillerie, il y ajoute un feu roulant de papiers imprimés. Outre des bombes qui tuent le corps, ses aviateurs jettent des tracts destinés à tuer l'esprit. Nos soldats ont recueilli sur le front occidental 84 000 exemplaires de ces tracts ennemis dans le mois de mai, 120 000 en juin et 300 000 en juillet : progrès formidable. En juillet furent lancées chaque jour 10 000 flèches empoisonnées, 10 000 fois chaque jour on essaya d'enlever à chacun et à tous la foi dans la justice de notre cause, la force et la confiance dans la victoire finale. Et encore pouvons-nous estimer qu'une grande partie des tracts ennemis n'ont pas été ramassés par nous. Mais l'ennemi ne se contente pas d'attaquer le moral de notre front ; il veut aussi, avant toute chose empoisonner l'âme des populations de l'arrière, il sait quelle source de force l'arrière constitue pour le front. Ses avions et ses ballons ne peuvent pas, il est vrai, porter ces tracts bien loin dans l'intérieur du pays, car nos lignes, contre lesquelles l'ennemi s'efforce vainement de remporter une victoire par les armes, sont trop loin pour cela. Mais l'ennemi espère que maint soldat enverra chez lui le tract arrivé si innocemment par la voie des airs. À la maison, il passera de mains en mains, on le discutera à la brasserie, dans les familles, dans les ateliers de couture, dans les fabriques, dans la rue. Sans même s'en douter, des milliers de personnes absorberont le poison ; des milliers de personnes trouveront plus lourd le fardeau de la guerre et perdront la volonté de vaincre et la confiance dans la victoire. »

Des préoccupations aussi nettement formulées ne peuvent se comprendre qu'en présence d'un état de choses clairement constaté. Elles décèlent un fléchissement certain du moral de l'ennemi.

Profondément déçu dans l'espoir d'obtenir enfin la décision victorieuse de la guerre, commençant à se rendre compte de l'importance de l'intervention américaine, de l'échec de la guerre sous-marine, le soldat allemand ne peut manquer de prêter quelque attention à des questions qu'il ne jugeait jusqu'alors que d'après les assurances de ses chefs : le doute commence à pénétrer dans son esprit.

Les déclarations d'un Lichnowski, les révélations d'un Muehlen acquièrent une singulière force quand elles sont appuyées par des revers ; il importe de ne pas négliger de mettre en valeur ces « facteurs impondérables ».

Un gros effort de propagande aérienne a été fait en août : 1 534 000 tracts ont été lancés par voie aérienne dans les lignes ennemies, contre 380 000 en juillet.

Il serait nécessaire que cet effort soit autant que possible poursuivi et intensifié, le Centre d'action de propagande contre l'ennemi étant en mesure de fournir toutes quantités de tracts qui pourront être lancés par les armées.

[SHD 16N1570]

UNE ESPIONNE EN JUPONS

Le confident prussien de Mistinguett

Chantal Antier

Qui aurait pu prédire à Jeanne-Florentine Bourgeois, née en 1875 d'un père journalier et d'une mère couturière, qu'elle connaîtrait une renommée mondiale sous le nom de Mistinguett ?

À trente ans, elle conquiert le public de la Belle-Époque par sa gouaille et ses chansons comiques. Sur la scène des Folies-Bergère, en 1911, avec son partenaire le jeune chanteur Maurice Chevalier, elle remporte un énorme succès dans la scène de « la Valse renversante » qu'ils terminent enroulés dans un tapis. Résultat, un amour de dix années !

La guerre de 1914 éclate, mettant fin aux spectacles parisiens. Maurice Chevalier mobilisé, la vie devient difficile pour Mistinguett qui accepte d'endosser le rôle d'espionne. Le Tout-Paris s'en moquera : comment confierait-on des missions secrètes à une personnalité si connue ? Pourtant, un document atteste la réalité de ces missions : le témoignage du général Gamelin, recueilli à la mort de la Miss.

Mistinguett obtient du Grand Quartier Général l'autorisation de circuler librement en Europe pour faire libérer son amant Maurice Chevalier, blessé et interné en Allemagne dès septembre 1914, en échange de plusieurs missions de renseignement. À Berne, auprès du prince de Hohenlohe ; en Espagne, pays neutre, auprès d'Alphonse XIII ; en Italie, auprès de Victor Emmanuel III. En 1922, le commandant Massard, des services secrets, raconte avec humour les résultats positifs des entrevues de Mistinguett : « La miss... si mys... térieuse eut une autre satisfaction : S. M. Alphonse XIII fit une démarche à Berlin, et le brave artiste, son ami, qui avait fait si vaillamment son devoir, fut rapatrié en 1916. »

L'espionne aux « belles gambettes »

Envoyée sur sa demande auprès de son amant prussien d'avant-guerre, le prince de Hohenlohe, Mistinguett recueille en 1918 des renseignements sur les nouveaux choix stratégiques allemands : l'offensive prévue sur la Somme aura lieu en Champagne. Le général Gamelin lui fait confiance et conclut : « Ce fut un grand avantage d'avoir tout le temps de préparer notre parade et notre riposte. »

Une énigme demeure : le patriotisme, le dévouement dont se targue Mistinguett en 1918 sont-ils sincères ou craint-elle l'exemple de Mata Hari, agent double fusillée en 1917 ? Sans parler de son ami le ministre Malvy, poursuivi pour trahison, qui a cité son nom lors de son procès... L'espionne de petite vertu, aux « belles gambettes » mondialement célèbres, ne

Mistinguett et les années folles.

Meneuse triomphale de plusieurs revues dont « Paris qui jazz » avec Jean Gabin, la Miss adopte le style « garçonne » d'après-guerre. Son rôle d'espionne pendant la Grande Guerre est moins connu. Pourtant, envoyée auprès de son amant prussien le prince de Hohenlohe, Mistinguett recueille en 1918 des renseignements sur les nouveaux choix stratégiques allemands.

recueillera comme oraison funèbre, pour services rendus à la patrie, que le titre de « brave Mistinguett » !

✦

UNE RECONNAISSANCE POSTHUME

Ce témoignage a été dactylographié le 6 janvier 1956, le lendemain de la mort de Mistinguett.

Rapport secret du général Gamelin, 6 janvier 1956

Le départ pour l'autre monde de cette brave « Mistinguett » évoque, en moi, un souvenir la concernant. Je ne puis toutefois pas en saisir l'opinion publique, car le sujet en est trop délicat. On en comprendra tout de suite les raisons en prenant connaissance de ce court exposé.

On sait qu'en 1914, j'étais chef de cabinet du général Joffre. Or, en fin de cette année, Mistinguett était venue nous trouver et nous avait dit : « Vous savez que j'étais en termes très suivis avec le prince de Hohenlohe qui séjournait précédemment à Paris. Bien entendu, je comptais rompre avec lui en raison de la guerre, mais voici qu'il insiste pour que nous nous rencontrions en Suisse. Il me fait parvenir une lettre à ce sujet. J'avais l'intention de refuser. Mais, tout de même, je me demande si je ne pourrais pas vous rendre service en acceptant. Il n'a pas de situation officielle, mais il sait beaucoup de choses par ses relations et je suis prête, si vous le jugez utile, à le revoir et éventuellement à vous renseigner sur ce que je pourrais apprendre. Bien entendu, je ne demande aucune rémunération. »

Nous acceptâmes, sur le plan supérieur de l'intérêt français. Elle nous fournit, en effet, plusieurs fois des renseignements, mais surtout dans le domaine des questions de personnes.

Mais voici le fait intéressant. En juin 1918, je commandais un secteur de Haute-Alsace où je disposais des troupes du secteur de ma division (le 9e) et d'une division américaine qu'on m'avait chargé d'introduire progressivement en ligne. Au milieu de ce mois, je reçus brusquement avis que j'allais repartir avec ma division pour être amené en réserve derrière une autre partie du front.

Le jour où le train qui allait emmener mon QG devait quitter Belfort, je me trouvais sur la place devant la gare et j'allais déjeuner dans un restaurant que je connaissais, lorsque je me trouvai brusquement en présence d'un officier de notre SR central du GQG que j'appréciais de longue date (cet officier n'est plus de ce monde). Je lui demandai s'il savait où nous devions être débarqués. Il me répondit : « Je n'en sais rien ; mais à vous personnellement, je puis dire que vous serez probablement engagés en Champagne avant qu'il ne soit longtemps. Un ensemble de renseignements nous montre que les Allemands y préparent leur prochain effort principal. Je suis venu ici avec charge de les recouper et d'obtenir certaines précisions qui toutes confirment cette même hypothèse. » (C'était en effet naturellement par la Suisse que nous pouvions communiquer avec nos agents en Allemagne.)

Et il ajouta : « Mais, mon général, devinez qui nous a orientés dans ce sens ? C'est notre amie "Mistinguett". Il paraît que celui que vous savez et qu'elle a rencontré en Suisse récemment lui a dit : "La guerre sera maintenant vite finie. De notre côté on prépare une grosse affaire qui sera décisive." Et dans un moment d'abandon, il aurait ajouté : "Les Français et les Anglais nous attendent sur la Somme, mais c'est en Champagne que ça se passera. Vous serez probablement obligée de quitter Paris." »

Et mon interlocuteur ajoute : « Il y a toutes chances que cette brave "miss" nous ait rendu grand service en nous alertant ainsi d'avance. » (Certes, nous avions toutes chances de l'apprendre autrement, étant donné tous les moyens dont nous disposions alors, mais ce fut pour nous un grand avantage d'avoir tout le temps de préparer notre parade et notre riposte.)

(La personnalité allemande en cause appartenait à cette grande famille de Hohenlohe dont le plus illustre membre, qui mourut en 1901, fut ministre des Affaires étrangères et aussi ambassadeur à Paris.)

Si j'ai cru devoir écrire ces lignes, au sujet desquelles je vous demande naturellement le secret, c'est pour montrer le rôle que peuvent tenir en histoire le hasard et la chance et des personnalités qu'on ne s'attendait pas à y rencontrer en l'occurrence.

[SHD]

LA CHUTE DE BOLO PACHA

« Escroc du temps de paix, traître du temps de guerre »

Samuël Tomei

Novembre 1917. Depuis des mois Clemenceau s'impatiente, jugeant trop molle la chasse aux traîtres. Le président Poincaré, lui aussi partisan d'une guerre intégrale, le nomme chef du gouvernement. Du haut de la tribune, le Tigre donne alors le ton : « Nous serons sans faiblesse, comme sans violence. Tous les inculpés en conseil de guerre. [...] La justice passe. Le pays connaîtra qu'il est défendu. (*Applaudissements.*) »

Il s'agit de neutraliser les principaux tenants d'une paix négociée, menés par deux anciens présidents du Conseil, Caillaux et Briand, ainsi que Malvy, ancien ministre de l'Intérieur. « Monstre de souplesse », Aristide Briand échappera au tribunal et à la prison. Mais pas Malvy ni Caillaux, que leurs liens avec les « antipatriotes » desserviront.

Ainsi, Joseph Caillaux compte parmi ses relations un certain Paul Bolo, plus connu du Tout-Paris sous le nom de Bolo Pacha : un personnage hautement romanesque, comme le montre le dossier constitué sur son compte par le 2e Bureau. Né à Marseille en 1867, Bolo a vingt-six ans quand, après de multiples plaintes pour escroquerie et abus de confiance, il est condamné par défaut à un mois de prison. Sous le nom aristocratique de M. de Grangeneuve, il part pour l'Amérique, flanqué d'une chanteuse de café-concert. Les affaires continuent — on le soupçonne d'un vol de bijoux à Valparaiso — sans que l'aventurier ne parvienne à prospérer pour autant.

De retour en France une dizaine d'années plus tard, il se fait représentant en vins de Champagne. Il séduit, en 1904, la veuve d'un riche négociant en vins de Bordeaux, qu'il épouse avec sa fortune. À lui Paris, où il part à la conquête du grand monde : hommes politiques — dont Caillaux —, financiers, hommes de loi font bientôt partie de ses intimes. Frère de Mgr Bolo, protonotaire apostolique et prédicateur mondain très couru, il reçoit même le frère du pape, le marquis della Chiesa. Il mène grand train et voit sa fortune fondre. Mais la guerre survient, et l'occasion, pour un aventurier de sa trempe, de retrouver un certain lustre.

Propager les idées pacifistes

On le présente à l'ancien khédive d'Égypte, Abbas II Hilmi : déposé par les Britanniques, celui-ci vit en exil et cultive de bonnes relations avec les Allemands. Impressionné par le bagout de Bolo, il le nomme « pacha ». L'homme d'affaires propose alors au khédive de soumettre à Berlin l'idée de racheter des journaux français afin de propager les idées pacifistes. Le commandeur Cavallini, ancien député italien — une autre connaissance de Caillaux —, se chargerait de la

Affaire Bolo.

Deuxième audience devant le conseil de guerre dans la salle de la Cour d'assises, au Palais de Justice de Paris, le 5 février 1918. Bolo lit sa défense concernant l'argent d'Amérique et répond aux accusations du lieutenant Mornet et de l'expert Doyen. « Je ne garde jamais de reçu des sommes que je dépose dans une banque. » Photographie parue dans le journal *Excelsior* du mercredi 6 février 1918.

même besogne en Italie, un certain Porchère servant d'agent de liaison.

Dès le mois de mai 1915, le ministre allemand des Affaires étrangères verse au khédive quelque 2 millions de marks, dont une part revient à Bolo pour qu'il achète des actions de divers journaux, non sans s'être servi au passage. Ainsi propose-t-il au sénateur Charles Humbert, vice-président de la commission de l'Armée — encore un proche de Caillaux — de devenir actionnaire majoritaire du *Journal*. Ils passent contrat le 30 janvier 1916. Pour dissimuler l'origine allemande des fonds apportés par Bolo, qui se passe désormais du khédive, on les fait transiter par l'Amérique via l'agence new-yorkaise de la Deutsche Bank, pour un total de plus de 3 millions de dollars. L'autorité militaire, informée par ses agents à l'étranger de ces agissements douteux, décide en mars 1917 d'ouvrir une instruction contre Bolo. Une note de l'ambassadeur français à Washington, retraçant ces mouvements de fonds, est transmise par le Quai d'Orsay à la justice militaire, fin septembre 1917. Le destin de Bolo Pacha est scellé. Il est incarcéré pour intelligence avec l'ennemi. Quant à Caillaux, Clemenceau le met en prison le 14 janvier 1918.

« Justice est faite »

Le procès Bolo se tient début février. Parmi les témoins, le détenu Caillaux, qu'on somme de s'expliquer sur la teneur d'une lettre adressée à l'accusé, ne nie rien de ses relations avec le prévenu. Si Porchère est condamné à trois ans de prison, les jurés du 3e conseil de guerre destinent Bolo au poteau d'exécution. La peine capitale est également prononcée, par contumace, à l'encontre de Cavallini. Le 7 avril, Poincaré rejette le recours en grâce et le condamné doit être passé par les armes le lendemain. Au prétexte d'importantes révélations — notamment sur ses relations avec Caillaux, plus que jamais dans la ligne de mire des autorités —, Bolo parvient à faire reculer la fatale échéance de neuf jours, le temps de réaliser auditions et recoupements. Mais le rebondissement attendu ne viendra pas.

Le sénateur Caillaux, condamné en Haute Cour, sera amnistié en 1925. « Escroc du temps de paix, traître du temps de guerre » selon *Le Figaro*, Bolo Pacha est fusillé le 17 avril 1918 au polygone de Vincennes. « L'expiation fut prompte, résume *L'Illustration*. Une heure après avoir été réveillé à la prison, le traître s'est trouvé attaché au poteau, devant douze soldats, tous volontaires, qui le passèrent par les armes. Justice était faite. Il n'y eut plus qu'un cadavre écroulé. Dans l'aube qui s'élevait au-dessus de la caponnière de Vincennes, on ne pouvait plus reconnaître Bolo Pacha qu'à ses gants blancs. »

✦

ESCROC ET SÉDUCTEUR

Suite à deux lettres de dénonciation reçues en avril, une enquête discrète aboutit à cette biographie de Bolo Pacha conservée par la section de centralisation des renseignements. « Il est acquis que cet individu est dépourvu de tout scrupule » et qu'il exploite cyniquement la crédulité de chanteuses « en tirant parti de ses avantages physiques », notent les enquêteurs.

Rapport sur Marie-Paul Bolo,
25 mai 1916

Le nommé Bolo Marie-Paul est né le 24 septembre 1867, à Marseille (Bouches-du-Rhône) de Claude, Philibert, Albert, et de Colas Marguerite. Les occupations de cet individu ne sont pas bien connues jusqu'en 1894.

Le 10 avril 1894, il a fait l'objet d'un jugement de la 11e chambre correctionnelle de la Seine le condamnant par défaut à 1 mois de prison pour abus de confiance ; peine couverte aujourd'hui par la prescription. Peu de temps après, il partit pour l'Amérique en compagnie d'une chanteuse de café-concert, la nommée Saumaille, Marie, dite Morès Marthe.

En 1896, il a été à Valparaiso (Chili), et à Buenos-Ayres, République Argentine. Il se faisait appeler Paul Bolo de Grangeneuve.

Il a été soupçonné d'être l'auteur d'un vol de bijoux évalués à 15 000 F commis à l'hôtel Central, à Valparaiso.

Avant son départ de France, il a fait l'objet de plusieurs plaintes, notamment en août 1892 de Me Daucongne, avocat, 69, boulevard Malesherbes.

En avril 1893, de Mme Sauvage, 40, rue Marbeuf, pour un abus de confiance de 13 400 F.

En juin 1893, de M. Raulin Philibert, 148, boulevard Voltaire pour escroquerie de 1 152 F.

Enfin en juillet suivant, de Mme Miege, 5, rue des Ciseaux, pour escroquerie.

De retour en France, Bolo habite successivement dans plusieurs villes de province et se fixe à Paris vers 1904. Il devi[e]nt alors représentant en vins de Champagne et s'associe quelque temps après avec le baron de Sévins.

Paris, le 25 Mai 1916.

Le nommé BOLO Marie-Paul, est né le 24 septembre 1867, à Marseille (Bouches-du-Rhône) de Claude-Philibert-Albert et de Colas Marguerite.

Les occupations de cet individu ne sont pas bien connues jusqu'en 1894.

Le 10 avril 1894 il a fait l'objet d'un jugement de la 11e chambre correctionnelle de la Seine le condamnant par défaut à 1 mois de prison pour abus de confiance; peine couverte aujourd'hui par la prescription

Peu de temps après, il partit pour l'Amérique en compagnie d'une chanteuse de café-concert, la nommée SAUMAILLE, Marie, dite Morès Marthe.

En 1896, il a été à Valparaiso (Chili), et à Nuenos-Ayres, République-Argentine. Il se faisait appeler Paul BOLO de GRANGENEUVE.

Il a été soupçonné d'être l'auteur d'un vol de bijoux évalués à 15.000 frs commis à l'"Hôtel Central", à Valparaiso.

Avant son départ de France, il a fait l'objet de plusieurs plaintes notamment en août 1892 de Maître DAUCONGNE , avocat, 69, Boulevard Malesherbes.

En avril 1893, de Mme Sauvage, 40, rue Marbeuf, pour un abus de confiance de 13.400 frs.

En juin 1893, de M.RAULIN Philibert, 148,boulevard Voltaire pour escroquerie de 1152 frs.

Enfin en juillet suivant de Mme MIEGE, 5, rue des Ciseaux, pour escroquerie.

Rapport de la section de centralisation des renseignements sur Marie-Paul Bolo, *25 mai* 1916.

Attaqués par la maison Binet de Reims, Sévins, seul solvable, fut condamné à payer une somme relativement élevée et Bolo ne fut pas inquiété.

Malgré cela, depuis son mariage, celui-ci aurait dédommagé Sévins d'une forte partie de la somme versée.

Vers la fin de l'année 1904, il demeurait 6, rue Poisson et avait un bureau 4, rue Meyerbeer. C'est alors qu'il fit la connaissance de son épouse actuelle qui, veuve, demeurait 53, rue de Prony.

Celle-ci, née Moiriat, Pauline, le 4 mai 1874, à Lyon (3e) de Pierre et de Marie Gay, a eu une existence assez mouvementée.

Fille d'un tisserand lyonnais, peu instruite et d'éducation médiocre, elle a débuté à Paris comme femme de chambre, puis après un essai malheureux de théâtre, elle se lança dans la galanterie.

Devenue la maîtresse du sieur Muller Louis, Benoît, Georges, Ferdinand, elle réussit à se faire épouser par lui et devint veuve quelque neuf mois après. Elle habitait alors Bordeaux où son mari avait de riches propriétés. Celui-ci décédé, elle vint se fixer à Paris où, ayant connu le nommé Bolo, elle l'admit en son intimité.

De connivence avec la dame de compagnie de la veuve Muller, celui-ci se mit à faire le siège de la veuve Muller lui représentant que sa fortune qui se montait à environ 200 000 F de rente, ne pouvait être gérée fructueusement que par un homme et se posa en candidat à sa main. Ayant réussi à la circonvenir, il l'épousa à la mairie du 17e arrondissement, le 15 mai 1905, malgré les avertissements qui lui furent prodigués. [...]

Étant le frère de monseigneur Bolo, protonotaire apostolique et conférencier mondain fort goûté, il avait réussi à se créer de fort belles relations, c'est ainsi que les témoins de mariage furent : M. Darracq, ingénieur fabricant d'automobiles, et Me Le Barezer Pierre, avocat à la Cour.

Les témoins de la femme furent : le professeur Debove Maurice, doyen de la faculté de médecine et M. Malesset Joseph, industriel et juge au tribunal de commerce. Peu après le mariage, MM. Debove et Darracq cessèrent de voir les époux Bolo. Aucun enfant n'est issu de leur union.

Avant et même quelque temps après son mariage, le nommé Bolo se disait intéressé à la maison Binet, vins de Champagne à Reims, qui l'aurait remercié pour indélicatesse.

Il avait à cette époque de nombreux créanciers, à tel point que le jour de la cérémonie, il fut procédé par deux fois à la saisie de ses meubles et que les bijoux de fiançailles avaient été achetés par lui, à crédit. Il se libéra ensuite avec l'argent de sa femme. Bolo s'ingénia ensuite par tous les moyens à se créer des relations nouvelles dans les mondes politiques et financiers. [...] Très intrigant, il a réussi à se faire nommer membre du comité d'admission à l'exposition de Liège (1906) et membre du jury. En 1908, il cesse de s'occuper du commerce des vins et est pour 500 000 F, intéressé à la Banque parisienne des fonds publics, sise place Vendôme, n° 16. [...] Elle a pour objet toutes opérations de banque et de crédit, constitution de sociétés et placement de leurs titres. Bolo en était administrateur avec Gubbay et le comte Richard d'Abnour, contre-amiral en retraite, demeurant 26, avenue Marceau. Madame Bolo n'avait reconnu à son mari, par mariage, qu'une somme relativement peu élevée qui, dès 1909 était paraît-il dissipée par celui-ci, qui jouait gros jeu à la bourse. Il y serait très défavorablement noté, ayant laissé impayées de grosses différences.

En 1911, le sieur Bolo était président de la société La Croix blanche, confédération générale agricole et union nationale des sociétés et syndicats professionnels d'agriculture et d'industrie agricole et des associations de consommateurs dont le siège est 11, rue d'Athènes.

À cette époque, on l'a soupçonné d'avoir reçu de l'Allemagne une somme de 100 000 F qu'il aurait versée à la fédération agricole de l'Aube, dans le but de fomenter et soutenir les troubles qui se produisirent en Champagne.

En 1913, Bolo aurait projeté de lancer des affaires financières en Colombie et au Venezuela ; mais on n'a pu obtenir aucune précision à ce sujet, si ce n'est qu'il rendait fréquemment visite à deux sujets colombiens, le général Corao et un sieur Casas, secrétaire de la légation de Colombie à Paris. Il serait en relations avec diverses maisons de banque notamment la maison Louis Dreyfus.

Nommé conseiller du commerce extérieur en 1905, son mandat n'a pas été renouvelé en 1910, malgré ses sollicitations pressantes, après une enquête défavorable. Il serait au mieux avec bon nombre de notabilités politiques.

Le sieur Bolo est officier de l'instruction publique, chevalier du mérite agricole ; ayant sollicité la croix de la Légion d'honneur, une enquête fut faite sur son compte. Les renseignements furent défavorables. En conséquence, il ne fut pas admis, mais néanmoins les annuaires mondains, Bottin, *Tout Paris*, etc., mentionnaient en regard de son nom : chevalier de la Légion d'honneur (années 1911 et 1912).

Ce fait ayant été signalé, plusieurs surveillances furent exercées en février et mars 1912, en vue de s'assurer s'il arborait le ruban rouge, mais elles furent vaines. [...]

Ses relations sont des plus diverses. Avant la guerre il recevait de nombreux étrangers dont quelques-uns avaient un accent tudesque très prononcé et sa correspondance était on ne peut plus cosmopolite.

Il en est de même actuellement, sauf que le nombre de visites et de lettres du courrier a diminué et surtout que les visiteurs d'apparence austro-allemande ont disparu depuis août 1914. Il y viendrait beaucoup d'officiers français. [...]

Le 9 février 1916, la Préfecture de police a délivré au sieur

Bolo un passeport n° 3306 à destination des États-Unis. En résumé des enquêtes effectuées sur le nommé Bolo, on peut conclure ce qui suit. Il est acquis que cet individu est dépourvu de tous scrupules, qu'il paraît n'avoir vécu qu'en tirant parti de ses avantages physiques, auprès des femmes, artistes pour la plupart, que sa prestance séduisait et qu'il exploitait cyniquement ; qu'il serait même capable dit-on d'abandonner son épouse actuelle s'il pouvait emporter avec lui tout ou partie de sa fortune et en définitive qu'il n'est qu'un aventurier de haute volée, susceptible de faire n'importe quoi pour se procurer de l'argent. [...]

[SHD 7NN2750]

✦

JOSEPH CAILLAUX COMPROMIS

L'activité de Bolo Pacha se prolonge en Italie par l'entremise de l'ancien député Cavallini, dont les bonnes relations avec l'ex-président du Conseil français Joseph Caillaux sont signalées par cette note du SR italien.

Note du service de renseignement de l'armée royale italienne au sujet du commandeur Filippo Cavallini *en réponse à l'état-major de l'armée française,* 30 *juillet* 1917

[...] En réponse à la note précitée, je communique à votre section les renseignements possédés par mon service au sujet du fameux Cavallini en vous faisant préalablement connaître qu'une communication identique a été faite en avril dernier à M. le lieutenant-colonel Olivari, attaché militaire adjoint près l'ambassade de France à Rome.

Le commandeur Filippo Cavallini, fils de Gaspare et de Boschi Luisa, né à Pieve del Carro le 29 juillet 1851, a été député au Parlement italien. Il ne paraît pas avoir plus de 60 ans ; haute taille, cheveux blancs, moustache blanche, teint pâle, front large, nez régulier, allure distinguée.

Il est connu dans les milieux financiers, ayant spéculé autrefois dans les affaires municipales où il fit une rapide fortune d'ailleurs promptement évanouie, et s'occupant toujours de nombreuses affaires. [...]

Il a été englobé dans la faillite Luraghi Erra = banca di Como (concordat en 1900) et Ferrare Trecate = banca di Lomellina.

À Rome, il a d'abord habité piazzale Flaminio n° 9 ; il demeure maintenant via Nizza n° 22, vivant maritalement depuis longtemps avec la pseudo-marquise Ricci Federica (Frida, dans l'intimité), celle-ci fille de Luigi et de feu Giulia, née [le] 8 mai 1862 à Turin, veuve Pozzoli. [...]

Une lettre anonyme, adressée à la Questure de Turin avait [...] fait naître des soupçons d'espionnage de telle sorte que les carabiniers, informés du départ de Cavallini avaient jugé opportun de le soumettre, ainsi qu'il vient d'être dit, à une perquisition personnelle.

Celle-ci donna — comme on l'a dit également — un résultat négatif ; il ne fut trouvé sur Cavallini que de nombreux billets de banque français.

Il adressa au ministre de l'Intérieur une plainte touchant le traitement qui lui avait été infligé et protestant, en outre, de ses sentiments patriotiques. [...]

Le 8 septembre dernier, Cavallini était déjà de retour à Rome et la dame Ricci Frida, partie pour Salsomaggiore, était signalée pour surveillance au sous-préfet de Borgo San Domino. On croit que de Salsomaggiore, cette femme se serait rendue à Paris et y aurait séjourné un mois environ ; vers la fin de novembre dernier, elle est retournée à Rome prenant logement via Nizza n° 22.

Durant le récent séjour à Rome de l'ex-président du

Conseil français M. Caillaux, Cavallini et la femme Ricci virent fréquemment les époux Caillaux et leur offrirent un repas chez eux. Parmi les convives (une dizaine en tout) se trouvaient également les honorables Del Balzo et Buoanno. Le commandeur Cavallini et sa maîtresse se rendirent également à Naples au cours du séjour que firent en cette ville les époux Caillaux, logeant dans le même établissement qu'eux à l'hôtel du Vésuve.

En faisant connaître ce qui précède, le service des renseignements informe la section économique de l'état-major de l'armée qu'il a prescrit une nouvelle enquête touchant l'opération financière dont Cavallini s'occuperait actuellement pour le compte d'une banque suisse, enquête dont je ne manquerai pas de communiquer les résultats à la section économique.

[SHD 7NN2750]

✦

UNE VIE DE ROMAN

Rapport d'un « informateur spécial » de l'attaché militaire français à Berne, saisi le 12 février 1918 dans l'armoire de fer du secrétariat militaire du ministère de la Guerre

I — SADDIK PACHA FAIT LA CONNAISSANCE DE BOLO.

Dans le courant du mois d'avril 1914, Youssouf Pacha Saddik, alors ministre de la liste civile du khédive, fut chargé par son souverain de se rendre en France pour hâter la formation de deux sociétés dont le but était d'exploiter les immeubles khédiviaux du Caire. Au cours de la traversée, il fit la connaissance d'une chanteuse, nommée Marie Lafargue, qu'il avait précédemment connue en Égypte, et d'une jeune actrice de l'Odéon que protégeait M. Gounouilhou, directeur de *La Petite Gironde*. Le voyage en cette aimable compagnie sembla plus court à Saddik qui fut sollicité par les deux femmes de demeurer quelque temps sur la Côte d'Azur. Il refusa d'abord, prétextant les soucis que lui causait cette affaire qu'il espérait mener à bonne fin dans un délai rapide ; mais Marie Lafargue lui promit que, s'il attendait son propre départ pour Paris, elle le présenterait à un homme extraordinaire, M. Bolo, capable de réussir toutes les entreprises. Et Saddik Pacha, captivé sans doute par les yeux de la pensionnaire odéonienne, se laissa tenter. Il passa quelques jours avec les deux femmes et les accompagna jusqu'à Paris. Il s'installa à l'Élysée Palace et les relations continuèrent.

La malchance voulut que M. Bolo fût absent. Il était en Amérique et son retour devait être prochain. Youssouf Pacha Saddik visita M. Thors, directeur de la Banque de Paris et des Pays-Bas, par l'entremise de qui devait s'effectuer la combinaison des sociétés, fréquenta plusieurs camarades de jadis, promena Marie Lafargue et son amie et trouva enfin, un beau jour, M. Bolo chez lui, 17 rue de Phalsbourg. C'était en mai. Il arrivait de voyage et accueillit avec une grande cordialité le diplomate égyptien que lui amenait Marie Lafargue. La chanteuse paraissait très intime avec Mme Bolo, qui, ancienne artiste de café-concert, ne reniait point ses origines. On prit le thé en famille et la sympathie fut réciproque. Bolo, beau parleur, mince, élégant, distingué, resté blond malgré ses cinquante ans, tenait à séduire son hôte. Il détaillait avec un peu d'emphase les richesses de son salon hétéroclite, encombré de meubles et de bibelots où tous les styles se heurtaient, depuis le Louis XVI jusqu'au moderne. Des toiles de maîtres, dont il annonçait les auteurs avec éclat, recouvraient les murailles. Des sculptures, signées de

14 Mars 3 Avril 1916	Versement par Amsinck & C° à l'Agence de la Royal Bank of Canada pour compte de Bolo Pacha de $ I.683.000 (Note Morgan du ler Février 16)
14 Mars	Versement par la Royal Bank of Canada à J.P. Morgan pour compte de M. Charles Humbert sur ordre de Bolo pacha de $ 170.068
Vers 14 Mars 3 Avril 1916	Transfert par la Royal Bank of Canada de N.Y. au Comptoir National d'Escompte de Paris Agence T pour le compte de Mme Bolo pacha $ 524.000
d°	Crédit de M. Jules Bois $ 5.000
14 Avril 1916	Transfert à J.P. Morgan du $ I.000.000 par la Royal Bank of Canada N.Y. pour Cte de Bolo pacha. (Cette somme fut retransférée plus tard à la Royal Bank of Canada pour le crédit de Périer & C° pour compte de Bolo Pacha.
16 Avril 1916	Télégramme de Morgan Harjés au sujet de Bolo Pacha J.P. Morgan dans salettre du 6 Septembre 16 dit avoir reçu vers cette époque des paiements de la Royal Bank of Canada pour le compte de Bolo Pacha. Il s'agit évidemment du paiement du 14 Avril.
19 Avril 1916	Morgan avise Morgan Harjés qu'il a reçu de la Royal Bank of Canada la somme de $ I.000.000 pour le compte de Bolo Pacha (Voir bordereau A)
9 Juin 1916	Retrait par Bolo Pacha des fonds en dépôt chez J.P. Morgan (Lettre J.P. Morgan du 6/9/I7) Ce sont probablement les $ I.000.000 versés le 14 Avril. Ces fonds auraient été reversés à la Royal Bank of Canada pour le crédit de Périer & C° (Note Morganler Février 16)
7-I3 Août I916	Constatation par la C.M.C.P. de Dieppe du dépôt chez J.P. Morgan au nom de Charles Humbert sénateur d'une somme de $ 25I.483 à 2% Dépôt qui remonterait au moins au 13 Mars 16 (Rapportfinancier de la C.M.C.P. du 7/I3 Août 16)
3 Avril ler Mai 1917	Constatation par la C.M.C.P. de Dieppe d'achats de valeurs à N.Y. par M. Charles Humbert pour une somme de 1.I39.I26 Frs

Récapitulatif des mouvements de fonds opérés sur le compte bancaire de Bolo Pacha, dressé par l'ambassadeur français à Washington.

noms fameux, des tapis arabes, des tentures lourdes et sombres... Tout cela sentait le collectionneur et le parvenu. Bolo entraîna bientôt Saddik dans son cabinet de travail, une pièce minuscule, ornée d'un divan turc, de quelques tableaux, d'un bureau en acajou et où trônait, en belle place, un coffre-fort gigantesque. C'est là qu'il se révéla comme un grand homme d'affaires — Mercadet ou Bechat — et qu'il éblouit Saddik par l'étendue de ses connaissances et la variété des relations. Il ouvrit son coffre, exhiba des contrats nombreux avec l'Amérique, prononça des chiffres énormes, cita M. Caillaux dont il disposait, et la banque Périer où son crédit était immense. Précisément la banque Périer venait de consentir sans contrôle un emprunt à la Turquie (ce qui lui valut la condamnation que l'on sait). Saddik Pacha l'écoutait, presque convaincu, entrevoyant déjà les services qu'un tel homme pourrait rendre au khédive et pensant à l'utiliser. Mais, prudent malgré tout, il songea [dès] qu'il eut quitté Bolo, à prendre des renseignements sur son compte. Il avait fréquenté jadis M. Escoffier, membre du Conseil d'administration du Crédit lyonnais. Il lui rendit visite et obtint une fiche du Crédit lyonnais. Cette fiche affirmait qu'on ne connaissait à M. Bolo aucune fortune personnelle et que sa femme, Mme veuve Muller, avait conservé le droit — après transaction avec la famille de son mari défunt — de percevoir sa vie durant les revenus d'une somme de 5 millions, mais ce capital était inaliénable et devait revenir, après sa mort, aux héritiers naturels de feu Muller.

Les faits ne s'accordaient pas avec les déclarations de M. Bolo, mais révélaient néanmoins une aisance indiscutable. Saddik ne lutta plus contre le penchant qui l'entraînait vers M. Bolo. Il déjeuna avec lui en compagnie du président Monnier, jugea de la grande amitié qui unissait les deux hommes, le revit souvent et en vint tout doucement à lui parler des grandes entreprises d'Égypte. La constitution de sociétés immobilières pouvait n'être qu'un début. L'avenir réservait aux nouveaux associés mille combinaisons avantageuses. C'est ainsi que le refus opposé à l'administration du canal de Suez lorsqu'elle tenta d'obtenir le renouvellement de sa concession pouvait ne pas être définitif. Bolo promit de triompher des obstacles, de terminer pour le mieux l'affaire immobilière et de traiter avec le canal de Suez. Comment Saddik n'aurait-il pas été confiant ? Bolo, frère de Mgr Bolo, entremêlait ses discours de noms de politiciens illustres, prétendait pouvoir faire agir à son gré M. Caillaux, téléphonait au ministre de l'Intérieur en le tutoyant : — Dis-moi, mon petit Malvy, j'irai te prendre ce soir. Lorsque le khédive arriva à Paris, Saddik croyait au génie de Bolo.

II — BOLO EST PRÉSENTÉ AU KHÉDIVE.

C'était au commencement de juin. Le khédive amenait avec lui sa maîtresse, Mlle Lusanges, et semblait très désireux de s'isoler. Bien que Saddik lui vantât les qualités exceptionnelles de son ami, il ne voulut le recevoir qu'après avoir pris à son tour des renseignements complémentaires. Il s'adressa à M. Mirielle, ancien fonctionnaire des finances, administrateur délégué du Crédit foncier égyptien et qui avait été nommé à ce poste par M. Caillaux. La fiche du Crédit foncier égyptien concordait en tous points avec celle du Crédit lyonnais, mais sans doute M. Mirielle avait-il recommandé personnellement M. Bolo, car le khédive le reçut à l'Hôtel du Quai d'Orsay le lendemain. Ce fut une victoire.

Le khédive accepta d'emblée Bolo pour un homme extraordinaire. Bolo avait su parler de l'Égypte qu'il avait parcourue, prononcer quelques mots d'arabe, rappeler ses relations avec l'avocat Green (du Caire) et confier ses associations fortuites avec un fameux contrebandier égyptien, Mohamed Nafi, dont il vanta le courage, l'audace et les conceptions hardies. Il avoua qu'il avait réussi, en faisant venir Nafi à Marseille, une magnifique affaire de contrebande d'armes avec le Soudan et l'Érythrée. Or, le khédive s'était lui-même souvent servi de Mohamed Nafi qu'il appréciait à sa juste valeur, et cette similitude de goûts et d'instincts rapprocha les deux hommes. Ils se virent beaucoup. L'ascendant de Bolo sur le khédive augmentait de jour en jour. Bientôt, Abbas Hilmi n'eut plus rien de caché pour son nouveau compagnon. Il le consultait au sujet de ses histoires de famille, lui racontait ses différends avec les représentants de la Grande-Bretagne et se laissait berner par les hâbleries de Bolo : celui-ci qui professait l'optimisme des hommes forts, lui démontrait le peu d'importance de ses soucis. Il lui offrait de le débarrasser de lord Kitchener en obtenant son rappel : il exposait un plan téméraire qui permettrait au khédive d'exercer sur ses sujets une autorité sans contrôle ; il remaniait le corps diplomatique et déplaçait celui-ci pour nommer celui-là ; il imaginait de donner un poste important au fils de Lloyd George dans une des nombreuses sociétés financières qu'il administrait, annihilant ainsi l'hostilité anglaise ; il régnait à la place du khédive... Et Abbas Hilmi, subjugué, lui demandait de faire désigner quelqu'un comme ministre plénipotentiaire au lieu de M. de France qu'il n'aimait pas. Bolo promettait et lui présentait aussitôt un candidat, un de ses amis, sous-préfet dans les Basses-Pyrénées. Bolo devenait l'éminence grise, le Richelieu de ce demi-monarque falot. Il emmenait le khédive et Mlle Lusanges au Bois, dans son mail-coach qu'il conduisait lui-même, superbement botté et coiffé d'un chapeau gris haut de forme. Il l'invitait à déjeuner au château de Madrid, chez Paillard, dans tous les endroits à la mode ; il l'exhibait à *L'Abbaye de Thélème*, en compagnie de Mme Bolo... Et le khédive, d'ordinaire casanier, ennemi des réceptions et des fêtes, se transformait. Il obéissait à son Premier ministre occulte. Il rendait visite au président de la République (juin 1914), aux administrateurs du canal de Suez, à des personnages officiels ; il acceptait de déjeuner à Armenonville avec d'importants financiers réunis par M. Mirielle, puis à la campagne chez M. Jonnart. Il ébauchait chaque jour de vastes projets et négligeait totalement l'affaire immobilière pour laquelle il était venu. Saddik Pacha fut chargé de la confier définitivement à MM. Thors et Mirielle, pour que l'on fût débarrassé de ce souci. Les mirages que lui faisait entrevoir Bolo avaient un autre attrait ! D'ailleurs, ne lui prouvait-il pas sa puissance ? Un déjeuner le réunissait chez Bolo à M. Caillaux et au président Monnier, et les invités entouraient l'amphitryon d'une considération réelle. Aussi, Bolo n'eut-il qu'un geste à faire pour faire nommer le président Monnier commandeur du Medjidieh. Le khédive ne discutait même plus. Il assista au Grand Prix, en compagnie de son inséparable et partit le lendemain pour Constantinople.

Mais, avant son départ, il avait remis spontanément à Bolo un exemplaire du chiffre de la Cour, afin qu'il pût correspondre directement et confidentiellement avec lui. Il laissait à Youssef Pacha Saddik une double tâche : Saddik devait terminer l'affaire immobilière avec MM. Thors et Mirielle, et traiter avec Bolo le renouvellement de la convention du canal de Suez. « Il est bien entendu, lui dit-il toutefois, que les intérêts seront sauvegardés dans ce contrat dont je laisse la rédaction à ta convenance. » [...]

VI — LE KHÉDIVE À VIENNE, LE PREMIER PROJET DE BOLO : LA BANQUE CATHOLIQUE.

Youssouf Pacha Saddik accompagna seul Abbas Hilmi, ses ministres l'ayant abandonné au moment où ils jugèrent sa cause définitivement perdue. Ils descendirent à l'hôtel Impérial, entourés de quelques petits fonctionnaires faiblement appointés. Le régime des économies commença : ce fut bientôt celui de l'avarice. Les illusions dorées provoquées par Bolo paraissaient bien oubliées. Le souvenir du fugace

Cavallini n'était plus qu'un fantôme. D'ailleurs, le khédive s'inquiétait surtout du moyen de faire venir Mlle Lusanges à Vienne. Il y parvint et ne s'occupa plus que d'intriguer contre tous et contre chacun, suivant une habitude maladive qui soulevait la méfiance hostile de ses propres alliés.

Mais Bolo, de son côté, ne restait pas inactif et, la guerre lui suggérant d'audacieuses combinaisons, il songeait à utiliser le khédive et à tirer parti de ses nouveaux protecteurs.

L'Allemagne prodiguait son or pour soutenir ses entreprises de propagande. Les concours spontanés devaient être acceptés. Mais quel moyen, nouveau, quel plan séduisant devait-on proposer ?... Bolo ne le découvrit pas tout de suite, du moins ne s'offrit-il pas à lui du premier coup sous sa forme la plus pratique. Vers la fin de janvier 1915, le khédive reçut un télégramme daté de Milan et signé Cavallini, le priant d'envoyer d'urgence Saddik Pacha à Rome où l'attendait M. Bolo. Le khédive n'hésita point. Il dépêcha Saddik qui arriva à Rome le premier ou le 2 février. Il descendit à l'hôtel Excelsior et vint retrouver Bolo au Palace Hôtel (d'après une conversation avec Mohamed Pacha Yeghen). Il y rencontra Mohamed Pacha Yeghen, financier qui joua un certain rôle en Égypte, gendre de Luttzato Pacha, directeur de la Bank of Egypt.

Bolo déclara tout net à Saddik qu'il venait d'avoir une grande idée. Et il se fit éloquent pour démontrer que le khédive pouvait, à cette heure, jouer le rôle le plus magnifique. Il était tout désigné pour servir d'intermédiaire entre l'Allemagne et la France afin de préparer les bases d'une paix séparée. Sa situation devenait alors indestructible. Mais auparavant, un travail préparatoire en France était nécessaire. Il fallait habituer les esprits à l'idée d'un accord. Or, Bolo s'était lié avec le pape, par l'intermédiaire du frère de sa Sainteté, le marquis della Chiesa, et le Pape approuverait à coup sûr le projet que Bolo voulait tenter de réaliser avec le concours du khédive. Il s'agissait simplement de créer en Suisse, en absorbant une société de crédit helvétique déjà existante — la Banque cantonale de Neuchâtel — une grande banque catholique. Cette banque, une fois instituée, pouvait soutenir des entreprises de toutes sortes sans qu'on soupçonnât l'origine des capitaux. C'est ainsi qu'il devenait loisible d'acquérir, de fonder ou de subventionner des journaux français, sous le prétexte d'une vaste propagande religieuse. Le khédive n'aurait [qu'à] obtenir de l'Allemagne [un] versement de 50 millions de francs. Bolo se chargeait du reste.

Bien que Bolo, au cours de plusieurs conversations, eût essayé de démontrer les avantages de la combinaison, Saddik la jugea difficilement réalisable. Il promit cependant d'apporter une prompte réponse et Bolo annonça qu'il se rendrait à Genève où il attendrait le retour de Saddik. Celui-ci arriva à Vienne le 12 février et soumit au khédive l'odieux projet. Abass Hilmi ne s'enthousiasma point. L'idée lui parut machiavélique et compliquée ; la somme exigée était trop forte ; les résultats palpables étaient à trop longue échéance ; la question de religion choquait ses convictions musulmanes. En outre, il ne croyait pas que les Allemands l'acceptassent.

Saddik ne demeura que vingt-quatre [heures] à Vienne et reprit le train le 13 (le 13 février, Youssouf Pacha Saddik emmenait avec lui sa maîtresse, une Autrichienne nommée Thérèse Hartmann, dite Risette et, pour commémorer ce souvenir, il fit graver chez Maxime à Genève une médaille portant la date du 13 février 1915) porteur d'un refus. Le 14, il était à Genève et descendait à l'hôtel Beau Rivage (le livre de réception de l'hôtel Beau Rivage indique à la date du 14 février, M. Saadik (*sic*) Le Caire. Selon les livres de caisse, il repartit le 20 février). Bolo l'attendait à l'Hôtel National (le livre de l'Hôtel National porte l'indication Bolo Pacha arrivée le 14 parti le 15) et il croyait si fermement à l'acceptation de son plan qu'il montra à Saddik des prospectus imprimés de la future banque catholique.

VII — DEUXIÈME PROJET DE BOLO — L'ACHAT DES JOURNAUX FRANÇAIS ; LE CODE SECRET.

Les objections du khédive ne reposant que sur le moyen employé, Bolo comprit que la partie n'était pas perdue. Il élabora un nouveau projet, hâtif et simple, qui consistait à acquérir, pour le compte de l'Allemagne, un grand nombre d'actions des principaux organes français et à en créer — au besoin — de nouveaux. Il dicta donc à Saddik le texte suivant que l'ex-chef du cabinet khédivial a conservé :

Projet. Acheter pour un million de francs d'actions du *Temps* ; 5 000 000 francs d'actions du *Figaro* ; avoir à Paris les journaux *L'Éclair*, *L'Homme enchaîné* et un journal humoristique, si possible *Le Cri de Paris*. Fonder un nouveau journal à Paris. Avoir à Lyon *Le Progrès de Lyon*, à Bordeaux *La Petite Gironde*.

Note : par *La Petite Gironde* on peut avoir *Le Petit Marseillais*. À Nice, *Le Petit Niçois*.

M. Bolo se fait fort en outre, de faire passer des articles dans les principaux journaux de province.

De plus, il s'engage à fonder un journal à Bayonne pour soutenir l'élection au Sénat de M. Barthou.

Ce projet n'avait rien de génial, il était même fort inférieur à celui que venait de repousser le khédive. Il devait pourtant décider les Allemands à tenter l'aventure. Bolo dicta, en outre, un code conventionnel, qui permettrait à tous les comparses de correspondre sans provoquer la moindre suspicion. Les noms devant être employés avaient dans ce code un mystérieux équivalent. Berlin, Rome, France, Italie, Autriche, Allemagne, Vienne, Suisse, Genève, Zurich,

Guillaume, Jagow, etc. se trouvaient remplacés par des mots quelconques. Bolo devenait Richard, le khédive, Marie, Saddik le docteur, l'argent se transformait en « échantillons ».

Cavallini enfin ne fut pas oublié, bien qu'il n'eût pris aucune part active aux derniers pourparlers. Bolo recommanda que l'on passât toujours par cet intermédiaire dont l'adresse était : Mme Cocchio, Milan.

Il est bon de remarquer que Bolo n'avait plus revu le khédive depuis le début des hostilités et qu'en aucun cas il n'avait pu s'entretenir avec lui d'un projet de propagande allemande. Paul Bolo Pacha en était donc l'instigateur indiscutable. [...]

[SHD 7NN2750]

LA GUERRE DES ONDES

L'invention de la propagande radio

Bruno Fuligni

Sur terre, sur mer, dans les airs : partout, on se bat. Mais les stratèges de la Grande Guerre investissent un autre champ de bataille : les ondes.

Depuis Ferrié, on sait transmettre des messages radio et intercepter ceux de l'ennemi — lui aussi tout à fait capable d'entendre ce que se disent les Français. Or, ne pourrait-on retourner contre l'adversaire sa propension à écouter ? Telle est l'idée bizarre que le chef du service télégraphique aux Armées soumet au GQG, le 13 juin 1918. « Il serait possible d'envoyer, chaque fois que la chose sera jugée utile, et sur l'ensemble du front, un bref radio de propagande, explique-t-il. Les émissions de ce radio seraient faites sur 500 mètres de longueur d'onde par un certain nombre de postes à ondes amorties déjà chargés de la diffusion des renseignements météorologiques. » Ainsi, en espionnant les Français, les Allemands recevraient par transmission sans fil des informations démoralisantes, toujours favorables aux Alliés.

Préalablement visés par le chef du SR au GQG, ces messages seront rédigés « d'une façon très concise », afin de ne pas « encombrer la gamme des longueurs d'onde de la zone des armées, gamme qui est déjà très chargée par le travail utile de nombreux postes, par l'envoi quotidien de boniments et de ragots du genre de ceux [dont] les Allemands nous gratifient par l'intermédiaire de leurs postes à grandes longueurs d'ondes de l'intérieur ».

Une nouvelle ère

L'idée semble bonne puisque, dès le 19 juin, le SR aux Armées l'expose par lettre au président du Conseil. Clemenceau ne traite pas lui-même ce dossier technique, qui relève du Centre d'action de propagande contre l'ennemi installé place de la Concorde. La bureaucratie n'abdiquant pas en temps de guerre, cette officine ne donne que le 7 août son accord pour un essai, non sans demander à être associée au contenu des textes.

Ces bulletins, leur ton, leur teneur, semblent perdus pour toujours. Mais il subsiste dans les archives le texte griffonné à la hâte d'un message historique, en date du 4 novembre 1918 : « L'Autriche-Hongrie a signé l'armistice. »

Les ondes apportent la nouvelle aux Allemands qui, lâchés par leur alliée, comprennent que la guerre est perdue pour eux. Une semaine plus tard, les canons se taisent, mais les ondes n'en finissent plus de crépiter : l'Europe voit s'ouvrir une nouvelle ère et, dans les craquements de la TSF, vont bientôt résonner la propagande des dictatures, puis l'appel du « général Micro » et les messages codés de Londres.

✦

DÉMORALISER PAR LES ONDES RADIO

Avis du chef du service télégraphique aux Armées,
GQG *des armées du* Nord *et du* Nord-Est,
13 *juin* 1918

a) Il serait possible d'envoyer, chaque fois que la chose sera jugée utile, et sur l'ensemble du front, un bref radio de propagande.

b) Les émissions de ce radio seraient faites sur 500 mètres de longueur d'onde par un certain nombre de postes à ondes amorties déjà chargés de la diffusion des renseignements météorologiques.

c) Le choix des postes chargés d'effectuer ces émissions serait fait par le chef du service télégraphique aux armées auquel il suffirait de remettre le télégramme à diffuser.

d) Les transmissions seraient effectuées, en principe, dans la soirée, aussitôt après l'une des émissions météorologiques.

Toutefois les chefs du service télégraphique de 1re ligne des armées intéressées auraient la liberté de modifier l'heure de la transmission, ou même de supprimer cette dernière dans le cas où elle risquerait de troubler ses communications par TSF importantes.

e) Le chef du service télégraphique demande enfin que les radios de propagande soient rédigés d'une façon très concise et ne soient envoyés qu'à bon escient, après avoir été préalablement visés par le chef du SR au GQG.

Il ne faudrait pas en effet encombrer la gamme des longueurs d'onde de la zone des armées, gamme qui est déjà très chargée par le travail utile de nombreux postes, par l'envoi quotidien de boniments et de ragots du genre de ceux [dont] les Allemands nous gratifient par l'intermédiaire de leurs postes à grandes longueurs d'ondes de l'intérieur.

[SHD 16N1570]

Note secrète du service des renseignements aux Armées au président du Conseil, ministre de la Guerre, Centre d'action de propagande contre l'ennemi, 19 juin 1918

En réponse à votre lettre 1459 PA 2/11, en date du 27 mai, j'ai l'honneur de vous faire connaître que je suis prêt à donner des ordres nécessaires pour la diffusion sur l'ensemble du front de brefs radios de propagande destinés à atteindre rapidement et sûrement les troupes ennemies.

Les émissions de ces radios seraient faites par un certain nombre de postes déjà chargés de la diffusion des renseignements météorologiques. Ces postes seraient désignés par le chef du service de télégraphie aux armées auquel seraient remis les télégrammes à diffuser, dont le texte devrait être très court.

La transmission serait effectuée en principe dans la soirée aussitôt après l'une des émissions météorologiques. Toutefois les chefs du service de télégraphie de 1re ligne des armées intéressées auraient la liberté de modifier l'heure de la transmission et même de supprimer cette dernière dans le cas où elle risquerait de troubler les communications par TSF importantes.

[SHD 16N1570]

Lettre du chef du Centre d'action de propagande contre l'ennemi au général commandant en chef, 7 août 1918

Vous m'avez fait connaître, par votre lettre 3112/SRAM du 19 juin 1918, que vous approuviez le projet d'envoyer tous les jours, sur l'ensemble du front, de brefs radios de propagande, qui seraient émis par les postes chargés de la diffusion des renseignements météorologiques. Il semble que le moment actuel est particulièrement propice pour faire un essai.

Le Centre d'action de propagande pourrait s'entendre quotidiennement par message téléphoné avec la section de recherche aux armées pour arrêter le texte d'un radio quotidien qui serait transmis par les soins du Grand Quartier Général (GQG) aux divers postes d'émission. Je vous prie de me faire connaître à quelle heure ces radios devraient parvenir au GQG pour être communiqués en temps voulu aux unités du front.

[SHD 16N1570]

Télégramme du général commandant en chef à l'état-major, 4 novembre 1918

Prendre mesures pour émission répétée plusieurs fois par postes météorologiques conformément à note 3229/SRA. M du 15 août 1918 du radiogramme suivant :

« L'Autriche-Hongrie a signé l'armistice. Les hostilités seront suspendues aujourd'hui lundi 4 novembre à 15 heures sur le front italien.

« En attendant, les troupes italiennes sont entrées à Trente et Trieste, et la cavalerie à Udine. »

« *Oesterreich-Ungarn hat den Waffenstillstand ter zeichnet.* Die *Feindseligkeiten werden heute* Montag *den vierten november um* 3 *uhr nachmittags auf der italienischen front eingestellt.*

« *Inzwischen sind die italienischen infanterie-truppen in* Trient *und* Triest *eingezogen, und die* Kavallerie *hat* Udine *besetzt.* »

Ce radiogramme servira pour rédaction court tract imprimé et lancé d'urgence par l'armée.

[SHD 16N1570]

E.M.G.
3e B.au

Q.G. le 4 nov. 18

Urgent

Radio.

L'Autriche-Hongrie a signé l'Armistice
les Hostilités seront suspendues aujourd'hui
lundi 4 novembre à 15h. sur le Front Italien
En attendant les troupes Italiennes
sont entrées à Trente et Trieste, et la
cavalerie à Udine.

Destinataire
SR. service spécial

4 novembre 18.
P.O. /p. le colonel chef du 3e Bureau.

[signature]

Texte du message radio du 4 novembre 1918.

Deuxième partie

LES SECRETS DE L'ÂGE D'ACIER

1918-1947

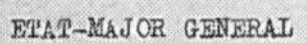

ETAT-MAJOR GENERAL — 2ème Bureau — S.C.M. BELFORT

Cf. Note E.M.A. N° 13.469 S.R. 2/11

Liquidé

Escroc ou provocateur

156 du 4-6-36

Remis en service 279 du 5-10-36

FICHE INDIVIDUELLE

NOM : PFEIFFER

PRENOMS : Friedrich

NATIONALITE : allemande

PSEUDONYME : MERCEDES

N° de reconnaissance : B.0975

Lieu et date de naissance : 14/5.99 à ROETZUM

PROFESSION : Représentant de commerce

DOMICILE : Chez M.DOMMEL, 18 Quai ZORN à STRASBOURG

Situation de fortune : sans

Rétribué ou bénévole : rétribué

MILIEUX FREQUENTES : RW; Schupo à Karlsruhe,

Date d'engagement par le Service : 9/1.36

Services antérieurs dans d'autres S.R. français ou étrangers : néant

Appréciation sur la valeur de l'agent : Très intelligent, peut-être trop, peut devenir un agent intéressant s'il ne manque pas de sincérité. A voir à l'oeuvre.

SIGNALEMENT :

Taille approximative : 1m,70
Corpulence : assez fort
Chevuex: chatain clair
Visage : sanguin, joufflu,
moustaches; petites
Yeux : bruns,
Mise habituelle; soignée
Allure : commerçant aisé.

Fiche individuelle de Friedrich Pfeiffer, 1936.

« Très intelligent, peut-être trop », note l'officier du 2e Bureau qui remplit la fiche individuelle de Friedrich Pfeiffer : un Allemand qui peut devenir intéressant, mais dont on se demande « s'il ne manque pas de sincérité » (document ci-contre). La réponse vient cinq mois plus tard, annotée au crayon : « Liquidé. Escroc ou provocateur. » Dans sa violence, cette fiche en dit long : elle trahit la fébrilité des services de renseignement français concernant l'Allemagne, qu'ils ont trop négligée depuis la victoire de 1918. Certes, l'agitateur nommé Hitler fait l'objet d'une fiche dès 1924, mais celle-ci est établie par la Haute-Commission interalliée en Rhénanie et non par les bureaux de Paris, qui au lendemain de la Grande Guerre se préoccupent d'abord du nouveau péril venu de l'Est : le bolchevisme.

Dès le début de la révolution russe, ils dépêchent le capitaine Sadoul auprès de Lénine et de Trotski, dont le charisme est tel que l'officier passe de leur côté. À l'inverse, en 1928, c'est en France que se réfugie Bajanov, secrétaire administratif du Politburo, qui vient confier ce qu'il sait de Staline. Le maître du Kremlin fait enlever en plein Paris les chefs des Russes blancs, tandis que des réseaux pro-soviétiques sont démantelés à grand bruit : l'affaire Crémet, l'affaire Fantômas mettent en évidence des liens occultes entre certains militants communistes et les services de l'URSS. Les procès de Moscou, les méthodes de la Loubianka intéressent les Français, qui surveillent aussi des théâtres lointains : le monde arabe, où opère l'Anglais Philby, le Japon, qui envahit la Chine et se rapproche de Berlin.

L'Allemagne, en effet, se rappelle au bon souvenir du 2e Bureau dans les années 1930. Quand est recruté le douteux Pfeiffer, ou encore l'agent Klee qui travaille aussi pour l'Abwehr, le chancelier Hitler dispose déjà d'un agent d'influence en la personne de Fernand de Brinon, dont le comité France-Allemagne préfigure la Collaboration. Les avertissements ne manquent pas : l'intervention des dictatures pendant la guerre d'Espagne fait l'objet de rapports inquiétants, tout comme le Salon de l'auto de Berlin où, en 1939, un agent français visite le stand de la Wehrmacht.

Mais il est trop tard : Hitler attaque et bouleverse tout, avec des auxiliaires aussi dénués de scrupules que Hermann Brandl, qui organise le pillage de la France, ou encore Otto Skorzeny, « l'homme le plus dangereux d'Europe ». À Londres, le général de Gaulle doit improviser son propre 2e Bureau, qui devient le BCRA (Bureau central de Renseignement et d'Action). Appuyé par les Britanniques, ce nouveau service casse les codes des nazis, prépare le Débarquement, fournit des hommes d'élite aux équipes Jedburgh qui passent à l'action...

Recruté en janvier 1936 et « liquidé » en juin, l'agent Pfeiffer aura été l'un des premiers tués du conflit gigantesque qui s'achève avec la défaite du nazisme.

Le *capitaine* Sadoul.

Né à Paris le 22 mai 1881, fils d'un fonctionnaire de la Ville de Paris et d'une marchande de corsets, Jacques Sadoul grandit dans un milieu aisé, mais dreyfusard et socialisant. Avant-guerre, il est l'avocat du Syndicat national des travailleurs des chemins de fer. Il deviendra secrétaire de la Fédération socialiste de la Vienne.

LE CAPITAINE ROUGE

Jacques Sadoul, un Français avec les bolcheviks

David Alliot

Février 1917 : le tsar Nicolas II est déposé, la république est proclamée. Dans les états-majors occidentaux, c'est l'inquiétude. La Russie honorera-t-elle ses engagements militaires ?

Pour se faire une idée précise de la situation, Albert Thomas, sous-secrétaire d'État à l'Artillerie, décide d'envoyer Jacques Sadoul comme observateur politique auprès de la mission militaire française à Petrograd. Le choix semble pertinent. Né en 1881 dans une famille marquée à gauche, cet avocat est aussi un militant socialiste, capable de bien s'entendre avec les révolutionnaires russes. Mobilisé en août 1914, il a rapidement été déclaré inapte et désigné comme commissaire du gouvernement auprès du conseil de guerre de Troyes, poste dans lequel il s'est distingué par la clémence de ses réquisitoires. À partir de 1915, son ami Albert Thomas l'a pris dans son cabinet ministériel.

Le capitaine Sadoul débarque à Petrograd le 1er octobre 1917 et, quelques jours plus tard, le gouvernement du réformateur légaliste Kerenski est renversé par les bolcheviks, qui prennent le pouvoir.

Sympathisant marxiste et seul Français présent à l'Institut Smolny, siège du Soviet de Petrograd, Jacques Sadoul fait la connaissance des nouveaux maîtres de la ville et en rend compte à ses supérieurs. D'abord réservé sur l'issue de la révolution d'Octobre, l'agent d'influence se laisse rapidement gagner par l'enthousiasme, comme le rapporte un officier qui a partagé son bureau : « Sadoul arrivait chaque matin, les cheveux en désordre, et très agité ; il passait une bonne partie de ses nuits auprès de Lénine, Trotski et de Madame Kollontai. Nous discutions souvent avec lui et j'ai longtemps pensé que dans ses idées très avancées, il était sincère. » Sadoul devient un intermédiaire indispensable entre le gouvernement français et le nouveau pouvoir russe. Pour Lénine et Trotski, il est le seul lien avec le monde extérieur. Le capitaine français est là pour convaincre le gouvernement soviétique de poursuivre la guerre aux côtés des Alliés, mais l'intimité de Sadoul avec Trotski ne va pas sans inquiéter ses supérieurs.

Sadoul change de camp

En mars 1918, la Russie exsangue signe la paix de Brest-Litovsk à son désavantage. Pour Sadoul, c'est un échec, qu'il met sur le compte des militaires, hostiles aux idées des bolcheviks. La rupture entre la France et le gouvernement révolutionnaire devient inévitable. Tandis que tous les diplomates occidentaux quittent la Russie, Sadoul décide de rester sur place, ralliant ceux qu'il devait surveiller. En août 1918, avec quelques compatriotes, il adhère au Groupe communiste français, créé auprès de la Fédération des groupes communistes étrangers, organe directement rattaché au Comité central du Parti communiste russe. Pour le gouvernement français, l'attitude de Jacques Sadoul s'apparente à de la trahison. Clemenceau, par télégramme, exige son retour — en vain (voir p. 202).

En novembre 1918, l'Allemagne est vaincue mais une nouvelle guerre s'engage, contre la menace bolchevik. Les troupes françaises débarquent à Odessa pour aider les Russes blancs. En réponse, Jacques Sadoul est envoyé à Sébastopol et à Kiev pour « retourner » au profit de l'Armée rouge les marins et soldats français présents sur les bords de la mer Noire. Le général Franchet d'Espèrey, qui commande l'armée d'Orient, apprend qu'il fait défiler les supplétifs français au son de *L'Internationale*. Le propagandiste est l'objet de toutes les attentions du contre-espionnage.

À Berlin, avec les spartakistes

En janvier 1919, Sadoul est signalé à Berlin, au moment où l'extrême gauche spartakiste tente de soulever le prolétariat allemand. Un retour clandestin en France, déguisé en prisonnier de guerre, semble plausible. Son signalement est diffusé : « Cheveux noirs, longs, rejetés en arrière en brosse ondulée. Moustache brune fournie, taillée à l'américaine. Nez légèrement retroussé. Visage petit et rond. Teint coloré. [...] Allure peu distinguée. » Le 10 novembre, un rapport le décrit comme « ambitieux mais de conviction douteuse » : Sadoul « subit plutôt l'influence de Trotski, et ne paraît pas jouer un rôle de premier plan. Il parle beaucoup ». À Paris, le 16 novembre 1919 s'ouvre son procès devant le conseil de guerre. Inculpé de désertion, d'intelligence avec l'ennemi, d'embauchage de militaires français dans une armée adverse, Sadoul est condamné à mort par contumace et à la dégradation militaire. Il est par ailleurs radié du barreau de Paris.

Mais cette condamnation ne l'empêche pas de poursuivre son activité de « propagandiste de langue française », sa fonction officielle auprès du gouvernement soviétique. Des tracts de Sadoul sont saisis en Rhénanie occupée et en Estonie. Il est signalé en partance pour Londres ou Rotterdam... En France, son prestige devient considérable. Le Parti socialiste le présente même aux élections législatives dans le département de la Seine ! À la suite du Congrès de Tours, Sadoul appelle les militants à rejoindre la section française de l'Internationale communiste, qui va devenir le Parti communiste.

Avec la fin de la guerre civile en Russie, Jacques Sadoul perd de son intérêt pour les nouveaux maîtres du pays. En décembre 1924, il est de retour en France. Arrêté et emprisonné, il est libéré à l'issue d'une campagne de presse menée par les communistes. Acquitté en avril 1925, Sadoul reprend son activité d'avocat, devient le correspondant français des *Izvestia*, mais il est écarté des cercles de décision du Parti en raison de ses liens supposés avec Trotski.

Arrêté en juin 1941 par la Sûreté nationale, il est libéré six mois plus tard. Maire de Sainte-Maxime en 1945, il écrit ses Mémoires ainsi qu'un ouvrage sur la naissance de l'URSS.

Sadoul va s'éteindre en novembre 1956, au moment où la révélation du rapport Khrouchtchev sur les crimes de Staline ébranlera cette révolution prolétarienne à laquelle il avait tant cru.

✦

LE DOSSIER JACQUES SADOUL

***Copie d'un télégramme « secret et rigoureusement personnel », ministère des Affaires étrangères, comité de guerre,* Petrograd, 21 *janvier* 1918**

Réponse à votre télégramme III.

Le capitaine Sadoul a des relations suivies avec Trotski qu'il connaissait déjà avant le coup d'état maximaliste. J'ai autorisé, dès le mois de novembre, cet officier à faire des visites d'un caractère privé à Smolny et le général Niessel en a informé le ministre de la Guerre, M. Sadoul rendant compte chaque jour de ses entretiens au chef de notre mission militaire, qui lui-même me fait part de leur objet. À l'occasion de divers incidents, le capitaine Sadoul est intervenu, à titre personnel, auprès des commissaires du peuple, pour présenter des réclamations en faveur des intérêts français.

Les opinions politiques du capitaine Sadoul sont beaucoup plus avancées, de son propre aveu, que celles des socialistes majoritaires français. Tout en mettant hors de cause la loyauté de cet officier, ses tendances le rapprochent trop des doctrines de Trotski pour que son concours puisse être escompté sans réserve. Le capitaine Sadoul subit l'ascendant de Trotski, ses appréciations sur les événements et la politique à suivre en sont toutes faussées. Il est hors d'état d'exercer une action salutaire sur des hommes de la trempe de Trotski ou de Lénine.

MINISTÈRE
DE LA GUERRE

ÉTAT-MAJOR DE L'ARMÉE

2e BUREAU

RÉPUBLIQUE FRANÇAISE

N° 60.

DÉPÊCHE TÉLÉGRAPHIQUE

Paris, le 21 SEP 1918 191 .

A CHIFFRER

N° 6197 S.C.M. 2/11

LE PRÉSIDENT DU CONSEIL, MINISTRE DE LA GUERRE

à M **ATTACHE MILITAIRE - ARKHANGELSK**

à Communiquer à Général LAVERGNE.

Prière donner à Capitaine SADOUL ordre impératif de rentrer en France immédiatement et prendre vous-même toutes dispositions pour exécution urgente de cet ordre./.

Signé · Clemenceau

Télégramme de Georges Clemenceau demandant le retour en France du capitaine Sadoul, 21 septembre 1918.

Au contraire, je me suis aperçu plus d'une fois, que le commissaire du peuple aux Affaires étrangères cherchait à se servir du capitaine Sadoul, pour nous influencer par l'écho de ses prétendues confidences ou l'explosion de ses colères.

Les informations du capitaine Sadoul n'en présentent pas moins un réel intérêt. Je vous les communiquerai, conformément à votre désir, dès que Trotski sera de retour, car Lénine est d'un abord moins accessible que son camarade et rival en bolchevisme.

[SHD 7NN2013]

Note du commandant Lelong, *attaché militaire adjoint près l'ambassade de* France *en* Russie *sur le capitaine* Sadoul, 21 *septembre* 1918

Le capitaine Sadoul est parti en Russie en septembre 1917 avec la mission Niessel. Autant que j'ai pu le savoir, il avait été imposé au général Niessel par M. Albert Thomas qui désirait recevoir, par son canal, des informations sur l'état des esprits socialistes.

C'est à ce titre que, au passage à Stockholm, il se mettait en relation avec Branting.

À son arrivée en Russie, et jusqu'au coup d'État bolchevik (25 octobre 1917) il ne joua aucun rôle politique. Il est employé dans un des bureaux de la mission militaire française, et se contente simplement d'engager des relations personnelles avec certaines personnalités russes, socialistes révolutionnaires et bolcheviques, grâce aux lettres de recommandation que lui avaient remises des membres du Parti socialiste français.

Au moment du coup d'État bolchevik, sa qualité de socialiste français lui donne assez rapidement accès auprès des leaders du Parti : Lénine, Trotski, Kamenev, la

Kollontai, etc. Il devient un familier de Smolny et y est encouragé par le général Niessel qui s'en sert pour obtenir des renseignements sur la mentalité et les intentions des gouvernants bolcheviks, et pour faire passer à ceux-ci des suggestions.

Il n'est pas douteux qu'à cette époque il a rendu des services, nous tenant au courant des pourparlers de Brest-Litovsky et s'efforçant d'obtenir des bolcheviks une certaine résistance aux exigences. Mais il est difficile d'obtenir quelque chose sans rien accorder soi-même. Les bolcheviks, très malins, s'en servent pour défendre leurs théories de réunion d'une conférence socialiste internationale à Stockholm. Sadoul, d'ailleurs, de par les théories même qu'il défend, est partisan de cette réunion, comme il est partisan d'une action d'accord avec les bolcheviks qu'il croit sincères dans leur désir de résister aux prétentions allemandes.

Toutefois, d'après ce que m'a dit le lieutenant-colonel de Montmarin, chef d'état-major de la mission militaire française en Russie, jamais il n'a dépassé en Russie, dans sa politique personnelle, les limites qui lui étaient fixées par la mission militaire. C'était un agent que l'on employait, sachant qu'il pouvait y avoir à cela un certain danger, mais en prenant contre ce danger les précautions nécessaires.

Après le départ du général Niessel, le général Lavergne a continué à employer le capitaine Sadoul dans le même ordre d'idées. À ce moment, la politique menée par le représentant anglais, M. Lockhardt, et le représentant américain, M. Robins, à Moscou s'accorde avec celle que préconise Sadoul : liaison de plus en plus intime avec les bolcheviks pour lutter contre l'influence allemande.

Sadoul a été évidemment l'un des promoteurs de l'idée d'une collaboration des alliés par la reconstitution de l'Armée rouge.

Mais, ici encore, lorsque le général Lavergne lui eut exprimé le point de vue du gouvernement français peu favorable à cette collaboration, Sadoul n'insista pas. Je puis affirmer personnellement qu'à ce moment encore, il n'a jamais dépassé les limites qui lui étaient fixées.

À partir de cette époque d'ailleurs, le rôle politique de Sadoul devient de plus en plus effacé. Sentant qu'ils ne peuvent plus rien en tirer, les leaders bolcheviks Lénine et Trotski ne le reçoivent plus ou ne lui donnent que des renseignements sans valeur. Il n'a plus à faire qu'à des personnalités politiques de second ordre : Sverdlof, Kamenev, etc. En un mot, il est « brûlé ». Néanmoins le général Lavergne estime utile de le conserver comme susceptible de modérer l'animosité chaque jour croissante des bolcheviks contre les représentants militaires français, et peut-être d'éviter, le moment venu, que les représailles contre ces représentants, prennent un caractère trop aigu.

Si l'action du capitaine Sadoul, en Russie, se maintient dans les limites qui lui sont fixées par ses chefs, auxquels il reste toujours très discipliné, en revanche, ses théories, très avancées, se donnent libre cours dans les comptes rendus personnels qu'il adresse en France à ses amis politiques, et en particulier à M. Albert Thomas. Un courrier arrivé vers le mois de juin, nous apporta à Moscou des lettres du capitaine Sadoul, vues par la censure et où se manifestait une violente critique de notre politique en Russie.

Interrogé à ce sujet, le capitaine Sadoul soumit au général Lavergne une copie des notes personnelles adressées par lui, par chaque courrier régulier, à M. Albert Thomas. Les critiques y étaient en effet très violentes. Étant donné la personnalité à laquelle elles étaient adressées, les réponses faites par M. Albert Thomas, et le fait que la censure avait dû les voir, on était en droit d'admettre que le gouvernement en avait connaissance. D'ailleurs à peu près à ce moment, tout courrier régulier a cessé pour la France.

Le dernier courrier venu de France nous a apporté un dossier relatif à l'action du capitaine Sadoul dans un procès antérieur à son départ en Russie et dans lequel il aurait demandé à un homme de troupe de lui fournir des renseignements sur un des officiers. Le dossier a été soumis à M. l'ambassadeur qui a répondu par télégramme (n° 749 du 25 août) émettant un avis favorable au rappel en France du capitaine Sadoul.

En résumé :

— En Russie, le capitaine Sadoul a agi dans le sens de ses théories politiques, mais s'est subordonné aux ordres que lui donnaient ses chefs.

— En France, il a adressé des rapports exposant ses vues sur notre politique. Je n'ai pas les éléments nécessaires pour les apprécier. C'est à Paris seulement que peut être déterminé le caractère de ces communications et l'importance qu'elles ont pu avoir.

[SHD 7NN2013]

Rapport secret de l'attaché militaire auprès de l'ambassade de France en Russie sur l'activité du capitaine Sadoul en Russie, Paris, 27 octobre 1918

Le capitaine Sadoul a un caractère franc et entier, c'est un socialiste profondément convaincu : ces tendances lui donnaient manifestement du crédit dans les milieux où il était appelé à évoluer, et malgré les essais quotidiens que je faisais pour essayer d'orienter son jugement vers un équilibre qu'il ne me semblait pas posséder, je n'ai jamais pu arriver à modifier sa mentalité toute d'une pièce. Les services qu'il a rendus témoignent de sa loyauté. Il m'a déclaré que ses convictions le portaient vers une évolution socialiste autant que possible sans révolution, mais qu'en tout cas il tenait à ce que la victoire de la France sur l'Allemagne soit assurée avant qu'on puisse songer au développement des droits de la classe ouvrière. Il n'y a donc pas lieu de suspecter ses intentions, mais il faut reconnaître que la saisie des minutes de ses lettres qui sont actuellement entre les mains du gouvernement des Soviets lui a donné un grand crédit auprès du personnel bolchevique avec lequel ses relations sont devenues depuis, plus faciles et plus intimes.

J'ai eu connaissance au moment de mon départ de Moscou que le consul général de Danemark avait reçu avis de vous, d'avoir à notifier au capitaine Sadoul de rentrer en France le plus tôt possible ; je ne sais si cette communication lui a été faite. J'ai appris que M. Axenhausen jugeait que sa présence était une sauvegarde pour les membres de la mission militaire française et même de la colonie civile.

C'est ainsi qu'il a fait libérer de la prison où elles avaient été internées, quatre sœurs, professeurs à l'école française de Sainte-Catherine, et qui ont pu recommencer leurs cours à la rentrée des classes.

Il est intervenu également en faveur de M. Ludovic Naudeau, dont la santé avait souffert en prison. Sur ses instances il a été l'objet d'une visite médicale, et, si mes renseignements sont exacts, transporté dans une maison de santé.

Lorsque j'ai quitté Moscou, j'ai fait savoir au commandant Chapouilly, chef du détachement français, que dans aucun cas, même s'il devenait le plus ancien, Sadoul ne pourrait en exercer le commandement.

[SHD 7NN2013]

Télégramme urgent et secret du ministère des Affaires étrangères, Stockholm, 16 janvier 1919

Stockholm, le 16 janvier 1919 à 20 heures 35.

Reçu le 17 à 15 heures.

Vous savez d'autre part (déjà) que l'ex-capitaine Sadoul est à Berlin avec Voenessentski et un Anglais pour organiser la propagande bolchevique parmi les prisonniers de guerre français et anglais et dans la zone occupée par les troupes alliées. Il doit organiser des cours spéciaux de propagande (analogues à ceux de Moscou) à Berlin ainsi que dans une autre ville plus proche du front, peut-être Munich. On m'apprend de bonne source que Sadoul aurait l'intention d'aller en France, soit en traversant la zone d'occupation, soit en se déguisant en prisonnier de guerre.

Vous jugerez peut-être à propos d'envoyer, à toutes fins utiles, son signalement à Copenhague si invraisemblable que soit son voyage par cette ville.

DELAVAUD

[SHD 7NN2013]

Télégramme à chiffrer, 19 janvier 1919

Sadoul est signalé comme étant venu à Berlin pour organiser propagande bolchevique parmi prisonniers de guerre français et anglais. Aurait intention aller en France en traversant zone d'occupation ou en se déguisant en prisonnier de guerre.

En cas où Sadoul passerait par Copenhague, vous envoie son signalement à toutes fins utiles :

Né le 22 mai 1881 à Paris.

Taille 1 m 73.

Cheveux noirs, longs rejetés en arrière en brosse ondulée.

Moustache brune fournie taillée à l'américaine.

Nez légèrement retroussé.

Visage petit, rond et plein — teint coloré.

Aurait eu une luxation du genou gauche encore visible qui rendait ce genou plus fort que l'autre et lui faisait traîner la jambe.

Allure peu distinguée.

[SHD 7NN2013]

Note du général Franchet d'Espèrey, *commandant en chef des armées alliées en Orient, au président du Conseil, ministre de la Guerre, 8 août* 1919

Dans les derniers jours de juillet, les torpilleurs français *Scarpe* et *Bambara* ont recueilli à Odessa et ramené à Constantinople vingt-sept soldats français qui, prisonniers des bolcheviks, ont réussi à s'évader et à rejoindre ces deux bâtiments.

Ces soldats ont été interrogés à Constantinople et j'ai l'honneur de vous exposer ci-après, et selon leurs déclarations de quels efforts de propagande ils ont été l'objet de la part des délégués bolcheviques, par qui et comment cette propagande était faite et les résultats auxquels elle a abouti.

Tous ces soldats faits prisonniers le 27 mai dernier, à Bender ont [été] emmenés en captivité à Odessa, où ils furent mis en subsistance au 1er régiment international dans lequel figurent des soldats de toutes nationalités.

Les principaux propagandistes qui tentèrent d'influencer nos soldats sont :

Le capitaine Sadoul, l'organisateur et le directeur de la propagande,

Baudy, secrétaire du précédent, originaire de Limoges, venue en Russie avec la mission dont faisait partie Sadoul,

Mme Stella Costa, Belge (?),

Un certain M. Joseph, que certains présentent comme Français d'autres comme Russe et qui vous a été déjà signalé antérieurement,

Le commandant Coukarsky ou Cokarsky, ancien militaire de la Légion étrangère.

À tous les prisonniers furent d'abord distribués des tracts révolutionnaires en grand nombre, leur représentant la France comme étant dans un état des plus critiques et ne pouvant être régénérée que par une révolution qui tendrait la main à celle de Russie.

Des conférences sur le même sujet et auxquelles les prisonniers étaient contraints d'assister, furent faites au théâtre municipal, chez Sadoul, au bureau communiste ou à la caserne même où nos soldats étaient logés. Une conférence eut lieu notamment au théâtre municipal le 14 juillet, et les prisonniers y furent conduits par des soldats de l'Armée rouge, baïonnette au canon.

Fréquemment, les prisonniers étaient rassemblés et obligés de figurer au milieu des cortèges de bolcheviks et de parcourir ainsi les rues de la ville, au son de L'*Internationale*, défilant devant les appareils photographiques et cinématographiques et contraints parfois de crier eux-mêmes : « Vive l'Internationale. »

Ils étaient également obligés de prendre la garde au collège international, 10 boulevard Nicolas, résidence de Sadoul.

Le but de ces manœuvres était triple :

1 – compromettre nos soldats en leur donnant l'apparence de participer volontairement à ces manifestations et leur faire apparaître leur situation comme n'ayant d'autre issue que l'entrée définitive au service de bolcheviks,

2 – impressionner les populations en leur montrant combien les conversions des étrangers au régime bolchevique étaient rapides et nombreuses,

3 – rehausser le prestige du capitaine Sadoul aux yeux des autorités bolcheviques par le succès de son action auprès des Français prisonniers.

Une vive propagande était exercée aussi parmi les soldats Algériens, par des agents Turcs, officiers dans l'Armée rouge et usant tour à tour, de la menace et de la persuasion.

Trois cents roubles par mois étaient offerts à ceux des prisonniers qui auraient à prendre du service dans l'Armée rouge.

Le but avoué de cette propagande n'était pas seulement de faire entrer nos soldats dans l'Armée rouge mais, et c'était là, sans doute le point principal, de les transformer en agents de propagande destinés à opérer en France après leur retour.

Les résultats connus de tous ces efforts sont les suivants :

1 – deux ou trois Algériens du 2e Génie, dont les noms n'ont pas été rapportés, ont cédé aux menaces et se sont laissés incorporer dans l'Armée rouge.

2 – quatre marins, le déserteur du *Patrie*, dont un est connu sous le nom de Michel, un autre sous celui de Jean, sont rentrés à Odessa au service de bolcheviks, dans la police secrète, dit-on. On en signale sept ou huit autres à Kiev où ils seraient chargés de l'entretien d'un train blindé.

3 – le nommé Bastien du 2e Génie classe 17 est devenu un auxiliaire très zélé de Baudy. Il est signalé comme ayant le premier dénoncé trois prisonniers qui venaient de s'évader.

4 – Henri Sébastien, déserteur du 4e Zouaves, originaire de Marengo (Algérie) s'est rendu aux bolchevistes en emportant une mitrailleuse et après avoir, dit-il, tué son commandant qui lui ordonnait de tirer sur les rouges. Sébastien est devenu un des plus ardents propagandistes

auprès de nos soldats. Il a été signalé comme parti dernièrement pour le front.

5 – cédant à la pression exercée sur eux, les hommes dont les noms suivent seraient également entrés au service des bolcheviks, à Odessa, mais regretteraient vivement leur geste et auraient refusé de se laisser incorporer dans l'Armée rouge :

Leroux Charles, Clavel, Dubois Louis, Garcy Guillaume, Cino Noël, Piccon Marius, Blasco Louis, Julienne Ernest, Allelys Victor, Rey Médard.

Des recherches sont faites pour déterminer les corps dont les militaires faisaient partie.

Il résulte des renseignements recueillis que la propagande bolchevique aurait beaucoup plus de succès sur les prisonniers roumains qui, à quelques rares exceptions, auraient pris du service dans l'Armée rouge.

Si les bolcheviks ont fait jusqu'ici de sérieux efforts pour gagner des prisonniers à leur cause, il est très probable que ces derniers se verront bientôt, si ce n'est déjà fait, dans l'obligation brutale d'entrer dans l'Armée rouge. Cette mesure semble être en effet, la conséquence naturelle de la dernière décision prise par le gouvernement des Soviets ukrainiens et prescrivant l'incorporation forcée de tous les sujets alliés et neutres à l'exception des Persans et des Chinois.

Cette décision a fait l'objet de mon télégramme n° 313/2M du 29 juillet dernier et son application entière mettrait en particulier, les prisonniers français dans une situation sur laquelle je me permets d'appeler tout spécialement votre attention.

[SHD 7NN2013]

FAUT-IL SE MÉFIER D'ADOLF HITLER ?

Le chef du parti nazi fiché par les Français en 1924

Thomas Wieder

C'est une vulgaire fiche en carton, au milieu d'une boîte qui en contient des dizaines. Dessus, quelques informations relatives à un certain Adolf Hitler, dont une photographie visiblement découpée dans un journal a été collée au recto. Cette fiche date de 1924. La Rhénanie, comme l'a prévu le traité de Versailles signé cinq ans plus tôt, est administrée par une Haute-Commission composée de Belges, de Britanniques et de Français. Présidé par un Français, le conseiller d'État Paul Tirard, cet organisme s'occupe de tous les aspects de la vie quotidienne, de l'économie à la justice, de la culture à l'ordre public. Mais aussi de renseignement. Et Hitler, qui dirige le Parti national-socialiste depuis 1921, fait logiquement partie des individus que le service de sûreté observe de près.

De près, mais avec les yeux de l'époque. Hitler, ainsi, est présenté comme un « journaliste ». Ce qui est vrai, dans la mesure où il écrit au *Völkischer Beobachter*, un journal munichois racheté par les nazis en 1920. Mais ce qui montre qu'il est alors davantage considéré comme un homme de plume que comme un homme d'action. Autre détail intéressant : Hitler est qualifié de « Mussolini allemand ». Ses troupes, est-il indiqué, sont d'un « genre fasciste ». Comme si le futur maître du IIIe Reich n'était qu'une pâle copie du Duce. En 1924, Mussolini est au pouvoir depuis bientôt deux ans. Hitler, pour sa part, a bien essayé de renverser le gouvernement bavarois en novembre 1923, mais sa « tentative de coup d'État », comme le précise la fiche, a « échoué lamentablement ».

Faut-il se méfier d'Adolf Hitler ? À cette question, les services de renseignement français n'apportent pas de réponse claire. D'un côté, certes, ils précisent que le chef du parti nazi « n'est pas un imbécile mais [...] un très adroit démagogue ». D'un autre, toutefois, il n'est vu que comme « l'instrument de puissances supérieures ».

Un tel jugement est conforme à l'opinion dominante à l'époque, qui considère volontiers Hitler comme une simple marionnette manipulée par le général Erich Ludendorff, l'ancien numéro deux de l'armée allemande pendant la Première Guerre mondiale. C'était vrai au début de sa carrière. Mais les services ignorent, apparemment, que l'élève a pris ses distances par rapport au maître depuis le putsch manqué de 1923. Et qu'il n'a plus l'intention de jouer les seconds rôles.

✦

LA FICHE DE HITLER

La fiche de renseignements de Hitler contient trois erreurs manifestes. La première a trait à son second prénom, Jacob, attribué de façon fantaisiste mais non par hasard : il est possible que les services aient été sensibles à la rumeur, en vogue à l'époque mais fermement démentie depuis par les historiens, selon laquelle Hitler aurait eu des origines juives. Les deux autres erreurs concernent sa date et son lieu de naissance. Hitler, contrairement à ce qui est indiqué, n'est pas né en 1880 à Passau, en Bavière, mais en 1889 à Braunau-am-Inn, en Autriche. Ce qui n'est pas anodin dans la mesure où, une fois au pouvoir, il n'aura de cesse de vouloir unifier l'Autriche et l'Allemagne, objectif qu'il atteindra en mars 1938.

Fiche de renseignements sur Adolf Hitler, 1924

Nom : Hitler.

Prénoms : Adolphe (*sic*), *Jacob*.

Profession-situation : journaliste.

Né en 1880 à Passau.

Le « Mussolini allemand ».

Ne serait que l'instrument de puissances supérieures : n'est pas un imbécile mais est un très adroit démagogue.

Aurait Ludendorff derrière lui.

Aurait relations avec personnages palatins.

Organise des Sturmtruppen genre fasciste.

Diffuse le *Völkischer Beobachter*.

Tentative de coup d'État le 8 novembre 1923 contre le gouvernement bavarois. A échoué lamentablement. Huit inculpés dans cette affaire : Hitler, Ludendorff, Pöhner, Frick, Weber, Röhm, Brückner, Wagner.

né en 1880 à Passau

Nom Hitler le „Mussolini allemand"

Prénoms Adolphe, Jacob

Profession-Situation Journaliste

Domicile ou résidence

Ne serait que l'instrument de puissances supérieures : n'est pas un inculte mais est un très adroit démagogue. Aurait Ludendorff derrière lui. 1)

Aurait relat. avec personnages palatins

Organise des Sturmtruppen genre fasciste.

~~Chef de la Völkische Beobachter~~

Tentative de coup d'État le 8 novembre 1923 contre le gouvernement bavarois. a échoué

AfK, 15.12.22 n° 12307 (58)

Références

~~1) Freie Presse du 11.12.22~~ (S.D.) ~~12.307. 18/12/22~~ (Germania) all.

2) donner fascisme allemand du Parti nat. socialiste

suite au verso

Fiche d'Adolf Hitler établie par la Haute-Commission interalliée des territoires rhénans.

Condamné à 5 ans de forteresse avec possibilité de sursis après 6 mois de détention.

A annoncé le 7 juillet 1924, du fond de sa prison, qu'il cessait d'être le chef du mouvement national-socialiste.

Procès contre le Dr Pittinger (22-9-24) devant le *Schöffen Gericht* de Munich, celui-ci ayant déclaré qu'Hitler avait reçu des fonds français.

[AN AJ/9]

« As-*tu vu Crémet* ? »

Ce dessin publié dans L'H*umanité* le 27 avril 1927 se moque de la police, incapable d'arrêter Crémet.

FLAGRANT DÉLIT D'ESPIONNAGE

La traque d'un couple au service de l'URSS

Jean Garrigues

Le 26 février 1925, un rapport de filature des inspecteurs de la police mobile fait état des allées et venues suspectes d'une certaine Louise Clarac entre le siège du Parti communiste, rue Lafayette à Paris, et l'ambassade d'URSS, rue de Grenelle. Elle y aurait passé trois quarts d'heure avant de ressortir en compagnie d'une femme blonde, au fort accent étranger, portant fourrure. Cette Louise Clarac, petite brune de trente ans, est soupçonnée de se livrer à des activités d'espionnage pour le compte des Soviets.

Dans la France des années 1920, habitée par la hantise du complot bolchevik, ce rapport est loin d'être anodin. Le Parti communiste, issu en décembre 1920 d'une scission de la SFIO socialiste, est en effet un parti révolutionnaire, aligné sur les positions de Moscou. Il lutte ouvertement contre la politique de défense menée par les gouvernements « bourgeois » et milite activement pour désorganiser la production de l'industrie militaire. D'après plusieurs notes émises par la Sûreté générale à partir d'août 1924 (voir p. 222 *sq.*), il semble même que des militants communistes aient livré aux Soviets des informations sur les matériels de l'armée française, tels que les tanks Vickers ou les tracteurs Schneider. Alors même que se profile la guerre du Rif — une expédition militaire contre les rebelles marocains d'Abd el-Krim que soutient l'URSS —, le spectre de l'espionnage communiste a de quoi inquiéter.

C'est pourquoi une vaste opération de filature a été lancée au début de l'année 1925, dont Louise Clarac est l'une des cibles. Des dizaines de rapports qui découlent de cette enquête, il ressort que la jeune femme appartient à un réseau particulièrement actif dans les arsenaux français, notamment à Marseille, Toulon et Saint-Nazaire, et dont le chef est un militant de premier plan : Jean Crémet. Ce rouquin moustachu de trente-deux ans à peine n'est autre que le secrétaire général adjoint, c'est-à-dire le numéro deux du Parti. Militant de la première heure, issu d'une famille d'ouvriers de la Loire-Inférieure, lui-même chaudronnier aux établissements d'Indret, il est devenu l'ami de Lénine, de passage à Nantes à l'été 1910, pendant son exil en France. Invité à Moscou en mai 1923, Crémet semble avoir accepté à ce moment-là de travailler pour les Soviétiques.

Un réseau d'agents

Élu conseiller municipal du XIVe arrondissement de Paris en mai 1925, il supervise l'action de Louise Clarac, devenue sa maîtresse. Les rapports de la Sûreté permettent de suivre les rencontres des deux amants-espions avec de mystérieux correspondants, dont la femme blonde de l'ambassade. Louise Clarac semble avoir pour tâche de collecter les informations fournies par les agents du réseau, tels Théophile Kerdraon dit « Berthelot », charpentier-tôlier à l'arsenal de Brest, Alfred Cadro, secrétaire du groupe communiste de Saint-Nazaire, ou François Le Goff, métallurgiste aux Chantiers de la Loire et délégué fédéral à la propagande du Parti. Jean Crémet est contraint par ses fonctions dirigeantes à un rôle moins actif, mais il est le coordonnateur présumé du réseau.

« Le communisme, voilà l'ennemi ! »

Qu'en est-il au juste de ces accusations ? Les rapports de la Sûreté ne donnent aucune preuve, même si l'analyse d'un questionnaire tend à démontrer qu'il est traduit du russe. Pour Crémet, interviewé dans *L'Humanité* du 27 avril 1927, l'affaire a été montée de toutes pièces par les « agents provocateurs » du gouvernement, comme un épisode du « vaste complot politique » ourdi « par l'impérialisme français contre le Parti communiste et les syndicats révolutionnaires ». Ce que le pouvoir appelle « espionnage » ne serait selon lui que les « recherches, études, classement de tous les documents pouvant intéresser la défense des ouvriers, dans la période de lutte ouverte, d'accentuation de la bataille des classes où nous sommes ».

Il est vrai que le gouvernement Poincaré est engagé dans une guerre ouverte contre le PC, illustrée par la formule fameuse d'Albert Sarraut, ministre de l'Intérieur, dans son discours de Constantine du 22 avril

1927 : « Le communisme, voilà l'ennemi ! » L'affaire Crémet constitue l'un des points d'orgue de cette guerre au bolchevisme. Le « réseau d'espionnage » est démantelé en 1927, mais la répression continue, aboutissant à l'inculpation de tous les membres du Comité central du Parti à l'été 1929.

Entre-temps, le premier intéressé se volatilise. « As-tu vu Crémet ? » chantent les militants pour narguer la police. D'abord réfugié à Moscou, Crémet est ensuite envoyé en Chine pour organiser l'aide au maquis de Mao, avant de disparaître. On saura beaucoup plus tard qu'il est rentré en Europe en 1931 grâce à l'aide d'André Malraux, qui va faire de lui l'un des personnages de *La Condition humaine*, puis de *L'Espoir*. Après avoir combattu pendant la guerre d'Espagne, puis comme résistant dans la Somme, Crémet s'installe en Belgique où il finit ses jours en 1973, sous le nom de Gabriel Peyrot. S'il était séparé depuis longtemps de Louise Clarac, cet aventurier infatigable est resté jusqu'au bout fidèle à son engagement communiste.

✦

DÉMANTÈLEMENT D'UN RÉSEAU COMMUNISTE

Note secrète du contrôleur général des services de Recherches *judiciaires pour la section de centralisation du renseignement,* Paris, 12 *août* 1924

J'ai l'honneur de vous faire connaître que la Sûreté générale est actuellement saisie d'une nouvelle affaire d'espionnage intéressant à la fois le service des Renseignements du gouvernement des Soviets et les milieux communistes.

Un questionnaire, dont ci-joint copie, a été remis à notre informateur par l'agent russe qui fait l'objet de notre surveillance.

En vue de faciliter la suite des investigations minutieuses qu'il convient d'effectuer à ce sujet, je vous serais obligé de bien vouloir examiner l'opportunité qu'il pourrait y avoir à répondre dès que possible à ce questionnaire par une documentation appropriée.

[SHD 7NN2230]

Questionnaire sur l'armement, 1er septembre 1924

Les questions de cuirassement à éclaircir en premier lieu :

1) Les matériaux concernant la construction, l'armement et les données tactiques sur les nouveaux tanks se trouvant en essais ou en construction. Particulièrement le nouveau tank lourd C.2, le léger C et les tanks moyens de Wikkers (?). La construction et les tanks qui ont servi pendant la guerre nous sont connus.

Les données suivantes nous intéressent :

a) les dimensions et le poids ; b) le moteur ; c) le système et la puissance ; d) l'armement ; e) le cuirassement ; f) l'épaisseur de la cuirasse de devant et de côté ; g) la rapidité et la capacité de prendre les montées ; h) la provision de combustibilité, la longueur d'action.

2) éclaircir si tous les 22 régiments de tanks d'assauts légers possèdent le nombre total de tanks (300). S'il y a des manques, en quoi consistent-ils ? Établir si les tanks moyens sont compris dans l'armement et de quels tanks sont armés les bataillons lourds de chars d'assaut.

Questionnaire

Les Questions de cuirassement à éclaircir en premier lieu :

1°) Les matériaux concernant la construction, l'armement et les données tactiques sur les nouveaux tanks se trouvant en essais ou en construction. Particulièrement le nouveau tank lourd C.2 le léger C et les tanks moyens de ~~Wikkers~~ (?). La construction des tanks qui ont servis pendant la guerre nous sont connus.

a) les données suivantes nous intéressent :

1°- Les dimensions et le poids - 2°- le moteur; 3°- le système et la puissance; 4°- l'armement, 5°- le cuirassement; 6°- l'épaisseur de la cuirasse de devant et de côté; 7°- la rapidité et la capacité de prendre les montées; 8°- la provision de combustibilité, la longueur d'action.

2°) Eclaircir si tous les 22 régiments de tanks d'assauts légers possèdent le nombre total de tanks (300) S'il y a des manques en quoi consistent-ils ? Etablir si les tanks moyens sont compris dans l'armement et de quels tanks sont armés les bataillons lourds de chars d'assaut.

3°) Procurer tous les nouveaux enseignements concernant les tanks et les règlements sur les chars de combat.

4°) Existe-t-il des chars spéciaux pour alimenter en combustible et en munitions et quels renseignements possède-t-on à ce sujet ?

Le tirant (?) ou le tirage mécanique dans l'artillerie ~~Eclaircir~~ en premier lieu :

1°- quelles donations (?) de l'artillerie sont changées en tirage mécanique

2°- Etablir les données constructives et tactiques des tracteurs adoptées par l'artillerie : a) le système de mouvement à chenilles, b) la puissance et le système du moteur; c) les usines qui construisent les tacteurs; d) la rapidité du tracteur sur les voies et hors de voies.

Etablir tout particulièrement la construction et les résultats des essais du tracteur SCHNEIDER avec ruban (?) Kegresse et le tracteur St-Chamon avec marche à chenilles coguesques (?).

Eclaircir en deuxième lieu :

1°- quelles usines construisent des tanks et des autos blindés quelle est la production et les commandes,

2°- autres données concernant les tanks : les appareils d'observation, les moyens de liaison, la manière de conduire, les moyens de défense contre les gaz, etc...

3°- quels sont les moyens existant pour faciliter aux tanks les passages des obstacles, le camouflage par la fumée, pour couvrir le bruit, etc...

4°- comment s'effectue le complètement des sections de tanks par l'effectif personnel et les préparatifs (entraînement) des effectifs.

5°- les états des sections de tanks et des autos-blindés

Questionnaire sur les armements français,
1er septembre 1924.

3) Procurer tous les nouveaux enseignements concernant les tanks et les règlements sur les chars de combat.

4) Existe-t-il des chars spéciaux pour alimenter en combustible et en munitions et quels renseignements possède-t-on à ce sujet ?

Le tirant (?) ou le tirage mécanique dans l'artillerie.

Éclaircir en premier lieu :

1) Quelles fonctions de l'artillerie sont changées en tirage mécanique ;

2) Établir les données constructives et tactiques des tracteurs adoptées par l'artillerie : a) le système de mouvement à chenilles ; b) la puissance et le système du moteur ; c) les usines qui construisent les tracteurs ; d) la rapidité du tracteur sur les voies et hors des voies.

Établir tout particulièrement la construction et les résultats des essais du tracteur Schneider avec ruban (?) Kegresse et le tracteur St-Chamon avec marche à chenilles coguesques (?).

Éclaircir en deuxième lieu :

1) Quelles usines construisent des tanks et des autos blindés, quelle est la production et les commandes.

2) Autres données concernant les tanks : les appareils d'observation, les moyens de liaison, la manière de conduire, les moyens de défense contre les gaz, etc.

3) Quels sont les moyens existant pour faciliter aux tanks les passages des obstacles, le camouflage par la fumée, pour couvrir le bruit, etc.

4) Comment s'effectue le complètement de sections de tanks par l'effectif personnel et les préparatifs (entraînement) des effectifs.

5) Les états des sections de tanks et des autos blindés.

L'étude du questionnaire permet de tirer les conclusions suivantes :

1) Le questionnaire est une traduction d'un texte russe.

2) Le texte russe ne comporte aucune erreur ni de terminologie militaire, ni de langue et semble avoir été écrit par un militaire.

3) La traduction française fourmille par contre d'erreurs et de barbarismes, qui sont la conséquence d'une traduction littérale de termes russes. [...]

[SHD 7NN2230]

Rapport de la police mobile au contrôleur général des services de Recherches judiciaires, 26 février 1925

La surveillance de la nommée Clarac a été prise, ce matin, 25 courant, aux abords de son domicile, 95 faubourg Saint-Martin.

La nommée Clarac a quitté son domicile à 10 h 45, pour se rendre rue Lafayette, au siège du Parti communiste. Elle en est ressortie à 11 heures, pour aller prendre l'autobus AC en station devant la gare du Nord ; descendue de celui-ci à la Madeleine, elle s'est engagée dans le Nord-Sud, pour descendre à la station Rue du Bac. Après avoir demandé son chemin à un gardien, elle s'est dirigée rue de Grenelle à l'ambassade des Soviets où elle est entrée à 11 h 30. Elle en est ressortie à 12 h 15, en compagnie d'une femme âgée d'une trentaine d'années, assez corpulente, un peu plus grande que la nommée Clarac, blonde, vêtue avec élégance et portant une large fourrure de skunks.

Elles ont pris devant le n° 50 de la rue Bellechasse, le taxi n° 219 G3. La filature a dû être suspendue, notre taxi ayant été « coupé » vers la gare d'Orsay.

RÉPUBLIQUE FRANÇAISE

PRÉFECTURE DE POLICE

CABINET DU PRÉFET

SERVICE TÉLÉGRAPHIQUE

N° 1493

Télégramme

Paris, le 10/5/27. 18 h 45

Cre = chiffré =

Intérieur Sté Recherches à Cres spéciaux des frontières, Ports d'embarquement et Ports aériens en cion Préfet Police Paris =

Cre = Référence mon télégramme 14 avril et ma circulaire 74 du 9 mai courant concernant Crémet Jean Louis et Clarac Louise stop. Il y a mandat d'arrêt en date du huit mai de M. Peyre juge d'instruction Seine contre les deux intéressés du chef espionnage

Télégramme chiffré de la Préfecture de police aux commissaires spéciaux des frontières concernant le couple Crémet-Clarac, le 10 mai 1927.

Renseignements pris auprès du chauffeur du taxi n° 219 G.3, M. Bavastio, il résulte que les deux femmes prises en charge à 12 h 20 vers le 50 de la rue Bellechasse, se sont fait conduire aux Galeries Lafayette. Auparavant, la femme blonde, avec un fort accent étranger, lui avait demandé la place de l'Opéra, puis elle s'est rétractée en demandant l'avenue de l'Opéra (prononcé *avenoue*), au moment où la voiture s'engageait sur le Pont Royal, la blonde a commandé les Galeries Lafayette, changeant subitement d'idée.

Pour causer au chauffeur, la glace de devant de l'automobile a été baissée, elle y est restée. Le chauffeur du taxi, qui connaît parfaitement la langue italienne, prétend avec assurance, bien que n'ayant saisi le sens de la conversation échangée par les deux femmes, que celles-ci devaient, suivant quelques convenances, s'exprimer en espagnol.

Le chauffeur a débarqué les voyageuses aux Galeries Lafayette. Durant les 3 ou 4 minutes de stationnement qui ont suivi le départ des deux femmes, il a vu celles-ci observant la devanture du magasin, mais ne les a pas vues entrer.

La surveillance a été reprise de suite au domicile de Clarac.

Celle-ci y est arrivée à 13 h 30, portant un sac en cuir, paraissant garni. Elle est ressortie de son domicile à 14 h 30, pour se rendre rue Lafayette, au siège du Parti communiste, pour en ressortir à 15 h 30.

Rentrée à nouveau chez elle à 15 h 40, elle en est sortie à 18 h 15, pour se rendre sur les Grands Boulevards où elle a été perdue de vue devant le journal *Le Matin*.

Il y a tout lieu de croire que la personne blonde doit être une employée de l'ambassade des Soviets, en raison des marques de politesse que le personnel lui a témoignées à sa sortie.

[SHD 7NN2230]

***Note du commissaire* Ducloux, *de la police mobile, au contrôleur général des services de* Recherches *judiciaires,* 28 *mars* 1925**

J'ai l'honneur de porter à votre connaissance les faits suivants :

Dans le courant de l'année 1924, des indications concordantes transmises à la Sûreté générale de divers points du territoire signalaient une reprise de l'activité de certains agents communistes qui tentaient de se procurer des renseignements intéressant la Défense nationale.

On recherchait principalement la documentation relative aux constructions navales, à la télégraphie sans fil, à l'aviation, aux chars d'assaut, aux explosifs de toute nature et aux gaz asphyxiants.

Entre le 29 mars et le 4 avril 1924 un communiste paraissant d'origine russe, et voyageant sous un faux nom avec une lettre de crédit signée par Crémet Jean-Louis, secrétaire fédéral du Parti communiste de la Loire-Inférieure, délégué à la propagande régionale, aurait visité les ports du Havre, Cherbourg, Brest, Lorient, Nantes, Bordeaux, Toulon et Marseille.

Cet étranger aurait eu pour mission de s'assurer de la collaboration, dans les buts sus-indiqués, de correspondants choisis parmi les dirigeants du Parti qui lui avaient été désignés par le Comité directeur et la Fédération des jeunesses communistes.

À Brest, il se serait notamment mis en rapport avec le nommé Kerdraon Théophile, ouvrier de l'arsenal, et avec Le Marchand Louis, *alias* Léo Marchand, membre du Comité de Défense sociale du groupe communiste, et de la bourse du travail unitaire.

À Toulon, il se serait abouché avec Flandrin Marius, membre du syndicat des travailleurs du port, ancien ouvrier de l'arsenal, ex-anarchiste passé au communisme.

Le communiste étranger dont il s'agit était désigné sous le nom de « Jean », et répondait au signalement suivant : âgé de 25 à 30 ans, taille 1 m 70 environ, cheveux et moustache châtain foncé, moustache coupée à l'américaine, corpulence moyenne, allure assez distinguée, parle correctement le français avec un léger accent étranger.

Après son voyage circulaire, vers le mois de mai 1924, le nommé « Jean » disparaissait des milieux où sa présence avait été remarquée, et son identité restait inconnue.

Cependant de nouvelles informations confidentielles faisant connaître que la besogne d'espionnage ainsi amorcée par « Jean » était poursuivie par une femme du nom de Louise Clarac, âgée de 25 à 30 ans, brune, portant les cheveux coupés à la Ninon, de visage maigre, petite corpulence, et très petite taille.

D'après les indications fournies, Louise Clarac remplissait le rôle d'agent collecteur et avait pour mission de se rendre auprès de camarades militants qui avaient pu se procurer de la documentation à Paris. Elle se recommandait également au cours de ses missions, du sieur Crémet, déjà cité, qui avait quitté son domicile légal à Basse-Indre, pour se réfugier à Paris à une adresse inconnue.

Pendant le deuxième semestre de l'année 1924, L. Clarac aurait ainsi effectué plusieurs voyages à Marseille, Toulon, Angoulême, Nantes et Saint-Nazaire. Au cours de ces voyages elle aurait notamment obtenu des renseignements concernant les chars d'assaut et les explosifs en réserve dans les poudreries.

On citait comme ayant été en rapports avec Louise Clarac à cette occasion, les nommés Flandrin de Toulon, Rousset à Marseille, Cadro Alfred et Le Goff Ernest à Saint-Nazaire, et Greyo Henri à Trignac (Loire-Inférieure).

Au début de l'année courante, nos investigations nous amenaient à découvrir à Paris, 95 faubourg Saint-Martin, l'adresse de la nommée Louise Clarac, résidant d'une façon irrégulière chez sa sœur Madeleine Clarac, se disant tapissière. Les renseignements ci-après étaient alors discrètement et rapidement recueillis sur ces deux personnes :

Clarac Marie-Madeleine, locataire en titre d'une chambre et d'une cuisine au 5e étage de l'immeuble susvisé, serait âgée de 28 ans, et originaire d'Angoulême.

Clarac Louise, sœur de la précédente, serait née à Cognac et aurait une trentaine d'années. Elle est célibataire.

Dans leur voisinage on ne connaît pas aux demoiselles Clarac d'occupations régulières. Madeleine se dit tapissière ; quant à Louise, on sait qu'elle voyage beaucoup, mais on ne connaît rien de ses moyens d'existence. Elles auraient l'une et l'autre un ami dont les noms sont également ignorés.

Un va-et-vient assez considérable d'inconnus se présente à toute heure du jour pour rendre visite à l'une ou à l'autre. Leur courrier est parfois assez important et de provenances très diverses.

À partir du moment où la résidence de Louise Clarac et son identité nous ont été connues, des surveillances ont été effectuées d'une façon intermittente et ont donné lieu aux constatations résumées ci-après :

9 janvier : Louise Clarac sort vers 9 heures 30, pour faire des provisions. À 15 h 30 elle se rend dans un bar situé en face de son domicile et téléphone à NORD 71-91 (Fédération communiste 120 rue Lafayette). Elle demande à l'appareil une nommée Ayat (?) et la prie d'excuser quelqu'un de souffrant qui a fait défaut dans la matinée (voir rapport de surveillance n° 1).

13 janvier : Louise Clarac sort à 14 heures 45 en compagnie d'un individu avec qui elle paraît intimement liée. L'homme se rend au Parti communiste 120 rue Lafayette,

tandis que, de son côté, Louise Clarac se dirige vers les salons de lecture des magasins du Bon Marché où elle rencontre une femme grande et blonde qui lui remet un paquet enveloppé de papier bleu. Cette femme n'a pu être identifiée (rapport n° 2).

D'après le signalement très particulier de l'individu qui est sorti en même temps que Louise Clarac, cheveux et moustache très roux (voir notice) on pense dès maintenant qu'il s'agit de Crémet, qui ne réside plus depuis un certain temps à Basse-Indre, et dont l'adresse est tenue secrète par le groupe communiste de la Loire-Inférieure.

20 janvier : Louise Clarac et son compagnon, présumé Crémet, ce dernier porteur d'une serviette de cuir jaune, sortent à midi, hèlent un taxi et disparaissent sans qu'il soit possible de les suivre, ni de relever le numéro de leur voiture (rapport n° 3).

22 et 23 janvier : Louise Clarac et Crémet sortent à 13 h 15 et rejoignent un autre couple devant leur immeuble. Les quatre personnes se rendent au Parti communiste 120 rue Lafayette ; puis elles rentrent ensuite 95 faubourg Saint-Martin. Le couple inconnu sort de nouveau peu après pour aller expédier le télégramme suivant : « Greyo à Irignac (Loire-Inférieure). Arriverai vendredi 6 h 30 matin. » Expéditeur Greyo 120 rue Lafayette. À 21 heures, la nommée Clarac et le couple inconnu accompagnent à la gare d'Orsay une femme qui prend le train à destination de Saint-Nazaire. Cette femme est la nommée Hauye Anne-Marie, épouse du sieur Greyo Henri, militant communiste domicilié à Irignac, et employé aux chantiers de la Loire (rapport n° 4).

12 février : Crémet et Louise Clarac sortent à 11 h 30 hèlent un taxi n° 9682 EG. Ce taxi ne peut être suivi, mais le chauffeur indique le lendemain qu'il a conduit ses clients à la gare de Lyon (rapport n° 5).

MINISTÈRE
DE L'INTÉRIEUR

DIRECTION
DE LA
SURETÉ GÉNÉRALE

POLICE JUDICIAIRE

CONTRÔLE GÉNÉRAL
DES
Services de Recherches judiciaires.

N° -DM/5068

RÉPUBLIQUE FRANÇAISE

Paris, le 22 JUIN 1927.

NOTE

pour la Section de Centralisation de Renseignements.

-:-:-:-:-:-

Comme suite à votre demande verbale du 2I Courant, 4 juin(?) j'ai l'honneur de vous adresser, sous ce pli, deux exemplaires de la photographie des nommés CREMET, Jean-Louis, né le I7 Décembre 1892, à La Montagne (Loire-Inférieure) et CLARAC Louise, née le ? 1895, à Cognac (Charente) de feu Louis, Hippolyte et de PEROIDEAU Eugénie.

Tous deux, actuellement en fuite, font l'objet d'un Mandat d'arrêt, en date du 8 Mai 1927, délivré par M. PEYRE, Juge d'Instruction au Tribunal de la Seine, du Chef d'espionnage.

Ils répondent aux signalements suivants:

CREMET: taille Im64, cheveux roux-blond, sourcils roux, yeux gris, front haut, nez fort, moustaches rousses à l'américaine, menton allongé, visage ovale, corpulence moyenne. Très facilement reconnaissable par la teinte caractéristique de ses cheveux.

CLARAC; Louise: Petite taille, brune, maigre, air maladif, marche légèrement courbée.

2 photographies jointes.

Le CONTROLEUR GENERAL:

Ducloux

Note de la Sûreté générale donnant les signalements de Jean Crémet et de Louise Clarac, 22 juin 1927.

D'après les indications recueillies au cours de la surveillance du 27 février, Crémet aurait expédié par la suite des cartes postales de Lyon et de Marseille.

13 février : Louise Clarac est à son domicile, elle n'a donc fait qu'accompagner Crémet à la gare de Lyon. Elle ne sort que pour faire ses provisions (rapport n° 6).

14 février : Louise Clarac, vraisemblablement sortie après que la surveillance du jour précédent a été levée, ne rentre que très tard dans la nuit. On ne l'aperçoit pas dans le courant de la matinée et la surveillance est levée à 13 heures 30 (rapport n° 7).

18 février : Louise Clarac est absente depuis le 14 février. Elle serait sortie ce jour-là en compagnie de sa sœur, de l'ami de celle-ci et du nommé Crémet (rapport n° 8).

19 février : Madeleine Clarac serait rentrée seule la veille à 19 heures et garderait la chambre (rapport n° 9).

20 février : Les sœurs Clarac seraient absentes. Elles ne reçoivent ni visites ni correspondance (rapport n° 10).

23 février : Absente depuis le 14 février Louise Clarac rentre à son domicile vers 5 heures du matin accompagnée de plusieurs personnes. À 13 h 15 elle sort en compagnie du nommé Crémet pour faire quelques courses ; puis elle sort de nouveau à 16 h 30 pour acheter des provisions (rapport n° 11).

24 février : Crémet et L. Clarac sortent à 16 heures pour aller au bureau de renseignements à la gare de l'Est. Ils rentrent à leur domicile pour se rendre peu après au Parti communiste d'où ils réintègrent le faubourg Saint-Martin. Leur sortie n'est plus constatée (rapport n° 12).

25 février : Louise Clarac sort à 11 heures pour se rendre au journal L'*Humanité*, rue du Croissant. À 15 h 30 elle sort de nouveau de chez elle pour se rendre au Parti communiste 120 rue Lafayette. De là elle va aux magasins des Galeries Lafayette. Elle rentre chez elle à 18 h 15 (rapport n° 13).

26 février : Louise Clarac se rend à 10 h 45 au Parti communiste et, de là, à l'ambassade soviétique rue de Grenelle. Elle sort de cette ambassade à 12 heures 15 en compagnie d'une inconnue qui, d'après les marques de déférence témoignées par le personnel, paraît occuper une fonction officielle à la rue de Grenelle. Les deux femmes prennent un taxi qui les conduit aux Galeries Lafayette où on les perd de vue. L. Clarac rentre chez elle vers 13 heures 30 portant un sac en cuir jaune. Elle sort à 14 h 30 pour se rendre à nouveau au Parti communiste 120 rue Lafayette (rapport n° 14).

27 février : À trois reprises différentes, dans la matinée, dans l'après-midi, et dans la soirée, L. Clarac se rend au Parti communiste. Elle a reçu dans la journée des cartes postales en provenance de Lyon et de Marseille. Ces cartes sont signées « Jean ». On présume qu'il s'agit de son ami Jean Crémet (rapport n° 15).

28 février : Après avoir fait diverses commissions, L. Clarac se rend à 13 heures 30 à la gare Montparnasse, où l'attend une inconnue. Cette femme est celle avec qui L. Clarac s'est déjà rencontrée dans les salons de lecture du Bon Marché le 13 janvier. Toutes deux s'engagent dans le métropolitain, s'installent sur une banquette et entament une conversation qui se poursuit pendant vingt-cinq minutes. L'inconnue se rend ensuite dans une brasserie, 49 avenue d'Orléans, d'où elle ressort avec un rouleau de papiers à la main, puis elle prend un taxi et se fait conduire au Bazar de l'Hôtel de ville. Cette femme prend de grandes précautions et, de même que dans la journée du 13 janvier, elle a manifesté systématiquement une défiance constante. Elle ne paraît pas s'identifier avec celle qui est sortie l'avant-veille de l'ambassade soviétique en compagnie de L. Clarac (rapport n° 16).

6 mars : L. Clarac se rend à 9 h 40 au n° 13 de l'avenue Pasteur, puis au *Café du métro*, 67 rue de Rennes, où elle a rendez-vous avec un inconnu, puis ils rejoignent un

troisième individu, également inconnu, et sont perdus de vue. L. Clarac rentre à son domicile à 18 heures. On apprend que Crémet serait rentré le 2 mars de la région de Marseille (rapport n° 17).

7 mars : L. Clarac sort à 14 heures en compagnie de Crémet. Ce dernier est porteur d'une serviette de cuir. Le couple hèle un taxi et se fait conduire à la gare d'Orsay où il prend des billets pour Nantes. Crémet paraît très défiant et regarde de tous côtés s'il n'est pas suivi. Pour cette raison la surveillance n'est pas poussée plus loin (rapport n° 18).

17 mars : 14 heures L. Clarac se rend au siège du Parti communiste, 120 rue Lafayette. De retour chez elle à 15 heures elle sort de nouveau à 15 heures 40 pour se rendre au journal L'H*umanité*, rue du Croissant, où elle reste jusqu'à 17 h 15. À 17 h 30 elle rentre à son domicile (rapport n° 19).

24 mars : Louise Clarac, Madeleine Clarac, Crémet et un inconnu sortent à 15 heures et montent le boulevard Magenta, dans la direction de la rue Lafayette. Crémet marche isolément à cinquante mètres derrière le groupe des trois autres personnes et se détourne fréquemment pour examiner les personnes marchant dans la même direction. Dans ces conditions, la filature est suspendue par mesure de prudence (rapport n° 20).

Durant ces deux mois et demi de surveillances espacées, nous n'avons pu obtenir la preuve matérielle des indications énoncées dans la première partie du présent rapport, représentant Louise Clarac comme agent d'espionnage. Cependant, nous en trouvons la confirmation dans une certaine mesure par le fait de ses relations avec Crémet, délégué à la propagande dans l'Ouest, qui le premier aurait accrédité le Russe « Jean » auprès de certains camarades, pour organiser cette besogne d'espionnage.

D'autre part, le fait pour la demoiselle Clarac, apparemment à la solde du Parti communiste, et sans autres moyens d'existence connus, de se rendre dans une même journée à la rue Lafayette, à L'*Humanité* et à l'ambassade soviétique, où se trouvent d'après nos renseignements des services de propagande et d'information, constitue à notre avis une autre présomption.

Enfin la défiance dont fait preuve en particulier Crémet et une inconnue qui prend généralement ses rendez-vous avec la demoiselle Clarac dans des lieux publics, et les stratagèmes systématiquement employés par eux pour déjouer la surveillance nous paraissent caractériser l'attitude de communistes qui ne sont pas simplement actifs ou propagandistes, car ceux-ci ne prennent pas habituellement de telles précautions.

Sauf nouvelle indication précise, et d'ailleurs problématique, sur la nature, sur l'heure et le lieu de la remise d'un document, il nous paraît difficile au surplus d'arriver par des surveillances à saisir par la preuve matérielle que nous recherchons, l'espionnage n'étant vraisemblablement pour le couple qui nous occupe, que partie d'un programme n'intéressant pas exclusivement la Défense nationale.

C'est pourquoi nous avons cru devoir en tout état de cause suspendre momentanément nos opérations et vous en soumettre le résultat.

Ci-joint, vingt rapports de surveillance.

Renseignements d'état civil :

Famille Clarac : Clarac Marie Thérèse Eugénie Louise, dite Clarac Louise, est née à Cognac, le 7 juin 1895 de Louis Hippolyte et de Peronneau Eugénie, couturière de profession. Elle est célibataire, et domiciliée chez sa sœur Madeleine, 95 faubourg St-Martin à Paris.

Clarac Marie Madeleine, dite « Madeleine » née à Angoulême le 18 mai 1897 de Louis Hippolyte et de Peronneau Eugénie, tapissière, mariée en 1918 à un sieur Jouvent dont elle aurait un enfant en bas âge. Domiciliée à Paris, 95 faubourg Saint-Martin. En novembre 1924, elle a effectué en Angleterre un voyage de courte durée. Eugénie Peronneau, mère des susnommées est remariée à Limoges avec un sieur Jamet Pascal, ouvrier typographe, membre du groupe communiste de Limoges, et demeurant dans cette ville, 9 avenue des Coutures.

Louise Clarac a quitté Limoges courant 1924, et elle exerçait les fonctions d'archiviste du Parti communiste. Lors de son départ pour Paris, sa famille s'est refusée à faire connaître son adresse, même à l'administration des Postes de Limoges. Elle prétendait être désignée pour organiser des cellules dans les ateliers de couture de Paris.

Crémet Jean Louis, né le 17 décembre 1892 à La Montagne (Loire-Inférieure), fils de Jean Marie et de Thibaud-Justin Florence, ex-chaudronnier aux établissements d'Indret, domicilié à Basse-Indre (Loire-Inférieure) quai Jean-Bart, marié à Thibault Alphonsine. Un enfant. Recevrait de la correspondance à Paris, 120 rue Lafayette, au siège du Parti communiste et par l'intermédiaire de L. Clarac, 95 faubourg Saint-Martin. Crémet ne se livre à aucun travail et est entièrement à la solde du Parti communiste.

Kerdraon Théophile, dit « Berthelot », né à Brest le 30 septembre 1891, fils de Aimé Louis et de Jeanne Marie Rolland, marié le 9 juillet 1910 à Perrine Ballanec, domicilié à Brest, 4 rue Bouillon. Charpentier tôlier à l'arsenal de Brest. Noté comme syndicaliste révolutionnaire et communiste très actif, dangereux en cas de troubles politiques. Exerce actuellement les fonctions de secrétaire de la Fédération unitaire de la Marine.

Lemarchand Louis dit « Léo Marchand » né à Brest le 19 juin 1893 de Louis François et de Guilbert Marie Victorine, ancien boxeur, ex-employé à la mairie de Brest, domicilié à Brest, 5 rue Monge, où il recevrait aussi de la correspondance sous le nom de Costiou. Se fait aussi adresser du courrier à Paris, sous double enveloppe chez M. Rey, 2 rue Vauvilliers, ainsi que chez M. Favier, gérant d'alimentation 60 rue de la Mare (20e). Militant syndicaliste très actif Lemarchand a été condamné à plusieurs reprises pour violences à agents au cours de manifestations publiques. Sur le point d'être révoqué de son emploi à la mairie de Brest, en mars 1924 Lemarchand est devenu le correspondant du Parti communiste et son délégué à la propagande pour la région du Finistère.

Cadro Alfred, né à Saint-Nazaire le 30 novembre 1893 de Guillaume Marie et de Sottin Marie Désirée, calfat, demeurant à St-Nazaire, 174 rue d'Anjou. Secrétaire du groupe communiste de Saint-Nazaire.

Le Goff Ernest François, né à La Chapelle-des-Marais (Loire-Inférieure), le 29 mai 1892, de Jean et de Marie Joseph Hervy, demeurant à Saint-Nazaire, 160 rue d'Anjou. Métallurgiste aux chantiers de la Loire. Militant communiste actif a été désigné en 1922 comme délégué fédéral à la propagande. A suivi en février 1925, les cours de l'école léniniste à Bobigny.

Greyo Henri, né le 26 octobre 1896 à Montoir (Loire-Inférieure) de François Marie et de Leraye Angèle, menuisier aux chantiers de la Loire à Saint-Nazaire, et domicilié à

Irignac, au lieu-dit « Les Quarante », maison Sudrier. Greyo Henri est délégué fédéral et trésorier adjoint du rayon communiste de Saint-Nazaire Irignac. Sa femme née Hauye Anne-Marie, est une propagandiste très active et a été déléguée au congrès communiste en 1924.

Elle a été également désignée pour suivre les cours de Bobigny en février 1925.

Rousset, militant communiste, résidant croit-on dans la banlieue de Marseille ; sans autre indication pour le moment.

Flandrin Toussaint Marius, né à Toulon, le 17 octobre 1877 de Antoine et de Bongiovanni Catherine. Ancien ouvrier métallurgiste révoqué de l'arsenal de Toulon, militant communiste, a été signalé depuis plusieurs années comme s'occupant de la recherche de renseignements pour le compte du Parti. Membre du syndicat des travailleurs du port, assiste à toutes les réunions. Réputé violent et de très mauvaise moralité. Est domicilié à Toulon, 22 rue Alézard, tandis que sa femme, née Cornu Joséphine, exploite une maison mal famée, rue Traverse-Lirette n° 15 à Toulon.

[SHD 7NN2230]

Lettre au sujet de rumeurs relatives à l'assassinat de Crémet, 6 février 1936

Suivant des bruits en provenance de Moscou qui circulent depuis 24 heures dans les milieux dirigeants du Parti communiste, le militant Crémet, Jean, aurait été assassiné dernièrement par « l'Intelligence service », alors qu'il se rendait en Chine pour y accomplir une mission que lui avait confiée le Komintern.

Crémet est le communiste français qui, en 1927, fut inculpé d'espionnage avec Dadot, Ménétrier et autres. Condamné de ce chef à cinq ans d'emprisonnement, il avait pris la fuite et s'était réfugié à Moscou où, depuis, il était au service de l'Internationale communiste.

[SHD 7NN2230]

Vie privée.

Staline en vacances avec son ami le révolutionnaire Mikoyan. Les informations fournies par Boris Bajanov sur Staline, dans sa vie publique et privée, sont de toute première main pour les services de renseignement qui cherchent à mieux connaître la personnalité du dictateur.

DANS L'INTIMITÉ DE STALINE

Confession de son ancien secrétaire devant le 2e Bureau

Bruno Fuligni

Staline ? « Son intelligence est des plus ordinaires et son instruction est très rudimentaire. » Vorochilov ? « Une parfaite nullité. » Et Molotov ? « Une médiocrité », d'ailleurs « Trotski le hait plus que tous les autres et le considère comme la personnification de la stupidité qui règne maintenant en maîtresse au Bureau politique ».

Ces jugements peu amènes, qu'on lit dans un document secret du 2e Bureau, viennent d'un témoin de choix : Boris Bajanov, ancien secrétaire de Staline, qui demande l'asile politique en France.

En 1928, la défection d'un fonctionnaire soviétique constitue encore une rareté, d'autant plus précieuse qu'on manque d'informations sur les hommes neufs que la révolution a portés au Kremlin. Bajanov n'appartient pas au cercle fermé des dirigeants, mais il les a côtoyés de près. Né en Ukraine en 1900, gratte-papier travailleur et consciencieux, il est devenu secrétaire administratif du Politburo et, à partir de 1923, adjoint de Staline. « Je le connais à merveille », explique-t-il aux officiers de renseignement qui dactylographient son témoignage : « Mes fonctions m'ont appelé pendant plus d'un an et demi à le voir et à lui parler plusieurs fois par jour... Le connaissant à fond, j'ai de lui la plus médiocre des opinions. »

Si nul n'est un grand homme pour son valet de chambre, le maître de l'URSS n'a pas laissé de bons souvenirs à son secrétaire, qui dénonce sa grossièreté, sa dureté, son antisémitisme. « Comme homme privé, Staline est un individu assez désagréable, rusé à l'extrême, d'une dissimulation inouïe, et avant tout très rancunier. Jamais il ne pardonne un acte d'hostilité commis contre lui et, tôt ou tard, il tire vengeance de celui qui a cherché à lui nuire. »

Trotski le romantique

Bajanov doit pourtant reconnaître quelques qualités à Staline : son complet désintéressement, mais aussi la « maîtrise de soi », car ce dictateur d'un nouveau genre ne s'emporte jamais. Enfin, avec un certain mépris d'intellectuel pour l'homme de pouvoir, le défecteur Bajanov consent à Staline « un gros bon sens de paysan » qui lui permet d'aller à l'essentiel dans la lutte pour le pouvoir suprême, contrairement à son rival Trotski. Sans être trotskiste, Bajanov ne cache pas son admiration pour l'ancien chef de l'Armée rouge : « Trotski est sans contredit le plus doué de tous les bolcheviks appartenant à l'élite. Chacun sait qu'il est un excellent orateur, qu'il a toutes les qualités du tribun populaire, sans parler de sa valeur comme publiciste. » Mais ce portrait flatteur est tempéré par ce constat : « Si on étudie le personnage de plus près on s'aperçoit que malgré ses talents il est plutôt un romantique et un homme posant seulement au chef politique, qu'un chef réel et réfléchi. »

Tête froide quant à lui, Bajanov sait que l'avenir n'appartient pas aux tribuns, mais aux bureaucrates de la révolution. « Il est très significatif qu'un individu borné comme Staline a compris l'importance de l'appareil du Parti, alors que malgré ses talents, Trotski n'y a rien distingué… »

Se gardant bien de prendre parti entre adeptes de la « révolution permanente » et tenants du « socialisme dans un seul pays », Bajanov a choisi l'exil. À l'en croire, c'est un voyage en Norvège, en 1924, qui le rend « anticommuniste » : parti acheter des skis pour les athlètes soviétiques, il découvre à Oslo une vraie démocratie qui lui fait prendre en horreur l'État totalitaire institué au nom du prolétariat. Tel est du moins le récit qu'il donnera longtemps plus tard, dans ses mémoires, en 1977. Au milieu des années vingt, Boris Bajanov a compris avant les autres que la révolution est un monstre qui dévore ses enfants. Peu soucieux d'attendre la purge qui viendra fatalement, il s'éclipse à la faveur d'une partie de chasse à la frontière perse : il s'est débrouillé pour prendre ses congés au nouvel an russe, sachant que les douaniers seront ivres morts au petit jour.

Échappant aux tueurs lancés à ses trousses, il gagne les Indes où les services secrets britanniques vont le débriefer longuement. Il négocie son départ en France, pour la plus grande joie du 2e Bureau qui l'interroge à son tour. Sa confession faite, Boris Bajanov s'installe à Paris. Il publie un premier livre et de nombreux articles, y compris dans les journaux des Russes blancs. En 1940, il organise un corps russe antisoviétique qui combat aux côtés des Finlandais agressés par Staline. Rosenberg, l'année suivante, le consulte avant l'opération Barbarossa — l'invasion de l'URSS par l'Allemagne.

« La dictature de Staline est solidement établie et rien ne la menace », déclarait-il aux hommes du 2e Bureau, qui ont souligné cette phrase. « Mais, ajoutait Bajanov, en temps de guerre la situation pourrait changer radicalement. » Après 1945 au contraire, le Petit Père des peuples sort renforcé du conflit, devenant jusqu'à sa mort l'homme le plus puissant de l'univers. Témoin avisé mais impuissant des bouleversements de son siècle, son ancien secrétaire s'éteint en 1982 à Paris, dans l'orgueilleuse solitude des vaincus.

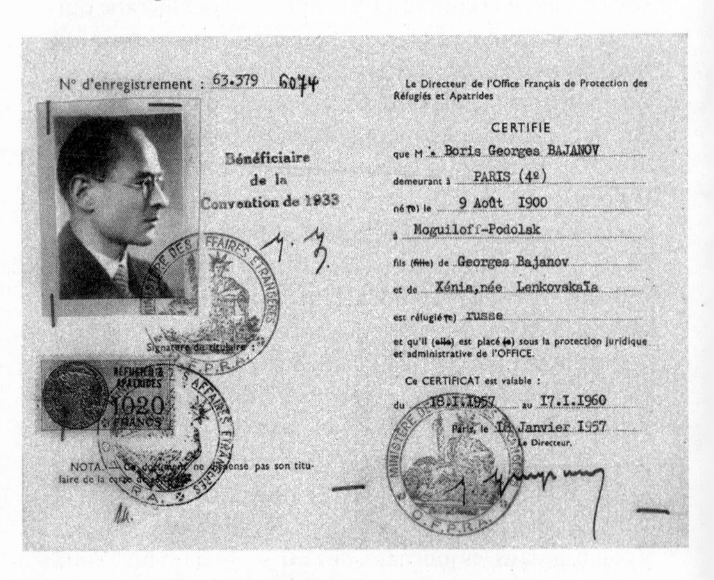

N° d'enregistrement : 63.379 6074

Bénéficiaire
de la
Convention de 1933

Signature du titulaire :

RÉFUGIÉS & APATRIDES 1020 FRANCS

NOTA. — Ce document ne dispense pas son titulaire de la carte de séjour.

Le Directeur de l'Office Français de Protection des Réfugiés et Apatrides

CERTIFIE

que M. Boris Georges BAJANOV

demeurant à PARIS (4e)

né(e) le 9 Août 1900

à Moguiloff-Podolsk

fils (fille) de Georges Bajanov

et de Xénia, née Lenkovskaïa

est réfugié(e) russe

et qu'il (elle) est placé(e) sous la protection juridique et administrative de l'OFFICE.

Ce CERTIFICAT est valable :

du 18.I.1957 au 17.I.1960

Paris, le 18 Janvier 1957

Le Directeur,

Carte de réfugié de Boris Bajanov, 1957.

✦

LA CONFESSION DE BORIS BAJANOV

Intitulé « Les leaders bolchevistes », ce document secret retranscrit, au mode personnel, le témoignage de l'ancien secrétaire administratif du Politburo. Seize pages dactylographiées sont consacrées à Staline, vu sous l'angle politique mais aussi privé.

« *Les leaders bolchevistes* », *extraits du témoignage de* Boris Bajanov, 1928

Le pouvoir soviétique n'existe plus en Russie, et il n'y a plus aucun doute à avoir à ce sujet. Le seul pouvoir qui s'y exerce est celui du Parti communiste. Malgré tous les efforts des bolcheviks pour voiler cette évidence, elle est connue d'un très grand nombre de personnes en URSS et quelques hommes compétents ne l'ignorent pas non plus à l'étranger.

D'ailleurs, la formule employée n'est pas d'une précision absolue. On approcherait davantage de la vérité en disant : « Le pouvoir est exercé en Russie par "l'appareil du Parti communiste" » (par ce terme d'« appareil », j'entends selon l'interprétation commune en URSS, l'ensemble des hauts fonctionnaires des Comités du Parti). Mais cette formule, plus précise, ne suffit pas non plus à donner une explication complète des questions relatives au problème du pouvoir en Russie soviétique. Afin d'avoir une idée nette sur toutes ces questions il ne faut pas perdre de vue un seul instant deux processus qui se sont développés et se développent encore en Russie soviétique. Seule, la juste compréhension de ces deux processus fournit la clef de la solution des principaux problèmes politiques en URSS.

Le premier processus est le passage du pouvoir détenu

d'abord par l'« appareil » soviétique, à l'« appareil » du Parti.

Le second processus est le passage aux mains de Staline du pouvoir assumé par le « Bureau politique du Comité central du Parti communiste », ainsi que le passage de l'autorité exercée par les Comités du Parti aux mains des secrétaires de ces mêmes Comités.

Le trait commun de ces processus est le suivant : le mouvement commence à l'échelon le plus élevé et s'étend petit à petit aux degrés intermédiaires pour arriver enfin aux derniers rouages de l'« appareil » du Parti et du gouvernement.

Le premier processus — passage du pouvoir du gouvernement des Soviets à l'appareil du Parti communiste — s'est développé progressivement. En 1918-19 le pouvoir des Soviets existait en Russie. Il était exercé au centre (à Moscou) par le Conseil des commissaires du peuple, alors qu'en province (surtout dans les régions frontières) et en raison directe de la distance entre ces régions et le centre, le pouvoir était représenté par l'Armée rouge et les Comités révolutionnaires qu'elle avait organisés. Dès le lendemain de la guerre civile, l'Armée rouge se retira de la scène politique et les Soviets assumèrent en province toutes les attributions du pouvoir. À la même époque, l'autorité du Parti commença, progressivement il est vrai, à prendre de l'extension en commençant par le centre (Moscou). Bien que le Congrès panrusse du Parti fut, encore en 1918-1919 (c'est-à-dire quand le pouvoir était exercé à Moscou par le Soviet des Commissaires du peuple), l'autorité politique au prône dans le pays, son influence néanmoins n'était pas encore très grande au cours de ces deux années. En ce qui concerne les gouvernements de province et l'armée, les organisations du Parti y étaient moins influentes que celles des Soviets.

STALINE

Ainsi que je l'ai répété à maintes reprises, Staline est en fait le dictateur actuel de la Russie. Je le connais à merveille, parce que d'abord, en ma qualité de son adjoint et de secrétaire du Bureau politique, mes fonctions m'ont appelé pendant plus d'un an et demi à le voir et à lui parler plusieurs fois par jour, et aussi parce que je fréquentais beaucoup sa maison. Le connaissant à fond, j'ai de lui la plus médiocre des opinions. Bien que j'aie à craindre de me voir refuser les qualités nécessaires pour apprécier l'envergure et le talent d'un grand homme, il m'est impossible, en toute conscience, de reconnaître à Staline des talents indispensables à un homme d'État.

Comme homme privé, Staline est un individu assez désagréable, rusé à l'extrême, d'une dissimulation inouïe, et avant tout très rancunier. Jamais il ne pardonne un acte d'hostilité commis contre lui et, tôt ou tard, il tire vengeance de celui qui a cherché à lui nuire. Son intelligence est des plus ordinaires et son instruction est très rudimentaire. Mais il faut lui reconnaître un gros bon sens de paysan qui lui permet de démêler des questions où se sont empêtrés, sans espoir d'en sortir, certains de ses ennemis, parfois hommes fort doués. C'est ainsi par exemple que Staline est l'un des rares chefs communistes qui ait exactement compris ce qu'il fallait faire pour être le maître du pouvoir. Et dès lors, tournant tous ses efforts vers l'accaparement progressif de l'« appareil » du Parti, il est arrivé à ses fins. Par la suite il est devenu le dictateur de la Russie, tandis que des hommes capables comme Trotski ou Kamenev ne sont jamais parvenus à se faire la moindre idée de ce qu'était au fond le mécanisme du pouvoir. Ils n'ont jamais compris que la victoire restera à celui qui est le maître de l'organisation du Parti et non à celui qui préside à la politique.

C/E. G.L./4.

ANNEXE I

-CHEFS BOLCHEVIKS ET LEURS RAPPORTS MUTUELS-.

-STALINE-

Ainsi que je l'ai répété à maintes reprises, STALINE est en fait le dictateur actuel de la Russie. Je le connais à merveille, parce que d'abord, en ma qualité de son adjoint et de secrétaire du Bureau Politique, mes fonctions m'ont appelé pendant plus d'un an et demi à le voir et à lui parler plusieurs fois par jour, et aussi parce que je fréquentais beaucoup sa maison. Le connaissant à fond, j'ai de lui la plus médiocre des opinions. Bien que j'aie à craindre de me voir refuser les qualités nécessaires pour apprécier l'envergure et le talent d'un grand homme, il m'est impossible, en toute conscience, de reconnaître à STALINE, des talents indispensables à un homme d'Etat

Comme homme privé, STALINE est un individu assez désagréable, rusé à l'extrême, d'une dissimulation inouïe, et avant tout très rancunier. Jamais il ne pardonne un acte d'hostilité commis contre lui et, tôt ou tard, il tire vengeance de celui qui a cherché à lui nuire. Son intelligence est des plus ordinaire et son instruction est très rudimentaire. Mais il faut lui reconnaître un gros bon sens de paysan qui lui permet de démêler des questions où se sont empêtrés sans espoir d'en sortir, certains de ses ennemis, parfois hommes fort doués. C'est ainsi par exemple que STALINE est l'un des rares chefs communistes qui ait exactement compris ce qu'il fallait faire pour être le maître du pouvoir. Et dès lors, tournant tous ses efforts vers l'accaparement progressif de l'"appareil" du Parti, il est arrivé à ses fins. Par la suite il est devenu le dictateur de la Russie, tandis que des hommes capables comme TROTZKI et KAMENIEV ne sont jamais parvenus à se faire la moindre idée de ce qu'était

Les « *leaders bolchevistes* », *confession de* Boris Bajanov, 1928.

L'exemple suivant donnera une idée de la sûreté du bon sens paysan de Staline. Comprenant assez mal la substance des questions discutées aux séances du Bureau politique, il n'avait aucune chance de faire admettre par cet organe l'excellence de son avis et de passer pour un leader. Pour s'imposer, il recourut à la curieuse manœuvre que voici : il prêtait une oreille attentive à tous les rapports et à tous les débats et se gardait d'intervenir avant la clôture de la discussion et avant que chacun n'eût pris définitivement position. Sachant dès lors de quel côté pencherait la majorité, il prenait la parole l'un des derniers et proposait un compromis que chacun était disposé à accepter. Ce tour d'adresse lui réussissait d'ordinaire. Et c'est ainsi que peu à peu, la ruse se répétant sans cesse, tous ses collègues, bon gré mal gré, se trouvèrent enclins à accorder à ses interventions et propositions bien plus de poids qu'elles n'en avaient réellement, et cet homme, qui ne comprenait pas grand-chose aux questions soumises au Bureau politique, arriva à se parer d'une autorité personnelle assez éclatante.

Staline n'est guère spirituel. Au cours d'un an et demi de collaboration, je n'ai pas entendu de lui un bon mot vraiment réussi, ni même ouï dire qu'il a lancé un seul trait d'esprit. L'unique exception que je citerai ci-dessous montrera jusqu'à quelles hauteurs peut se hausser son humour. Je parlais un jour avec Tovstoukha, quand tout à coup Staline sortit de son cabinet. Comme il se dirigeait vers nous et qu'il voulait nous adresser la parole, nous interrompîmes notre conversation. « Tovstoukha, dit-il après un silence, ma mère avait un bouc qui était absolument ton portrait, sauf qu'il ne portait pas de lorgnon. » Après quoi, ravi de ce bon mot, il tourna les talons, et rentra dans son bureau cependant que Tovstoukha éclatait d'un rire servile.

Mais la maîtrise de soi est l'une des qualités qu'on ne

saurait dénier à Staline. Malgré son tempérament méridional, et bien que je l'aie observé de près pendant plus de 18 mois, il n'est jamais venu à ma connaissance qu'il se soit emporté ou qu'il ait même haussé la voix une seule fois. Je rappellerai aussi que durant la lutte contre l'opposition, c'est bien lui qui a si longtemps empêché le Comité central de prendre des mesures extrêmes.

En famille, Staline est un homme très difficile à vivre. De sa deuxième femme, Nadia Allilouyeva, il a un enfant en bas âge. Parmi les siens, il est peu communicatif, peu sociable et gardant toujours un air morose, il joue au personnage d'essence supérieure. J'ai fait connaissance en 1927 de son fils aîné, âgé de 19 ans, Yachka, avec lequel j'ai eu des relations suivies et de fréquents entretiens. Ce jeune homme a été placé par son père comme ouvrier dans une école technique primaire à Sokolniki. Il habite au Kremlin chez Staline et ne peut pas le sentir, car ce dernier durant des semaines entières parfois n'adresse pas la parole aux siens. Un jour par exemple, il me dit : « Vous savez, mon père m'a parlé mardi.

— À propos de quoi cet événement eut lieu ?

— Je lisais, mon père s'est approché et m'a demandé : Qu'est-ce que tu lis ?

— Et c'est tout ?

— C'est tout ! »

Le genre de vie mené par le maître de la Russie est très modeste. Intentionnellement, il occupe un petit appartement de deux pièces où logeaient, je crois, sous l'ancien régime, des domestiques du palais. Cet appartement se trouve au deuxième étage d'une aile du bâtiment, près de l'entrée du Kremlin, à droite après avoir passé la poterne qui donne sur la Vozdvijenka. La première pièce lui sert de salle à manger et la seconde de chambre à coucher. Ses fenêtres s'ouvrent sur une petite place qui s'étend derrière la porte d'entrée au Kremlin.

Il dépense pour son entretien des sommes peu considérables. Il emploie toujours pour ses sorties une auto peu luxueuse, mais très puissante, et il ne manque jamais de prendre place près du chauffeur. Les raisons de cette simplicité sont les suivantes : d'abord ses besoins, autres que la passion du pouvoir, sont très restreints, et en outre en menant une vie fastueuse il craint de donner des atouts supplémentaires à ses ennemis. Il faut d'ailleurs souligner que celui qui en Russie soviétique veut devenir un chef, doit viser à cette extrême simplicité de vie. Trotski n'oubliait pas de se conformer à cette règle.

Staline n'entend pas grand chose aux questions politiques. Il n'est guère plus brillant en ce qui concerne les questions économiques, financières, militaires, etc. Mais son ignorance ne l'empêche pas d'être têtu, et une fois qu'il a pris un parti, il n'en veut démordre à aucun prix. Quand il exerçait les fonctions de membre d'un Conseil de guerre révolutionnaire d'Armée en 1920, il imposait souvent à cet organe et au commandement des plans absurdes au point de vue militaire, mais dont il exigeait envers et contre tout, l'exécution ; cet entêtement lui mérita la haine profonde non seulement des officiers, mais aussi du personnel politique. Les choses en vinrent à un tel point que Lénine dut le rappeler à Moscou.

Il faut lui rendre cette justice que conscient de son ignorance en matière politique ou économique, il intervient rarement dans la discussion des questions de cet ordre. Il ne lit presque rien. Pendant les 18 mois que j'ai travaillé avec lui, il n'a pas pris connaissance de plus de 10 pièces officielles. Bien différent des autres membres du Bureau politique, il n'étudie pas les documents réunis en vue des séances, ni sur les autres pièces importantes soumises au Comité central.

Non content de ne rien savoir, il ne désire rien apprendre. Nommé en 1925 aux fonctions d'adjoint de Staline, ma stupéfaction fut extrême, le jour où j'essayai de lui présenter quelques rapports sur un certain nombre de problèmes économiques et politiques très importants, de voir que non seulement il ne comprenait rien à mon exposé, mais qu'il ne s'y intéressait nullement. Or, il était évident qu'il visait déjà à devenir dictateur ; mon étonnement était d'autant plus considérable de voir ce personnage d'une parfaite ignorance en politique, dédaigner même de faire un effort pour comprendre.

De quoi donc, demandera-t-on, s'occupe Staline, et pourquoi est-il au pouvoir ?

La seule chose dont il s'occupe et à laquelle il s'adonne avec une extrême attention est le choix des hommes sur lesquels il pourra compter le cas échéant, en les nommant aux postes les plus éminents de l'« appareil » du Parti et du gouvernement. Il vient tous les jours au Comité central où il passe plusieurs heures. Son habitude est, plongé dans ses pensées, de faire les cent pas dans son cabinet ou dans le couloir. Les premiers temps, cette attitude m'intriguait fort et je me demandais à quoi il pouvait songer ainsi pendant des heures. Je finis par trouver le mot de l'énigme, en l'observant très attentivement. En effet, au bout d'une heure de promenade et de méditation, il finissait par se diriger résolument vers le téléphone et demandait Molotov : « Viatcheslav Mikhailovitch, disait-il, il me semble que le président du Comité exécutif central de la république de Russie-Blanche n'est pas sûr et qu'il conviendrait de le remplacer. » Voilà l'unique préoccupation de Staline. Pendant des heures entières, il se demande qui est sûr et qui ne l'est point, qui il faut relever et qui il faut nommer. Il cherche à se garder de tous côtés pour continuer à conserver le pouvoir sans limites. Tout le reste ne l'intéresse que très médiocrement.

Mais comment a-t-il pu mettre la main sur tout le pouvoir et une fois conquis, le conserver ? La demande appelle deux réponses : pour une grande part parce que les circonstances s'y sont prêtées, pour une part non moins grande, parce que cet homme a bien compris le mécanisme du pouvoir.

Quand Lénine rappela Staline de l'Armée, il ne sut tout d'abord à quoi l'employer. Comme le principe démocratique était la règle du Parti communiste, Lénine, bien qu'il fût le maître incontesté avait bien soin, afin de parer à toute éventualité, de se préparer au Comité central une majorité d'hommes dévoués (le « bétail à voter », selon l'expression de Trotski). Staline appartenait à ce troupeau, Lénine se rendait parfaitement compte que le personnage ne valait rien pour diriger les affaires. Or, à cette époque (1920) on eut besoin de titulaires pour les deux Commissariats du peuple les moins importants : celui des nationalités et celui de l'Inspection ouvrière et paysanne. Ce dernier n'acquit d'importance et ne commença vraiment à fonctionner qu'après sa réorganisation d'après un article posthume de Lénine ; quant au premier, il mourut rapidement de sa belle mort. On dit qu'au cours d'une séance du Soviet des Commissaires du Peuple — (car à ce moment le pouvoir appartenait audit Soviet et non point au Bureau politique) — Lénine dit cette phrase : « Point n'est besoin à ce poste d'un homme intelligent, nommons-y Staline. »

Le dictateur actuel marqua son passage à ses nouvelles fonctions en ne mettant pas une seule fois les pieds à l'un des Commissariats en l'espace de 6 mois, et en ne faisant qu'une courte visite à l'autre. C'est du moins ce que m'a dit Tovstoukha qui était son secrétaire. En 1921, Lénine dont la faculté maîtresse était la clairvoyance politique, s'aperçut très vite que le Parti et l'« appareil » du Parti tendaient à acquérir de plus en plus d'importance : il entreprit alors la réorganisation du Comité central et créa le Bureau politique, le Bureau d'organisation et le Secrétariat du Comité central. La question se posa de choisir des secrétaires du Comité central. Voyant dès ce moment ce que peu de personnes comprennent même aujourd'hui — à savoir que de par la logique des événements le premier secrétaire devait tôt ou tard disposer d'une immense autorité —, Lénine désigna comme secrétaires les trois membres les plus bornés du Comité central : Staline dont il ne redoutait point la concurrence à cause de sa nullité, fut nommé secrétaire général et deux autres non-valeurs qui s'appellent Molotov et Mikhailov, reçurent le poste de deuxième et troisième secrétaires.

Du vivant de Lénine, Staline n'était que le fidèle exécutant des volontés du maître. Quand ce dernier dut cesser tout travail en 1922, et que Kamenev partagea le pouvoir avec Zinoviev, Staline sut leur inspirer confiance en les assurant de tout son dévouement et de son humilité et, ne le redoutant point comme un concurrent éventuel, ils l'admirent à faire partie du triumvirat. C'est alors qu'en 1923, il réussit progressivement à mettre la main sur tout l'« appareil » du Parti en nommant ses créatures aux fonctions de secrétaires des Comités communistes. Lénine décéda au début de 1924 et à ce moment une troisième circonstance fortuite sauva Staline.

Dans son testament, le chef disparu avait nettement signifié au Comité central que Staline ne convenait nullement au rôle de Secrétaire général et qu'il fallait le relever de ses fonctions. Convaincus de son dévouement, Kamenev et Zinoviev attendirent six mois avant de donner au Comité central lecture de ce document, et même une fois que communication en fut faite, ils parvinrent, non sans difficulté, à faire admettre à leurs collègues qu'il fallait sur ce point passer outre au testament de Lénine et laisser Staline en place.

Ce dernier conserva donc son poste de secrétaire du Comité central, réussit en un an à peupler les organes du Parti de gens à sa dévotion et se constitua clandestinement une majorité, après quoi il supprima ouvertement le triumvirat et écarta du pouvoir ses camarades Kamenev et Zinoviev. Disposant de la majorité au Congrès, il les écrasa définitivement et dès la fin de 1925, il se trouva le maître absolu de la Russie.

Depuis ce temps, son autorité n'a cessé d'augmenter. Actuellement, il est beaucoup plus puissant que ne le fut jamais Lénine.

Il faut d'ailleurs faire cette réserve : en temps de paix, à une époque exempte de difficultés spéciales ou de perturbations, alors que d'après les conditions actuelles et particulières à la Russie, l'excellence de la politique suivie ne joue pas un rôle considérable, la dictature de Staline est solidement établie et rien ne la menace. Mais en temps de guerre, la situation pourrait changer radicalement. Le moment venu de faire des volte-face subites ou de prendre de graves décisions, Staline se révélerait un chef extrêmement faible. Si le pays entrait en guerre, on verrait s'agiter un grand nombre de forces hostiles au Parti communiste qui ne peuvent actuellement bouger, ni même donner signe de vie. Dans ces conditions, le chef aurait besoin de certaines qualités qui font totalement défaut à Staline.

Il est même possible qu'à la suite des premiers désastres militaires, le Parti et surtout l'armée, craignant pour leur existence même, feront passer au second plan les considérations personnelles et autres questions importantes du temps de paix ; ils exigeront pour Chef un homme absolument désarmé et vaincu aujourd'hui, c'est-à-dire Trotski. En tous cas, si Staline essayait alors de conserver le pouvoir, il ne ferait qu'entrer dans les vues de ses ennemis.

Si par contre il n'y a pas de guerre, on peut tenir pour

certain que le pouvoir de Staline repose sur une base solide et ne pourra que se consolider durant les années à venir. Par suite, la question que voici pose une interrogation d'importance colossale : Vers quoi tend Staline ?

À l'étranger, on est volontiers porté à croire que le Parti communiste et son chef actuel poursuivent peu à peu, bien que lentement, leur évolution vers un régime normal. C'est là une erreur complète. La question est d'autant plus grave que si l'on demandait : Est-il au pouvoir du dictateur de ramener la Russie à un régime de ce type, il faudrait naturellement répondre par l'affirmative. Du fait que le pouvoir est tout entier en ses mains, il est à même, aussi bien que n'importe quel autre qui tiendrait la place de secrétaire du Comité central, de ramener l'URSS vers un régime normal. S'engage-t-il dans cette voie ? Peut-être est-il d'avis que l'heure n'a pas encore sonné et dans quelques temps exécutera-t-il une conversion à droite ? Non, je maintiens qu'il n'en fera rien, et je fournirai à l'appui de mes dires des arguments extrêmement sérieux. Je commencerai par les moins décisifs, bien qu'ils soient, eux aussi, de poids.

Avant tout, il faut calculer ce que gagnerait et ce que perdrait Staline par une volte-face à droite. Il ne faut pas oublier que le trait le plus saillant de son caractère est une soif inextinguible du pouvoir. S'il se décidait à marcher sur les traces de Bonaparte et instaurer en Russie un régime normal, il n'en retirerait aucun bénéfice personnel, il y perdrait plutôt. En effet, il est actuellement dictateur absolu. Dès le retour à des conditions normales, il dépendrait inévitablement des grandes puissances de l'Europe occidentale et au premier chef des gouvernements français et anglais, pour autant que l'économie nationale russe dépendrait dans une certaine mesure de l'économie de ces deux pays après reprise des relations normales avec l'Europe.

Par conséquent, Staline aurait beaucoup à perdre à l'intérieur de l'URSS et encore davantage sur l'échiquier mondial. Par suite de la faiblesse de son industrie et des imperfections de son système économique, la Russie se trouverait condamnée à jouer la partie du dixième violon dans le concert européen. Au contraire, en marchant dans les voies du communisme, Staline, homme très peu instruit et soumis entièrement à l'influence des théories marxistes dont il est incapable de faire la saine critique, est convaincu que la révolution mondiale est inévitable et qu'à ce moment il deviendra le dictateur de l'univers.

Ces arguments ne sont pas d'ailleurs applicables uniquement à Staline. On se tromperait du tout au tout en supposant qu'après sa chute et son remplacement éventuel par Boukharine ou n'importe quel autre leader actuel du bolchevisme, son successeur agirait autrement que le dictateur actuel. Chaque chef bolcheviste tient le raisonnement suivant : « Étant dictateur en Russie soviétique, je suis un potentat absolu et rien ne me menace à l'intérieur du pays. En outre, j'ai des chances de devenir dictateur de l'univers. Si, au contraire, j'exécute un coup d'État à la Bonaparte, je ne suis nullement certain de rester à la tête du gouvernement russe, car mon maintien au pouvoir dépendrait moins de ma volonté que de celle des gouvernements des grandes puissances occidentales. De plus, je cesserais de jouer dans l'arène internationale mon rôle actuel de premier plan ; je devrais me contenter d'un troisième rôle, et renoncer définitivement à l'espoir de devenir dictateur de l'univers. »

C'est pourquoi Staline (et n'importe quel autre bolchevik éminent qui serait à sa place) considère que, dans son intérêt personnel, il doit continuer à marcher dans la voie du communisme, et c'est justement dans cette direction qu'il mène le pays.

Mais le raisonnement ci-dessus, tenu, ainsi que j'ai pu le

constater, par Staline et les autres bolcheviks de marque ne prouve point catégoriquement que le maître actuel de l'URSS est décidé à suivre, sans s'en écarter, les voies du communisme. Il serait aussi vain d'étudier la politique suivie par le Bureau politique pour chercher à savoir vers quel but tend Staline. Ainsi, par exemple, le fait d'avoir écrasé l'opposition qui s'appuyait sur une plate-forme communiste de gauche, ne nous éclaire nullement sur la direction qu'il a choisie. En effet, une fois défaits les chefs de l'opposition, le vainqueur a adopté toutes leurs propositions d'ordre pratique et s'est donc tenu très strictement à la ligne de conduite purement communiste, de sorte que, pour le moment, toute la politique du Bureau politique penche manifestement vers la gauche. Mais cette tendance « à gauche », elle non plus, ne prouve rien, car disposant de la plénitude du pouvoir, Staline peut dès demain la modifier brusquement et donner un coup de barre à droite.

Les fluctuations de la politique extérieure bolcheviste sont tout aussi peu probantes. Accordant créance aux promesses de régler les dettes et aux amorçages de tout genre tentés près de la Société des Nations, l'Europe est disposée à croire que les bolcheviks se décident enfin à opérer une conversion à droite si longtemps attendue. En réalité ces promesses et assurances bolcheviques ne méritent aucune confiance et ne signifient rien du tout. J'étais présent à la séance du Bureau politique au cours de laquelle fut votée la proposition de Litvinov, relative au paiement des dettes d'avant-guerre. Le débat peut se résumer comme suit :

« Je propose, dit Litvinov, de promettre à l'Europe de régler nos dettes. Pardon, se récrièrent les membres du Bureau politique, où prendrons-nous l'argent pour les payer ? Vous en avez de bonnes ! répondit Litvinov avec un étonnement non simulé, personne ne prétend que nous paierons, nous promettons seulement de payer. Bon ! dirent les autres, mais comment nous en tirer ensuite ? Le plus simplement du monde, par exemple comme ceci. Nous organiserons une société de secours aux victimes des interventions étrangères et nous ferons une propagande très intense en URSS pour faire connaître à la population que tous ceux qui ont eu, directement ou indirectement à pâtir du fait des interventions, doivent déposer des déclarations indiquant le montant des dommages subis. Nous donnerons nos instructions en conséquence, laissant espérer que les plaignants pourront obtenir quelque dédommagement et nous accepterons sans discuter des revendications les plus exagérées. Vous comprenez facilement combien de réclamants nous pouvons grouper et à quelle somme s'élèvera le total des indemnités demandées. Le jour où nous entamerons les pourparlers avec les délégués de l'Europe occidentale, nous opposerons au montant des dettes le total des sommes à payer pour les réparations des dommages subis du fait des interventions et vous verrez que ces messieurs seront encore nos débiteurs. »

Il convient donc de n'attacher aucune importance aux fluctuations de la politique étrangère de Moscou.

Mais il est une autre série d'indices, susceptibles de démontrer incontestablement que Staline ne s'écarte pas et ne s'écartera pas de la voie communiste.

Nous trouvons la première et la plus importante de ces preuves dans la méthode qu'il suit pour choisir ses créatures. Depuis quelque temps il nomme systématiquement aux plus hauts postes du Parti et de l'État des gens qui perdraient absolument tout en renonçant au communisme. Ces individus sans talent, sortant des couches sociales inférieures, ne peuvent se faire une carrière hors du mouvement communiste. Au cas de restauration d'un régime normal, aucun d'eux du fait de leur étroitesse d'esprit, de la pauvreté de leur bagage intellectuel et de leur incapacité absolue ne pourraient même compter sur un rôle de deuxième plan. Tels sont :

Ouglanov, ancien garçon de magasin, homme borné et sans culture, fait par Staline secrétaire du Comité communiste de Moscou (c'est-à-dire le leader de l'organisation du Parti la plus importante en URSS), membre suppléant du Bureau politique, membre du Bureau d'organisation et 3e secrétaire du Comité central ;

Kirow, ex-ouvrier à l'esprit obtus, dont Staline a fait le maître de l'organisation communiste de Leningrad (3e par son importance en URSS) et membre suppléant du Politbureau ;

Kaganovitch, ancien cordonnier presque illettré, nullement sot du reste, qui jusqu'à ces derniers temps était placé à la tête de l'organisation ukrainienne du parti (deuxième en URSS par son importance) et fait membre suppléant du Bureau politique.

À la même catégorie appartient encore le remplaçant de Kaganovitch en Ukraine, Kossior, ainsi que des nullités et des non-valeurs comme Molotov, Vorochilov, Roudzoutak etc. Il ne saurait être question d'opérer avec ces cadres une conversion à droite. Or, Staline persiste, en toute connaissance de cause, à ne choisir que des individus de cette espèce et à écarter tout exprès de l'« appareil » du Parti et des rouages du gouvernement tous les hommes tant soit peu capables et intelligents, susceptibles d'être, à un degré quelconque, intéressés au retour des conditions normales.

Il ne se borne pas à choisir des *minus habens* pour occuper les postes éminents. Cette sélection s'étend à toute l'étendue du pays et à tous les échelons de la hiérarchie. Staline a en effet prescrit de [ne] nommer en province que des ouvriers et des paysans aux fonctions de secrétaires des Comités communistes, ainsi qu'aux postes importants de l'« appareil » du Parti et des organes soviétiques. Les organes officiels du Comité central font paraître avec fierté des bulletins périodiques exposant les résultats atteints dans cet ordre d'idées :

L'an dernier le nombre des ouvriers exerçant le rôle de secrétaires de Comités communistes représentait 63 % ; cette année la proportion est de 75 %. L'an dernier le nombre des ouvriers délégués au Congrès était de 80 % ; cette année la proportion fut de 87 % etc.

Et ce n'est pas tout. Le système de sélection s'applique jusque dans les organisations inférieures. En effet, une circulaire fort intéressante et significative du Comité central a prescrit de faire dominer dans le Parti communiste l'élément ouvrier. Par suite, la voie d'accès au Parti a été barrée aux représentants de l'« intelligentsia », alors que l'on encourage par tous les moyens le recrutement des ouvriers et paysans. On aurait grand tort de croire que cette mesure est dictée par des motifs démagogiques et n'est destinée qu'à sauver la façade du Parti « ouvrier et paysan ». Au contraire, nous avons affaire ici à un système mûrement réfléchi, qui tend à chasser de l'« appareil » du pouvoir, concentré entre les mains du Parti, tous les éléments qui ne font pas absolument corps avec le mouvement communiste, qui pourraient ne pas se sentir dépaysés sous un régime normal, et par conséquent auraient pu former éventuellement des cadres, sur lesquels auraient pu s'appuyer celui qui tenterait un coup d'État bonapartiste ou une évolution du Parti vers la droite.

Ce système prouve sans contestation possible, que Staline ne va pas et n'ira pas vers la droite. Il a choisi sa route et tous ceux qui espèrent le voir s'en écarter sont dans l'erreur.

Il faut maintenant signaler un phénomène qui mérite une attention spéciale. L'application au centre et en province du système exposé ci-dessus a pour conséquence l'arrivée au pouvoir d'individus dont le niveau de culture générale et d'intelligence est de plus en plus bas ; ces derniers remplacent peu à peu les cadres de « l'intelligentsia » qui avaient joué jusqu'ici un grand rôle dans le Parti. Se plaçant au point de vue anti-bolchéviste, il faut constater que cette circonstance présente l'inconvénient de rendre impossible le coup de barre à droite, mais par contre elle offre quelques avantages qu'il convient d'estimer à leur juste valeur. Les bolcheviks ne doivent leur récent échec en Chine qu'à l'insuffisance de leurs agents. Staline qui a pris personnellement la direction des travaux de la commission des affaires chinoises au Bureau politique (en d'autres termes, la direction de la révolution chinoise) a prouvé, comme il fallait s'y attendre, qu'il était tout à fait incapable de voir clair dans les problèmes politiques complexes de la Chine. Le personnel choisi par lui pour faire partie de cette commission était d'une incapacité rare et a commis faute sur faute. Le bras droit de Staline à cette commission, Vorochilov, était chargé de la direction de toutes les opérations militaires en territoire chinois ; du ravitaillement en armes, de la désignation des cadres et de toutes les autres questions concernant l'organisation du mouvement. Il s'est révélé comme un organisateur d'une nullité complète et a beaucoup contribué à l'échec de la révolution communiste en Chine.

Les bolcheviks sont arrivés en 1923 à peu près au même résultat en Allemagne, alors que Zinoviev, désireux d'avoir au Comité central du Parti communiste allemand une majorité entièrement docile à ses volontés, y fit entrer des individus sans valeur, du type Brandler, qui se montrèrent incapables de diriger la révolution allemande et échouèrent dès leur première tentative.

Les avantages du système, institué par Staline, éclatèrent avec une particulière évidence en temps de guerre. Redoutant le talentueux Toukhatchevski, Verkhovski, et le groupe de militaires liés à ces derniers, sachant d'autre part que pour l'instant ce groupe est hors d'état d'entreprendre quoi que ce soit, alors qu'en cas de guerre, il acquerrait immédiatement une énorme importance et pourrait tenter un coup d'État, Staline a relevé Toukhatchevski de ses fonctions et a donné comme adjoint au stupide Vorochilov, cette médiocrité qui s'appelle Chapochnikov. Une autre circonstance favorable pour un ennemi éventuel, c'est que les questions militaires les plus importantes seront tranchées non point par l'état-major général, ou par le Conseil de guerre révolutionnaire, mais aux séances du Bureau politique dont les membres ne comprennent pas un traître mot aux choses de la guerre.

TROTSKI

En cas de guerre, un grand rôle pourrait être joué par un homme réduit actuellement à l'inaction complète et totalement écarté du pouvoir.

Je veux parler de Trotski.

Trotski est sans contredit le plus doué de tous les bolcheviks appartenant à l'élite. Chacun sait qu'il est un excellent orateur, qu'il a toutes les qualités du tribun populaire, sans parler de sa valeur comme publiciste. Ajoutons qu'il connaît fort bien les questions politiques. Mais si on étudie le personnage de plus près, on s'aperçoit que malgré ses talents, il est plutôt un romantique et un homme posant seulement au chef politique, qu'un chef réel et réfléchi. Il est très significatif qu'un individu borné comme Staline a compris l'importance [de] l'« appareil » du Parti, alors que malgré ses talents, Trotski n'y a rien distingué, n'a pas su s'orienter dans la situation modifiée et, fidèle aux anciennes habitudes du temps de Lénine, il a surestimé l'importance de la politique et par suite a été vaincu très facilement. En ce qui concerne les questions politiques, Trotski peut passer presque pour un maître. C'est ainsi qu'il fut le seul des membres du Bureau politique à apprécier exactement la situation en Allemagne à l'automne 1923. Il insista en conséquence pour faire prendre des mesures décisives en affirmant que la révolution en Allemagne était une question de quelques semaines. Les autres membres du Bureau politique n'y comprenaient rien, et prétendaient que Trotski ne fixait un délai aussi court qu'en fonction de son tempérament personnel, qu'il ne fallait pas s'attendre à voir déferler en Allemagne la vague révolutionnaire avant le printemps de 1924, etc. Les événements montrèrent que Trotski avait raison ; le Bureau politique ne fut pas prêt au moment opportun et la révolution échoua parce qu'elle n'avait pas été organisée en temps voulu.

Il est indiscutable que pour l'instant Trotski est complètement isolé, et bien qu'il jouisse d'une certaine autorité personnelle parmi les éléments de l'« intelligentsia » communiste et militaire, il est extrêmement loin du mécanisme du pouvoir et n'a aucune espèce de chance de le gagner en temps de paix. Mais en cas de guerre la situation peut changer du tout au tout. En effet, Staline n'est pas aimé dans l'armée qui professe d'autre part une opinion très peu flatteuse quant à Vorochilov et à Chapochnikov. S. S. Kamenev sert uniquement d'appât pour attirer à l'Armée rouge le corps d'officiers de l'ancien régime. Or, en temps de guerre, la confiance de l'armée en ses chefs est le facteur psychologique capital. Dès les premières défaites, le commandement peut exiger la nomination d'un chef en qui elle ait confiance, c'est-à-dire Trotski. De même, les communistes qui fondent actuellement leur carrière sur des attaques contre Trotski et les protestations de fidélité à Staline feront placer au deuxième plan dès la déclaration de guerre, les questions de carrière, car ils seront surtout intéressés à la préservation de leur propre personne. En réalité, le Parti n'a pas confiance en Staline, considéré comme chef. Dès les premiers échecs, l'instinct de la conservation le poussera à exiger le retour de Trotski.

Staline
Trotzky 17
Zinoviev 21
Kamenev 22
Molotov 26
Roudzoutak 27
Vorochilov 29
Kouybichev 31
Boukharine 33
Rykov 36
Tomsky 37
Kalinine 39
Mikoyan 40
Tchoubar 42
Petrovski 43
Andreiev 44
Ouglanov 45 et 13
Kaganovitch 47 et 13
Kirov 48 et 13
Kossior 49
Ordjonikidze 50
Sirzov 51
Tchoudov 51
Mazarietary 51
Knorine 51
Zelenski 52
Frounze 52

Liste des vingt-sept portraits des principaux dignitaires de l'URSS brossés par Bajanov pour les services français.

Il faut reconnaître que Trotski, au point de vue anti-bolchéviste est l'homme le plus dangereux, car il est le seul capable d'organiser la victoire. Excellent organisateur, il choisira certainement des gens de talent, il trouvera les mots d'ordre politiques convenant aux circonstances, car en temps de guerre la politique reprendra tous ses droits.

Avec qui donc Trotski est-il lié personnellement ? Il faut dire avant tout qu'il est un homme de principes et un esprit très logique. Communiste convaincu, il ne s'écartera naturellement pas de la voie communiste, s'il prend un jour le pouvoir. Il considère les gens non plus du point de vue de leur attitude à son égard comme Staline, mais au point de vue de leur utilité politique. Il nourrit une grande antipathie contre Zinoviev. Mais quand ce dernier s'est effacé devant lui en 1926 et se rallia à son programme, Trotski surmonta ses sentiments personnels d'aversion et lui donna dans son groupe une place conforme à ses aptitudes.

En 1923-1924, Trotski avait toutes les chances de jouer en Russie le rôle de Bonaparte. Il ne faut pas oublier qu'il avait en automne 1923 la majorité même à l'organisation communiste de Moscou et que toute l'armée l'aurait suivi comme un seul homme. Mais il ne suivit pas l'exemple de Napoléon Bonaparte, malgré toutes les facilités qui s'offraient à lui.

Une fois que l'on se rend compte du mécanisme du pouvoir, on peut affirmer avec certitude que si la guerre commence par une victoire bolchevique, si la suite des hostilités se déroule sans grandes difficultés et si l'avantage final reste encore aux communistes (hypothèse d'ailleurs fort peu vraisemblable), Trotski restera isolé comme par le passé et continuera à jouer le rôle de son choix, celui d'étendard du communisme, mais sans exercer la moindre influence sur la situation des forces en Russie. Il ressort de son discours, prononcé au plenum du Comité central en 1927 et dont les journaux ont parlé comme d'un discours « à la Clemenceau » qu'il prépare un coup d'État à exécuter dès que la guerre éclaterait, qu'il dirige une organisation secrète etc. Mais les conditions objectives qui rendraient possible ce coup d'État dépendront entièrement de la marche des opérations militaires, et quant au travail qu'il poursuit actuellement, on peut dire sans exagération que son importance se réduit à zéro.

Une réconciliation peut-elle intervenir entre Trotski et Staline ? Certes oui, si ce dernier espère en tirer quelque avantage. Dès qu'il s'agit de son intérêt personnel il fait litière de tout préjugé. Toutes divergences politiques ou de principes, toutes les tendances, pour ou contre Trotski, ne sont que de la poudre aux yeux destinée à éblouir les masses. Les dirigeants du Parti qui ont de leurs propres mains créé toute cette agitation, en rient cyniquement quand ils parlent entre eux. La fameuse « discussion » a donné de la vogue à certaines expressions techniques tout à fait caractéristiques. C'est ainsi qu'au cours d'une conversation entre un membre du Bureau politique et un membre du Comité central, j'ai pu entendre le premier, qui me considérait comme un homme de confiance, dire, en ma présence à son interlocuteur (parlant d'un tiers) : « Eh bien soit, fabriquez-lui encore une tendance ! »

Il est toutefois difficile d'imaginer à quelles conditions Staline trouverait quelque profit à se rapprocher de son ennemi. Il comprend fort bien que si Trotski revient au pouvoir son premier geste sera d'ordonner la mise à mort du dictateur actuel.

ZINOVIEV ET KAMENEV

Zinoviev n'exerce pour le moment aucune influence sur la politique. Homme assez doué, il est assez bon orateur bien que son timbre soit très criard. Le fait peut paraître étrange, mais jamais il n'a réussi à être populaire en URSS, même au temps où il était au sommet du pouvoir. Au point de vue politique, ses qualités sont plutôt médiocres. Je ne fais allusion ici ni à ses zigzags, ni à ses volte-face subites ; toutefois il faut reconnaître qu'il s'assimile difficilement les questions politiques importantes et qu'il se rend très peu compte de la situation du moment. Quoi de plus significatif en ce qui concerne sa valeur que la brochure qu'il fit paraître à la fin de 1926 sous le titre *Philosophie d'une époque*. Cette œuvre témoigne d'une pauvreté extrême de pensée et d'une incompréhension absolue de la situation qui existait alors en URSS. À en croire Zinoviev, la philosophie de l'époque se résumait à ceci, que toutes les couches et toutes les classes ont soif d'égalité économique et politique. Cette thèse ne peut être soutenue que par un aveugle, et c'est pourtant sur elle que Zinoviev a basé sa ligne de conduite politique.

Il était en 1923-24 l'un des membres du triumvirat et c'est lui qui, de concert avec Kamenev, dirigeait la politique en Russie. Mis à la porte par Staline, il se jeta aux genoux de Trotski, puis quand les espoirs fondés sur l'opposition se trouvèrent ruinés, il se traîna aux genoux de Staline. Pour l'instant il déploie de grands efforts pour prouver son dévouement au maître de l'heure et pour obtenir l'aumône d'un emploi quelconque, fût-ce de troisième catégorie, dans la hiérarchie soviétique. On lui abandonnera peut-être quelque sinécure dépourvue de toute espèce d'importance mais on est en même temps décidé à ne pas le laisser s'approcher du pouvoir à moins d'une portée de canon. En effet, Staline a peur de cet homme qu'il considère comme un individu exceptionnellement rusé, prêt à trahir n'importe qui et capable de faire n'importe quoi, non point pour le triomphe d'une idée, mais uniquement pour se rendre maître du pouvoir. Personne en Russie n'a d'estime ou de respect pour Zinoviev. Il est donc permis de croire qu'il est sorti pour toujours de la scène politique.

Kamenev diffère de Zinoviev par sa loyauté, son honnêteté et sa grande puissance de travail. Pas plus que l'autre, il ne se distingue pas par la profondeur des vues politiques, mais en revanche il est très versé en économie politique, sait travailler et peut abattre beaucoup de besogne. Il préside à la perfection, a de grands dons d'orateur et expose toujours sa pensée avec clarté. Il fait preuve de quelque naïveté dès qu'il s'agit de combinaisons tramées en coulisses. Aussi est-il souvent pris au dépourvu. Staline d'ailleurs le trouve bien moins redoutable que Zinoviev. Bien que président du Bureau politique en 1924-25 et bien qu'il dirigeât effectivement toute la politique en URSS il a agi de si adroite façon qu'il ne put s'accrocher à aucun rouage du pouvoir, de sorte que Staline s'en débarrassa sans grande difficulté. Pourtant il avait à ses ordres la très puissante organisation communiste de Moscou, mais il ne sut pas s'assurer son appui et constata, non sans un extrême étonnement, au Congrès de la fin de 1925 que la délégation moscovite marchait tout entière contre lui et pour Staline. De même que Zinoviev, il n'a pas d'idées politiques vraiment originales et ne pense que d'après les axiomes de Lénine. C'est pourquoi il ne s'est rendu compte en quoi consistait le mécanisme du pouvoir. Bien qu'il eût toutes les chances de devenir dictateur, il perdit sans gloire la lutte. Maintenant, après de longs errements il a fini par se rendre compte de ses erreurs, mais il est trop tard pour les réparer et si, comme Zinoviev, il est admis un jour à exercer des fonctions soviétiques sans importance, on le tiendra dans un éloignement suffisant de l'appareil du Parti. Comme Staline a moins peur de lui que [de] Zinoviev (vu sa loyauté et son attachement à ses principes) on le nommera peut-être à des postes relativement élevés pour utiliser sa puissance de travail et sa connaissance des questions économiques. Mais il ne présente plus d'importance dans le vrai mécanisme du pouvoir. Zinoviev et Kamenev ne sont, à vrai dire que des épaves du passé.

MOLOTOV (VIATCHESLAS MIKHAILOVITCH)

À l'étranger, on ne comprend pas assez que Molotov est en URSS le deuxième personnage par rang d'importance. En réalité, cet homme est une médiocrité. Sa seule qualité est la persévérance ; il n'a pas d'autre mérite. Très peu intelligent, il doit faire grand effort pour comprendre la moindre chose et, de plus, étant bègue, il apparaît comme un détestable orateur. Il est d'une insuffisance extrême dans le domaine politique. Il ne peut supporter les gens doués et capables qui, d'ailleurs, le lui rendent bien. Il a coutume de choisir pour faire partie de son secrétariat des nullités parfaites. Trotski le hait plus que tous les autres et le considère comme la personnification de la stupidité qui règne maintenant en maîtresse au Bureau politique.

Cela n'empêche pas Molotov d'être pour l'instant le bras droit de Staline et d'occuper la seconde place dans le mécanisme du pouvoir. Il doit sa situation non point à sa qualité de membre du Bureau politique et président du Bureau d'organisation, mais bien au fait qu'il est deuxième secrétaire du Comité central, qu'il est absolument dévoué à Staline, que jamais, dans aucun cas, il n'a fait acte d'insubordination à l'égard de son patron, et que par suite, il jouit de la confiance totale de ce dernier, dont il exécute toutes les volontés. C'est par l'intermédiaire de Molotov que Staline dirige les sections les plus importantes du Comité central. C'est par son entremise qu'il procède au choix du personnel et à la nomination aux postes éminents de l'« appareil » du Parti. Voilà pourquoi ce médiocre se trouve être après Staline le deuxième rouage dans le mécanisme de l'État.

De même que son patron, Molotov doit le succès de sa carrière à sa médiocrité.

Sachant qu'il est un homme très borné, Lénine le craignait si peu qu'il le nomma secrétaire du Comité du Parti du gouvernement de Nijni-Novgorod, puis deuxième secrétaire du Comité central. Pour les mêmes raisons il ne porte pas ombrage à Staline qui a trouvé en lui un adjoint d'une sûreté à toute épreuve.

Bien que la chose puisse paraître étrange, au cas de décès subit de Staline, Molotov a le plus de chances de prendre sa place et de devenir dictateur en URSS. Et cela parce que d'un bout à l'autre du pays, l'« appareil » du Parti est entièrement composé d'hommes triés sur le volet par Staline et Molotov, ce dernier agissant comme adjoint de son patron. Ces gens sont habitués à la fidélité envers Staline d'abord, et en deuxième lieu envers son bras droit Molotov. Or, nous savons que l'« appareil » du Parti et le pouvoir sont une seule et même chose.

Molotov est marié, mais n'a pas d'enfants. Il a dans les 40 ans. Il loge au Kremlin. Ses amis sont eux-mêmes remarquables de [*mot illisible*]. Il travaille beaucoup, préside toutes les séances du Bureau d'organisation et, tandis que Staline s'applique à laisser à d'autres toutes les questions sauf celle de la répartition des postes principaux entre les gens de son choix, Molotov doit se charger de toute la besogne subalterne. Il se montre très sceptique et très soupçonneux à l'égard de Boukharine, et cache l'antipathie que lui inspirent Rykov et Trotski, membres anciens du Bureau politique. Par contre, il affecte un ton protecteur à l'égard de Kouybychev et de Vorochilov. Le travail de Molotov consiste à diriger tout l'« appareil » du Comité central, ses sections et ses commissions les plus importantes. Il s'occupe des questions d'organisation, de l'établissement du budget du Parti et de celui du Komintern. En outre il est spécialement chargé de l'action du Parti dans les campagnes et dans les coopératives.

Il exécute sans broncher toutes les missions de Staline même les plus désagréables. Aussi, lorsque malgré la très vive opposition de Trotski le dictateur fit adopter par le Bureau politique le monopole de l'eau-de-vie, il se garda bien de rapporter lui-même la proposition et confia à Molotov cette mission fort peu plaisante et lui fit encaisser toutes les attaques virulentes de Trotski.

Le pays connaît fort peu Molotov car en Russie on ne se rend pas un compte exact du mécanisme du pouvoir. Molotov comprend parfaitement le fonctionnement de ce mécanisme. Il est peu vraisemblable qu'il se prononce jamais contre Staline. Mais il est actuellement l'homme qui peut le plus facilement organiser secrètement un bloc des secrétaires de Comités, opposé à son patron, qu'il pourrait alors renverser. Je ne crois nullement qu'il se décide à marcher dans cette voie, pour cette raison d'abord que depuis quelques années il se trouve psychologiquement soumis à l'influence déprimante de Staline. [...]

VOROCHILOV, KLEMENTI EFRÉMOVITCH

Vorochilov est une parfaite nullité. Il est plutôt stupide et son cerveau fonctionne avec une extrême lenteur. Il formule ses pensées avec beaucoup de difficulté. Il est très peu cultivé et, comme chef suprême de l'armée, il ne vaut absolument rien. L'Armée rouge ne l'aime guère, car il s'est montré le moins capable des commandants de troupe d'*okrougs* et n'est devenu président du Conseil de guerre révolutionnaire de l'URSS que par la volonté de Staline. Ce dernier ne l'a choisi qu'en raison de sa médiocrité et parce qu'il n'était pas à craindre comme rival éventuel.

Du temps de Lénine, Vorochilov appartenait au troupeau des membres du Comité central, méritant l'épithète de « bétail à voter ». Sa carrière commença à prendre vraiment tournure le jour où, exerçant les fonctions de commissaire auprès de Boudienny, il réussit à lui glisser entre les mains une carte de communiste. Il faut dire d'ailleurs qu'en même temps que sa carte Boudienny reçut une automobile. Il convoqua immédiatement le haut commandement de ses bandes et demanda à ses camarades ce qu'il fallait faire de ce papier, le jeter ou le garder. À quoi l'assemblée répondit après mûre réflexion : « Mets-le dans ta poche à tout hasard ; tu ne risques rien. Une carte ne demande pas à manger. » C'est ainsi que l'on « rallia » Boudienny au Parti communiste. Par la suite Vorochilov exerça longtemps les fonctions de commandant de troupes de région (*okroug*). Décidé à se débarrasser de Frounze, Staline appela Vorochilov au poste de commandant des troupes de l'*okroug* de Moscou, puis une fois Frounze supprimé, au poste de président du Conseil de guerre révolutionnaire et de membre du Bureau politique.

Par conséquent, Vorochilov, entièrement redevable de sa carrière à Staline, le suit aveuglément et n'a point d'opinions personnelles. Dans les hautes sphères du Parti, pourtant peu faciles à étonner sur ce point, sa stupidité est proverbiale. Il ne joue aucune espèce de rôle politique et en cas de guerre il servirait d'écho aux volontés de Staline et ne serait que son homme de paille. On vient tout récemment de disperser ci et là le groupe de militaires capables qui étaient liés à la personne de Toukhatchevski. Le nouveau chef d'état-major général, Chapochnikov, est bon tout au plus à exécuter des ordres donnés par autrui. Mais comme il n'y a plus personne qui soit vraiment capable de donner les ordres nécessaires, l'Armée rouge est, fort heureusement, décapitée. L'expérience de la dernière guerre ne permet point de mésestimer cet important facteur. [...]

BOUKHARINE NICOLAS IVANOVITCH

Boukharine est le seul membre du Bureau politique qui soit vraiment doué. On ignore généralement qu'il est dévoré d'une ambition insatiable. Mais comme il se rend compte que pour l'instant il n'y a absolument rien à faire, il attend des temps meilleurs, bien qu'il soit le chef du groupe d'adversaires de Staline qu'il a su former parmi les membres du Comité central. Il se contente, faute de mieux, de vociférer à tous les carrefours qu'il soutient Staline de toutes ses forces et qu'il se range sous ses ordres.

Bon styliste et ayant la plume facile, Boukharine aime émettre des théories dont la teneur lui a valu à maintes reprises quelque confusion. Dans sa fameuse brochure publiée en 1920 sous le titre *Économie d'une période transitoire*, il cherchait à démontrer que la Russie était à cinq minutes du communisme. Quelques mois après l'instauration de la Nouvelle politique économique (NEP), il fit tous ses efforts pour enlever de la circulation cet ouvrage qui prouve bien que, disciple de l'école marxiste, il tire toutes les conséquences logiques de cet enseignement et doit par conséquent en admettre toutes les bévues, théoriques et pratiques. Grâce à son esprit inné et à la vivacité de son intelligence, il est l'unique membre du Bureau politique à comprendre quelque chose dans les questions politiques. C'est pourquoi Staline le laisse libre de tracer la ligne politique que doit suivre le Parti mais il a bien soin de l'écarter aussi loin que possible de son « appareil ». Certes, Boukharine exerce une très grande influence sur la solution des questions politiques soumises au Bureau politique, mais en revanche il n'est absolument pour rien dans le choix des personnes.

En plus de ses fonctions de membre du Bureau politique, Boukharine est rédacteur en chef de la *Pravda*. [...]

[SHD 7N3129]

L'ENLÈVEMENT DU GÉNÉRAL MILLER

Les Russes blancs infiltrés par les Soviétiques

Jean-Jacques Marie

Le 22 septembre 1937 à midi quinze, le général Eugène Miller quitte le 29, rue du Colisée, à Paris. Là siège l'état-major de l'Union générale militaire russe, la ROVS, qu'il préside depuis 1930 : fondée par le général Wrangel en septembre 1924, c'est la principale organisation des Russes blancs réfugiés en France. Le général Skobline, lui aussi membre de la ROVS, l'attend au coin des rues Raffet et Jasmin pour l'emmener à un rendez-vous qu'il a fixé dans une villa de Saint-Cloud, avec deux dignitaires allemands, décidés selon lui à soutenir la ROVS. Avant de partir, Miller laisse un billet adressé à son adjoint, le général Koussonski, invité à le lire s'il n'est pas revenu à seize heures. Il l'informe du rendez-vous et note : « Peut-être est-ce un piège. » Miller ne reparaîtra jamais.

À peine arrivé à Saint-Cloud, Miller est empoigné par trois agents du NKVD, ligoté, chloroformé, bâillonné, enfermé dans une malle, jeté dans une camionnette qui l'emmène au Havre puis transféré en hâte à bord d'un cargo qui prend le large aussitôt. Les Soviétiques n'ont pas lésiné sur le chloroforme : Miller ne reprendra connaissance que quarante-quatre heures après son enlèvement.

Koussonski ne lit le billet de Miller qu'à 22 h 30. Avec son adjoint, il se précipite à la recherche de Skobline, qu'ils trouvent à une heure du matin. Skobline nie tout : à midi et demi, jure-t-il, il déjeunait avec son épouse au restaurant ! Confondu par le billet de Miller, il réussit à s'esquiver et rejoint ses employeurs. Le NKVD le transfère en Espagne, puis à Odessa et de là à Moscou, tout en diffusant le bruit qu'il a péri lors d'un bombardement à Barcelone. Le 11 novembre 1937, Skobline, dans une lettre à Iejov, alors chef du NKVD, dit sa confiance en Staline — qui le fera fusiller peu après…

En 1930 déjà les services soviétiques — le Guépéou, rebaptisé NKVD en 1934 — avaient enlevé le successeur du général Wrangel, mort en 1928 : le général Koutiepov. Ses ravisseurs l'avaient chloroformé si fort que son cœur avait cédé.

Le Rossignol de Koursk

Les proches amis de Miller soupçonnent depuis longtemps Skobline, ancien commandant de la division Kornilov que le Guépéou a recruté en janvier 1931, ainsi que sa femme : la Plevitskaïa, une chanteuse d'opéra surnommée « le Rossignol de Koursk », son aînée de sept ans. Skobline et la Plevitskaïa vivent sur un grand pied, malgré leurs revenus modestes : vaste maison à Ozoir-la-Ferrière, villa dans le Midi, pied-à-terre à Paris, auto… En juillet 1936, pourtant, un jury d'honneur présidé par un ancien de l'armée Wrangel a

Le général Miller *en uniforme (au centre) sortant de la cathédrale orthodoxe de la rue* Daru *à* Paris.

blanchi Skobline de tout soupçon. En fait, le général Miller était entouré d'agents soviétiques : outre Skobline, l'amiral Krylov, le général Steifon, ancien chef d'état-major de Koutiepov pendant la guerre civile, le général Diakonov, ancien membre de l'Académie de l'état-major tsariste et surtout Serge Tretiakov — nom de code : Ivanov —, ancien président du comité de la Bourse de Moscou. Ce dernier, recruté par le Guépéou en 1929, loue en janvier 1934 les premier et deuxième étages du 29, rue du Colisée. Il installe son bureau au premier, juste au-dessus du quartier général de la ROVS sur lequel il branche un système d'écoute.

Vingt ans de travaux forcés

Le dossier de l'enquête le montre, la Sûreté nationale ignore l'ampleur de la pénétration par les services soviétiques. Lors de son interrogatoire du 24 septembre 1937, le dénommé Antoine Tourkoul tente de discréditer Miller et de dédouaner Skobline sans que le policier français ne soupçonne cet agent triple, publiquement pro-nazi, qui en juillet 1936 a créé contre le ROVS une microscopique Union nationale russe des combattants de la guerre. Ce même 24 septembre, la police française arrête la Plevitskaïa. Dans le couple, c'est elle qui, selon un témoin, « porte la culotte » ; on appelle d'ailleurs Skobline « le général Plevitski »... Elle s'entête à prétendre qu'elle déjeunait avec son mari le 22 à midi. Ses cachets ne peuvent expliquer son train de vie ? Le psychanalyste Max Eitingon l'habillait, dit-elle, « des pieds à la tête » et lui donnait de l'argent. Celui-ci, domicilié à Jérusalem, est venu à Paris au début de septembre 1937 et a quitté la capitale deux jours avant l'enlèvement de Miller.

Le procès de la Plevitskaïa s'ouvre à Paris le 5 décembre 1938. Son avocat bruxellois, Philonenko, est membre de l'Union historique russe, une officine montée par le NKVD contre la ROVS. Il tente d'abord de défendre Skobline, puis le laisse tomber pour plaider l'innocence de la seule chanteuse, que le tribunal condamne le 14 à vingt ans de travaux forcés. Max Eitingon, dans une lettre à Freud du 8 janvier 1939, affirme l'innocence du couple et ose comparer le procès à l'affaire Dreyfus. Emprisonnée à Rennes, la Plevitskaïa décide le 10 mai 1940 de tout avouer à un commissaire de police ; le 5 octobre, elle meurt dans sa cellule, d'une crise cardiaque. Officiellement. Le NKVD, à Moscou, pense utiliser Miller ; mais le général refuse de parler et d'appeler les Russes blancs à se rallier à l'URSS face à la menace allemande. L'alliance avec Hitler se dessine au début de mai 1939. Miller ne peut plus servir à rien. Le 11 mai, Staline le fait fusiller.

✦

LA TRAHISON DE SKOBLINE ET DE LA PLEVITSKAÏA

Lettre du président du Conseil et ministre de l'Intérieur au Préfet de police, 24 avril 1936

Par un rapport en date de février 1936, vous m'avez signalé les intrigues dirigées contre le général Miller, ex-président de « l'Union militaire russe », dont l'action au sein de cette organisation est jugée trop modérée.

ЗАЯВЛЕНІЕ

Свято чтя память ГОСУДАРЯ ИМПЕРАТОРА НИКОЛАЯ II-го, и поэтому сочувствуя цѣлямъ Союза ревнителей ЕГО ПАМЯТИ, прошу принять меня въ дѣйствительные Члены Союза, причемъ обязуюсь подчиняться всѣмъ требованіямъ его Устава и содѣйствовать по мѣрѣ силъ его развитію.-

Ник. Влад.
Ген. Скоблинъ

Подпись:

Адресъ: Mr N. Skobline
Ozoir la Ferrière
(S. et M).

Profession de foi de Nikolaï Vladimirovitch Skobline
*en tant que membre de l'*Union *générale militaire russe* (ROVS).

Télégramme

PREFECTURE DE POLICE
25-9 37
BUREAU DE ...

Directeur Police judiciaire
à Cabinet - Dion Gale P.M. Rgx -
Sureté nationale - Crs pce Paris banlieue
Crs spt gares Paris -

Suite télégramme ce matin sujet nommé SKABLINE ou SKOBLINE ce dernier pourrait être accompagné de la nommée PLENITZKAÏA Nadège femme Skobline née 17 septembre 1886 à Koursk Russie de Vasili et de Réoutoff Akilina. En cas arrestation garder à vue et prévenir urgence Dion P.J. Paris -

Télégramme du directeur de la police judiciaire au Cabinet, direction générale de la police mobile, 23 septembre 1937 (transcription page suivante).

Les étrangers signalés dans ce rapport font l'objet de renseignements favorables sauf, peut-être, l'ancien général Skobline Nicolas, considéré comme suspect dans les milieux russes depuis un voyage qu'il a effectué en compagnie de sa femme en Allemagne et en Lithuanie et Orekhoff qui a contre lui ses articles élogieux pour le régime hitlérien parus dans le journal russe *La Sentinelle*.

Je vous serais obligé de vouloir bien me faire savoir si vous estimez que des mesures particulières sont à envisager à l'égard de ces deux réfugiés russes.

[APP GaS10]

Télégramme du directeur de la police judiciaire au Cabinet, direction générale de la police mobile, 23 septembre 1937

Suite télégramme ce matin sujet nommé Skabline ou Skobline ce dernier pourrait être accompagné de la nommée Plenitzkaïa Nadège femme Skobline née 17 septembre 1886 à Koursk Russie de Vasili et de Réoutouff Akilina. En cas arrestation garder à vue et prévenir urgence direction police judiciaire Paris.

[APP GaS10]

Lettre confidentielle de la direction générale de la Sûreté nationale du ministère de l'Intérieur au Préfet de police, 13 janvier 1938

J'ai l'honneur de vous transmettre, sous ce pli, pour vérifications et renseignements à me faire parvenir, copie d'une information confidentielle n° 11, en date du 4 de ce mois, suivant laquelle la maîtresse du sieur Basile Bezzoubikoff, la nommée Timofeef-Peters, agent de la Guépéou, servirait d'intermédiaire entre la Plevitzkaja-Skobline et ses amis à Paris.

[APP GaS10]

FRANÇAIS ET NAZI

Fernand de Brinon au service du Reich

Dominique Missika

La Collaboration est en germe bien avant la Seconde Guerre mondiale, la trajectoire de Fernand de Brinon le démontre sans peine. Quand le 18 décembre 1940, à 55 ans, il est nommé Délégué général du gouvernement français dans les territoires occupés — cas unique d'un ambassadeur de France à Paris —, c'est l'aboutissement de ses efforts depuis le début des années trente. Hobereau de Libourne, amateur de chasse et homme du monde, Fernand de Brinon est avant-guerre un journaliste diplomatique connu pour sa germanophilie. À *L'Information*, quotidien financé par la banque Lazard, il cultive ses liens avec les industriels et diplomates d'outre-Rhin. Traumatisé par la Grande Guerre, hanté par le péril bolchevik, il pense qu'un rapprochement franco-allemand est nécessaire pour que cela « n'arrive jamais plus ». Est-il, comme l'affirme une note du 2e Bureau en 1938, « un agent actif de la propagande allemande en France » ? Ses fréquentations le laissent croire et l'Allemagne nazie saura lui rappeler ses voyages et ses invitations tous frais payés.

Dès 1932, il rencontre chez des amis communs Joachim von Ribbentrop, émissaire officieux de la diplomatie nazie. À Berlin, où le comte de Brinon est convié à des festivités en compagnie de hauts dignitaires du Parti national-socialiste, il rencontre des industriels dans des foires, des expositions internationales ou des soirées privées. Il se lie d'amitié avec Franz von Papen, aristocrate lui aussi, ultra-catholique et conservateur, futur ambassadeur du Reich en Turquie. Autre rencontre, et non des moindres, celle de Heinrich Himmler, chef de la SS, très proche de Hitler.

Le comité France-Allemagne

L'enchantement de Fernand de Brinon est à son comble quand le chancelier du Reich le reçoit pendant plus de deux heures, le 16 novembre 1933. L'interview, à la une du *Matin*, aura un énorme retentissement. Hitler y évoque les souffrances des combattants, tend la main à la France et réclame une petite armée, tout en tenant des propos pacifiques. Grisé par sa rencontre avec le maître de l'Allemagne, Brinon se met à son service.

En 1935 naît le comité France-Allemagne, antenne en France de la *Deutsch-Französische Gesellschaft* qu'anime Otto Abetz, chargé d'infiltrer les milieux intellectuels. Cet outil de propagande, dont Fernand de Brinon est le vice-président, réunit des personnalités du monde politique, de la science, des arts, de l'industrie, de la banque et de l'armée. On y croise Ernest Fourneau, professeur de chimie à l'Institut Pasteur et membre de l'Académie de médecine, tandis que les *Cahiers franco-allemands*, financés par Berlin via le

Visite de *Fernand de Brinon (à droite) en Allemagne,*
le 20 janvier 1938.

comité, affichent les signatures de Jean Giraudoux et de Jules Romains.

Un mois après Munich, révèle encore cette note, Fernand de Brinon dîne à l'ambassade d'Allemagne, rue de Lille, dans les salons de l'hôtel de Beauharnais qu'occupera en 1940 son ami Otto Abetz, nommé ambassadeur. À l'évidence, c'est un familier des lieux.

Homme-lige de l'Allemagne nazie, il va attacher jusqu'à l'extrême limite son sort à celui du Reich. Deuxième personnage de l'État français en fuite avec le gratin de la Collaboration à Sigmaringen, il finira devant un peloton d'exécution, au fort de Montrouge, le 15 avril 1947.

✦

« UN AGENT ACTIF DE LA PROPAGANDE ALLEMANDE »

Rapport sur Fernand de Brinon

Le comte de Brinon, Marie, Fernand, né le 16 août 1885 à Letournel (Gironde), a attiré l'attention, en avril 1933, comme auteur d'un article relatif aux questions militaires, publié dans le journal L'*Information*, dont il était un collaborateur.

En décembre 1933, toujours sous sa signature, *Le Matin* publie un retentissant interview du chancelier Hitler.

De Brinon entre alors en rapport avec von Ribbentrop, lors de la venue en France de ce dernier, chargé de mission par le Reich pour le désarmement.

En décembre 1937, de Brinon est signalé comme un agent actif de la propagande allemande en France, et comme ayant des relations étroites avec von Papen et la Wilhemstrasse. Il se rend souvent à Berlin, où il aurait rencontré Ribbentrop, Himmler et même Hitler.

De Brinon écrit dans les journaux allemands, où il soutient la thèse de l'entente franco-allemande. Il fonde alors le « comité France-Allemagne » dont il devient vice-président.

En octobre 1938, il assiste à un dîner en compagnie du comte Welczeck, ambassadeur d'Allemagne à Paris.

En mai 1939, il se montre très actif pour essayer de faire revivre le « comité France-Allemagne ».

Le 24 avril 1936, de Brinon adresse une lettre à Westrick, où il fait allusion à la copie d'une communication remise par ce dernier au professeur Fourneau.

Il parle d'une assemblée éventuelle du « comité France-Allemagne », s'inquiète du silence français et allemand, et termine en faisant allusion à un envoi adressé à von Tschammer und Osten.

Le 12 septembre 1936, de Brinon adresse un télégramme à Westrick déjà à Nuremberg, ainsi rédigé : « Aucune place avion. Impossible revenir, regrette et amitié. »

Le 14 septembre 1936, il envoie à Westrick un nouveau télégramme, ainsi rédigé : « Navré pas vous avoir revu. Vous prie remercier tous pour carte postale collective, et partagez regrets et amitiés. »

[SHD 7NN2750]

Sir John Philby en Arabie, dans la région de Nedj, en décembre 1917.

Pendant la Grande Guerre, il opte pour la tenue vestimentaire des Arabes, tout comme Lawrence d'Arabie. Plus tard, il se fait musulman mais cette conversion intéressée ne dupe personne.

L'ESPION DU DÉSERT

Sur les traces de sir John Philby d'Arabie

Pierre Fournié

« Le 2 novembre est arrivé au Caire le grand Anglais du Hedjaz, John Philby, conseiller du roi Ibn Séoud, maître officieux de l'Arabie et agent secret britannique tout puissant. » La note envoyée le 4 novembre 1935 par un agent français en poste au Caire a été établie d'après une source qualifiée de « très bonne et sûre ». Centralisée par le 2e Bureau, elle va rejoindre les télégrammes, bulletins et rapports qui, depuis deux décennies, évoquent la personnalité et l'action de Harry Saint John Bridger Philby.

Dans les années trente, la péninsule arabique ne compte guère parmi les priorités politiques de la France dans le monde arabo-musulman. C'est la chasse gardée des Britanniques. Il n'empêche : tout ce qui s'y passe peut avoir de rapides répercussions à Alger, Tunis, Rabat ou Beyrouth. D'où l'attention que les services français basés en Égypte portent à l'agent anglais. Les termes qu'utilise le rédacteur de la note sont semblables à ceux que l'on lit dans les récits de voyages et articles de journaux rédigés à cette époque sur Philby. Ils campent un personnage haut en couleur, dont la puissance soupçonnée fait l'objet d'une foule de fantasmes. On note toutefois, à droite, en marge de la note, un point d'interrogation. Tout est là : Philby est-il aussi puissant qu'on le dit ? Est-il vraiment le conseiller du roi d'Arabie ?

La victoire du désert

Voilà vingt ans que cet Anglais excentrique sillonne en tous sens le Moyen-Orient, mais c'est dans l'administration de l'Inde qu'il a commencé sa carrière. Ses talents multiples, notamment pour les langues orientales et la géographie, le désignent pour des fonctions en Irak pendant la Grande Guerre. Ce premier contact avec l'Orient arabe est décisif : Philby s'éprend littéralement des Arabes, de leur civilisation, de leurs mœurs, de leur langue. À l'instar du major Lawrence, il est envoyé en mission dans la péninsule arabique pour tester les tribus susceptibles de soutenir l'Angleterre contre les Turcs — et accessoirement contre les Français.

Lawrence, soutenu par le Foreign Office, joue la carte des Hachémites, de Hussein, chérif de La Mecque, puis de Fayçal ; Philby, lui, joue la carte des Wahhabites et de leur chef Ibn Séoud. Schématiquement, deux projets s'affrontent : le premier défend l'alliance avec des Arabes des villes, tolérants, rompus aux relations avec l'Europe, éventuels porte-drapeau du nationalisme arabe, le second prône l'alliance avec les Arabes du désert, hostiles à tout réformisme, farouches gardiens de l'islam originel.

Pour Lawrence comme pour Philby, l'après-guerre est l'heure des désillusions. Le nécessaire équilibre entre les deux puissances rivales que sont l'Angleterre et la France ruine le rêve d'un grand royaume autour de Damas, qu'on avait promis aux Arabes. En 1921, Lawrence quitte le Moyen-Orient, écœuré : il n'y reviendra jamais plus. En 1924, Philby démissionne de l'Intelligence Service, mais il reste sur place…

Il est vrai qu'entre-temps Ibn Séoud est parvenu à évincer les Hachémites de la péninsule et a entrepris de fonder l'État qui va devenir l'Arabie Saoudite. Philby n'a joué qu'un rôle modeste dans la naissance de ce royaume, mais grâce à sa connaissance de la région, à son attitude ostensiblement antibritannique et à ses prises de position pro-arabes, il parvient à s'immiscer dans le cercle des proches d'Ibn Séoud.

Bien qu'il ne soit plus membre des services secrets britanniques, il leur rend de menus services. Mais il lui faut gagner sa vie : fort du soutien du roi et d'une conversion à l'islam que d'aucuns jugent fort peu sincère, Philby devenu Hadj Abdallah se lance dans les affaires. En 1930, Albert Londres lui rend visite à Djeddah. Dans son récit, Philby apparaît déjà comme un homme aux carrières multiples, énigmatique, imprévisible, insolent, s'exprimant dans un langage de charretier, porté sur l'alcool. « M. Saint John Philby apparut, un sourire infiniment doux sur un masque féroce. Lorsqu'une nouvelle mouche débarque à Djeddah, Philby connaît le but de son voyage, le nom du père de la mouche et de celui de la mère ! C'est vous faire comprendre que je n'eus pas besoin de lui présenter mon extrait de naissance.

— Je viens saluer, lui dis-je, le roi de l'Arabie.

— Vous voulez être reçu par Ibn Séoud ?

— Mon cher confrère (Philby est aussi journaliste), le roi de l'Arabie, c'est vous !

— Moi ? Je vends des balances, de la quincaillerie, des pneus, des autos et des voitures d'enfant ! »

De fait, au début des années trente, Philby est plutôt inoffensif. Il explore des régions où fort peu d'Européens ont pénétré avant lui : traversée du Rub al-Khali, voyage dans le sud du Nedj et le nord du protectorat d'Aden. À plusieurs reprises, ses anciens collègues des services secrets redoutent que ses expéditions — il est accompagné d'escortes armées — ne soient des opérations militaires. Il n'en est rien. Philby a peut-être des arrière-pensées, mais il entend avant tout faire œuvre scientifique : la moisson de données géographiques et archéologiques qu'il rapporte lui valent une réputation internationale tout à fait méritée.

Une lignée d'agents doubles

La suite est moins glorieuse. Il sert d'intermédiaire dans les opérations de séduction auxquelles se livrent alors auprès d'Ibn Séoud les compagnies anglaises et américaines pour obtenir des concessions pétrolières… La victoire américaine va apparaître comme une nouvelle traîtrise de sa part aux yeux du gouvernement britannique, qui exige son rappel en Angleterre pendant la Seconde Guerre mondiale.

Philby retourne en Arabie au début des années cinquante, mais il provoque la colère du successeur d'Ibn

Séoud, Abdul Aziz, dont il a dénoncé les mœurs corrompues. Réfugié à Beyrouth, il meurt en 1960, auprès de son fils Kim, autre agent britannique, tout aussi imprévisible que son père. Kim, en effet, compte parmi les « Cinq de Cambridge » qui travaillent pour Moscou. Trois ans plus tard, c'est de Beyrouth qu'il s'enfuit en URSS, assurant au patronyme des Philby une sulfureuse postérité d'agents doubles.

✦

À LA POURSUITE DE « PHILBY D'ARABIE »

Note secrète sur le passage au Caire de sir John Philby, 15 novembre 1935

Source : très bonne et sûre, 4 novembre 1935.

Le 2 novembre est arrivé au Caire le grand Anglais du Hedjaz, John Philby, conseiller du roi Ibn Séoud, maître officieux de l'Arabie et agent britannique tout puissant.

Il est musulman et a fait le pèlerinage de La Mecque. Il règne, on peut dire, sur la mer Rouge et tous les États qui la bordent.

[SHD 7NN2731]

✦

LE PÉTROLE DU QATAR

Ce rapport du 2e Bureau fait état de la découverte au Qatar d'une « nappe pétrolifère aussi riche que celle de Kirkuk », à l'époque même où Philby vend ses services aux compagnies anglaises et américaines en Arabie.

B/AM/26/I2/39 MINISTÈRE DE LA DÉFENSE NATIONALE ET DE LA GUERRE

ÉTAT-MAJOR DE L'ARMÉE

2e Bureau

S.E.L. No 7386

LE 26 DECEMBRE 1939

(Assez bonne source)
7/I2/39.-

PETROLES DE LA PRESQU'ILE DE QUATAR.

I.- Les forages pétroliers de la presqu'ile du QUATAR, dirigés par un Américain, Mr. DICKSON, viennent de donner des résultats étonnants.-

On se trouverait devant une nappe pétrolifère aussi riche que celle de Kirkuk.- La structure répond à toutes les exigences de la théorie du parfait synclinal.-

C'est une découverte qui a motivé le récent voyage de M. ROCKEFELLER.-

On songe en effet à " consolider " spécialement la " PETRLEUM CONCESSION Ltd." par des capitaux frais américains et anglais.-

2.- Il serait sans doute prudent de surveiller de près les tractations concernant ces investissements.- Par la soudaineté d'un appel de capitaux auquel elle ne pourrait répondre à cause de la guerre, la Compagnie Française des Pétroles pourrait être amenée à se désister du quart de participation auquel elle a droit.-

On se souvient qu'en Février 1936, l'arrivée de Mr. MONTAIGU sur les lieux, inopinément, en avion piloté par le Lt. DONCHY (affecté spécial au service aérien de la pipe-line Nord de l'I.P.C.) a seule permis de sauvegarder les intérêts français.-

Il serait peut-être intéressant d'envoyer voir ce qu'il y a là-bas.-

Il faut noter que c'est un Américain, Mr. STUCKEY, précédemment Directeur Technique du Pompage de l'I.P.C. qui devient Directeur Général de toutes les questions pétrolières de l'I.P.C. et des filiales P.C.L. de tout l'Orient Arabe.-

Le " Daily Report " du M E I C , N° 72 du 23.II.39, note en une ligne la présence du pétrôle au Quatar et ajoute que l'on cherche un marché pour écouler la production avant de se lancer dans les constructions nécessaires à une exploitation industrielle.- Le Bulletin dit également que les forages de Koweit sans être aussi probants que ceux du Quatar donnent bon espoir, à telle enseigne que l'on a promis au Sultan une " Royalty " annuelle de 250.000. Roupies dès que le gisement serait reconnu commercialement exploitable.

Rapport secret sur les pétroles de la presqu'île du Qatar,
26 décembre 1939.

Rapport secret sur les pétroles de la presqu'île du Qatar, 26 décembre 1939

Assez bonne source, 7/12/39.

1) Les forages pétroliers de la presqu'île du Qatar, dirigés par un Américain, M. Dickson, viennent de donner des résultats étonnants.

On se trouverait devant une nappe pétrolifère aussi riche que celle de Kirkuk. La structure répond à toutes les exigences de la théorie du parfait synclinal.

C'est une découverte qui a motivé le récent voyage de M. Rockefeller.

On songe en effet à « consolider » spécialement la Petroleum Concession Ltd par des capitaux frais américains et anglais.

2) Il serait sans doute prudent de surveiller de près les tractations concernant ces investissements. Par la soudaineté d'un appel de capitaux auquel elle ne pourrait répondre à cause de la guerre, la Compagnie française des pétroles pourrait être amenée à se désister du quart de participation auquel elle a droit.

On se souvient qu'en février 1936, l'arrivée de M. Montaigu sur les lieux, inopinément, en avion piloté par le Lt. Donchy (affecté spécial au service aérien de la pipeline nord de l'IPC) a seule permis de sauvegarder les intérêts français.

Il serait peut-être intéressant d'envoyer voir ce qu'il y a là-bas.

Il faut noter que c'est un Américain, M. Stuckey, précédemment directeur technique du pompage de l'IPC qui devient directeur général de toutes les questions pétrolières de l'IPC et des filiales PCL de tout l'Orient arabe.

Le *daily report* du MEIC, n° 72 du 23.11.39, note en une ligne la présence du pétrole au Qatar et ajoute que l'on cherche un marché pour écouler la production avant de se lancer dans les constructions nécessaires à une exploitation industrielle. Le bulletin dit également que les forages de Koweit, sans être aussi probants que ceux du Qatar, donnent bon espoir, à telle enseigne que l'on a promis au sultan une royalty annuelle de 250 000 roupies dès que le gisement serait reconnu commercialement exploitable.

[SHD 7N2575]

L'AFFAIRE FANTÔMAS

Enquête au cœur de L'Humanité

Alexandre Courban

Au lendemain du premier meeting organisé par le Parti communiste à l'occasion des élections législatives de 1932, la section de centralisation du renseignement du 2e Bureau se félicite du coup de maître réalisé par le commissaire général des Renseignements généraux Charles Faux-Pas-Bidet. Il est parvenu à « recruter comme informateur » un collaborateur du quotidien *L'Humanité*. Désigné sous le nom de code As 522, il serait « particulièrement bien placé » pour fournir des renseignements très précis sur l'activité supposée du Parti en matière d'espionnage.

À *L'Humanité*, en effet, arrivent de nombreuses informations par le truchement des « rabcors », abréviation russe qui désigne les correspondants ouvriers de la presse communiste. Ceux-ci, par pacifisme, signalent les productions d'armement dans les usines où ils travaillent et quelques-unes de ces indiscrétions pourraient intéresser Moscou.

Le 2e Bureau entend d'abord « étudier à fond et dans le plus grand secret l'organisation et le fonctionnement des services de renseignement militaire communistes », et aussi « préciser la collusion » de ces différents services avec le SR soviétique. C'est ensuite que la police pourra « exercer simultanément à l'encontre de tous les organes et individus repérés des poursuites judiciaires ».

« Mensonges pacifistes »

Quelques semaines plus tard, une vaste opération de police est menée à travers toute la France. Entre le 27 juin et le 7 juillet 1932, on dénombre une quinzaine de perquisitions. Par ailleurs, neuf mandats d'arrêt sont lancés contre des militants communistes ou supposés tels.

À l'exception de l'ex-député Jacques Duclos qui, vraisemblablement, se trouve déjà à Moscou, où il participe à diverses réunions de l'Internationale communiste tout au long de l'été 1932, les huit autres suspects sont interpellés. À commencer par le pivot de cette affaire, le dénommé Isaïa Bir : ce communiste polonais de vingt-huit ans, officiellement étudiant en chimie, a probablement été recruté par le service de renseignement de l'Armée rouge. Il est connu sous les pseudonymes de Victor ou de Fantômas — en référence au génie du mal créé par Souvestre et Allain, dont les aventures viennent d'être portées à l'écran. Figurent également, parmi les inculpés, Philippe Liogier, de son vrai nom André Philippe, rédacteur à *L'Humanité* spécialement chargé de la liaison avec les correspondants ouvriers et paysans du quotidien communiste, et parmi ceux-ci Maurice Grandcoing, ouvrier chez Renault, ainsi qu'André Coitou, métallurgiste chez Bloch Aviation.

La première fourniture d'As 522:

- Liste complète des établissements français travaillant pour la Défense Nationale avec la nature de leurs fabrications.

- Renseignements précis et détaillés concernant des matériels très secrets (Chars de combat des 4 derniers modèles mis en fabrication chez RENAULT - moteurs d'aviation).

A prouvé, d'une part, que cet informateur est particulièrement bien placé pour fournir des renseignements sur l'activité du Parti Communiste français en matière de S-R Militaire, d'autre part, l'ampleur déjà soupçonnée du S-Militaire actionné par le P.C. et la nature très secrète de ses investigations.

Note confidentielle sur l'agent As 522 (*extrait*).

Mis en cause dans une affaire de droit commun, un collaborateur de L'*Humanité* devient informateur de la police sous le nom de code : As 522.

À l'issue d'un procès qui se tient à huis clos du 14 au 28 novembre 1932, les principaux protagonistes de l'affaire Fantômas sont condamnés pour « détention de documents intéressant la sûreté de l'État » à des peines allant de dix mois à trois ans de prison ferme.

D'après le directeur du quotidien communiste, Marcel Cachin, ce procès à l'encontre de « prétendus espions communistes » constitue une « machination gouvernementale » qui n'a qu'un seul objectif : « Briser l'organisation des rabcors qui est une des forces de *L'Humanité* [...], seul journal qui mène contre la guerre une campagne acharnée. » Et le journaliste Maurice Lebrun d'ajouter, au lendemain du verdict prononcé à l'encontre de Coitou, Grandcoing et Liogier : « Or, quels sont les faits en réalité ? Tous les jours, des dizaines de lettres écrites par les ouvriers nous informent du développement des fabrications de guerre dans l'industrie privée et dans les ateliers de l'État. Elles font justice des mensonges pacifistes d'Herriot-Boncour », c'est-à-dire d'Édouard Herriot, président du Conseil et ministre des Affaires étrangères, et de Joseph Paul-Boncour, ministre de la Guerre. Le départ à la retraite du commissaire général Faux-Pas-Bidet dans la semaine qui précède le verdict est considéré par la direction du quotidien communiste comme une preuve supplémentaire que l'affaire Fantômas a été « montée de toute pièce avec la complicité d'un provocateur », en la personne de l'informateur As 522.

Toujours est-il que la tentative des services secrets soviétiques d'utiliser le réseau des correspondants de

L'Humanité à d'autres fins que celle de la rédaction du journal contribue à fragiliser cette rubrique et à rendre difficile le recrutement des correspondants. Malgré tout, la page spéciale réservée à la correspondance ouvrière lancée en septembre 1921 est maintenue avec plus ou moins de régularité jusqu'en novembre 1935.

Quant à l'agent As 522, il est démasqué : il s'agit d'André Requier, collaborateur chargé de réaliser la revue de presse. Un « provocateur à la solde de la police » qui sera mis au ban du Parti communiste.

LE SOLEIL LEVANT

« Une nation atteinte de mégalomanie »

Christian Kessler et Gérard Siary

Depuis la guerre russo-japonaise de 1905, le Japon passe aux yeux de l'Occident pour la puissance montante de l'Asie orientale. Quand l'alliance anglo-nippone prend fin, en 1923, il se rapproche de l'Allemagne. Deux motifs de préoccupation pour la France, présente en Indochine.

Au début des années 1920, l'influence de l'ambassadeur de France à Tokyo, Paul Claudel, n'a pas raison de celle de son homologue allemand d'alors, Wilhelm Solf. Si bien que, quinze ans plus tard, entre 1936 et 1939, le 2e Bureau reçoit des rapports inquiétants sur l'accroissement de l'arsenal nippon et sur les activités diplomatiques des généraux Terauchi et Oshima, en Italie et en Allemagne.

Dès le début de l'ère Meiji (1868-1912), soucieux de ne pas subir comme la Chine la mainmise de l'Occident, le Japon a choisi de s'ouvrir à lui, après plus de deux siècles de fermeture. L'État autoritaire de Meiji, fondé sur la révérence envers l'Empereur, engage une modernisation tous azimuts et renforce l'appareil militaire. Il adopte une politique expansionniste, occupant

Formose, la Corée et d'autres territoires. À l'orée du XXe siècle, le Japon défait la Russie tsariste et entre dans le concert des grandes nations.

La peur du « péril jaune »

Cette première victoire d'une petite nation orientale sur l'Occident blanc suscite la peur du « péril jaune ». Certes, le gendarme nippon, avec son réseau d'espions, rassure en garantissant la paix en Extrême-Orient, mais il inquiète aussi par son caractère frénétique et instable. Petit Japon deviendra grand, se dit-on. Pour les services de renseignement français, c'est « une nation atteinte de mégalomanie » : l'expression suppose que le David japonais n'est pas de taille à affronter le Goliath américain.

Dès les années 1920 en effet, la tension s'est accrue entre le Japon et les États-Unis, qui imposent à ce pays surpeuplé et pauvre en ressources naturelles le désarmement relatif de sa marine de guerre, mais ne bloquent pas sa marine marchande. Le ressentiment de l'armée grandit, servi par un sentiment national partagé et entretenu. Le peuple, qui a pâti des sacrifices consentis pendant la guerre contre la Russie et s'est éloigné de l'armée, se rabiboche avec elle et finit par la soutenir. La correspondance de Paul Claudel ne cache pas le risque objectif de conflit entre ces deux pays. L'impérialisme larvé des Anglo-Saxons ne fait qu'envenimer la situation.

La crise de 1929 frappe aussi le Japon. La reprise nationale se marque par la croissance du budget d'armement qui finit par représenter plus de 25 % du produit national : l'Allemagne et l'Italie ne consacrent alors qu'un sixième de leurs ressources au réarmement. Malgré les restrictions, le Japon se dote entre 1922 et 1939 d'une flotte globalement supérieure aux autres — sauf celle du Royaume-Uni. À l'instar de l'Europe, l'idéologie ambiante, d'inspiration anticapitaliste et antidémocratique, renoue avec les valeurs d'ordre de l'ère Meiji. L'Empereur laisse faire, sans au fond désapprouver la répression anticommuniste.

Le système parlementaire s'effrite, les militaires s'imposent au gouvernement pour lancer bientôt l'idée d'une « sphère de co-prospérité », annonçant la future « Grande Asie japonaise ». Tokyo déclenche en Chine la guerre de Quinze Ans (1930-1945), en sabotant la voie ferrée submandchourienne à Moukden : les Japonais imputent ensuite cet attentat aux Chinois afin de justifier l'invasion de la Mandchourie, riche en matières premières. Hergé illustre l'incident dans *Tintin et le Lotus bleu* (1937), où paraît Mitsuhirato, espion à la solde du Japon, grand bandit aussi, première esquisse du criminel de guerre.

« Aryens d'honneur »

Dans la tourmente des années 1930, le jeu diplomatique amène le Japon à chercher des alliés. Dès 1926, note Claudel, Mussolini y fait sa propagande fasciste. Les nazis s'y activent aussi. Le Japon entretient d'anciennes relations avec l'Allemagne qui a formé ses médecins, ses juristes, ses officiers et lui a fourni en 1889 le modèle de sa Constitution. Et voici que cette Allemagne, à partir de 1933, rejette avec lui le modèle démocratique et libéral. L'université de Tokyo compte maints germanistes qui rejoindront les kamikazes à la fin de la guerre. Les lettrés allemands, eux, révèrent le *Bushidô*, la voie du samouraï. Les Japonais seront bientôt tenus pour « Aryens d'honneur ». L'échange de visites entre les Jeunesses hitlériennes et la Jeunesse du Grand Japon, en 1937, prélude à l'alliance avec l'Allemagne nazie.

Célébration du pacte anti-Komintern entre l'Allemagne nazie et l'empire du Japon, le 25 novembre 1936.

Cet accord est destiné à contrer la IIIe Internationale. Selon un protocole secret, les deux pays se prêtent secours mutuel si l'un d'eux est attaqué par l'URSS.

✦

UNE SOCIÉTÉ MILITARISÉE

Rapport de l'état-major de l'armée sur le Japon,
27 *novembre* 1936

Le Japon est une nation atteinte de mégalomanie dont les tendances d'expansion se manifestent aussi bien sur le plan militaire que sur le plan économique. Il est menacé d'étouffement par son excès de population, [et son] besoin de s'assurer les matières premières et les débouchés nécessaires à son industrie.

Conquêtes de marchés économiques et de matières premières, telles sont les raisons d'être de l'armée japonaise.

L'ARMÉE

Le Japon fait un effort considérable pour disposer d'une armée adaptée aux fins pour lesquelles elle est destinée. Les crédits militaires, en augmentation constante, atteignent près de 50 % du budget de l'État et sont destinés pour la plus grosse part, à l'accroissement et au renouvellement du matériel existant.

L'armée est en voie de réorganisation suivant un programme comportant : la modernisation et l'augmentation du matériel, l'accroissement du nombre des grandes unités et la transformation des méthodes de combat. [...]

LE MORAL

L'armée joue dans la vie nationale un rôle considérable. Des rapports étroits l'unissent à la nation. Le régiment est une cellule de propagande patriotique et militaire qui étend son action sur toutes les classes de la population grâce au corps enseignant et aux groupements de réservistes.

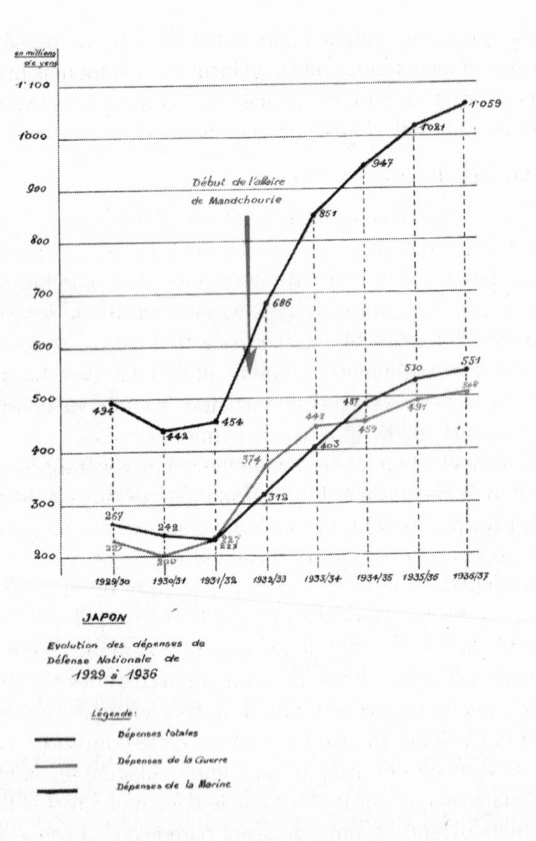

Les dépenses militaires japonaises.

Tracé sur papier calque, ce graphique du 2e Bureau montre un accroissement constant des dépenses militaires depuis 1931. Cette hausse est due « aux dépenses d'entretien de l'armée de Mandchourie et au programme de réorganisation de l'armée et de l'amélioration de l'armement en vue de transformer l'armée japonaise en une armée vraiment moderne ».

En surexcitant l'orgueil national et en tirant du passé des enseignements tendancieux, on inculque au Japonais le sentiment de sa supériorité. L'armée est le miroir dans lequel la nation contemple l'image de sa grandeur et de sa force.

L'ARMÉE ET LA NATION

L'armée japonaise joue dans la vie nationale un rôle considérable dont l'importance tend encore à augmenter. L'amour des Japonais pour leur pays, leur vénération traditionnelle du métier des armes, leur penchant naturel à s'unir en groupes, la facilité des relations que crée entre civils et militaires le recrutement régional, l'habileté avec laquelle l'armée sait exploiter ces circonstances favorables expliquent les rapports étroits qui unissent l'armée et la nation.

Composé d'hommes d'une même région que rapprochent les habitudes de vie et les particularités du langage, le régiment forme un groupement homogène, apte à recevoir la forte éducation morale dont l'armée imprègne les recrues ; des causeries fréquentes prêchent le culte de l'Empereur, conçu comme incarnation de la patrie et enseignent la supériorité du Japon, dont les armes n'ont jamais connu la défaite ; la lecture de rescrits impériaux à certaines occasions et les nombreuses cérémonies destinées à frapper l'imagination des soldats viennent compléter cette éducation. Lorsqu'ils vont en permission dans leurs villages, les soldats japonais, en contant les récits de leur vie militaire à la foule de leurs parents et amis, diffusent parmi ceux-ci l'enseignement qu'ils ont reçu à la caserne.

Cette forte emprise qu'il exerce sur le soldat de l'active, le régiment l'étend sur la jeunesse grâce aux professeurs des écoles primaires dont beaucoup sont sous-officiers de réserve et instructeurs de la préparation militaire élémentaire, grâce surtout aux officiers d'active détachés en permanence dans les écoles pour la préparation militaire supérieure ; ceux-ci en effet ne se cantonnent pas dans leur rôle d'instructeurs militaires, mais se transforment en éducateurs dont la mission est d'exalter le Japon, les traditions japonaises, les usages japonais.

L'influence de l'armée dans la population civile est surtout propagée par les réservistes ; ceux-ci ressentent vivement l'honneur d'avoir servi et ils le manifestent en revêtant chaque fois que l'occasion se présente la tenue militaire qu'ils ont emportée en quittant le régiment. Au cours des périodes, une grande camaraderie règne entre soldats de l'active et soldats de réserve ; à la fin de la période, les officiers de réserve sont invités par leurs camarades de l'active à un repas d'adieu où chacun prend à tour de rôle la parole et où tous chantent ensuite en chœur la chanson du régiment. L'esprit militaire des réservistes se manifeste lors des déplacements et des manœuvres du régiment ; on voit, alors, dans les villes et les villages, les réservistes revêtus de leur uniforme venir se mettre à la disposition du régiment et diriger les troupes sur leurs cantonnements. Au cours de ces manœuvres, l'armée est reçue avec enthousiasme par la population civile dont l'hospitalité est extrêmement généreuse.

L'action du régiment s'exerce encore par les inspections de la préparation militaire élémentaire et les revues d'appel des réservistes ; les unes et les autres permettent aux officiers d'active de prendre des contacts fréquents avec la population.

D'autre part, le régiment n'est pas « imperméable » aux civils ; les portes de la caserne s'ouvrent largement pour eux lors de la fête annuelle, lors des libérations de soldats de l'active ou de la réserve ; agglomérés par petits groupes dont chacun porte une bannière, on les voit alors envahir par centaines la cour du quartier. Et lorsque les officiers ou les sous-officiers accompagnent à la gare, suivant la coutume, le camarade qui quitte le régiment, ils ont peine à se frayer un passage parmi la foule des civils venus assister au départ.

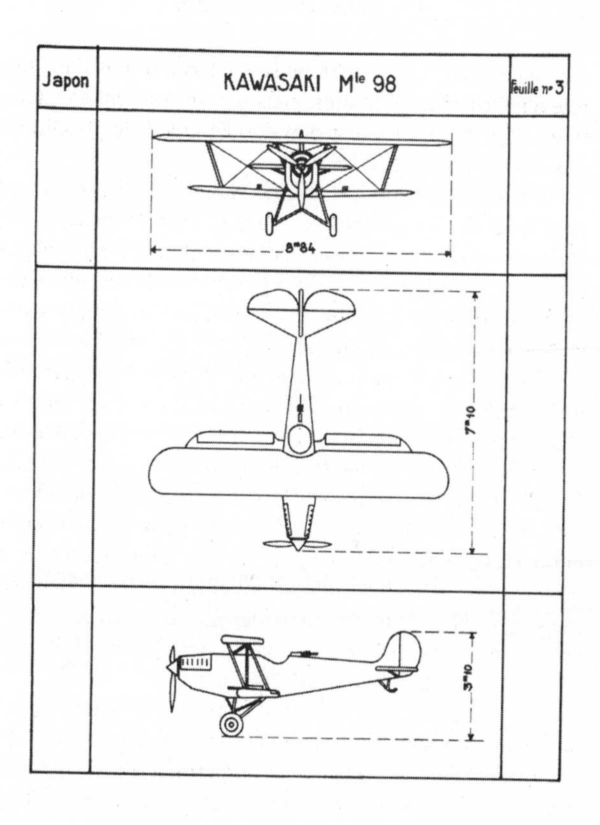

Silhouette de l'avion de chasse Kawasaki-98.

Alors que le rapport de 1936 précisait que le Japon ne « disposait pas d'appareils de bombardement gros porteurs », un autre rapport du 1er avril 1939 présente le Mitsubishi-97, un bombardier lourd de 24 mètres d'envergure capable de larguer des bombes de plus d'une tonne. Quelques mois plus tard, un nouveau rapport présentera les caractéristiques d'un biplan destiné à la chasse : le Kawasaki-98.

Ainsi le régiment est une cellule de propagande patriotique et militaire dont tous les actes sont commentés avec enthousiasme par les journaux locaux. Par l'école, par les groupements de réservistes, par les associations féminines qu'il contrôle, il étend son action sur toutes les classes de la population. En surexcitant l'orgueil national et en tirant d'un récent passé des enseignements tendancieux, il inculque aux Japonais le sentiment de leur supériorité sur les autres peuples. L'armée devient le miroir dans lequel la nation contemple l'image de sa grandeur et de sa force.

D'autre part, l'armée joue un rôle prépondérant sur le plan politique, malgré tous les rescrits et toutes les ordonnances interdisant aux militaires toute participation aux discussions politiques. Elle désire avant tout la réalisation d'un grand empire nippon largement implanté sur le continent et dominant sans contestation possible l'Extrême-Orient et le Pacifique. Et, si une partie importante des cadres estime que c'est au gouvernement qu'il appartient de réaliser cette expansion, une autre partie juge que l'armée doit servir de guide à la nation et au gouvernement, en forçant, si nécessaire, sa décision. Les événements de Tokyo de février 1936 ont montré que ces éléments extrémistes n'hésitaient pas [à] utiliser l'assassinat politique comme moyen de persuasion. Et il faut souligner que malgré ces excès, le parti extrémiste, à tendances nationales-socialistes, a pour lui la sympathie de la majorité du peuple nippon.

[SHD 7N3334]

Lettre de l'attaché militaire français à Berlin, 7 avril 1936

Le général Oshima, attaché militaire du Japon à Berlin, a donné au cours de la semaine du 30 mars au 4 avril, deux réceptions après dîner, auxquelles il avait invité à peu près exclusivement, en outre de ses compatriotes, des représentants de l'industrie et des milieux scientifiques allemands, et des officiers appartenant principalement à la direction des Armements ou aux armes techniques.

Il convient de souligner cette nouvelle marque des relations étroites existant entre l'Allemagne et le Japon, aussi bien au point de vue diplomatique qu'au point de vue militaire.

[SHD 7N3334]

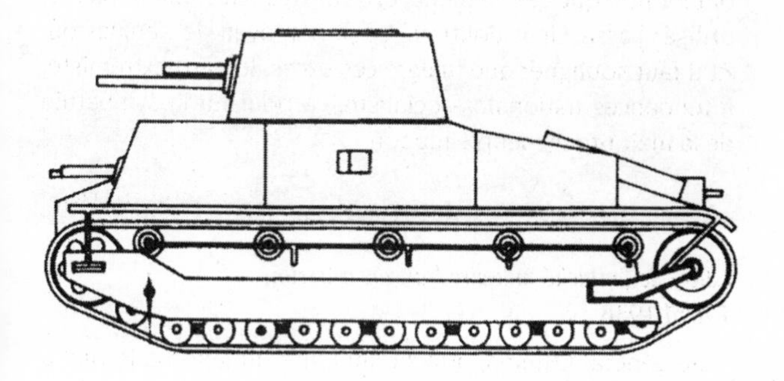

Silhouette de char japonais.

« Dresser un tableau exact de la situation n'est pas possible. Le mystère dont s'enveloppent les acteurs de ce drame est chaque jour plus épais et, en dehors des rares privilégiés à l'intérieur du Kremlin, chacun en est réduit à se demander ce qui se passe. »

LES PROCÈS DE MOSCOU

Une effroyable parodie de justice

Laure Mandeville

Le 25 août 1936, dans la chaleur étouffante de l'été moscovite, deux célèbres compagnons de Lénine, Lev Kamenev et Grigori Zinoviev, sont exécutés à Moscou. Au total, seize dirigeants historiques de l'URSS tombent à l'issue du premier grand procès public de la Terreur stalinienne. « Clowns », « pygmées », « aventuriers qui ont essayé de piétiner de leurs pieds boueux les fleurs les plus odorantes de notre jardin socialiste » : tels sont les termes employés par le procureur Andreï Vychinski dans son réquisitoire contre des hommes longtemps considérés comme la fine fleur du mouvement bolchevik.

Ce même 25 août, à Berlin, un agent de renseignement français envoie une courte note à sa hiérarchie. Citant une « bonne source », il fait état de « rumeurs circulant parmi les journalistes berlinois » sur les liens secrets qu'entretiendrait la Gestapo avec les agents d'une autre grande figure du bolchevisme, Léon Trotski, forcé à l'exil depuis 1929. Jugeant que ces informations jettent une « étrange lumière » sur le procès Kamenev-Zinoviev, l'agent de renseignement français conforte indirectement la thèse d'un complot contre Staline, orchestré par Trotski et le régime nazi (voir p. 321). Y a-t-il une parcelle de vérité dans les informations qu'il relaie, comme certains historiens, notamment russes, continuent de le supposer, ou l'agent s'est-il fait intoxiquer par la propagande stalinienne ?

La mécanique infernale du totalitarisme

Signe qui ne plaide pas en sa faveur, l'agent français invoque « l'ambassade de Russie » qui affirme que « les condamnés auraient avoué leurs liens avec l'Allemagne hitlérienne ». Cette précision laisse penser qu'il juge crédibles les affirmations des diplomates soviétiques. Pire : qu'il n'exclut pas la validité des aveux, au lieu de voir le procès stalinien comme ce qu'il est, une effroyable parodie de justice. De ce point de vue, la naïveté de ce rapport reflète la difficulté de la France de l'époque à penser le totalitarisme soviétique et sa mécanique infernale.

Pourtant, depuis 1917, le décor est campé. Chasse et élimination des prêtres et des officiers « blancs », destruction de la paysannerie et des intellectuels, attaques massives contre les élites des autres républiques... Par milliers, chaque mois, hommes et femmes de tous rangs disparaissent. À partir de 1936, toutefois, Staline passe à une nouvelle étape de la Terreur, en suscitant au cœur des plus hautes instances du Parti et de l'État une série de procès et de purges dont le but réel est de le débarrasser de tous ses rivaux potentiels. L'assassinat de Serge Kirov, le chef du Parti à Leningrad, a fourni dès 1934 le prétexte à une opération de destruction des cadres, accusés d'avoir trempé dans ce meurtre.

Justifier la répression

En 1936, Kamenev et Zinoviev, qui représentent l'aile gauche du Parti, finissent par avouer avoir formé « un centre » terroriste pour faire assassiner Staline. La fonction de ces aveux est pédagogique. Elle vise à démontrer à la population que les imperfections du stalinisme ne sont dues qu'à l'existence de « comploteurs » et de « saboteurs » qu'il importe de démasquer. En désignant un ennemi intérieur, Staline peut justifier la répression permanente.

Moins d'un an après le procès Kamenev-Zinoviev, un nouveau groupe de dirigeants historiques est broyé. À la barre des accusés, figure Guenrykh Iagoda, l'ancien patron de la police politique qui a organisé le procès précédent... Le message est clair : personne n'est à l'abri de la purge. Un an plus tard, le procès des vingt et un va permettre à Staline de se débarrasser de l'aile « droitière » du parti et de son leader, Nicolas Boukharine. Celui-ci aura beau démonter les mensonges de l'accusation, le verdict est connu d'avance : la mort. Après avoir crié sa joie de voir « les chiens » Kamenev et Zinoviev fusillés, Nicolas Boukharine est éliminé à son tour, comme un chien.

Mais les grands procès de Moscou cachent aux yeux de l'Occident la purge massive qui s'abat sur toute la société et, notamment en 1938, sur l'armée et l'intelligentsia. Un rapport secret du 2e Bureau, de « source sérieuse » et daté du 6 novembre 1937, rend d'ailleurs compte avec lucidité de « ce régime de terreur » qui frappe « sans distinction » (voir p. 323). « Le cercle des arrestations tend à s'élargir indéfiniment », note l'auteur. Loin de se laisser aveugler comme tant d'hommes politiques et d'intellectuels français, l'officier relate avec pertinence « l'obsession de la délation », la « crainte morbide d'une répression effroyable qui frappe partout et très souvent aveuglément ». « Il y a quelque chose de tragique à voir ce peuple immense tout entier attelé à l'expérience marxiste, qui ploie sous un fardeau trop lourd pour lui et que le fouet du conducteur n'arrive même plus à stimuler », écrit-il (voir p. 325).

Pourtant, une impression étrange se dégage de la partie du texte consacrée à l'économie. Car notre agent, malgré son expérience du terrain, continue de voir en Staline une sorte de despote éclairé pragmatique, soucieux de faire progresser l'économie, mais forcé de recourir à la répression pour mobiliser la bureaucratie. « La difficulté essentielle qui est la véritable tare du régime est l'hypertrophie du fonctionnarisme », résume la note au 2e Bureau. Une drôle d'appréciation au moment où le stalinisme policier atteint son apogée. On estime que près de 1,8 million de personnes sont arrêtées entre 1937 et 1938, dont un tiers ne reparaîtront pas.

✦

UN RÉGIME DE TERREUR

Diffusée sous la forme de confidences, la propagande stalinienne est prise au sérieux dans ce rapport du 25 août 1936 qui, comme l'indique un tampon, « ne doit pas sortir de l'état-major de l'armée » : le 2e Bureau relaie ainsi la théorie du complot hitléro-trotskiste.

Rapport, d'après des renseignements obtenus en Allemagne, sur les relations entre Trotski et la Gestapo, 25 août 1936

Bonne source.

Des rumeurs qui circulent parmi les journalistes berlinois projettent une étrange lumière sur le procès Kamenev-Zinoviev qui vient de se dérouler à Moscou.

D'après ces bruits, la Gestapo soutiendrait secrètement les agents de Trotski et Trotski lui-même. Le fils de l'ancien chef de l'Armée rouge aurait d'ailleurs, avant même l'avènement du IIIe Reich, été en rapport avec certains chefs nationaux-socialistes, en particulier avec M. Himmler.

À l'ambassade de Russie à Berlin, on affirme que les condamnés auraient avoué leurs relations avec l'Allemagne hitlérienne.

[SHD 7N3129]

Rapport secret sur la situation intérieure de la Russie soviétique, 6 novembre 1937

Source sérieuse.

Au cours de ces derniers mois, la situation intérieure de la Russie n'a pas cessé d'évoluer dans un sens plutôt défavorable.

P/a. No. 25.077, le 31 Août 1936 (5 ex.)

NE DOIT PAS SORTIR
DE L'E.M. DE L'ARMÉE

- A L L E M A G N E -

-:-:-:-:-

RELATIONS ENTRE TROTZKY ET LA GESTAPO.

-:-:-:-:-:-:-:-:-

25 Août 1936.-

(Bonne source)

Des rumeurs qui circulent parmi les journalistes berlinois projettent une étrange lumière sur le procès KAMENEV-ZINOVIEV qui vient de se dérouler à Moscou.

D'après ces bruits la Gestapo soutiendrait secrètement les agents de Trotzky et Trotzky lui-même. Le fils de l'ancien chef de l'Armée rouge aurait d'ailleurs, avant même l'avènement du IIIème Reich, été en rapport avec certains chefs nationaux-socialistes, en particulier avec M. Himmler.

A l'Ambassade de Russie à Berlin on affirme que les condamnés auraient avoué leurs relations avec l'Allemagne hitlérienne./.

-:-:-:-:-:-:-:-:-:-:-

Rapport, d'après des renseignements obtenus en Allemagne, sur les relations entre Trotski *et la* Gestapo, *25 août 1936.*

Le régime de terreur institué depuis bientôt un an sévit avec plus de rigueur encore que par le passé. Dans tous les domaines, du haut en bas de l'échelle sociale, la Guépéou frappe sans distinction les suspects et ceux qui pourraient l'être, leurs parents, leurs relations. Les suspects, ce sont tous ceux qui font preuve de tiédeur pour le régime ou de relâchement dans l'accomplissement de leurs tâches. Ainsi, le cercle des arrestations tend à s'élargir indéfiniment.

Dresser un tableau exact de la situation n'est pas possible. Le mystère dont s'enveloppent les acteurs de ce drame est chaque jour plus épais et, en dehors des rares privilégiés à l'intérieur du Kremlin, chacun en est réduit à se demander ce qui se passe.

Il y a, cependant, assez d'indices pour qu'en toute objectivité, on puisse constater que les choses ne vont pas bien. Tout d'abord, cette zone de silence dans laquelle sont enfermés les étrangers a commencé par le corps diplomatique. On peut dire qu'à l'heure actuelle, les bolchevistes interdisent tous rapports entre la population et l'étranger. Ceux-ci ont été peu à peu écartés de toute participation à la vie économique du pays. Parmi les rares qui ont voulu s'accrocher, il en est un assez grand nombre qui médite dans les geôles de la Guépéou sur le danger de ne pas suivre ses conseils. Le corps diplomatique n'a plus aucun contact avec la société russe. Un à un, les ressortissants soviétiques qui se risquaient à le fréquenter ont disparu. À la soirée qu'a offerte l'ambassadeur de Turquie, le 27 octobre, à l'occasion de sa fête nationale, assistaient seulement cinq personnalités soviétiques, toutes commandées de service. Encore a-t-on eu le spectacle affligeant de ces cinq fonctionnaires faisant, au souper, table à part. À cette xénophobie, qui n'est point contestée en haut lieu, on donne officiellement pour explication l'espionnage. Mais, comme le trotskisme, l'espionnage a bon dos. Les dirigeants soviétiques veulent manifestement éviter que ne transpirent un état d'esprit et un état de choses qui ne sont pas bons.

Malgré toutes les précautions, le Kremlin ne peut, d'ailleurs, dissimuler certains symptômes qui ne laissent, malheureusement, guère de doute.

C'est, en premier lieu, le renouvellement du haut personnel. En moins d'un an, 16 commissaires du peuple sur 19, 39 commissaires adjoints sur 47, ont été remplacés. Le personnel directeur des usines relevé de ses fonctions atteint une proportion de 50 %. Dans l'armée, l'usure des cadres est sans précédent. Sur dix circonscriptions militaires, deux seulement ont conservé leurs chefs. La plupart des unités sont commandées par des officiers d'un grade inférieur. Aux dernières manœuvres, on a remarqué un bataillon commandé par un lieutenant. L'un des trois régiments de la division Staline, unité d'élite cantonnée à Moscou, a, à sa tête un commandant qui, le 22 octobre courant, était encore premier lieutenant. Cet officier, né en 1905, était aide cordonnier quand, en 1927, il fut appelé sous les drapeaux.

Par ailleurs, depuis le début de 1937, la production industrielle est en régression ; elle n'atteint plus, aujourd'hui dans l'ensemble, que les chiffres du mois de juillet 1936. Elle est en retard de 20 % environ sur les prévisions du plan. Malgré le stakhanovisme, le rendement de la main-d'œuvre n'a pas augmenté par rapport à 1936. Il a même baissé, dans l'industrie extractive.

La mentalité du travailleur soviétique paraît assez sombre. Chez le prolétaire supérieur, l'ingénieur, le contremaître, c'est, après l'enthousiasme et le zèle des premiers temps, le découragement devant l'inanité des efforts déployés ; chez l'ouvrier, c'est la lassitude et le mécontentement en présence des promesses qui ne se réalisent pas et d'un bien-être qui va à d'autres, mais dont il ne bénéficie guère. Chez les uns et chez les autres, c'est le désarroi d'esprits qui ne comprennent pas pourquoi les choses ne vont pas mieux, c'est l'obsession de la délation, qui isole chacun aussi durement que les parois d'une cellule, c'est la crainte morbide d'une répression effroyable qui frappe, partout et très souvent aveuglément.

Il y a quelque chose de tragique à voir ce peuple immense tout entier attelé à l'expérience marxiste, qui ploie sous un fardeau trop lourd pour lui et que le fouet du conducteur n'arrive même plus à stimuler.

Comment en est-on arrivé là et où va-t-on ? Les causes du malaise sont assez faciles à déclarer. Il y a un an, au lendemain du procès Zinoviev-Kamenev, on pouvait penser que l'opposition politique était définitivement jugulée et chacun s'accordait à reconnaître que la dictature de Staline était solidement établie. L'armée était forte et bien outillée. L'industrie lourde en bonne voie. L'industrie légère promettait d'apporter plus de bien-être au pays. La production était en hausse. Staline annonçait l'avènement d'un esprit nouveau. Il prônait le libéralisme de sa nouvelle constitution et la communion de tous les citoyens dans la classe unique d'un prolétariat comblé par les bienfaits du régime marxiste. Le vent était à la prospérité.

C'est alors qu'eut lieu le procès Riatakoff-Sokolninkoff. Ceux-ci n'étaient pas, comme Zinoviev et Kamenev, des hommes politiques. Leur opposition au régime reposait sur des considérations d'ordre économique. Ils étaient convaincus que l'expérience marxiste ne pourrait réussir sous la dictature stalinienne. Placés aux postes de commande de l'économie soviétique, ils avaient vu que le pays, saigné à blanc pour la création d'un puissant matériel industriel, ne disposait pas du personnel qualifié pour le faire fonctionner, que l'usure rapide des machines venues de l'étranger entraînerait une baisse de la production, que la centralisation excessive des organes directeurs, le développement du fonctionnarisme, le dualisme politique ou technique dans la direction des usines, favorisaient l'incompétence et l'incurie et risquaient de paralyser l'essor économique du pays.

Staline avait vu, lui aussi, plusieurs de ces inconvénients et avait essayé d'y remédier en délaissant les principes du communisme pour y substituer ceux d'un socialisme, d'ailleurs peu orthodoxe. Mais ce qu'il n'a pas pu éviter, c'est un fonctionnarisme hypertrophié sous lequel l'URSS étouffe. Il comptait, en effet, sur l'action de fonctionnaires dévoués à sa cause et détenteurs de toutes les commandes du pays pour consolider son pouvoir et stimuler de leur zèle la production. Il est peut-être parvenu ainsi à renforcer son autorité, mais les résultats dans le domaine économique ont été désastreux.

Le dictateur soviétique a alors essayé de remédier à cet état de choses par la répression. Malheureusement, en raison de son caractère forcené, cette répression tend plutôt à paralyser les chefs d'entreprises, désorganise les cadres, accentue ainsi la congestion des centres moteurs qui est l'un des vices principaux du système marxiste.

Si l'on peut assez aisément retracer la voie qui a abouti au désarroi actuel, il est plus difficile de discerner l'avenir vers lequel on s'achemine.

On pourrait être, d'abord, tenté de croire que les défaillances du système marxiste compromettent gravement la solidité du régime stalinien. Cependant, il faut tenir compte de la psychologie du pays.

En Occident, pareille situation conduirait rapidement à la révolution. Ici, le peuple use des armes des faibles. Il fait de la grève perlée, du sabotage larvé. Aussi longtemps que Staline pourra s'appuyer, comme aujourd'hui, sur le Guépéou et sur la grande masse de l'armée, il n'aura pas à craindre la révolution, mais simplement le poignard. Il est d'ailleurs vraisemblable que ses conseillers exploitent ce dernier risque pour l'amener à accepter la rigueur de la répression. Staline a donc du champ devant lui pour agir. Déjà l'abondance de la récolte lui a permis de laisser, cette année, des bénéfices plus importants aux paysans des kolkhozes. Il est vraisemblable que, pour gagner la classe rurale, il fera de sérieux efforts, fût-ce aux dépens des principes marxistes.

Quant à la surindustrialisation, au décalage entre l'outillage industriel et la capacité de production de la main-d'œuvre soviétique, ils doivent se réduire peu à peu, soit par la formation progressive de l'ouvrier, soit par une réduction de matériel, soit grâce à l'action de l'un et de l'autre de ces facteurs. Il est possible aussi que les Soviets s'adressent à nouveau à l'étranger pour leur fournir les spécialistes nécessaires au roulement de leurs machines et il faut prendre garde que cette considération ne contribue, un jour, à les rapprocher de l'Allemagne.

Reste la difficulté essentielle qui est la véritable tare du régime : l'hypertrophie du fonctionnarisme. Un chiffre suffira pour en mesurer toute la gravité : le personnel non directement occupé à la production est sept fois plus nombreux dans une usine soviétique que dans une usine américaine de même nature et de même puissance.

Le mal est ici encore plus moral que technique. Il provient surtout de ce que l'administration russe, qui ne jouissait déjà pas d'un grand crédit avant la guerre, n'est ni moralement, ni intellectuellement à la hauteur de la tâche capitale que lui a dévolue le marxisme.

Staline a fini par le comprendre. C'est pourquoi il se livre, à l'heure actuelle, à une répression aussi implacable. Mais il est douteux que cette sévérité puisse opérer la transformation qui serait indispensable.

[SHD 7N3129]

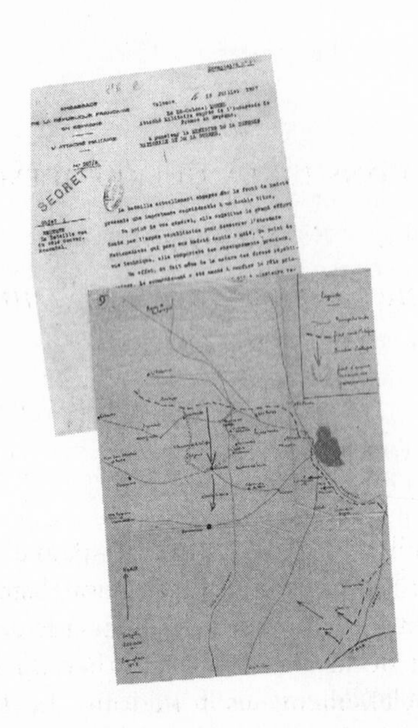

Note secrète, accompagnée d'un plan, au ministre de la Défense nationale et de la Guerre, 15 *juillet* 1937.

« La bataille actuellement engagée sur le front de Madrid présente une importance considérable à un double titre. Du point de vue général, elle constitue le grand effort tenté par l'armée républicaine pour desserrer l'étreinte nationaliste qui pèse sur Madrid depuis neuf mois. Du point de vue technique, elle comportera des enseignements précieux. En effet, du fait même de la nature des forces républicaines, le commandement a été amené à confier le rôle principal à l'aviation. Comme nous l'avons dit à plusieurs reprises, l'armée de terre n'a qu'une valeur des plus médiocre. Formée à coup de décrets par des politiciens qui ont voulu faire trop grand et trop vite, pourvue de cadres improvisés, dirigée par un commandement et des états-majors insuffisants elle n'a qu'un armement restreint et de faibles capacités manœuvrières. » SHD 7N2755

LES LEÇONS DE LA GUERRE D'ESPAGNE

À Madrid, une Blitzkrieg avant l'heure

Anne-Aurore Inquimbert

Le 18 juillet 1936, alors que l'Espagne vit les premières heures d'un coup d'État nationaliste, le nouvel attaché militaire « auprès de l'ambassade de France en Espagne et de la légation de France au Portugal » prend officiellement ses fonctions. Le lieutenant-colonel Henri Morel est, à l'instar de nombreux attachés militaires, un officier issu du 2e Bureau. Au cours de trois années éprouvantes, entre Madrid, Valence et Barcelone à la suite du gouvernement républicain, il observe, interroge et s'efforce d'analyser avec objectivité l'effroyable situation d'un pays en guerre civile. Du côté du haut commandement, on prend ses rapports comme une source de premier ordre. Remarquablement écrits — derrière l'officier se cache un ancien élève de l'École normale supérieure —, ils contiennent, outre des renseignements d'ordre militaire et politique, de fines observations techniques.

La présence de matériel allemand et italien du côté nationaliste retient tout particulièrement l'attention de Morel. Considérant que cet armement pourrait, en cas de victoire franquiste, présenter un risque important pour la France, l'attaché militaire transmet à l'état-major de l'armée l'ensemble des renseignements qu'il parvient à obtenir, y compris des photographies d'un matériel jugé « déjà ancien ». Mais Hitler et Mussolini font aussi de la guerre d'Espagne un laboratoire d'expérimentation militaire et l'officier signale d'inquiétantes innovations.

Le rôle de l'aviation

Dès l'automne 1936, les militaires rebelles formant l'armée nationaliste sont aux portes de la capitale espagnole. Débute alors le siège de Madrid qui va durer près de trois ans.

Après la conquête de Bilbao, au printemps, le général Franco resserre l'étau autour du dernier débouché républicain sur l'océan Atlantique, entre Oviedo et Santander. Toutefois, dans les premiers jours de juillet 1937, l'état-major républicain décide de tenter une manœuvre de diversion et lance une offensive à quelques dizaines de kilomètres au nord-ouest de Madrid, en direction de la ville de Brunete. Pour le Français, cette bataille est l'occasion d'observer le rôle nouveau de l'aviation dans les combats. « L'aviation détruit, l'armée de terre occupe », écrit-il dans son rapport du 15 juillet, résumant ainsi sommairement les étapes de la Blitzkrieg à venir. Les républicains sortent vainqueurs des combats au prix de lourdes pertes, mais le bilan que le lieutenant-colonel tire de la bataille de Brunete est négatif : si l'aviation républicaine « s'est prodiguée sans compter », elle « n'a pas été suivie par des forces terrestres, molles et sans âme ». Cette offensive a néanmoins permis à l'armée républicaine de soulager quelque peu la population madrilène de la pression nationaliste.

Une question restée sans réponse

En 1938, le rôle de l'aviation dans la guerre d'Espagne présente toutes les caractéristiques de celui qu'il tiendra pendant la Seconde Guerre mondiale : attaque des troupes au sol, destruction d'usines d'armement et de centres industriels, pilonnage des villes — avec ses conséquences psychologiques sur la population. Autant d'informations que l'attaché militaire français ne cesse de collecter et qui auraient dû nourrir la réflexion du haut commandement français. « Au cours de la guerre 1914-1918, la progression dans le calibre des canons et dans la densité de préparation a permis au combattant d'accoutumer ses nerfs. Dans le cas du bombardement par l'aviation, le combattant sera, dès la première expérience, soumis à une épreuve d'une intensité inouïe. [...] Des confessions concordantes me conduisent à insister sur les effets nerveux causés par des explosions continues de bombes de 50 à 250 kg et par le bruit véritablement hallucinant de trimoteurs volant à basse altitude », note-t-il dans son rapport du 22 octobre 1937, intitulé « Leçons tactiques de la guerre d'Espagne ».

Un autre rapport montre l'abîme qui peut exister entre la collecte du renseignement et son exploitation par les autorités politiques. Daté du 16 novembre

1938, il précise que la contre-offensive nationaliste lors de la bataille de l'Èbre a, pour l'essentiel, été menée par l'aviation et l'artillerie italiennes. Dans la marge, le président du Conseil et ministre de la Défense nationale a griffonné : « Quand aurons-nous réalisé la nécessité de ces transformations ? » Il s'agit d'Édouard Daladier — l'homme qui, sept semaines plus tôt, à Munich, a laissé Hitler démembrer la Tchécoslovaquie.

✦

LA GUERRE D'ESPAGNE ANALYSÉE À VIF

Note secrète au ministre de la Défense nationale et de la Guerre, Valence, 15 juillet 1937

Objet : Brunete, la bataille vue du côté gouvernemental.

La bataille actuellement engagée sur le front de Madrid présente une importance considérable à un double titre.

Du point de vue général, elle constitue le grand effort tenté par l'armée républicaine pour desserrer l'étreinte nationaliste qui pèse sur Madrid depuis neuf mois. Du point de vue technique, elle comportera des enseignements précieux.

En effet, du fait même de la nature des forces républicaines, le commandement a été amené à confier le rôle principal à l'aviation. Comme nous l'avons dit à plusieurs reprises, l'armée de terre n'a qu'une valeur des plus médiocres. Formée à coups de décrets par des politiciens qui ont voulu faire trop grand et trop vite, pourvue de cadres improvisés, dirigée par un commandement et des états-majors insuffisants, elle n'a qu'un armement restreint et de faibles capacités manœuvrières.

Sauf quelques unités dans lesquelles dominent encore les éléments internationaux, son moral n'est pas élevé. Elle participe à la lassitude du peuple espagnol. Privée du ferment révolutionnaire des syndicats indigènes, exclus du pouvoir, elle n'est plus tenue que par des cadres militaires peu instruits et tièdes, et par l'armature dure mais fragile des commissaires et de leurs aides inféodés au Parti communiste. L'enthousiasme de certains jours de 1936 n'existe plus ; l'instruction et l'organisation, que nous avons louées dans l'absolu, n'ont pas compensé la perte de l'élan des premiers mois. L'artillerie lourde est faible et manque de projectiles. L'artillerie de campagne tire mal. L'infanterie n'a qu'un nombre insuffisant de mortiers et d'armes automatiques : elle ne sait pas manœuvrer. Pour les chars, presque tous russes, nous avons dit que ce matériel semblait médiocre comme conception mécanique et que ses équipages ne paraissaient pas posséder le cran nécessaire pour rechercher l'abordage.

À côté de ces médiocrités terrestres, l'aviation, animée d'un esprit offensif certain, conséquence de la mystique révolutionnaire russe, tenue par la discipline de fer d'un commandement étranger, pourvue d'un matériel qui semble, en gros, l'égal au moins du matériel ennemi, est capable d'exécuter à fond une mission, quels qu'en soient la difficulté et le risque.

D'où la conception de la bataille actuelle : l'aviation détruit, l'armée de terre occupe. Dans quelle mesure cette destruction vaut-elle, exploitée par une troupe de terre timide et lente, ce sera sans doute la leçon de ces combats.

Pour le moment, tirer de telles leçons serait prématuré. Nous ne connaissons la bataille que par des communiqués mensongers de part et d'autre, et par des renseignements insuffisants. Tout au plus pouvons-nous, en lisant entre les lignes, en décelant les mensonges par omission, en utilisant de demi-aveux et en raisonnant sur quelques faits précis qui semblent indiscutables, tracer le cadre général des combats et en déterminer le rythme.

La bataille n'est d'ailleurs pas entièrement terminée et il serait imprudent d'anticiper sur la suite de son déroulement.

Déclenchée trop tard pour dégager Bilbao, peut-être a-t-elle eu pour but de sauver du moins Santander et les Asturies en même temps que de libérer Madrid. La venue à Valence des chefs asturiens a dû la précipiter. Les résonances que les catholiques basques n'avaient pas su réveiller, peut-être le danger couru par les lieux saints révolutionnaires des Asturies les ont-ils fait vibrer.

En tout cas, la présence à Madrid du président de la République, de la plupart des ministres, de l'état-major central, montre bien l'intérêt suprême de la partie engagée.

I) Conception de la bataille.

Le but des opérations entreprises a été de résorber le saillant formé entre l'Escurial et Aranjuez en direction de Madrid par l'avance nationaliste d'octobre et de novembre.

À cet effet, trois attaques ont été préparées :

1) Une attaque principale utilisant comme base de départ la région sud de l'Escurial. Cette attaque menée du nord au sud devait être dirigée sur Brunete et Navalcarnero, à l'ouest du rio Guadarrama.

2) Deux offensives secondaires au sud de Madrid :

La première est-ouest ayant comme direction Villaverde et les collines de Carabanchel.

La seconde partant de la région d'Aranjuez pour fixer au moins l'ennemi sur le front Borox-Seseña-Cienpozuelos. [...]

III) Conclusion

L'attaché de l'air pourra, dès son retour, avec une compétence qui me manque, tirer du peu de renseignements que j'ai, de ceux qu'il recueillera, des indications plus précieuses que celles données ci-dessus. Si je crois devoir vous envoyer une telle étude, vague et incomplète, c'est parce que cette bataille risque d'avoir des effets qu'il est urgent de prévoir.

Aussi ai-je tenu à marquer de suite et avec force le caractère essentiel de la bataille en cours, dans laquelle une aviation nombreuse, énergique, disciplinée, s'est prodiguée sans compter, mais n'a pas été suivie par des forces terrestres, molles et sans âme qui n'ont pas su exploiter la brèche ouverte dès le premier jour dans la résistance ennemie ni profiter de la surprise certaine, causée non par l'attaque elle-même, dont l'annonce avait été claironnée à tous les échos, mais par sa violence qui a fait chanceler les forces nationalistes.

Tout ce qu'a pu obtenir l'action de l'aviation c'est d'avoir si fortement secoué les nationalistes qu'en dépit de la médiocrité de l'infanterie gouvernementale, ils n'ont pu récupérer entièrement le terrain perdu.

Il est permis de penser qu'après ces neuf jours d'effort, les gouvernementaux sont à bout de souffle. Ils ont eu leur journée de chance : ils n'ont pas été capables d'en profiter. Moralement et matériellement cet échec, s'il était définitif, aurait gravement compromis et les forces gouvernementales et la défense de Madrid.

Du moment que la nécessité d'une diversion, Bilbao tombé, ne s'imposait plus avec urgence, il eut été plus sage, semble-t-il, de réserver pour résister à l'attaque des nationalistes, des forces intactes et de jouer en second.

Cette illusion que le gouvernement de Valence paraît s'être faite sur la valeur offensive de son armée, sur l'efficacité de l'aviation conçue comme une panacée, risque d'avoir des effets graves que j'ai tenu à vous signaler sans retard.

[SHD 7N2755]

« Les leçons tactiques de la guerre d'Espagne », rapport secret du lieutenant-colonel Morel, attaché militaire, au ministre de la Défense nationale et de la Guerre, Valence, 22 octobre 1937

J'ai eu l'honneur de vous envoyer le 29 mars 1937 sous le n° 421 une série d'impressions tactiques de combattants qui, bien que fragmentaires et maladroites, comportaient certaines des leçons qui pouvaient être alors tirées de la guerre d'Espagne. Ces impressions étaient celles de combattants des batailles de janvier et de février sous Madrid (batailles de Las Rosas et du Jarama).

En mars d'autre part, je vous rendis compte des événements auxquels on a donné le nom de bataille de Guadalajara. Je ne renie pas les jugements que je portais alors sur les conditions tactiques de la bataille. Mais depuis, la guerre a évolué et des éléments nouveaux ont fait leur apparition qui, sans infirmer les conclusions de février, en tant qu'elles s'appliquent à un moment de la guerre, les modifient sensiblement.

En février, et même après la surprise par l'aviation d'une colonne automobile arrêtée, sans protection ni encadrement, je concluais :

— que les chars n'avaient ni dans un camp ni dans l'autre répondu aux espoirs qu'on avait mis en eux (tout en précisant les conditions matérielles, morales, géographiques de l'échec) ;

— que l'aviation agissant sur des troupes retranchées n'avait pas obtenu de résultats décisifs ;

— que l'artillerie très médiocre dans les deux camps et employée avec une densité insuffisante, n'avait jamais pu déblayer le terrain de façon à ouvrir la voie de l'infanterie ;

— que par suite enfin de l'impuissance, de l'insuffisance ou du mauvais emploi des moyens offensifs, la défensive même mal organisée, même insuffisamment pourvue d'armes automatiques, restait victorieuse.

Je concluais que la supériorité matérielle et tactique des nationalistes ne suffisait pas à compenser le handicap imposé à l'offensive.

Les six mois qui se sont écoulés depuis lors, ont, en partie, infirmé ce jugement. Des succès offensifs ont été obtenus, dus évidemment pour une large part à des causes non militaires, mais succès tout de même, sur les causes tactiques desquels il y a lieu de s'arrêter : rupture des positions nationalistes à Brunete, rupture de la ceinture de fer de Bilbao, rupture récente des lignes de défense asturiennes.

Tous les témoignages que j'ai pu recueillir concluent à une cause unique de ces succès de l'offensive : l'emploi massif de l'aviation dans la préparation de l'attaque.

Il n'y a rien à modifier à ce que je disais en mars des chars et de l'artillerie.

Au cours de la bataille de Brunete, les chars russes ont participé, dans une mesure difficile à préciser, à la rupture du front obtenue par l'aviation : laissés à eux-mêmes, ils n'ont pu ni élargir ni approfondir la brèche. Ils ont buté contre les villages.

Il faut naturellement limiter cette impuissance au cas particulier espagnol : ni le char rapide italien ni les chars légers allemands et russes, manœuvrés par des Espagnols, mal accompagnés par une infanterie médiocre, sans action combinée de feux d'infanterie ni d'artillerie, agissant sur les terrains particuliers du plateau de Castille, de la vallée de l'Èbre ou dans les monts Cantabriques n'ont réussi à jouer un rôle décisif. Il serait de la dernière imprudence de généraliser les conclusions tirées de ces constatations particulières.

Dans la bataille de Saragosse en septembre, même échec très net dans l'exploitation profonde d'un succès initial par des chars dont le nombre, comme à Brunete, passe la centaine. Mais j'ai souligné que, dans ce dernier cas, l'arrêt avait été causé, moins par la résistance de l'ennemi, que par l'essoufflement des services, l'incapacité des états-majors et du commandement républicain, le manque d'allant et d'aptitude manœuvrière de la troupe. Il ne sert à rien d'ouvrir la porte à un paralytique.

En ce qui concerne Bilbao, les renseignements directs que j'ai recueillis permettent de penser que la tâche essentielle était accomplie, quand les chars sont intervenus et que, s'ils ont neutralisé ici et là la résistance de quelques survivants, ils ont surtout servi d'entraîneurs moraux à une infanterie médiocre. On les retrouve ensuite assurant la sécurité des vainqueurs dans les rues des villes conquises et enthousiastes.

Je n'ai pas à revenir sur l'artillerie qui reste aussi médiocre dans l'armée républicaine en qualité et en quantité. La défensive, d'autre part, s'est renforcée dans les deux camps : ouvrages bétonnés, communications protégées, villages organisés. Seule la question des défenses accessoires : fil de fer, obstacles antichars, paraît insuffisamment traitée.

Si dans ces conditions, la défensive a été vaincue, c'est presque uniquement à cause de l'effet de l'aviation employée en masse. Il semble démontré dans plusieurs cas dont j'ai eu connaissance par des témoignages directs, que l'infanterie ne tient pas en rase campagne quand elle est soumise à un bombardement aérien d'une densité suffisante.

Voici à titre d'exemple un cas concret qui permettra de tirer quelques conclusions :

Il s'agit d'une action locale entraînée par la décision du commandement nationaliste de reprendre une position gênante qui vient d'être occupée par les républicains.

La position en question est constituée par une colline isolée formant un plateau d'un kilomètre et demi de long sur 2 à 300 mètres de large. Elle est occupée par sept compagnies d'infanterie de 150 hommes environ et par une compagnie de travailleurs. La troupe a un recrutement de valeur moyenne, Manchègues et Andalous.

Dès l'occupation de la position, les reconnaissances ont été faites et les travaux entrepris ; mais le terrain est rocheux, et quand l'attaque nationaliste se déclenchera, les tranchées ne représenteront que des sillons de 50 à 75 centimètres de profondeur entre deux lignes de pierrailles.

La colline a été occupée vers midi environ : le lendemain à 14 heures la préparation ennemie se déclenche. Elle est effectuée par environ 30 trimoteurs accompagnés d'une quinzaine d'avions de chasse. Les républicains ne sont soutenus par aucune aviation.

La grande majorité des bombes sont des bombes moyennes, 50 kg environ ; quelques très grosses bombes (probablement 250 kg). Les avions de chasse, une fois le bombardement terminé, arrosent le plateau à la mitrailleuse.

Le bombardement dure un quart d'heure environ. Les avions passent et repassent à loisir à une altitude inférieure à 500 mètres. Le bruit des moteurs est infernal.

Quinze à vingt minutes s'écoulent entre la fin du bombardement et l'arrivée de l'infanterie assaillante. La défense est complètement morte : pas un coup de feu. Sur le millier d'hommes environ que compte la garnison, une centaine, particulièrement des pionniers, s'échappent. Ces hommes sont pendant plusieurs jours inutilisables, en proie ou à une prostration nerveuse complète ou à des crises de nerf.

D'après le témoin qui n'a vu qu'un petit coin du champ de bataille, il y avait de nombreux blessés, en général par des cailloux, mais le plus grand nombre auraient pu ou combattre ou se sauver, sans un effondrement nerveux qui les a rendus incapables de bouger. Le témoin lui-même, homme bien équilibré et ayant subi sans émotion des bombardements assez violents d'artillerie de campagne, avoue avoir eu un ébranlement nerveux qui n'a disparu qu'avec le temps.

Il semble donc que le bombardement massif d'aviation sur une troupe mal protégée par la fortification de campagne, en dehors des pertes subies, entraîne une usure nerveuse plus intense que celle causée par le bombardement d'artillerie. Le souffle déterminé par une masse énorme d'explosif détruit toute résistance nerveuse et laisse le défenseur souvent sans blessure, dans un état de prostration absolu.

Mon expérience personnelle, très limitée, me permet toutefois de me rendre compte de l'effet produit. J'ai assisté d'assez près à Madrid à la chute de deux bombes de gros calibre, l'une de 100 à 150 kg à 75 mètres environ, l'autre de 200 kg à au moins 150 mètres. Je n'ai entendu le passage d'aucun éclat ; je n'ai que ressenti le souffle de la déflagration : je dois dire que l'impression nerveuse a été beaucoup plus forte que celle ressentie au cours des bombardements d'artillerie de la guerre.

Malgré l'éloignement relatif des points de chute, j'ai mis plusieurs heures à me remettre du choc nerveux ressenti et, pendant plusieurs jours, la vue d'un avion volant au-dessus de moi, déterminait un commencement de panique que j'avais peine à maîtriser.

Tous les témoignages que j'ai recueillis confirment cette expérience réduite. L'effet d'une masse énorme d'explosif est très grand même sur un homme bien équilibré.

Je vous ai signalé à propos des bombardements d'aviation de la bataille de Brunete, que si la résistance s'était volatilisée en terrain libre les villages avaient résisté. Je crois pouvoir attribuer en grande partie cette résistance à la présence de murs qui, si d'un certain point de vue ils multiplient les dangers, rompent d'autre part les souffles causés par la déflagration. J'ai eu personnellement l'impression qu'un simple angle de rue, le mur d'une maison, préservent entièrement des effets déprimants que je signalais tout à l'heure.

Je me suis étendu sur les impressions nerveuses, physiologiques de ces bombardements parce que je crois que l'explosif en grande masse, agissant à l'état pur et non comme projecteur de mitrailles ou d'éclats constitue une véritable nouveauté et qu'il y a lieu de tenir le plus grand compte de cette nouveauté.

Au cours de la guerre 1914-1918, la progression dans le calibre des canons et dans la densité de préparation a permis au combattant d'accoutumer ses nerfs. Dans le cas du bombardement par l'aviation, le combattant sera, dès la première expérience, soumis à une épreuve d'une intensité inouïe. Il serait imprudent de penser que la fragilité nerveuse de l'Andalou ou du Murcien est seule en cause. Des confessions concordantes me conduisent à insister sur les effets nerveux causés par des explosions continues de bombes de 50 à 250 kg et par le bruit véritablement hallucinant de trimoteurs volant à basse altitude.

Si l'incohérente guerre d'Espagne peut servir à quelque chose, c'est surtout par ce qu'elle apporte de concret dans nos abstractions.

Dans tous les cas envisagés, Bilbao, Santander, Asturies, début de la bataille de Brunete (où la surprise empêcha pendant deux jours l'aviation nationaliste d'intervenir), l'aviation assaillante ne fut pas gênée par l'aviation adverse. Dès que deux aviations à peu près équilibrées sont en présence, l'aviation assaillante n'obtient plus les mêmes résultats, parce qu'elle devient plus imprécise, parce qu'elle est obligée de hâter son action et que faute de durée dans la préparation, l'ébranlement nerveux n'atteint plus un degré suffisant pour supprimer les réactions de la défense.

On peut donc conclure qu'à cette aviation employée comme une artillerie il faut de toute nécessité opposer ce que j'appellerai une « contre-batterie aérienne » efficace. J'ai eu l'honneur de vous signaler que la leçon essentielle de la bataille de Brunete était, que si intense que fût l'action de l'aviation, ses résultats étaient nuls si une bonne infanterie ne savait pas exploiter la panique momentanée qu'elle avait causée. Inversement l'infanterie doit être protégée par une action aérienne contre l'action aérienne de l'assaillant : laissée à elle-même la résistance terrestre risque de s'effondrer.

Même en faisant la part de la médiocrité de la troupe espagnole il semble bien que contre des attaques aériennes massives, la DCA ne puisse jouer ce rôle de protection. Soumis à l'épreuve d'un bombardement intense, les servants des armes anti-aériennes se terrent et ne tirent pas. À Guadalajara les troupes italiennes pourvues d'armes anti-aériennes n'ont ébauché aucune riposte. Pendant les deux premiers jours de la bataille de Brunete, les armes anti-aériennes nationalistes prises à partie par l'aviation gouvernementale ont été muettes. Dans le cas concret exposé plus haut, aucun coup de feu n'a été tiré contre les avions. On tire contre un avion, deux avions, trois avions. On ne tire pas contre trente avions qui défilent à faible hauteur au-dessus de vous.

Il serait à coup sûr désirable, comme je le disais à propos des combats de Guadalajara, que la troupe attaquée fît face au ciel avec toutes ses armes et se couvrît de balles qui seraient fort dangereuses contre des avions volant bas et peu ou pas blindés. On peut s'efforcer de dresser la troupe à cette riposte anonyme et massive.

Mais il ne faut pas se dissimuler que dans le cas de bombardements intenses, la riposte est aléatoire, il ne faut pas trop demander à l'homme, surtout au début d'une guerre.

Vraisemblablement, dans la mesure où l'aviation adverse entrera dans la bataille et s'attaquera à la défense terrestre, l'aviation de l'autre parti sera aspirée par la bataille terrestre, par la bataille tout court, une et indivisible. Faute de quoi, les troupes terrestres démoralisées, risqueront de s'effondrer.

Cette aviation intimement liée à la bataille, non seulement prolongeant l'action de l'artillerie, mais la renforçant ou la remplaçant, permettant l'attaque continue de positions successives que ne protège plus un espacement conçu en fonction des déplacements d'artillerie, n'exigeant pour ses tirs ni réglages ni concentration préalable de matériel qui décèle son point d'application, se vidant de projectiles et allant se recharger en quelques minutes, c'est à mon avis, le fait capital de cette phase de la guerre.

À ce nouveau procédé d'attaque, nous n'avons pas encore vu la parade : impuissance quasi-certaine de la DCA, insuffisance certaine de la fortification de campagne sous sa forme élémentaire. Le seul remède actuellement, c'est l'intervention de l'aviation adverse.

Que ce procédé italo-allemand de combat rabaisse l'aviation et lui enlève, qu'elle le veuille ou non, son autonomie, cela est sûr. Il suppose un gaspillage d'appareils et de munitions dont le cas concret narré plus haut est le témoignage. Car, visant le moral, s'il ne l'atteint pas, son résultat est nul, parce que ou il est total ou il n'est pas. La synchronisation entre l'action aérienne et l'action terrestre est difficile : j'ai signalé le délai de quinze à vingt minutes entre la fin de la préparation et l'arrivée de l'assaut. Dans tous les cas que je connais, c'est un délai minimum. On peut imaginer des sortes de fortification, un éparpillement de la défense qui rendent l'action aérienne moins efficace. Mais désormais c'est en fonction de ces forces et de ces faiblesses de l'action aérienne que la défensive devra s'organiser. Elle s'était progressivement adaptée aux conditions de l'attaque par engins blindés : c'est pour elle une nouvelle adaptation en perspective.

Je n'insiste pas aujourd'hui sur les conséquences de ce procédé en ce qui concerne l'issue de la guerre d'Espagne. La stabilisation des fronts que l'on pouvait prévoir au début du printemps entraînant un équilibre politique et une guerre d'usure, n'est plus aussi probable. Nous sommes en présence d'un procédé de rupture, qui pendant un certain temps encore peut garder son efficacité.

[SHD 7N2755]

« L'*aviation dans la bataille terrestre* », *rapport du lieutenant-colonel* Morel, *attaché militaire, au ministre de la* Défense *nationale et de la* Guerre, *Barcelone,* 26 *avril* 1938

Dans ma lettre n° 536/A du 22 octobre 1937, j'avais l'honneur d'attirer votre attention sur l'importance prise dans la bataille terrestre par l'action de l'aviation attaquant les troupes au sol. La bataille de Teruel, l'offensive nationaliste en cours n'ont fait qu'augmenter cette importance.

— L'artillerie mal approvisionnée en munitions, mal ou médiocrement servie suivant qu'il s'agit des républicains ou des nationalistes, distancée par des avances rapides, abandonnée au cours de profonds reculs ne joue dans la guerre d'Espagne qu'un rôle secondaire. De même, les chars insuffisants en quantité dans le camp républicain, en qualité dans le camp nationaliste.

— L'aviation est actuellement la panacée. Les nationalistes qui jouissent dans ce domaine d'une supériorité écrasante lui doivent tous leurs récents succès : reprise de Teruel, percées du front républicain et poursuites sur les deux rives de l'Èbre, poussée en direction de la côte.

— Si elles ne sont pas appuyées par l'aviation, les troupes estiment impossible la résistance. L'infanterie est de valeur moyenne chez les nationalistes, moyenne, médiocre et même mauvaise chez les républicains. Sans le coup de balai de feu dont furent précédés, au sud de l'Èbre le long serpent motorisé italien, au nord de l'Èbre les bandes marocaines de Yaguë, la rupture initiale n'aurait pu être exploitée. Il y a une efficacité de l'aviation que j'analyserai : il y a une superstition, une obsession de l'aviation contre lesquelles M. Alvarez de Vayo protestait récemment à juste titre.

Je n'ai cessé de recueillir des renseignements et des témoignages sur ce nouveau procédé tactique. À ma demande, les armées du centre et de manœuvre ont établi de petits rapports d'ailleurs assez maigres. Les impressions de témoins, toutes fragmentaires qu'elles soient, sont d'un plus grand intérêt.

L'ensemble de la question n'est pas au point. Il nous manque toutes les précisions que pourraient nous donner les ordres d'opérations et les témoignages de l'aviation nationaliste. Mon camarade l'attaché de l'air a envoyé à son département certaines indications fort utiles : je me permettrai d'en reproduire ici un passage essentiel. Dans ce domaine je n'ai ni la compétence ni les renseignements nécessaires pour établir une synthèse complète que seul votre état-major est à même de faire.

Mais je crois utile, sans attendre que la question soit entièrement connue, de déterminer certains des effets obtenus sur le combattant terrestre par ce procédé nouveau de combat. Comment le combattant terrestre et singulièrement le fantassin subit-il ce nouveau danger ajouté aux autres ? Comment réagit-il ? Comment peut-il se défendre ? C'est le point de vue incomplet purement concret auquel je veux me placer. C'est une contribution partielle à l'instruction de notre armée de terre en vue du combat.

Dans la mesure du possible, il faut éliminer au début d'une guerre non seulement la surprise matérielle mais surtout les effets psychologiques de cette surprise. Nos adversaires éventuels accumulent une expérience dont, en cas de conflit, nous serions dépourvus.

Au cours de la guerre 1914-1918, la puissance des armes a cru progressivement et l'homme a peu à peu habitué ses nerfs à des sensations de plus en plus violentes. Cette accoutumance lui a permis de supporter les affreux paroxysmes de 1916 avec une émotion qui n'était pas beaucoup plus vive que celles qu'éveillaient chez le soldat sans expérience du début de la guerre les armes très meurtrières mais peu impressionnantes de 1914.

L'aviation par contre permettra d'atteindre dès le début d'une guerre à un paroxysme. Il suffit de se rappeler les défaillances nerveuses qu'ont entraînées dans les premiers jours de la guerre les gros mortiers allemands dans les garnisons des fortifications belges et françaises pour mesurer l'effet qu'il y a lieu de craindre sur des troupes non aguerries de la part d'une aviation qui entre dès le premier jour avec la totalité de ses moyens dans la bataille.

Pour subir son baptême du feu, l'infanterie de 1914 arrivait fraîche jusqu'à proximité d'une zone d'avant-postes ou d'avant-gardes où elle recevait quelques balles. Cette zone traversée, la densité du tir d'infanterie croissait et les premiers obus fusants et percutants apparaissaient. Nulle arme ne sera plus meurtrière que la mitrailleuse et le fusil de 1914, mais l'ébranlement nerveux des survivants était modéré. Dès les premiers jours, quelques obus de 150 suffirent à déclencher des paniques locales.

Puis vient 1915, puis 1916. Il est inutile de rappeler la faible efficacité morale de ces débauches d'explosifs.

L'aviation bouleverse ce processus rassurant. Voici une division formée dans une province française quelconque. Elle est acheminée vers son lieu de concentration. Elle n'a jamais entendu ni une balle ni un coup de canon. Au cours de ses premières marches, sur la première position de défense, 200, 300 avions peuvent la prendre à partie. Elle recevra en quelques minutes des dizaines de tonnes de bombes, des millions de balles. Elle sort de la paix pour entrer d'un seul coup dans un « Verdun » court, local, mais en soi terrible.

Cette épreuve, des unités espagnoles l'ont subie : ce n'est pas seulement à elles que je pense en m'étendant sur des témoignages incomplets mais émouvants de soldats espagnols dont les nerfs sont peut-être plus fragiles que ceux des Français, mais qui tout de même, commencent à avoir par contre une accoutumance que le Français n'a pas encore.

Ce qui manque surtout à l'armée espagnole pour subir cette épreuve, ce sont les cadres. Je souligne plus loin à plusieurs reprises que l'effet de ces bombardements est plus moral que matériel, qu'avec des précautions, de l'intelligence dans les détails on peut diminuer les pertes et souvent les annuler.

Mais il faut que les nerfs tiennent : cela, c'est affaire de cadres. Il faut que les cadres soient avertis, qu'ils se préparent à « tenir le coup », à être des centres de résistance nerveuse et morale. Quand l'ouragan passe, le calme ou la panique dépendent d'eux. S'ils ont tenu, la troupe dira : « Ce n'est donc que ça ? On n'en meurt pas. » Puis l'accoutumance, le réflexe viendront. S'ils ne tiennent pas, il y aura des paniques au moins locales, des régiments, des bataillons dont pendant des heures, des jours on essayera de rétablir l'équilibre nerveux.

Du point de vue concret, psychologique, auquel je me place, le caractère essentiel de l'intervention de l'aviation est d'avoir augmenté démesurément la profondeur de la « zone d'épreuve ». Théoriquement, on le sait : je ne crois pas inutile de le faire sentir.

À 200, 250 km en arrière du front, les localités ne représentent plus une possibilité de repos assuré. C'est la zone des gros bombardements : c'est Tortosa détruite, Castellón, Tarragone dévastées. On n'y dort plus tranquille. Il n'y a plus de détente. Il faut pour se reposer sortir de ces villages, de ces villes, camper en plein champ, se dissimuler.

Puis commence la marche vers le front par des routes dangereuses. On ne peut plus marcher l'esprit vide ou libre. La surprise est à tout moment possible.

À partir de 100 à 150 km de la ligne de feu, on peut s'attendre à une intervention massive d'aviation ennemie. C'est à peu près la distance de Segorbe à Teruel : c'est à vingt minutes du champ de bataille pour les appareils. Alors ou il faut risquer, ou marcher hors des routes par petites colonnes avec la fatigue et le retard que ces précautions entraînent. Le déplacement en camion est plus dangereux encore, car les colonnes automobiles sont le but préféré des aviateurs : de part et d'autre, tous les jours, on signale plusieurs convois mitraillés.

Reste la nuit. Il a été fait usage pendant cette guerre de projectiles éclairants : au pire il n'y a à craindre que les localités, les carrefours. Encore faut-il craindre les nuits de lune : on m'a signalé deux attaques de convois par nuit de lune.

À 40 ou 50 km du front, on entre pratiquement, du point de vue de l'aviation, dans la zone de bataille même. C'est-à-dire que la totalité de l'aviation engagée peut, délaissant pour quelques minutes le front même, se porter à la rencontre des réserves et déclencher des feux aussi intenses que sur la ligne de bataille. La manœuvre a été courante à Teruel, comme pendant les batailles de Madrid en juillet 1937.

J'analyserai plus loin l'épreuve morale causée par l'aviation sur la ligne même. Et c'est encore en tenant qu'on risque le moins. Car une défaillance généralisée, une fuite, entraînent des sanctions terribles. L'aviation se lance dans la poursuite, comme autrefois la cavalerie, à l'instant même où la résistance s'effondre.

On a vu pendant la retraite d'Aragon les débris d'un corps d'armée pourchassés sur plus de cent kilomètres, sans répit, village après village, rattrapés en quelques instants après chaque fuite nocturne.

L'aviation transporte sur une profondeur bien supérieure à cent kilomètres sa puissance entière : son avance ne l'affaiblit pas. Ni les coupures du terrain, ni les destructions ne la retardent.

Tableau qui serait effrayant, décourageant, s'il s'agissait d'une puissance précise, matériellement, réellement efficace dans ses destructions, acharnée à atteindre son but. En réalité, si elle fait du mal, elle fait plus de peur que de mal ; avec de l'attention, du travail, des nerfs solides, on peut vaincre l'envoûtement et ce qui est, pour une part, un bluff. Mais il faut vouloir et savoir.

Les troupes espagnoles ont été vulnérables pour des raisons particulières qu'il faut souligner pour limiter la portée de l'expérience.

1) D'abord les grandes étendues chauves et monochromes qui forment la presque totalité du plateau espagnol et du bassin de l'Èbre se prêtent à merveille à l'observation aérienne qui précède l'attaque.

De très loin, on aperçoit, dans le paysage fauve, le serpent sombre d'une colonne, le groupe d'hommes sur la terre nue. Peu d'arbres, et là où les routes en sont bordées, un feuillage mince. Seul le maquis rompt avec cette monochromie et les coupures brusques des rios, le relief usé.

L'efficacité de l'aviation est certainement accrue de façon considérable. Un terrain coupé, varié comme le nôtre, rendrait infiniment plus difficile la recherche des objectifs sur de larges zones.

2) D'autre part le fantassin espagnol n'a pas d'outil individuel et n'aime pas travailler. Les cadres, disposant d'une autorité déjà insuffisante pour le combat, ne le forcent pas à travailler. L'insouciance espagnole se laisse à chaque coup surprendre par le péril.

D'autre part il choisit presque toujours comme positions soit des villages, soit des points dominants, confondant la vue et la trajectoire. Ces endroits dominants sont par nature en Espagne décapés de toute terre végétale. C'est de la roche ou le plus souvent de la pierraille. Les fortifications consistent en général en une murette élémentaire qui ne protège aucunement contre le tir vertical et multiplie les effets des bombes, ou en des tranchées peu profondes à bords croulants et par suite très évasées.

Alors que les nationalistes solidement encadrés se dispersent en petits éléments de tranchée ou en points d'appui isolés, les troupes républicaines ne peuvent garder leur cohérence, faute de cadres, qu'en se groupant en des tranchées continues avec une densité inutile.

La bombe d'avion a donc une efficacité toute particulière sur le genre de fortifications employé par les gouvernementaux.

Toujours, faute de chefs, les réserves ne sont pas articulées assez largement, les colonnes trop homogènes. Le danger transforme vite des troupes en cohue et, sur ces paquets d'hommes affolés, l'aviation s'en donne à cœur joie.

3) Ajoutons que les routes sont rares, partant, faciles à surveiller, que les uns et les autres se rencontrent suivant l'axe des routes, que les dispositifs ne s'épanouissent qu'au

contact. D'où les exemples innombrables, journaliers de colonnes surprises.

Bref dans le cas espagnol, de très grandes facilités sont offertes à l'aviation. Mais pour avoir limité comme je viens de le faire la valeur de l'expérience, il ne faut pas la dédaigner.

L'aviation agit sur les troupes à terre soit par balles soit par bombes.

J'ai insisté dans une précédente lettre, sur l'action par bombes telle qu'elle était connue par la bataille de juillet 1938 devant Madrid. Depuis, l'action par balles a une tendance à l'emporter. Le « mitraillage » est actuellement le procédé le plus courant est le plus redouté.

ACTION PAR MITRAILLAGE

L'impression causée par l'opération du mitraillage aérien est considérée comme très pénible : elle est généralement employée contre les troupes en mouvement, les réserves et les positions insuffisamment fortifiées.

Les avions qui l'exécutent portent au moins deux mitrailleuses dont la vitesse de tir est de mille coups par minute ou plus. La rafale est donc d'une densité dont aucune arme terrestre ne peut donner actuellement une idée. Mais d'autre part la vitesse de l'avion déplace très rapidement cette rafale, qui se présente, pour l'individu qui y est soumis, non pas comme une nappe plus ou moins diffuse de balles, mais sous la forme d'un « coup de fouet » très violent, très dense et presque instantané.

Comme ce mitraillage est exécuté généralement par au moins une escadrille qui passe et repasse sur l'objectif, ce coup de fouet se renouvelle : l'opération équivaut littéralement à une « flagellation », dont la durée est de deux, trois, quatre minutes mais dont la brutalité laisse l'individu ou la troupe anéantis.

Quand il s'agit de colonnes sur route, les hommes n'ont presque jamais le temps de se garer. Le groupe d'avions passe, tire. Il s'ensuit un moment de stupeur, puis une panique brutale. Les hommes se dispersent et il faut un bon moment pour qu'ils reprennent la route ou remontent dans les camions.

Les pertes sont en général faibles : dans les cas connus, elles ne dépassent pas un pourcentage moyen de 3 à 4 %. L'avion n'exécute pas ses tirs en rase-mottes : il vole à 2 ou 300 mètres. Après le premier tir, la colonne à pied se disperse. Les exemples de grosses pertes sont ceux de colonnes en camions où les hommes, pris de panique, n'arrivaient pas à évacuer les véhicules. Un avion qui vole bas et s'acharne sur un semblable désordre a causé quelquefois des pertes très lourdes.

Mais dans la plupart des cas, l'effet est essentiellement un effet de démoralisation et d'inquiétude constante. Plus de marche tranquille, automatique. Plus de halte délassante. L'homme une fois soumis à l'un de ces tirs, est sans cesse en alerte et au moindre bruit de moteur, cherche de l'œil un refuge. L'arrivée dans la bataille de ces colonnes traquées depuis des jours explique bien des défaillances.

Le mitraillage sur une troupe en position présente des caractères assez différents.

Il est en général exécuté par plusieurs escadrilles qui passent et repassent au-dessus des positions.

Au-dessus du Mansueto à Teruel, hauteur isolée de trois kilomètres de front sur 1 500 m de profondeur, il y a eu, pendant près de 45 minutes, environ 80 avions. Les vols ont eu lieu dans des sens différents : de l'arrière vers l'avant, puis dans l'axe de la ligne générale des tranchées, puis obliquement par rapport à cette ligne. Cet entrecroisement est destiné à atteindre les retranchements dans chacune des directions de leurs segments.

Les avions volent beaucoup plus bas : on note fréquemment des vols exécutés entre 50 et 150 m. Mêmes coups de fouet violents et répétés qui zèbrent la position et dont l'angle de tir permet d'atteindre le fond de retranchements profonds et évasés, soit que l'avion pique pour tirer, soit qu'une inclinaison préalable ait été donnée aux mitrailleuses d'ailes.

Les pertes sont infiniment plus lourdes que dans du harcèlement sur route. Dans un cas particulier à Teruel, une compagnie de 140 hommes aurait perdu entre 30 ou 40 hommes dont plus de la moitié tués. Elle venait d'arriver sur la position, n'avait pas creusé la terre : les sections étaient en ligne et insuffisamment déployées.

D'autres exemples m'ont été donnés de pertes atteignant 25 % de l'effectif. Le témoin combattant a toujours tendance à exagérer. Il semble cependant que des troupes non retranchées et insuffisamment dispersées ont beaucoup à souffrir.

Quant aux réserves immédiates, elles se dispersent en général après la première rafale, et souffrent comme les troupes sur route. Mais le commandement a beaucoup de peine à les rassembler à nouveau : ce qui explique qu'à Teruel, les lignes d'arrêt, à la défense desquelles ces réserves étaient destinées, n'ont pu être garnies. La parade à ces tirs, c'est l'abandon absolu de la tranchée, même en ligne brisée, et l'adoption du trou pour un ou deux hommes, du petit élément de tranchée de quelques mètres de long.

Le dessin de cet élément de tranchée est essentiel : il doit affecter une forme circulaire ou polygonale de façon à ce que les hommes qui l'occupent puissent se placer perpendiculairement aux directions successives des avions.

La tranchée doit être très profonde et aussi étroite que possible de façon à couvrir l'homme accroupi, compte tenu du tir plongeant de l'avion. Elle doit être autant que possible à bord franc.

Ces caractéristiques conduisent à rechercher pour les

positions des terrains meubles où la profondeur soit rapidement atteinte. Ces terrains doivent être préférés, même si leur emplacement du point de vue des champs de tir est moins bon.

De telles tranchées réalisées sur le plateau de Madrid où la couche de terre argileuse est très profonde ont évité entièrement les pertes.

Le camouflage ou l'utilisation de couverts réduits ne sont que de peu d'utilité. Une fois la position repérée l'aviation arrose systématiquement par zones, sans s'attarder, semble-t-il, à tel ou tel élément visible.

Mais la dispersion de ces éléments de tranchée sur une zone profonde est essentielle. Les avions n'ont qu'une faculté de tir limitée : ce tir est un tir sec, sans rayonnement, si l'on peut dire. Il ne couvre pas d'espace mais lacère le sol d'une série de balafres étroites.

Naturellement des abris couverts constitueront la protection idéale. Mais il y aurait lieu de vérifier expérimentalement la force de pénétration de balles tirées presque à bout portant. La niche dans la tranchée est employée, quand le terrain s'y prête et est très avantageuse.

Pratiquement la défense antiaérienne exécutée soit par les armes spéciales soit par les armes d'infanterie n'obtient pas des résultats insignifiants.

Au cours de ces mitraillages, on constate que les positions attaquées sont presque toujours muettes. Les tirs partent des positions voisines non affectées par le mitraillage. Les raisons données à cette impuissance sont les suivantes :

1) l'impression de stupeur et la difficulté de faire lever la tête aux hommes (l'insuffisance des cadres subalternes y est pour beaucoup) ;

2) la difficulté de tirer sur des avions qui au cours de leur piqué atteignent des vitesses très grandes ;

3) l'hésitation entre des buts nombreux. Plus les avions sont nombreux, moins ils ont à craindre.

Les armes de DCA elles-mêmes ont intérêt à se placer hors des positions qu'elles protègent pour prendre la distance et échapper à l'impression de stupeur causée par des masses d'avions qui dans le tonnerre des moteurs viennent raser les tranchées. Il est de toute nécessité de pourvoir ces armes d'un bouclier-parapluie qui donne au tireur une impression de sécurité.

Il s'agit naturellement des armes de la DCA de petit calibre. Les canons sont désarmés en face de ces attaques foudroyantes d'avions volant bas. L'aviation de la défense est également très gênée. L'aviation d'attaque la surprend par sa rapidité et par la difficulté de déceler de haut un avion dont la silhouette se confond avec le sol. Un officier artilleur préconise l'utilisation des tirs de barrage haut par fusants exécutés par l'artillerie d'appui. Je ne sais pas si le procédé est éthiquement possible.

En tout cas, l'infanterie doit et peut se protéger elle-même par la fortification.

Comme je l'ai dit, contre des retranchements profonds et disséminés, le mitraillage est impuissant.

La dispersion du tir aérien est grande et l'infanterie assaillante prend de larges distances de sécurité ; le délai d'arrivée de la troupe d'attaque, après les derniers tirs effectués, n'est jamais inférieur à dix minutes, d'après plusieurs témoignages. La garnison a donc largement le temps de se ressaisir et, si elle a pris les précautions nécessaires, d'attendre intacte l'assaillant. Mais il faut que le combattant en situation, à quelque distance qu'il soit de la ligne de feu, ait, plus encore qu'autrefois, le réflexe de s'enterrer, de s'enfoncer verticalement dans le sol, comme font certains insectes ; que les emplacements des réserves, les points de stationnement, même brefs, des colonnes soient choisis en fonction du danger aérien.

Il faut « se mettre dans l'œil » les reliefs qui protègent. La contre-pente, si efficace du point de vue artillerie, quand son profil atténué est choisi pour se prêter aux trajectoires tendues, ne protège pas contre l'aviation qui balaye également en arrière et en avant d'une crête le plus souvent indistincte pour l'observation verticale.

Ces réflexions qui s'appuient sur des témoignages de combattants n'épuisent pas le sujet. Elles sont faites pour servir d'introduction à des études et à des expériences.

ACTION PAR BOMBARDEMENT

Dans une précédente étude, qui faisait état des expériences de juillet 1937, j'ai déjà donné sur ce sujet certaines indications. Je n'insisterai donc pas autant que sur le tir par balles.

Les grosses bombes (de 100 à 250 kg) sont employées surtout contre les localités. Récemment sur le Cinca, Fraga, attaqué par 150 avions, a, paraît-il, été complètement anéanti. Certaines parties totalement arasées.

Dans l'attaque de positions sommairement organisées, ce sont les petites bombes de 10 à 50 kg qui sont les plus employées. Le bombardement type, d'après le rapport de l'armée de manœuvre, comporte 85 à 90 % de petites bombes à fusée instantanée et un pourcentage restreint de grosses bombes.

Le souffle de la bombe de 50 kg est d'ailleurs encore considérable. Ses éclats sont rasants. En terrain complètement plat, l'homme couché est atteint jusqu'à 50 m du point de chute. L'homme debout jusqu'à plus de 150 m. Sur terrain pierreux, le souffle fait de chaque caillou un projectile dans un rayon de 100 m. Sur les terrains du type décrit plus haut, couverts de murettes, les bombes de petit calibre à fusée instantanée sont très meurtrières.

Un exemple type est l'anéantissement d'une brigade du Ve corps gouvernemental sur la Muela de Teruel fin décembre. Trois bataillons de 450 hommes environ y avaient été jetés en toute hâte le matin du 29 décembre. L'attaque eut lieu vers midi et dura près d'une heure et demie. 60 à 80 avions y participèrent. La partie plane du socle de la Muela n'excède pas 1 500 m de large. Il semble que les bataillons occupaient exclusivement la partie plane. Le terrain était fortement gelé et aucun retranchement n'avait pu être fait. En tenant compte du très petit nombre d'hommes qui arrivèrent à s'échapper et de celui des prisonniers avoués par les nationalistes, la brigade dut perdre en une heure et demie au moins 75 % de son effectif. La proportion de blessés est grande et beaucoup de blessures sont horribles et très sales.

Malgré leur faible proportion, les grosses bombes jouent un rôle considérable. Les effets de souffle sont impressionnants. La quantité de gaz dégagé par une bombe de 200 kg est telle que si l'endroit où elle tombe n'est pas entièrement ouvert (rue, chemin creux) tout se passe comme si la bombe éclatait dans un lieu confiné. C'est la raison, semble-t-il, d'une grosse production d'oxyde de carbone à laquelle on attribue des morts sans blessures apparentes. D'autres morts de même sorte seraient dues à une action sur le bulbe par l'intensité du souffle.

Je cite, sans pouvoir la juger, l'opinion des médecins interrogés.

La secousse nerveuse est en tout cas effroyable et l'homme est « vidé » pour un temps assez long. En outre dans des terrains secs et pulvérulents ces explosions produisent des nuages de poussière d'une opacité quasi solide.

L'armée du centre signale ces nuages comme un des effets les plus gênants du bombardement. Les hommes sont à demi suffoqués, les armes encrassées, les liaisons impossibles. Les troupes d'attaque sont arrivées sur les positions comme protégées par un brouillard artificiel.

Par contre la précision des tirs aériens contre les positions solidement organisées est faible. Les destructions matérielles ne peuvent être comparées à celles d'un tir d'artillerie. Le tir est exécuté au-dessus de 1 000 m : sans doute à cause de l'effet de souffle vertical, dangereux pour des avions volant bas et groupés. La colonne de fumée seule atteint 300 à 500 m.

Les ouvrages ne sont qu'exceptionnellement atteints, contre des troupes enterrées, l'effet horizontal de souffle est presque nul. Quant à la pénétration, une bombe de 250 kg à retard fait un cratère qui n'est guère supérieur à celui d'un obus de 210, qui pèse près de trois fois moins. La bombe de 50 kg avec une fusée à retard moyen n'a pas un effet supérieur à celui d'un obus de 75.

L'effet sur les réseaux de fil de fer paraît faible. On m'a cité un seul exemple d'un réseau détruit par un projectile qui était tombé en plein dans le réseau. L'effet de souffle fauche les piquets, soulève le réseau qui, si les fils ne sont pas trop tendus et les entrecroisements suffisants, retombe sous la forme d'un enchevêtrement encore difficile à traverser.

Tant que les bombardements n'ont eu qu'une intensité relative les villages ont constitué des abris contre le souffle, des compartimentages contre les éclats. En juillet 1937, comme je l'ai fait remarquer, la résistance nationaliste a tenu dans les villages.

Mais depuis ce moment, les concentrations sont devenues de plus en plus importantes et, en y mettant le prix, l'aviation peut détruire totalement un village : j'ai cité l'exemple de Fraga au cours de la dernière offensive nationaliste. Il s'agit d'ailleurs d'un village très ancien, tassé sur lui-même, comme la plupart des villages espagnols, dans un carré qui n'a pas 300 m de côté.

Les villages peuvent donc être des abris provisoires d'ailleurs dangereux : la terre meuble qui, grâce à la profondeur du cratère, canalise verticalement l'effet de souffle offre des possibilités de retranchement bien préférables.

Quant à la liaison entre le commandement des troupes à terre et l'aviation, je me permets de citer les indications données par le lieutenant-colonel Quir-Montfollet dans son rapport du 12 mars : « Les deux avions très modernes du type Heinkel 170 K récemment arrivés en Espagne, ont été utilisés par les Allemands au cours des dernières opérations de Teruel comme avions de reconnaissance d'objectifs et de commandement.

« Les indications qui m'ont été fournies permettent de schématiser comme il suit leur utilisation au profit de la bataille terrestre :

« 1er cas : l'avion de commandement et les chefs des pelotons de bombardement relevant de son autorité sont munis d'un programme de travail et de photographies concernant les objectifs à atteindre. L'ordre d'exécution est donné en vol aux commandants des pelotons par l'avion de commandement au moyen de la radio. Après le tir, ce dernier procède à une prise de photographies des points visés et la mission continue, s'il y a lieu, sur ces mêmes objectifs ou sur d'autres objectifs.

« 2e cas : l'avion de commandement et les chefs des pelotons de bombardement relevant de son autorité évoluent au-dessus du champ de bataille sans avoir un programme de travail préalablement défini. L'avion de commandement procède à la recherche des objectifs et décide — ou bien reçoit par radio l'ordre du commandement terrestre — d'attaquer un objectif terrestre. Sa décision est transmise par radio aux exécutants, auxquels il signale l'objectif en temps opportun en lançant une bombe fumigène. Après le tir, comme dans le cas précédent, l'avion de commandement fait une prise de photographies des points visés.

« L'état-major des forces aériennes républicaines m'affirme avoir la conviction que ces liaisons radio, établies d'une part entre le commandement terrestre et l'avion de commandement et d'autre part entre cet avion et les chefs des formations volantes, avaient normalement fonctionné au profit de l'aviation allemande au cours des dernières opérations de Teruel. »

Je ne me dissimule pas le caractère incomplet et médiocre de cette étude. Les expériences les plus nombreuses, les plus intéressantes ont été faites par les nationalistes. De ce côté-ci on les a subies. Il n'est donc pas possible de se procurer sur elles des documents objectifs, ordres d'opérations, comptes rendus de missions etc.

Ce que l'on peut dire en tout cas, c'est que l'intervention de l'aviation dans la bataille terrestre pose des problèmes tactiques nombreux et ouvre un champ immense aux études. La surprise de Guadalajara le 12 mars 1937 a été un événement capital dont les conséquences tactiques ne sont pas près d'être épuisées.

Ce procédé perdra avec sa nouveauté, une partie de son efficacité : c'est un bonheur pour nous qu'il ait été expérimenté en Espagne et qu'il ne constitue plus, pour l'armée française, une surprise. Il dépend des efforts des instructeurs de notre armée, auxquels cette étude ne fait qu'apporter une aide modeste, d'y trouver un remède et d'en atténuer autant qu'on peut le faire en temps de paix, les effets redoutables.

Je parle naturellement en fantassin pour des fantassins. Il va sans dire qu'à l'action aérienne il y a un remède aérien, que l'aviation nationaliste ne fait ce qu'elle veut à terre qu'à cause de son énorme supériorité générale sur l'aviation républicaine. Mais je crois salutaire de n'attendre pas son salut du ciel. Il faut que les troupes à terre apprennent à parer seules le coup. Le danger de cette panacée aérienne, c'est que les troupes espagnoles attendent l'action de l'aviation comme elles attendaient jadis saint Jacques de Compostelle.

On peut se sauver des démons sans l'aide des anges. Les anges viendront, s'ils viennent, par surcroît.

[SHD 7N2755]

Transmission d'une note du lieutenant de vaisseau Moullec, *attaché naval, sur l'attaque d'un convoi par une escadrille d'avions de chasse,* Barcelone, 6 *juin* 1938

J'ai l'honneur de vous envoyer un témoignage sur l'attaque d'un convoi par l'aviation. Ce témoignage tire son principal intérêt de la personnalité de l'auteur de la présente note (le lieutenant de vaisseau Moullec, attaché naval) qui a bien voulu la rédiger à ma demande.

Note pour l'attaché militaire, Barcelone, 3 juin 1938

— En 1937, voyage de Saint-Sébastien à Vitoria, effectué en compagnie d'un officier de la comandancia d'Irun, en vue d'échange de prisonniers.

— Entre Tolosa et Alsasua, dans la montée du col d'Echagarate, la voiture rattrape un convoi italien de 50 à 60 camions chargés de troupes. Route trop étroite et tortueuse pour permettre de doubler. Pris la file.

— Le convoi arrive au voisinage du col lorsque l'attaque se produit : bruit de moteurs et de mitrailleuses venant de l'arrière... Successivement quatre avions passent au-dessus de nous, à très basse altitude, 20 m environ. Ce sont des Moscas (I.15) formés en colonne, à une centaine de mètres l'un de l'autre.

— Le chauffeur de la voiture s'arrête. On descend.

— Le début du convoi continue. Vers le milieu, un camion a stoppé et le reste du convoi se tasse.

— Les avions s'éloignent de 2 à 3 km, puis font demi-tour.

— Pagaille générale. Coups de sifflets. Cris. Les soldats sautent à terre : les uns se couchent au-dessous des voitures, les autres courent dans la campagne à la recherche d'un abri.

— Avec mon compagnon, je me mets à l'abri d'un rocher sur le bord de la route pendant qu'a lieu la seconde passe. Nous restons là jusqu'à la fin de l'attaque, tournant autour du rocher après chaque passage des avions.

— Troisième puis quatrième passe…

— Dans un des camions de queue, un officier et quelques soldats essaient de mettre une mitrailleuse en batterie tout en regardant en l'air. Chaque fois que les avions s'approchent, les soldats sautent à terre et se couchent sous le camion. À la fin de l'attaque, la mitrailleuse n'est pas encore prête.

— Après la quatrième passe, les avions prennent de la hauteur et s'éloignent en direction de Bilbao.

— Nous remontons en voiture et doublons le convoi avec peine tandis que les sous-officiers rassemblent leurs hommes. En passant, vu deux cadavres et quelques blessés. Les chauffeurs des camions inspectent leurs moteurs.

— En tête du convoi on s'arrête pour parler au major italien chef de la colonne. Il n'a pas encore le chiffre total des pertes. Il estime que les avions devaient guetter le convoi depuis un moment et ont attendu son arrivée au col pour attaquer. Il remarque que si l'attaque avait eu lieu en terrain plat, les pertes auraient été plus élevées ; là les hommes se sont facilement mis à l'abri derrière les rochers. Il déclare que les avions italiens auraient mieux fait : à l'école de chasse d'Udine, on apprend aux pilotes un exercice appelé la « *bombignia* » dans lequel deux ou trois patrouilles attaquent le même point en se présentant à tour de rôle suivant des axes à 90° ou à 60°. Dans ce cas, les abris que l'on peut trouver sur le bord de la route ne servent à rien.

Dans cette affaire, les officiers et la troupe ont été surpris : on ne s'attendait pas à une telle attaque. Certainement aucune indication n'avait été donnée à l'avance sur les mesures à prendre dans un tel cas. Aucune précaution n'avait été prise. Je suis persuadé que si une mitrailleuse avait été prête à tirer sur le camion de queue, elle aurait eu des chances de faire du bon travail. Lorsque les avions approchent, ils se présentent pendant quelques secondes à un site et à un azimut à peu près constants. Des mitrailleurs décidés pourraient en profiter surtout si la présence d'un masque métallique leur donnait un sentiment de sécurité.

En avril 1937, j'avais visité l'aérodrome de Lamiaco, près de Bilbao. Une dizaine d'avions I.15 étaient présents. Sur l'un d'eux on réglait les mitrailleuses en vue d'attaques au sol. Ce réglage était effectué de telle manière que l'avion se présentant en ligne de vol en rase-mottes, les trajectoires devaient converger vers un point à terre situé à 400 m sur l'avant de l'avion.

[SHD 7N2755]

Note au ministre de la Défense nationale et de la Guerre, 16 *novembre* 1938

Objet : situation militaire (mi-novembre).

Le commandement républicain achève l'évacuation de la tête de pont de l'Èbre. Grâce à la diversion du Sègre, qui a attiré à elle une partie de l'aviation nationaliste, pendant quatre jours, tout le matériel a pu être évacué et les unités ont pu se retirer en bon ordre. Seules quelques arrière-gardes retardent l'avance des nationalistes et leur infligent des pertes, que l'on dit sensibles.

Quant à la tête de pont du Sègre, son rôle joué, elle est en voie de résorption.

Il y a lieu de faire deux remarques d'ordre général :

1)- La désorganisation causée dans les unités par le retrait des élements internationaux et par les relèves de Commandement a été pour beaucoup dans le flottement qui a amené la rupture du front Sud.

2)- L'attaque nationaliste habilement menée et rapidement exploitée porte la marque de l'Etat-Major italien qui n'a pas engagé, dans l'affaire, d'infanterie italienne, mais mené la bataille avec son aviation, son artillerie et ses détachements motorisés.

Quand aurons-nous réalisé la nécessité de ces transformations ?

Extrait de la note secrète adressée au ministre de la Défense nationale et de la Guerre, 16 novembre 1938.

Revêtu du tampon « Vu par le ministre », ce document trahit le désarroi d'Édouard Daladier, ministre de la Défense et président du Conseil, qui a noté en rouge dans la marge : « Quand aurons-nous réalisé la nécessité de ces transformations ? »

La cause initiale de l'abandon, après près de quatre mois de résistance, de la tête de pont créée par la surprise du 25 juillet, réside sans conteste dans les succès remportés par les nationalistes au début de novembre dans les Sierras qui couvrent la partie sud de la tête de pont : succès qui faillirent aboutir, comme je l'ai dit, à un désastre. Mais ce danger ayant été évité, la décision d'évacuer le nord de la tête de pont, désormais trop coûteuse à défendre, a été prise par le commandement républicain et réalisée dans le plus grand ordre.

Cette manœuvre difficile fait honneur au sang-froid du commandement républicain et à son adresse. Pour parer, par exemple, aux bombardements aériens sur les ponts, le commandement de l'armée avait généralisé l'emploi de ponts lancés la nuit et retirés au petit matin. De jour, subsistaient seuls des ponts fictifs ou non-utilisés.

Il y a lieu de faire deux remarques d'ordre général :

1) La désorganisation causée dans les unités par le retrait des éléments internationaux et par les relèves de commandement a été pour beaucoup dans le flottement qui a amené la rupture du front sud.

2) L'attaque nationaliste habilement menée et rapidement exploitée porte la marque de l'état-major italien qui n'a pas engagé, dans l'affaire, d'infanterie italienne, mais mené la bataille avec son aviation, son artillerie et ses détachements motorisés. [*Note marginale manuscrite* : Quand aurons-nous réalisé la nécessité de ces transformations ?]

Les récentes affaires de l'Èbre mettent donc en lumière l'importance (en qualité) du sacrifice fait par le gouvernement de Barcelone et la continuation de l'aide apportée par les forces italiennes au gouvernement de Burgos.

J'ignore les projets futurs des nationalistes et des républicains. La liquidation de l'affaire de l'Èbre qui satisfait l'amour-propre nationaliste et constitue une opération honorable pour les républicains dont les forces restent intactes, pourrait créer un moment favorable pour un accommodement ou une action extérieure. Si ce moment n'est pas saisi, il faut s'attendre à un nouvel effort. Malgré les pertes d'infanterie subies, la force offensive des nationalistes subsiste. Par ailleurs, l'armée républicaine du centre est intacte et au repos depuis fin juillet.

Le Lt. Marteau, qui part aujourd'hui pour Madrid, me tiendra au courant de l'allure des événements dans la zone centre-sud.

[SHD 7N2756]

L'INSAISISSABLE AGENT « K »

Mystérieuse disparition d'un agent triple

Bruno Fuligni

Dans son compte rendu secret du 17 novembre 1938, l'agent P 240 apporte à ses chefs du 2e Bureau une nouvelle très contrariante : « Klee Jean, embarqué sur le bateau *Warszawa* a, le 27 octobre dernier entre 5 et 7 heures du matin, trompé la vigilance du personnel chargé de le surveiller et muni de sa ceinture de sauvetage a sauté dans la mer par un hublot. » Venu de Pologne, le paquebot a fait escale à Londres avant d'appareiller pour Le Havre où Klee devait être livré. Et voici le prisonnier évadé à la nage, dans l'estuaire de la Tamise. « Aucune information n'est possédée sur le sort de l'intéressé. »

Né le 6 octobre 1908 à Katzenthal, en Alsace, où ses parents tiennent une petite épicerie, Jean Klee n'appartient pas au gratin du renseignement, mais à la piétaille des cadres intermédiaires qui, dans la discrétion et la grisaille, collectent de menues informations dont les gradés feront la synthèse. Baptisé « Johann Ludwig », il est devenu à l'âge de dix ans « Jean Louis Klee », quand la province perdue retourne à la France. Peu fait pour reprendre l'épicerie familiale, Klee a choisi l'armée : sergent dans l'infanterie, ce parfait bilingue œuvre bientôt pour le 2e Bureau. En 1932, il souhaite intégrer la Légion, mais sa candidature est rejetée.

De sérieux problèmes d'argent

Klee passe alors dans le civil, tour à tour comptable, interprète ou représentant de commerce. En apparence du moins, car cet habitué des villes portuaires est arrêté le 4 décembre 1936 par la police d'Anvers, sur dénonciation d'un réfugié politique allemand, un marin nommé Lutzeler : Klee lui aurait proposé un faux passeport pour une mission de reconnaissance en Allemagne. Recrutement d'un agent pour le compte de la France ? C'est la thèse retenue par les policiers belges, qui libèrent Klee trois jours plus tard. Mais on se demandera rétrospectivement si Klee, agent double, n'a pas cherché à envoyer un opposant dans les bras de la Gestapo… Lutzeler part en Espagne, où il sera tué. Klee, lui, se marie à Dunkerque le 29 mars 1937.

Son épouse, sans doute tuberculeuse, doit faire de fréquentes cures en sanatorium, ce qui pose au couple de sérieux problèmes d'argent. Klee cherche à arrondir ses revenus. En possession du plan d'un nouvel obus allemand, il ne le transmet pas immédiatement à ses supérieurs, mais en prend une photographie qu'il compte négocier auprès de nouveaux interlocuteurs : les Polonais. Via Berlin, il prend le train pour Gdynia où il demande à être mis en rapport avec un officier de renseignement. Or, Français et Polonais, devant la menace hitlérienne, coopèrent assez loyalement à cette

Photographie anthropométrique de l'agent triple
Jean-Louis Klee.

période : il est arrêté et dénoncé. En poste en Pologne, l'officier Devisse, *alias* P 240, fait avouer le félon ; Klee paraît d'autant plus suspect que son voyage à travers l'Allemagne, un tel document sur lui, laisse penser qu'il a des accointances avec la Gestapo. Mais il reste un agent français et ses employeurs premiers le réclament : « Le SR Marine estime très improbable la collusion de K. avec les services allemands. K. a recruté des agents de valeur qui sont toujours en fonctions », indique une note manuscrite du 24 août 1938. S'ensuit une série de dépêches télégraphiques pour organiser la « livraison » de Klee, embarqué sur le *Warszawa*. Mais le 27 octobre, au petit jour, l'homme se volatilise.

Le village de Katzenthal, où vit encore sa famille, est très surveillé, d'autant que sa femme Walburga est entrée dans un sanatorium voisin. La veille de Noël, « tard dans la soirée, Klee Louis téléphonait de Londres à M. Sieber, marchand de vins à Katzenthal, et faisait connaître à son épouse qu'il se trouvait, en raison de ses affaires, dans l'impossibilité de venir en Alsace pour le moment », comme le rapporte la police de Sûreté.

Une énigme non résolue

Ainsi, Klee est vivant ! Mais l'individu, qui connaît son métier, a-t-il eu la naïveté de penser que son appel échapperait au contre-espionnage ? S'il téléphone vraiment de Londres, peu de chance qu'il séjourne là longtemps. Les services britanniques, d'ailleurs, douteront toujours qu'il ait pu gagner la terre ferme à la nage, le matin de son évasion. Comme le SR français, ils pensent que le disparu est resté à bord, caché par les Polonais ou encore par P 240, en vue de le faire travailler pour eux.

En 1939, Klee est signalé en Belgique. Il s'est laissé pousser la moustache, précaution bien insuffisante pour déjouer les filatures. À Liège, le 14 février, il dîne avec un homme qui, suivi à son tour, se révèle être le consul d'Allemagne. En mai, on retrouve sa trace à Breda, aux Pays-Bas.

Son dossier s'arrête au déclenchement de la guerre. L'insaisissable Klee opte-t-il pour l'Allemagne ? Il ne figurera pas, en tout cas, sur les listes d'agents de la Gestapo recherchés après 1945. Est-il mort au combat, passé en pays neutre, a-t-il pris une fausse identité ? Le registre d'état civil de Katzenthal porte en marge le mariage de Klee à Dunkerque, en 1937. Mais nulle mention de date ni lieu de décès...

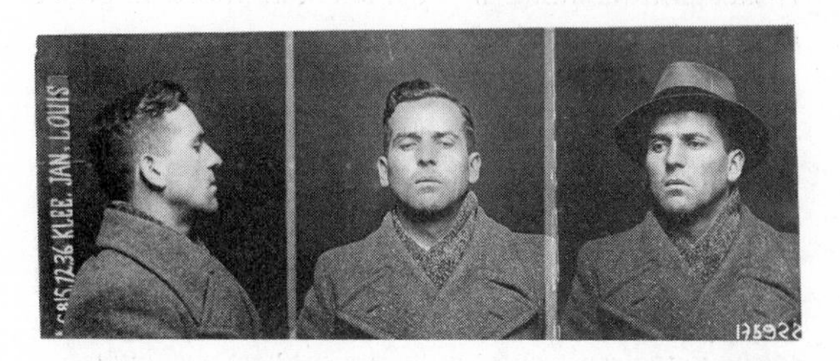

Photographies anthropométriques de l'agent triple Jean-Louis Klee.

✦

UN AGENT DU SR MARINE

Note secrète du capitaine de frégate Villiers-Moriame à l'état-major de l'armée au sujet de Jean-Louis Klee, Paris, 6 février 1937

— En réponse à votre note citée en référence, j'ai l'honneur de vous faire connaître que Klee, Jean-Louis, né à Katzenthal (France) le 5 octobre 1908, est actuellement agent d'un de nos postes auquel il rend les plus grands services et qui le considère comme de toute confiance.

— À notre connaissance Klee n'a été arrêté que très peu de temps par la police belge et l'incident, réglé à l'amiable, n'aurait pas eu de suite.

— Klee, qui est sergent de réserve, a servi au BREM et nous a été recommandé par le colonel Mangès. Il est bien connu de la SR Guerre.

[SHD 7NN2732]

Procès-verbal secret de l'interrogatoire de Jean-Louis Klee, Gdynia, 26 juillet 1938

Procès-verbal établi le 26 juillet 1938 au commissariat de police de Gdynia, en présence du nommé Klee Jean né en 1908 à Katzenthal, fleuriste, demeurant à Rotterdam.

Je travaille au profit du service de renseignement militaire français (j'ai mon siège à Bruxelles). Parmi les missions qui m'ont été confiées, j'ai été chargé de recruter des agents ou de signaler des personnes dont aurait pu profiter le service de renseignement français. Je me suis intéressé, en particulier, à la marine de guerre allemande.

Mon chef direct était autrefois le lieutenant-colonel Mangès.

Il y a deux mois environ, j'ai reçu à Rotterdam, d'un certain agent d'Allemagne, un document authentique donnant le dessin d'un obus. Je me suis rendu à Anvers où j'ai photographié ce document, avec l'intention d'en vendre une copie au service de renseignement polonais ; j'ai envoyé l'original à mes chefs à Paris.

En vendant ce matériel aux autorités polonaises, je voulais améliorer ma situation financière, très difficile du fait que ma femme est malade. Dans ce but, le 23 juillet à Bruxelles, j'ai pris un billet de chemin de fer pour Dantzig afin de pouvoir de là, me rendre à Gdynia. Après mon départ de Bruxelles, je me suis arrêté à Cologne où je devais attendre la communication. À Cologne, j'ai pris un train qui m'a conduit à Berlin où je devais changer de train. De Berlin je me suis rendu à Chojnice en territoire polonais et là j'ai appris que le train n'allait pas jusqu'à Dantzig. J'ai donc dû descendre. J'ai appris en outre, que les citoyens français qui viennent en Pologne doivent posséder le visa polonais. Malgré tout, le douanier m'a laissé passer et par le premier train, j'ai rejoint Gdynia. Après avoir dormi une nuit, j'ai cherché les autorités militaires auxquelles je désirais proposer la copie du document en ma possession. Je me suis présenté au commandant de la ville de Gdynia et j'ai demandé qu'on me mette en contact avec un officier qualifié. Après que j'aie (*sic*) été mis en rapport avec une personne compétente j'ai été arrêté.

J'ai signé le présent procès-verbal après qu'il me fut lu en langue allemande.

Signé : Klee

Nota : Klee, lorsqu'il s'est présenté à Gdynia aux autorités polonaises, a d'abord déclaré qu'il était sujet allemand ; c'est après la fouille de sa valise qu'il avait laissée en consigne à la gare de Gdynia et dans laquelle se trouvait son passeport français qu'il a pu être confondu.

[SHD 7NN2732]

***Dépêche télégraphique*, Paris, 4 *août* 1938**

Agent du SR Marine, mais n'avait reçu aucune mission justifiant sa présence à Varsovie. Le soumettre à interrogatoire serré avant de le relâcher et nous en faire connaître résultats.

Serions reconnaissants recevoir sa photographie.

[SHD 7NN2732]

***Note manuscrite*, 24 *août* 1938**

Le SR Marine estime très improbable la collusion de K. avec les services allemands. K. a recruté plusieurs agents de valeur qui sont toujours en fonctions.

Depuis que K., ancien secrétaire du BREM a été passé à la Marine sur la recommandation du colonel Mangès aucune fuite n'a été constatée à Dunkerque dans les services du secrétariat.

Il serait désirable que K., libéré le plus tôt possible, rallie la France par voie de mer et à bord d'un bâtiment français.

[SHD 7NN2732]

***Compte rendu secret*, 22 *septembre* 1938**

Le nommé Klee n'a pu encore être embarqué faute de bateaux français se rendant directement de Gdynia en France.

P 240 (il s'agit de Devisse) demande de vouloir bien lui faire connaître s'il peut être transporté par bateau polonais ne faisant pas escale entre Gdynia et Le Havre (ou Cherbourg) et, éventuellement, s'il doit être accompagné.

[Note marginale :]

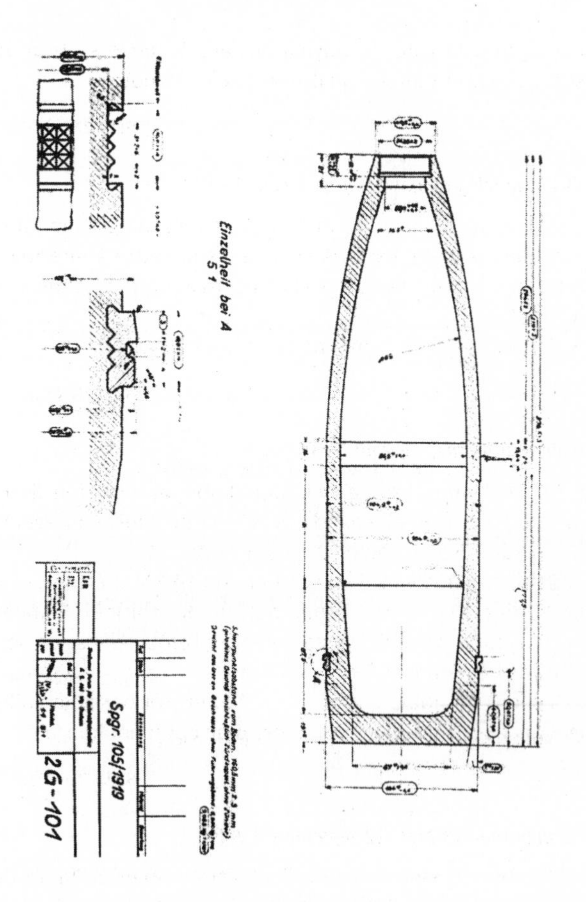

Plan d'obus allemand.

À l'issue d'un interrogatoire « serré », le 27 juillet 1938, Jean Klee avoue : s'il a remis le plan à ses employeurs français, il en a préalablement pris une photographie qu'il a tenté de vendre aux services polonais.

Et par qui devront être réglés les frais de voyage de l'intéressé ?

La marine dit : l'embarquer seul sur bâtiment polonais, que votre correspondant avance les frais. La Marine remboursera.

[SHD 7NN2732]

Dépêche télégraphique, Paris, 28 septembre 1938

Prière embarquer Klee seul sur bateau polonais direct. Avertir date exacte arrivée France. Stop. Frais avancés seront remboursés. Fin.

[SHD 7NN2732]

Télégramme chiffré, Varsovie, 14 octobre 1938

Klee sera embarqué sur paquebot polonais *Warszawa* quittant Gdnynia le 21 octobre pour Londres et Le Havre où il arrivera 25 ou 26.

État-major polonais demande à quelle autorité K devra être remis au Havre par le commandant de bord.

[SHD 7NN2732]

Compte rendu secret sur l'évasion de Jean Klee, 17 novembre 1938

Klee Jean, embarqué sur le bateau *Warszawa* a, le 27 octobre dernier entre 5 et 7 h du matin, trompé la vigilance du personnel chargé de le surveiller et muni de sa ceinture de sauvetage a sauté dans la mer par un hublot.

Aucune information n'est possédée sur le sort de l'intéressé.

Le commissaire spécial qui attendait au Havre le nommé Klee, a été mis au courant de son évasion par le capitaine commandant du bateau. [...]

[SHD 7NN2732]

Lettre secrète du correspondant du 2*e *Bureau,
17 *novembre* 1938

Mon commandant,

Vous voudrez bien trouver dans ce même courrier le dossier remis par P 240 concernant la disparition en mer, du nommé Klee au cours de son rapatriement par le paquebot *Warszawa*.

Cette disparition invraisemblable, en pleine mer, d'un individu qui, paraît-il, manifestait depuis son arrestation un vif désir de rentrer en France et pour lequel une intervention était parvenue à l'ambassade, me semble rocambolesque.

J'ai essayé de savoir ce qui s'était exactement passé mais, je ne suis arrivé qu'à des conjectures :

Klee aurait sauté à la mer par un hublot en plein estuaire de la Tamise après le départ du bateau de Londres pour Le Havre.

À moins qu'il n'ait eu l'intention de se suicider (mais alors pourquoi aurait-il emporté sa ceinture de sauvetage ?), cette version est par trop simpliste.

Ou Klee a machiné un scénario destiné à faire croire qu'il s'est évadé et s'est-il caché dans l'espoir d'éviter au Havre le commissaire spécial qui l'attendait.

Ou, plus simplement, a-t-il été gardé par P 240 qui l'a convaincu de travailler à son profit.

En effet, lorsque j'ai été avisé verbalement de cette disparition, les camarades de P 240 m'ont bien spécifié que le bateau se trouvait à ce moment à 3 milles des côtes, qu'il faisait très froid et que la situation du hublot était telle que, pris dans les remous, l'évadé devait être presque obligatoirement happé par l'hélice, déclarations évidemment faites dans le but de laisser croire que Klee est mort, écharpé ou noyé.

Je laisse, mon commandant, ces faits à vos méditations.

Vous pouvez certainement mieux que moi en tirer les justes conclusions. Je tâcherai de savoir encore quelle est la vérité mais je doute de jamais y parvenir.

Veuillez croire, mon commandant, à mes sentiments toujours très affectueusement et respectueusement dévoués.

[SHD 7NN2732]

LE SALON DE L'AUTO DE BERLIN

La puissance mécanique du Reich en 1939

Serge Berstein

Du 17 février au 5 mars 1939, le Salon de l'automobile réunit à Berlin tous les amateurs de belle mécanique. Parmi eux, anonyme dans la foule des visiteurs, un agent français du 2e Bureau : son rapport, assorti d'une note technique, est communiqué le 19 mai 1939 à la section de l'armement et des études techniques du ministère de la Défense nationale et de la Guerre. Son objet ? Faire connaître aux autorités françaises l'importance de l'effort industriel allemand en faveur du développement de l'automobile, en particulier dans le domaine des applications militaires, c'est-à-dire de la motorisation de la Wehrmacht.

Ce rapport présente d'autant plus d'intérêt que l'opinion, le gouvernement et l'état-major scrutent avec une profonde inquiétude les intentions belliqueuses de l'Allemagne nazie qui paraissent conduire à une guerre inévitable. Depuis 1935, le IIIe Reich, sans tenir compte des restrictions imposées par le traité de Versailles, a rétabli le service militaire obligatoire, s'est doté d'une aviation militaire, la Luftwaffe, et réarme massivement. En mars 1938, l'Allemagne a fait l'Anschluss en annexant l'Autriche. En septembre de la même année, elle a imposé l'annexion des Sudètes tchécoslovaques à la conférence de Munich et, en mars 1939, elle menace le reste de la Tchécoslovaquie — qui sera envahi et dépecé le 15 mars 1939. Et ce n'est un secret pour personne : Hitler vise désormais la Pologne, dont la France et l'Angleterre viennent en avril 1939 de garantir l'intégrité territoriale, ce qui pourrait conduire à une entrée en guerre si Hitler persistait dans ses projets.

Les objectifs du Führer

Le rapport de l'agent français est de nature à nourrir cette inquiétude. Le discours inaugural de Hitler, dont il donne le résumé, insiste sur sa volonté de faire de l'automobile un article de consommation courante pour le peuple allemand, à un prix qui soit à la portée des revenus modestes. Le but est de détourner la clientèle allemande des modèles étrangers et de la pousser à acheter des véhicules fabriqués avec des matières premières nationales. Il s'agit de parvenir dans ce domaine à l'autarcie, objectif du second « Plan de quatre ans » lancé en 1936. Les Allemands ont d'ailleurs été invités à acheter par souscription une « voiture populaire », en cours de réalisation, la future Volkswagen. Toutefois, l'informateur note que le colonel von Schell, nommé à la tête de l'industrie automobile, tient un autre discours. Celui-ci fait remarquer qu'en temps de paix, le marché intérieur de l'automobile est limité et risque à court terme d'être saturé. Aussi entend-il rationaliser la production automobile en diminuant le nombre de modèles offerts, en accroissant la production et en diminuant le prix de revient des véhicules utilitaires.

C'est qu'il considère que sa mission est de mettre au service de l'armée cette production automobile rationalisée et renforcée. L'objectif : motoriser l'armée allemande pour accroître sa rapidité et sa mobilité, facteurs essentiels de la victoire. Il s'agit donc de pousser les constructeurs à fabriquer des véhicules utilitaires pouvant servir en temps de paix à des usages commerciaux, mais aisément adaptables à des usages militaires et disponibles par réquisition en cas de guerre. Pour favoriser ce type de fabrications, le gouvernement exempte d'impôts les modèles susceptibles de répondre à cette mutation. Les résultats se lisent dans les statistiques publiées à la fin du rapport : elles révèlent que la production automobile allemande est passée, de 1932 à 1938, de 53 000 véhicules à 341 000, ce qui porte en 1938 le nombre de véhicules de tourisme en circulation à 1 305 000, celui des motos et vélomoteurs à 1 582 000 et celui des camions à 313 000.

Rien n'illustre mieux cette volonté de pousser à des fabrications automobiles de masse dans le but de fournir à l'armée allemande un moyen de motorisation que les modèles exposés sur « le stand de la Reichswehr », comme l'écrit encore l'agent français. En fait, c'est celui de la Wehrmacht, nouveau nom de l'armée allemande. Et de décrire un char lourd dont il ne peut cependant indiquer les caractéristiques techniques et surtout un véhicule à chenilles qui paraît susciter chez lui un très vif intérêt. S'essayant à l'espionnage industriel, l'informateur se livre alors à des descriptions techniques extrêmement précises de toute une série de matériels, accompagnés d'une annexe où il analyse, croquis à l'appui, une douzaine de véhicules.

Au moment où les militaires français n'envisagent qu'avec réticence la motorisation de l'armée, ce rapport indique qu'elle fait l'objet d'efforts importants dans l'Allemagne nazie, différence qui jouera un rôle essentiel dans la défaite française de 1940.

Le Führer au Salon de l'automobile à Berlin, **1939.**

L'intérêt manifesté par Hitler pour cette puissante berline ne tient pas seulement à son goût pour la belle mécanique, mais aussi à sa volonté de permettre à l'industrie allemande de fournir le marché national en se passant des importations étrangères, dévoreuses de devises.

✦

VERS LA GUERRE MOTORISÉE

Dans son rapport, l'agent du 2e Bureau insiste sur la présence au Salon de l'auto de véhicules tout terrain susceptibles d'être rapidement transformés pour des usages militaires et surtout de chars et de véhicules à chenilles (dont il a fait des croquis), qui traduisent la volonté de motoriser l'armée allemande.

Rapport sur le Salon de l'automobile de Berlin de 1939

Le Salon de l'automobile 1939 a ouvert ses portes à Berlin du 17 février au 5 mars. Non seulement il a été une exposition, à but commercial, des différents types de véhicules automobiles construits en Allemagne et à l'étranger, mais il a fourni l'occasion de différentes manifestations tendant à montrer au peuple allemand l'importance de l'industrie automobile tant pour l'économie générale que pour la défense nationale.

Les idées les plus intéressantes à relever, parmi toutes celles qui ont été exposées, se trouvent d'une part dans le discours inaugural du Führer, d'autre part dans un article écrit pour la revue *Le Plan de quatre ans* par le colonel von Schell qui préside depuis quelques mois aux destinées de la construction automobile en Allemagne.

Ce dernier insiste tout particulièrement sur les relations nécessaires qui existent entre l'industrie automobile et l'armée. Quatre raisons ont, d'après lui, motivé sa nomination au poste de commissaire général pour la motorisation : 1) la nécessité d'accroître la production, 2) la nécessité de diminuer le prix des véhicules utilitaires, 3) la nécessité de mieux utiliser l'argent, la main-d'œuvre et les matériaux

Confidentiel

SALON DE L'AUTOMOBILE DE BERLIN

MARS 1939

SECTION DU MATERIEL MILITAIRE

A l'occasion du Salon de l'Automobile la Reichswehr expose une partie de son matériel de combat, de même que les Chemins de Fer ou les Postes exposent le leur.

Le Reichswehr ne montre certainement au public que du matériel déja démodé ou des prototypes non construits en série. Cependant une surveillance sérieuse empêche les visiteurs de photographier ou de prendre copie des tableaux sur lesquels figurent les caractéristiques techniques.

Les notes suivantes ne constituent donc qu'une référence,qu'une base de comparaison laissant supposer que la motorisation de l'armée allemande est, en réalité, en avance sur les matériels montrés aux visiteurs allemands et étrangers du Salon de Berlin.

1° Gros char

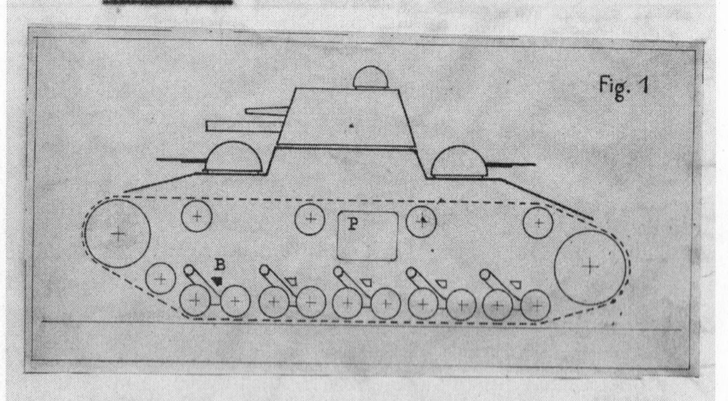

Volume correspondant à un " 35 tonnes " environ. (Fig.I)

......

Rapport secret au 2e Bureau, 1939.

II°- <u>Petit tracteur d'infanterie</u>

Fabrication Puch-Steyr Daimler.Fig.8

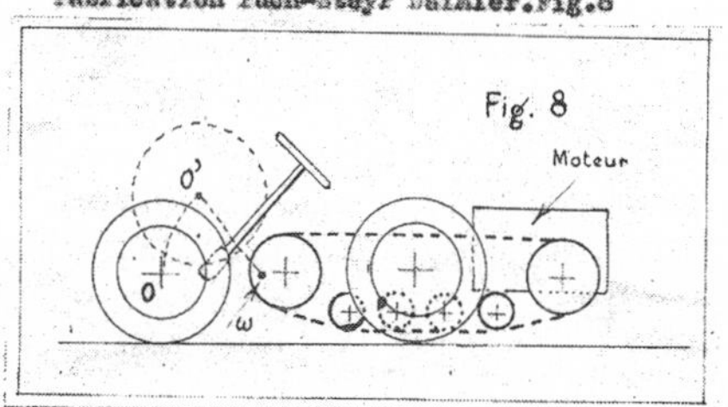

Voiture à chenille avec train de 2 roues avant directrices amovibles à volonté(par rabattement 90°). Une fois relevées la direction doit s'obtenir par freinage alternatif des chenilles.

Moteur 20CV,à l'arrière,refroidissement à air, longueur: 2m,75 environ.

Train porteur: chenille et roues arrière juxtaposées. Les roues AR sont toujours porteuses et sont montées sur le prolongement de l'axe du balancier de la chenille.Lorsque le véhicule est en mauvais terrain les roues AR s'enfoncent,et les chenilles sont mises en mouvement les roues AR étant alors folles.Suivant la nature du sol:mauvais terrain ou route,on marche à volonté sur les chenilles ou sur les roues.

Poulie motrices à l'avant. Chenille métallique. Les roues avant sont indépendantes et montées sur ressort transversal. Rabattues elles sont porteuses et directrices.

I2°- <u>Une série de camions-chasse-neige militaires:</u> comprenant:

a) pour une épaisseur de 50 cms de neige:
un camion-tracteur 4 roues motrices
moteur 80 CV à 3.600 t.m.
8 vitesses
Poids à vide: 2.900 kgs.

b) pour une épaisseur de Im. de neige:
un camion-tracteur 6 roues motrices
moteur 80 CV à 2.400 t.m.
8 vitesses
Poids à vide: 5.000 kgs(dont l'étrave: 600 kgs).

c) pour une épaisseur de Im,50 de neige:
un camion tracteur sur chenilles genre Borgward

....

disponibles, 4) la nécessité d'utiliser toute l'industrie automobile et sa production en faveur de la défense nationale.

La dernière est évidemment la dominante dans l'esprit du Führer et le colonel von Schell la développe. « L'armée, dit-il, n'est jamais une chose en soi, mais l'une des formes d'expression de l'ensemble de l'État et de la Nation. Un peuple en armes doit consacrer à la défense nationale tout ce que lui offre son territoire. Les peuples qui vivent dans les steppes ont toujours eu une armée de cavaliers, les peuples de paysans possèdent une armée où l'infanterie prédomine. Quant aux pays industriels, ils doivent disposer d'une armée qui utilise au maximum toutes les possibilités que lui offre leur industrie, c'est-à-dire la technique. Toute armée moderne, d'ailleurs, ne peut se concevoir sans une motorisation extrêmement développée. La rapidité et la mobilité sont les facteurs essentiels de la victoire. »

Mais, en temps de paix, l'industrie de l'automobile ne peut vivre uniquement des achats de l'armée. Il lui faut des débouchés commerciaux étendus. Or, en Allemagne, malgré la présence actuelle de 80 millions d'habitants, le nombre des acquéreurs éventuels n'est pas illimité. Depuis trois ans, de nombreux amateurs sont venus à l'automobile, attirés par les avantages fiscaux accordés et par la propagande intense et officielle dont bénéficie ce marché. Toutefois, l'augmentation du nombre des commandes fléchit déjà et il n'est pas interdit d'envisager le moment où la marée des clients sera étale et le flot s'arrêtera à un niveau ne correspondant pas à celui souhaité par les dirigeants du régime.

D'autre part, l'apparition de la voiture populaire annoncée et mise en vente dès maintenant par un procédé de souscription, sera une concurrence dangereuse pour les autres maisons. Or, la voiture populaire n'a pour la défense nationale qu'un intérêt limité et il importe de soutenir les constructeurs des modèles plus puissants qui peuvent seuls fournir à l'armée le service spécial qu'elle exige.

La solution adoptée est celle de la réduction des types de véhicules offerts au public. L'économie importante qui en résultera permettra aux usines intéressées d'abaisser leur prix de vente et de conserver une clientèle suffisante à l'intérieur et à l'extérieur de l'Allemagne.

Von Schell peut donc dire avec vérité qu'il dirige l'industrie automobile pour le plus grand bien, à la fois, de l'armée à laquelle il procurera des voitures de réquisition d'un modèle unifié et pour ainsi dire militarisées d'avance ; de l'industrie à laquelle il maintient des possibilités de développement et en définitive du pays tout entier dont les nationaux seront touchés de plus en plus par les avantages du véhicule mécanique et qui bénéficiera d'une puissance économique accrue.

Le projet de réduction des types de véhicules automobiles a reçu un commencement d'exécution, mais il faudra encore de longs mois avant que les bienfaits ne s'en fassent sentir. [...]

Cette transformation du parc automobile allemand entraînera une refonte presque complète du parc militaire. Le colonel von Schell estime que 85 % des modèles actuellement en service dans l'armée devront disparaître.

Ce vaste plan n'aura pas pour effet d'amener la stagnation dans la conception des types de voitures. De grands laboratoires réunissant les moyens de plusieurs firmes seront au contraire chargés de faire progresser la technique et d'améliorer les châssis retenus par le commissaire général.

Le discours d'Hitler a marqué avec plus de force encore la part attribuée à l'industrie automobile dans l'économie allemande. Il a rappelé les principes énoncés dès 1933 et qui doivent assurer le succès de l'automobile dans le Reich :

« L'automobile n'est pas un produit de luxe mais un instrument de travail.

« Le prix de la voiture doit être fixé de telle sorte que tous ceux dont les revenus sont modestes puissent en faire l'acquisition. La confiance du peuple allemand dans les produits intérieurs doit être accrue et détournée des modèles étrangers.

« La circulation automobile doit disposer d'un réseau routier suffisant tant au point de vue de la longueur que de la qualité.

« Enfin, l'emploi des matières premières allemandes doit être développé afin que l'industrie devienne complètement indépendante de l'étranger. »

À ces idées maîtresses, le Führer a ajouté deux principes nouveaux. L'automobile doit disposer d'un garage. Un décret a été aussitôt pris dans ce sens : ce décret impose aux propriétaires de prévoir un garage pour toute construction nouvelle, qu'il s'agisse d'une maison, d'une usine ou d'un atelier. Le deuxième a trait à la sécurité sur la route. Hitler s'est élevé contre les fauteurs d'accidents, et contre les vitesses exagérées pratiquées sur les autoroutes. Il estime qu'une vitesse soutenue de 80 km/h est suffisante et que les allures à 120 ou 140 provoquent une usure prématurée des voitures et par suite apportent des troubles et des charges supplémentaires à toute l'économie nationale. [...]

Le Salon réunissait un nombre considérable de véhicules parmi lesquels on remarquait des chars et des voitures militaires groupés dans un stand spécial.

L'emprise de l'armée sur la construction automobile se distinguait déjà au fait qu'en dehors du stand de la Reichswehr, de nombreuses firmes présentaient des châssis ou des véhicules spéciaux pouvant être utilisés par le commerce mais intéressant plus particulièrement l'armée.

Les recherches les plus poussées dans ce sens ont porté sur les poids lourds, sur les véhicules tout-terrain et enfin sur les appareils à chenilles. [...] Le stand [de la Wehrmacht] est destiné à frapper l'imagination de la foule en lui donnant une forte impression de la puissance des engins modernes construits pour l'armée. Il n'a pas pour but de divulguer les modèles d'engins les plus récents. Aussi n'y trouve-t-on pas ample matière à recherches techniques. Les modèles exposés sont déjà connus dans leur ensemble et sont présentés de telle façon que les investigations sur les points restés secrets demeurent impossibles. Un char de grande dimension et pourvu d'un armement puissant est montré au public. Mais il est encore difficile d'affirmer si ce char est un prototype dont la construction va être entreprise ou s'il est le vestige d'études anciennes qui n'ont pas abouti à l'adoption du prototype réalisé. Certains indices permettent de tenir la deuxième hypothèse pour la plus vraisemblable.

Le matériel chenillé le plus intéressant est un véhicule mixte à chenilles et à roues fabriqué par la maison Steyer Daimler et qui avait été mis au service dans l'armée autrichienne avant l'annexion. Ce véhicule ne paraît pas encore réalisé en un grand nombre d'exemplaires, mais il pourrait prendre dans l'armée allemande la place qu'occupe la chenillette Renault dans l'armée française. Il comblerait ainsi une lacune signalée dans certains articles de presse.

Le Salon de Berlin 1939 a connu un beau succès. Cette manifestation de la puissance sans cesse grandissante de l'industrie automobile nationale-socialiste, minutieusement préparée et présentée dans un cadre digne d'elle, a produit sur tous ceux qui l'ont vue une impression profonde. Elle a attiré à Berlin des foules considérables. Le voyageur ne trouvait plus une chambre libre dans les hôtels, le visiteur devait faire la queue aux guichets, pourtant nombreux, pendant un quart d'heure, quelquefois pendant une heure avant de pouvoir entrer. À l'intérieur, un flot humain glissait sans interruption entre les stands, rendant la mission de l'observateur difficile et harassante.

Ces journées de triomphe ont marqué les résultats obtenus par les efforts persévérants du parti depuis 1933 pour lancer l'automobile allemande qui, jusque-là, soutenait mal la concurrence étrangère. Mais elles ont aussi servi de large publicité à l'idée nouvelle qui doit transformer si profondément l'industrie de la voiture.

Le sens de cette transformation a été exposé dans le cours de cette étude ; mais il est à l'heure actuelle impossible de prévoir toutes les conséquences qu'entraîneront les décrets de von Schell.

De plus en plus centralisée, adaptée d'une façon précise aux besoins militaires du Reich, l'industrie automobile allemande ne peut manquer de fournir à l'armée un parc automobile homogène réalisant au mieux le plan du commandement. Comme contrepartie immédiate de cet avantage on peut penser que les aménagements de la production ne pourront être réalisés dans un délai très court et produiront au début un certain flottement dans le rendement des usines.

Dans l'avenir lointain, un autre inconvénient peut se produire : privée du stimulant de la concurrence, l'industrie allemande de l'automobile, malgré les études consciencieuses de ses ingénieurs, n'aura-t-elle pas tendance à stabiliser ses résultats au lieu de rechercher sans cesse de nouveaux perfectionnements ?

En tout cas, le Salon de Berlin qui n'aura plus à présenter au public la grande diversité actuelle des modèles du commerce verra son intérêt diminuer et les journées triomphales de mars 1939 pourraient bien connaître des lendemains moins glorieux.

[SHD 7N2643]

L'ŒIL DE MOSCOU

Promenade indiscrète dans les couloirs de la Loubianka

Jean-Jacques Marie

Que savent donc les Français, en 1939, des services secrets soviétiques ? La police d'un côté, l'armée de l'autre, rédigent des rapports, mais les erreurs qu'ils contiennent montrent qu'ils reposent davantage sur des bruits que sur une information directe. La question est d'autant plus compliquée que les organes de la police politique en URSS ont été soumis à une vague de réorganisations successives, allant de pair avec le déchaînement d'une terreur qui décime la population, le Parti et l'État.

Le 10 juillet 1934, l'OGPU, plus connu sous le nom de Guépéou, est intégré dans le Commissariat du peuple aux affaires intérieures, le NKVD, dirigé par Guenrykh Iagoda. Ce dernier forme en son sein une Direction principale de la Sécurité d'État (le GUGB), qui reprend pour l'essentiel les fonctions du Guépéou formé en 1922 après la dissolution de son prédécesseur, la Tchéka. C'est ce GUGB que, phonétiquement, les services français appellent « Gougobez »...

À la Loubianka, siège du NKVD, se trouvent les dirigeants, les chefs de section et leurs adjoints. Leurs bureaux peuvent servir aux interrogatoires. Au sous-sol, les caves tiennent lieu de cellules et sont réservées aux tortures, dont Staline a fait voter l'usage au Bureau politique en 1937. La plus courante est « l'interrogatoire à la chaîne », décrit dans le document du 2e Bureau daté du 11 mai 1939.

Le 25 septembre 1936, alors qu'il est en vacances à Sotchi dans le sud de l'URSS, Staline envoie un télégramme au Bureau politique : il accuse Iagoda d'avoir mal monté le premier procès de Moscou (19-23 août 1936) et exige son remplacement par Nicolas Iejov — celui que les Français rebaptisent bizarrement « Iegov ». Iagoda sera condamné à mort lors du troisième procès de Moscou, en mars 1938, tandis que Iejov devient « le commissaire de fer » dans la presse soviétique et le « nabot sanglant » dans la population. Il engage une refonte brutale du NKVD, épuré de quatorze mille agents.

La disgrâce de Iejov

Pourtant, l'étoile de Iejov commence à pâlir. Staline, jugeant atteints les objectifs de la répression sanglante qu'il a lancée, décide de la moduler et d'imputer les « excès » à Iejov. La disgrâce de ce dernier est dans l'air après la nomination en juillet 1938 d'un vice-commissaire : non Voiekov, comme croient le savoir les services français, mais Lavrenti Beria. Nommé à la tête du GUGB le 29 octobre 1938, celui-ci exerce alors la direction effective du NKVD et envoie en prison quelques proches de Iejov.

En octobre 1938, toutefois, ce dernier est encore officiellement à la tête du NKVD ; il ne sera pas remplacé par Malenkov, présenté par erreur dans ce même rapport comme ancien secrétaire particulier de Staline, ce qu'il ne fut jamais. Nommé dès 1927 secrétaire technique du Bureau politique, Malenkov co-organise la répression sauvage de la Grande Terreur de 1937-1938, sans jamais remplir aucune fonction au NKVD.

Iejov ne sera limogé que le 9 décembre 1938 et remplacé par Lavrenti Beria. Le rapport, enfin, évoque un imaginaire Comité exécutif du Parti communiste qui désigne sans doute le Secrétariat du Comité central.

Après l'arrivée de Hitler au pouvoir en février 1933, la résidence du NKVD de Paris, installée dans l'ambassade soviétique, devient la plaque tournante de l'activité secrète en Europe. Parmi les agents du GUGB nommés dans le rapport de la police, le général tsariste Diakonov est chargé de désinformer le 2e Bureau français, puis envoyé en Espagne ; Vladimir Kolomiitsev, dit Bogovout, ancien résident du Guépéou à Berlin, finance l'ancien diplomate soviétique Bessedovski, qui a simulé une défection rocambolesque pour mieux alimenter l'édition française en écrits pro-staliniens ; Povolozky — sans T — est le plus douteux : ce libraire-éditeur est spécialisé dans la publication d'ouvrages antibolcheviks et de livres d'art. Sa librairie du 13, rue Bonaparte n'est sans doute qu'un lieu de rencontre utilisé par le NKVD avec son aval, rien de plus.

Beria tout-puissant

Divisé en douze sections depuis 1935, le GUGB est ravalé au statut de simple direction du NKVD le 28 mars 1938, puis rétabli, le 29 septembre, au rang de direction « principale » de la Sécurité d'État. Le rapport de police donne une liste à peu près correcte de ses sections, encore qu'il cite une « section économique » supprimée par Iejov dès décembre 1936 et dont une partie des attributions ont été transférées à la 3e section (contre-espionnage, KRO) citée dans le document du 2e Bureau. La section étrangère (INO) gère l'espionnage et les assassinats à l'étranger, qui peuvent aussi être confiés à l'administration des missions spéciales, constituée dès 1926, sans doute ici désignée par la 2e section spéciale (SPEKO).

Ces bouleversements s'accompagnent de la liquidation des titulaires successifs. Ainsi tombe en décembre 1936 le chef du GUGB, Agranov : dénoncé par Iejov en juin 1937 comme membre d'un « complot à l'intérieur du NKVD » dirigé par Iagoda, il est fusillé puis remplacé par Frinovski — lui-même limogé le 8 septembre 1938 et fusillé sous Beria.

« Rue du NKVD *», plaque provenant d'un camp de travail soviétique.*

La Loubianka : héritier de la Tchéka *et du* Guépéou, *le* NKVD *est installé à un petit kilomètre du* Kremlin, *dans un énorme bâtiment rectangulaire de neuf étages : confisqué en* 1918 *à une compagnie d'assurances, il est situé sur la place* Loubianskaia. *Celle-ci sera rebaptisée place* Dzerjinski *en hommage au fondateur, mort en* 1926, *mais l'immeuble conservera le nom de* Loubianka.

Le 29 septembre 1938, lorsque Beria est nommé à la tête du GUGB, tous les chefs et chefs adjoints de section nommés en 1934 ainsi que les quatre résidents successifs du GUGB à Paris depuis 1933 ont été liquidés...

✦

LE BRAS ARMÉ DU STALINISME

En deux pages, l'auteur de cette note situe les bureaux des responsables dans les locaux de la Loubianka et décrit leur méthode d'interrogatoire « à la chaîne » pour obtenir des aveux.

Note très secrète sur le service de contre-espionnage soviétique, 11 *mai* 1939

Source : occasionnelle ayant été très bien placée, 10 mai 1939.

Le service de contre-espionnage soviétique est assuré par la 3e section (*Otdel*) de la GOuGB (direction principale de la Sûreté d'état) qui est installée à la Loubianka, à Moscou. La 3e section occupe une partie des 6e, 7e et 8e étages du bâtiment donnant sur la place. Les portes ne portent, comme indications, que les numéros.

Le sous-chef de la 3e section est un nommé Schlugher (peut-être pseudonyme) qui occupe la pièce 622, au 6e étage.

La section comprend de nombreux « délégués opératifs » qui sont chargés de procéder à l'instruction des affaires d'espionnage.

L'un de ces fonctionnaires est un certain Panfili dont le bureau se trouve pièce 751-A, au 7e étage. Cet individu, selon ses dires, aurait été envoyé en mission, sous un nom d'emprunt, en Tchécoslovaquie, en France et à Londres en 1937. À Paris, il aurait logé à l'ambassade soviétique, rue de Grenelle.

TRÈS SECRET

11 MAI 1939

RENSEIGNEMENT

-:-:-:-:-:-:-:-

U.R. S.S.

Service de contre-espionnage soviétique.

Source: occasionnelle ayant été très bien placée
10 Mai 1939

Le service de contre-espionnage soviétique est assuré par la 3° section (Otdel) de la G.Ou.G.B. (Direction principale de la Sûreté d'Etat) qui est installée à la Loubianka, à Moscou. La 3° Section occupe une partie des 6°, 7° et 8° étages du bâtiment donnant sur la place. Les portes ne portent, comme indications, que des numéros.

Le sous-chef de la 3° Section est un nommé SCHIUGHAR (peut être pseudonyme) qui occupe la pièce 622, au 6° étage.

La section comprend de nombreux " délégués opératifs" qui sont chargés de procéder à l'instruction des affaires d'espionnage.

L'un de ces fonctionnaires est un certain PANFILI dont le bureau se trouve dans la pièce 751-A, au 7° étage. Cet individu, selon ses dires, aurait été envoyé en mission, sous un nom d'emprunt, en Tchécoslovaquie, en France et à Londres en 1937. A PARIS, il aurait logé à l'ambassade soviétique, rue de Grenelle.

...

Note du 2e Bureau sur la section de contre-espionnage soviétique, 11 mai 1939.

Les « délégués opératifs » d'une façon générale, se rendent assez souvent à l'étranger où ils ont presque tous séjourné comme agents secrets. Parmi eux, on trouve un grand nombre de juifs.

La 3e section emploie diverses méthodes susceptibles de provoquer presque infailliblement des aveux, même de la part des personnes les plus innocentes. L'une d'elles est dite « de la chaîne » à laquelle le suspect est soumis soit assis, soit debout, soit encore dans d'autres positions moins confortables. Elle consiste en ceci.

Le patient est placé dans une pièce fortement éclairée et traversée par un violent courant d'air, dans la position fixée, et devant une ouverture où se tient un délégué opératif relayé fréquemment. Celui-ci questionne sans arrêt le suspect, jour et nuit, et veille à ce qu'il ne s'abandonne pas à la fatigue. Au bout de quelques jours d'un tel traitement, le patient se déclare presque toujours coupable, reconnaît tout ce qu'on lui reproche et signe des aveux déjà écrits par les fonctionnaires du GOuGB.

La 3e section entretient des agents secrets à l'étranger. En France, elle en a plusieurs dans « l'Association des amis de l'Union soviétique », où ils sont les mieux placés pour remplir leur mission. Aux dires d'un fonctionnaire de la GOuGB, il y aurait très peu d'agents secrets de ce service dans les partis communistes étrangers.

[SHD 7N3129]

✦

La DCRI conserve un document tapuscrit non daté de soixante-quatre pages qui semble avoir été élaboré en juin 1939 par l'inspection générale des services de la police administrative, la première partie, reproduite ici, décrit l'organisation des services soviétiques d'après les informations parcellaires dont disposent alors les Français. Elle est complétée par une seconde partie qui constitue un fichier d'agents.

« Chapitre II, La "Gougobez" ex-"Guépéou" », tapuscrit anonyme provenant de l'IG des services de la police administrative, juin 1939

SECTION I — STRUCTURE ET ORGANISATION DE LA « GOUGOBEZ »

La Tchéka, qui a succédé à l'Okhrana, ancienne police des tsars, a été remplacée par la Guépéou, qui signifie « service politique de l'État », et celle-ci est devenue récemment la « Gougobez » : « direction principale pour la Sûreté de l'État ».

Dans le système bolchevique, la « Gougobez » figure comme un service du commissariat de l'Intérieur, mais son chef est, en réalité, le ministre de l'Intérieur et de la Police. C'est le personnage le plus important de l'État après Staline.

Jusqu'au mois d'octobre 1938, ce personnage était Iegov (*sic*). Mais depuis, il a été remplacé par un nommé Georges Malenkov, personnage extrêmement jeune, ancien secrétaire particulier de Staline. La disgrâce de Iegov serait due, croit-on, à son attitude outrancière dans le domaine de l'épuration.

Le poste de commissaire-adjoint à l'Intérieur a été confié, au mois de janvier 1939, à M. Wsiewolod Woïkov, frère du ministre de l'URSS assassiné à Varsovie en 1927.

Sur le plan politique, diplomatique, militaire, économique, pour le contrôle des frontières et du réseau ferroviaire, de nombreuses sections parfaitement organisées travaillent sans relâche et surveillent toutes les branches d'activité de l'URSS.

L'activité de la Gougobez à l'intérieur de la Russie est complétée à l'étranger par des services qui sont, le plus souvent, intégrés dans ceux des ambassades et des consulats, et qui jouissent, par conséquent, de l'immunité diplomatique. Partout où les Soviets ont une représentation diplomatique, et particulièrement à Paris, fonctionne une section étrangère : la INO, qui y dirige le travail de la Goubobez.

Les tâches qui lui incombent consistent principalement à examiner la situation économique et politique de chaque État, à se procurer les documents intéressant le gouvernement de l'URSS, à découvrir les organisations qui envoient leurs agents en URSS, à effectuer un travail de décomposition au sein de l'émigration russe, et à surveiller les organismes et les citoyens soviétiques à l'étranger (légations et ambassades, missions commerciales, agences financières, étudiants, savants, techniciens soviétiques).

La direction centrale de la GOuGB se trouve à Moscou, place Lioubiaskaïa. Elle comprend environ 3 000 employés et les sections suivantes :

— Contre-espionnage (KHO),
— Étrangère (INO),
— Secrète (SO),
— Spéciale (OO, Ososby otdel),
— Spéciale (Speko),
— Économique (Ekou),
— d'Information (INFO),
— Opérative (Operativny Otdel),
— Orientale (VO),
— de Garde-frontière (PO),
— de Direction et d'organisation.

En font partie également les services suivants :

— Bureau économique,

— Commandant de place,
— Service des courriers,
— Coopérative,
— Cercle,
— Imprimerie,
— Prison.

La section étrangère et celle de la garde-frontière sont placées sous la direction du second adjoint du président de la GOuGB, tandis que la section spéciale dépend du comité exécutif du Parti communiste.

Le Collegium de la GOuGB se compose des deux adjoints du président et des chefs de section. Il se réunit en moyenne une fois par semaine.

ACTIVITÉ DES SECTIONS

La section du contre-espionnage est chargée de la lutte contre l'espionnage et contre les menées révolutionnaires. Il ne s'occupe guère moins d'espionnage que de contre-espionnage.

Cette section surveille spécialement toutes les légations étrangères en URSS.

Elle dispose d'un réseau important d'agents. Les directions de tous les hôtels et cinémas sont placées entre les mains de ses agents. Elle en a dans toutes les administrations et peut ainsi avoir des rapports journaliers sur ce qui s'y passe. Elle fournit aux légations des domestiques, des cuisiniers, des chauffeurs, etc.

La section est divisée en 5 bureaux qui s'occupent :

1er bureau : des hôtels, théâtres et restaurants, des légations (dont il contrôle la poste) ;

2e et 3e bureaux : des pays riverains de la mer Baltique ;

4e bureau : des pays orientaux ;

5e bureau : de l'Angleterre, de l'Amérique et autres pays.

Chaque bureau dispose de ses propres agents.

La section étrangère possède dans chaque légation soviétique à l'étranger et dans chaque consulat important son représentant officieux, qui est chargé de la direction des agents locaux. Généralement c'est le deuxième secrétaire ou l'attaché de légation, mais parfois il est choisi parmi les membres des représentations commerciales, ou même parmi ceux des organes économiques. Cette section se renseigne sur la vie économique et politique du pays et se procure tous documents qui pourraient être utiles pour l'URSS. Elle surveille l'activité du personnel de la légation soviétique et l'activité des réfugiés russes.

En plus de nombreux agents fonctionnaires, la section dispose à l'étranger d'agents secrets dont les noms et les passeports sont faux.

Elle entretient aussi à l'étranger des « résidents » secrets dont les prérogatives sont très étendues. En cas de guerre, ils se substitueraient dans une certaine mesure aux représentants officiels si ceux-ci devaient quitter les pays auprès desquels ils étaient accrédités. Ces agents ne doivent jamais avoir de liaison avec les légations soviétiques. Cette nouvelle organisation a été mise sur pied il y a cinq à six ans, c'est-à-dire à un moment où le danger de guerre a commencé à devenir réel.

Le poste de « résident » de la Guépéou en France, a été occupé par Beletzky, né en 1893 à Fockchany, jusqu'au 4 septembre 1937, date de l'assassinat de Reiss [Ignace Reiss, ex-espion soviétique opposé à Staline], à la suite duquel il a quitté précipitamment la France, pour se rendre, dit-on, en Espagne.

Le successeur de Beletzky paraît être le nommé Kisselev ou « Kisseiev », Dimitri, né le 8 novembre 1911 à Rjev, demeurant 52, rue Gay-Lussac, envoyé dans notre pays par le commissariat à l'Industrie lourde pour remplir les fonctions de conseiller technique à la direction générale de l'importation de la représentation commerciale de l'URSS.

La section spéciale s'occupe de la défense du Parti communiste en dehors et au sein de ce parti. Elle a des agents dans tous les milieux.

La section économique a au nombre de ses attributions le contre-espionnage économique.

La section secrète est chargée de veiller à ce [que] les secrets de l'État soviétique ne puissent pas parvenir à la connaissance de l'étranger. C'est elle qui a la haute main sur les chiffres employés par l'URSS et qui cherche à déchiffrer les télégrammes venant de l'étranger pour les légations ou envoyés par celles-ci. Chaque semaine, cette section dresse un aperçu sur le contenu des télégrammes envoyés et reçus par les légations étrangères à Moscou, lequel aperçu est distribué à tous les chefs des sections de la GOuGB et aux membres du Comité exécutif du Parti communiste.

Enfin, la section secrète a dans ses attributions la surveillance des prisons et le commandement des détachements de la garde intérieure des maisons de la GOuGB.

La section dispose d'un service spécialisé dans la fabrication de faux passeports et autres faux documents.

La section spéciale (*Osoby otdel*) surveille l'armée et la marine. Elle est en liaison avec les commissaires et le personnel politique de ces dernières. Cette section est chargée en plus de veiller à la protection des arrières de l'armée et plus spécialement des dépôts.

La section d'information est chargée de la surveillance de la population en général ; elle dispose d'une masse d'agents. Elle contrôle les lettres.

La section opérative dispose d'un cadre d'agents de confiance. Elle assure la surveillance des suspects. C'est elle qui exécute toutes les arrestations, les perquisitions, etc., et jusqu'à l'abattage des prisonniers dans les caves des prisons.

Insigne du KGB, *nouveau nom des services secrets soviétiques après* 1954.

La section orientale est chargée de l'activité de SH et de CE dans les pays d'Orient et de la surveillance politique dans les provinces soviétiques d'Orient.

Il semble donc que cette section fasse dans une certaine mesure double emploi avec le 4e bureau de la section de contre-espionnage.

La section des gardes-frontières dispose de toutes les troupes spéciales de la GOuGB et des gardes-frontières. Elle organise aussi, avec le concours de la douane, qui lui est presque soumise à ce point de vue, la lutte contre la contrebande.

La GOuGB a un représentant dans chaque république. Auprès de ces représentants, on trouve les mêmes cadres qu'à la direction centrale, mais bien entendu dans des proportions moins importantes. Dans chaque district et chaque commune la GOuGB a également son représentant officiel.

La GOuGB de Moscou dispose à elle seule de plusieurs milliers d'agents secrets. Elle peut pratiquement surveiller, non seulement, toutes les administrations, mais en somme chaque citoyen, sans parler des étrangers, dont la surveillance est bien facile.

La GOuGB collabore de plus avec la milice et la police détective. Enfin, elle reçoit suivant le fameux principe de Lénine — que chaque communiste doit être un tchékiste —, l'aide de tous les membres du Parti communiste, des Konsomotzy et de tous les citoyens consciencieux, lesquels doivent lui rapporter tout fait dangereux pour le pouvoir des Soviets. C'est ainsi qu'elle possède des centaines d'agents volontaires.

[DCRI]

De Gaulle à Londres.

Le 18 juin 1940, à la BBC, le général de Gaulle appelle les soldats, officiers, ouvriers et ingénieurs des usines d'armement à poursuivre le combat. Quelques milliers d'hommes seulement répondront à cet appel.

LES AGENTS SECRETS DE LA FRANCE LIBRE

La naissance du BCRA, à Londres avec de Gaulle

Sébastien Albertelli

Le 3 novembre 1941, le lieutenant artilleur Roger Warin arrive à Londres après s'être évadé de France par l'Espagne. Trois jours plus tard, il signe l'acte d'engagement n° 2236 D dans les Forces françaises libres sous le nom de Roger Wybot, qu'il choisira de conserver après la guerre.

En réalité, il travaille depuis plusieurs mois déjà pour le compte du service de renseignement de la France libre, dirigé par le chef de bataillon Passy. Les deux hommes ont pratiquement le même âge — l'un est né en 1912, l'autre en 1911 — mais Passy, de son vrai nom André Dewavrin, a signé son acte d'engagement en août 1940. À la vérité, il a rallié le général de Gaulle dès le 1er juillet, mais l'urgence n'était pas alors à signer des papiers. Capitaine du génie, Dewavrin a participé à la campagne de Norvège et fait partie des rares officiers qui ont choisi de s'engager dans la France libre.

De Gaulle lui confie le soin de monter, sans expérience et pratiquement sans moyens, le 2e Bureau de son état-major, celui qui s'occupe traditionnellement du renseignement. Avec l'aide de l'Intelligence Service

Fiche N° 33451

NOM et PRÉNOMS: Dewavrin André [illegible] **Grade:** ~~Commandant T.T.D.~~ ~~Capitaine~~ Lieut Colonel T.D.

Promotions, affectations et mutations diverses:
École Polytechnique 1/10/32 – 1/10/34
École Militaire et d'application du Génie 1/10/34 – 1/6/36
4e Rgt du génie (électro mécaniciens) 1/6/36 – 1/8/38
Professeur à l'école spéciale militaire de St Cyr (fortification) 1/8/38 – 1/9/40
Cdt la [illegible] Cie d'Électro-mécaniciens du 1/9/40 au 1/12/40
Adjoint au chef du service électrique de la IXe armée du 1/12/40 au 15/4/40
Cdt le génie de la 1re D.L.C. du 15/4/40 au 22/6/40
Promu Capitaine à titre définitif le 25/12/39. Affecté au QG (2e bureau)
~~Affecté~~ Promu Chef de Bon à T.T. le 25/3/40. QG (S.R.) E.N. du 1/12/41 – Cdt du
QG B.C.R.A.M. (E.N. du 5/3/42 – Promu Chef de Bataillon T.D. à compter du
25/12/41 (décret n° 206 du 26/3/42). Promu Lieut Colonel T.T. à compter du
~~Punitions et condamnations~~: 25/[illegible] (décret n° 208 du 26/3/42) – B.C.R.A. (d'après
E.N. du 1/12/42) – Promu Lt Colonel T.D. à/c du ? (Décret n° 1115 du 27/5/43).

Citations, témoignages de satisfaction et décorations: Citation à l'ordre de la 1re D.L.C. du 5/6/1940 – Croix de guerre Norvégienne (Réf: secrétariat CNG du 5.8.42) –
Croix de la Libération – Devient compagnon de la Libération (Décret n° 1023 du 20/5/43). –

Appréciation:

Empreintes digitales
(index)

A Londres le 15/9/1940
(Signature de l'intéressé)

A Dewavrin

Fiche d'André Dewavrin dit Passy.

Né dans une famille d'industriels du Nord installée à Paris, sorti de l'École polytechnique en 1934, il opte pour la carrière des armes, se spécialise dans le génie et devient professeur de fortifications à Saint-Cyr. En 1939, marié, père de deux enfants, il part en Norvège comme officier du génie puis comme officier de liaison. Il suit le périple du corps expéditionnaire jusqu'en Angleterre, où il est l'un des rares officiers à répondre à l'appel du général de Gaulle.

britannique, Passy envoie en France quelques agents pour recueillir des renseignements sur les préparatifs allemands en vue d'un débarquement en Grande-Bretagne et constituer des réseaux d'informateurs. En zone libre, contrôlée par Vichy, cette mission est confiée à Pierre Fourcaud. Début 1941, celui-ci croise la route de Warin, qui cherche à gagner Londres, et réussit à le convaincre qu'il sera plus utile en France. Warin est donc affecté au Bureau des Menées antinationales de Marseille, l'un des services de répression de Vichy, ce qui lui permettra de fournir à Londres des informations puisées aux meilleures sources.

Pourtant, en novembre 1941, Passy et son adjoint, André Manuel, accueillent Warin avec une certaine réserve. Ils savent qu'en août les services de Vichy l'ont arrêté en même temps que Fourcaud avant de le relâcher. Lorsque Warin a proposé de réorganiser le réseau, le SR s'est méfié car — négligence ou manque de temps — Fourcaud ne lui a communiqué aucune information sur l'identité de ses agents. C'est cette méfiance qui a décidé Warin à gagner Londres pour éclaircir la situation.

« Une passion pour les services spéciaux »

Sitôt arrivé, Warin-Wybot rencontre de Gaulle, qui refuse de le laisser repartir. Aussi Passy et Manuel s'interrogent-ils sur l'opportunité de l'employer au sein même du SR. Le jeune officier ne cache pas qu'il a « une passion toute particulière pour les services spéciaux » et qu'il ambitionne d'investir dans ce domaine ses capacités d'organisateur. Les responsables du service estiment rapidement qu'il serait absurde de se passer d'un homme aussi intelligent sous prétexte qu'il sera de toute évidence difficile à manier. Car en France, le recrutement des réseaux de renseignement prend de l'ampleur, les contacts avec les groupes de résistants se multiplient et les arrestations deviennent plus fréquentes. Il est urgent de se doter d'un service de contre-espionnage. Wybot apparaît comme l'homme de la situation : le 16 décembre 1941, Passy le charge de mettre sur pied une section chargée d'interroger tous les engagés volontaires de la France libre et toutes les personnes arrivant des territoires occupés. La création de cette section conduit à rebaptiser le service, qui devient le Bureau central de Renseignement et d'Action militaire (BCRAM) en janvier 1942 et finalement le BCRA en juin, avec la création d'une section de liaison politique.

Un officier aux nombreuses inimitiés

Le cœur du BCRA est constitué par ses sections opérationnelles, celles qui envoient des agents en France : la section Renseignement, qui missionnera environ 170 agents avant le Débarquement, et la section Action, qui en dépêchera entre 200 et 250. Ces sections assurent le contact avec le terrain en organisant des opérations aériennes clandestines et en établissant des réseaux de transmissions. Pour sa part, la section de contre-espionnage dirigée par Wybot se

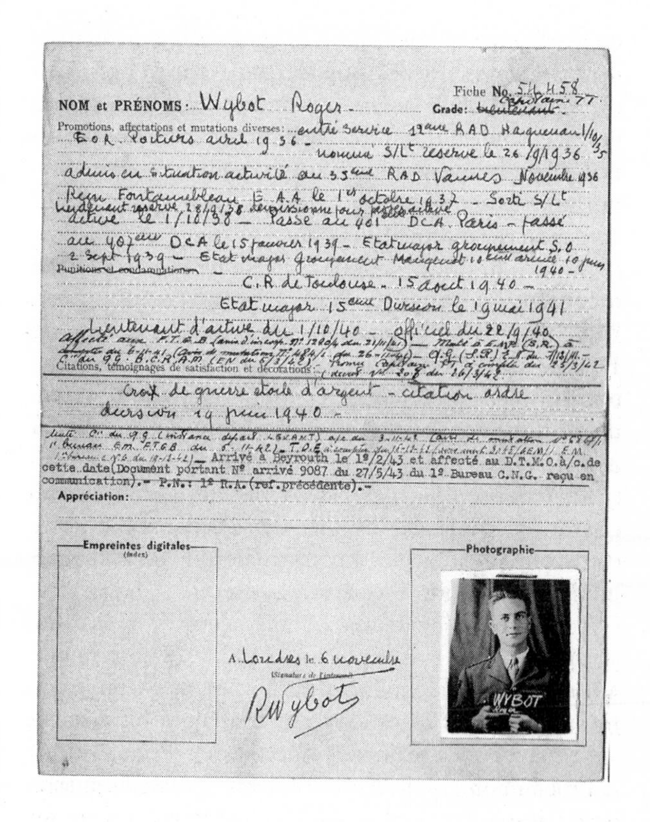

Fiche No. 54.458

NOM et PRÉNOMS : Wybot Roger — Grade : [illegible]

Promotions, affectations et mutations diverses : entré service 19ème R.A.D. Haguenau 1/10/35 – E.O.R. Poitiers avril 1936 – nommé S/Lt réserve le 26/9/1936 – admis en situation activité au 35ème R.A.D. Vannes Novembre 1936 – Reçu Fontainebleau E.A.A. le 1er octobre 1937 – Sorti S/Lt active le 1/10/38 – Passé au 401 D.C.A. Paris – passé au 407ème D.C.A. le 15 janvier 1939 – Etat major groupement S.O. 2 sept 1939 – Etat major [illegible] 1940 – C.R. de Toulouse – 15 août 1940 – Etat major 15ème Division le 1 mai 1941 – lieutenant d'active du 1/10/40 – officiel du 22/9/40 [illegible]

Punitions et condamnations :

Citations, témoignages de satisfaction et décorations : Croix de guerre étoile d'argent – citation ordre division 19 juin 1940 –

[illegible] Arrivé à Beyrouth le 1º/2/43 et affecté au D.T.M.O. à/c. de cette date (Document portant Nº arrivé 9087 du 27/5/43 du 1º Bureau C.N.G. reçu en communication). – P.N. : 1º R.A. (ref. précédente). –

Appréciation :

Empreintes digitales (index)

A Londres le 6 novembre

(Signature de l'intéressé)

R Wybot

Photographie

Fiche de Roger Warin dit Wybot.

Fils d'un employé de la SNCF, admissible à l'École polytechnique mais non reçu, il fait le choix d'une carrière militaire. En 1940, il sert dans l'artillerie. Après l'armistice, il travaille pour le colonel Groussard comme responsable des Groupes de protection (GP) dans le Cantal, où il surveille les opposants au régime de Vichy et lutte contre les agents.

concentre sur la création d'un gigantesque fichier des sympathisants ou des opposants, à partir des interrogatoires qu'elle mène à Londres et des courriers et télégrammes que reçoivent les sections opérationnelles. Wybot estime qu'un fichier efficace doit comporter 40 000 entrées : fin septembre 1942, il en comportera environ 50 000.

Malgré un professionnalisme dont témoigne cette incontestable réussite, Wybot ne parviendra pas à s'imposer dans le premier cercle des dirigeants du BCRA. Sa personnalité, son ambition, ses méthodes et sa propension à suspecter tout le monde lui valent de nombreuses inimitiés, notamment celle d'André Manuel, qui s'affirme comme le n° 2 du service.

En octobre 1942, poussé à résoudre un nouveau conflit, Passy décide à regret de se séparer d'un officier dont il estime le travail, mais qui reste décidément impossible à cadrer. La section de contre-espionnage est un temps confiée à Pierre Fourcaud, évadé entre-temps des geôles de Vichy. Wybot rejoint alors les troupes gaullistes au Levant mais, pour éviter la capture d'un officier qui connaît si intimement les rouages de l'action clandestine en France, il est d'abord maintenu à l'écart du front. Après la guerre, il mettra à profit son expérience pour s'imposer comme le chef incontesté des services de contre-espionnage français — la Direction de la Surveillance du Territoire (DST) — jusqu'en 1958.

En 1943-1944, le BCRA fusionne avec les services secrets du général Giraud au sein de la DGSS (Direction générale des Services spéciaux), qui deviendra la DGER (Direction générale des Études et Recherches)

FORCES FRANÇAISES LIBRES.

ACTE D'ENGAGEMENT.

No de l'engagement. 2236 D

Par devant nous, (1) ____________________

représentant le Général de Gaulle, Commandant en Chef les Forces Françaises Libres,

a comparu M (2) le Lieutenant Wybot

M. (2) Le lieutenant Wybot a déclaré :

—avoir pris connaissance du statut du personnel des Forces Françaises Libres.—s'engager à servir avec Honneur, Fidélité et Discipline dans les Forces Françaises Libres pour la durée de la guerre actuellement en cours.

à Londres le 6 Novembre 1941.
le six novembre mil neuf cent quarante et un

l'Intendant Militaire (4).
le Commissaire de la Marine (4).

Lu et approuvé (3).

Lu et approuvé

Signature de l'engagé RWybot

COMMISSARIAT NATIONAL A LA GUERRE
LE DIRECTEUR DE L'INTENDANCE
F. L.

Signature de deux témoins.

(1) nom de l'Intendant Militaire, du Commissaire de la Marine ou de l'Officer en faisant fonctiou.
(2) nom et prénoms de l'engagé, avec le grade éventuellement.
(3) mention à porter en toutes lettres de la main de l'engagé.
(4) Rayer la mention inutile.

54.458

L'acte d'engagement est établi en deux exemplaires :
L'exemplaire blanc est à conserver par le Bureau des Effectifs du Depôt Central.
L'exemplaire bleb est à remettre à l'engagé.

(15848) Wt.P.1128/9 12,000 (2 sorts) 9/40 A.& E.W.Ltd. Gp.685

Acte d'engagement de Wybot dans les Forces françaises libres.

Daté du 6 novembre 1941, ce document porte au verso la mention suivante : « La signature de cet acte d'engagement a été retardée par des circonstances inévitables. Les services effectifs du lieutenant Wybot Roger ont commencé le 1er avril 1941. » Il a donc servi comme agent P 2, c'est-à-dire agent consacrant la totalité de son temps au service, pendant sept mois en France.

en octobre 1944 puis le SDECE (Service de Documentation extérieure et de Contre-espionnage) en janvier 1946. Il a fourni aux Alliés une part importante des renseignements nécessaires à la préparation des débarquements en Normandie et en Provence. Il a organisé les troupes de la Résistance et planifié leur intervention le jour « J ». Il a enfin constitué un instrument essentiel entre les mains du général de Gaulle pour asseoir son pouvoir au moment de la Libération.

LA VIE CLANDESTINE
DE PIERRE MENDÈS FRANCE

Les avances d'une espionne sur le chemin de Londres

Jean Lacouture

Peu de citoyens français ont abordé la Seconde Guerre mondiale avec plus de détermination combative que Pierre Mendès France, député radical de l'Eure depuis 1932.

Farouchement antinazi, il avait été le seul député à proposer le boycott des jeux Olympiques de Berlin en 1936 ; sous-secrétaire d'État dans le second gouvernement de Léon Blum, en 1938, il s'était associé à toutes les mesures de réarmement en vue du conflit qui s'annonçait.

Mobilisé comme officier de l'armée de l'air, il part pour le Levant en 1939. Au cours d'une permission en France, en mai 1940, il est surpris par la débâcle et gagne Bordeaux où se sont repliés le gouvernement et le Parlement ; il réussit, avec vingt-sept parlementaires, à s'embarquer sur le *Massilia* en partance pour Casablanca. C'est là qu'il est appréhendé par les autorités vichystes et renvoyé en France, en tant que déserteur.

En janvier 1941, il est traduit devant le tribunal de Clermont-Ferrand, qui vient de condamner à mort le futur maréchal de Lattre de Tassigny, après le général de Gaulle... Bravement défendu par Me Pflimlin, père du futur ministre de la IVe République, il est condamné le 9 mai à six ans de prison. Le soir où il apprend le rejet de son pourvoi en cassation, il s'évade et entre dans la clandestinité sous le nom de Laurent Seoyer.

Après deux mois d'errance, il réussit à passer en Suisse par le lac Léman, à partir de Thonon. Convenablement traité par les autorités suisses, moins bien par les agents diplomatiques anglais, il réussit à obtenir les faux papiers nécessaires à son embarquement pour Londres, via Lisbonne. C'est sous le nom de Jan Lemberg, de nationalité polonaise, qu'il part « pour Cuba » avec un groupe de Polonais à la gare de Genève, en direction de Barcelone, puis de Lisbonne, où il prend pied après huit jours de voyage dans un train plombé.

À Lisbonne — terre de ses ancêtres, immigrés en France au XVe siècle —, il est en proie aux avances d'une très blonde Anglaise, fort indiscrète, qu'il invite à danser. Mais Mendès n'est pas dupe et il a raison : il apprendra plus tard qu'elle travaille pour les nazis. Il prend contact avec le délégué de la France libre, Gorlier, qui le recommande au colonel Schreiber, chargé des liaisons avec l'Angleterre.

Et trois jours plus tard, il embarque sur un hydravion à destination de Londres — où, accueilli par son ami Georges Boris, il est dès le soir de son arrivée présenté par celui-ci au général de Gaulle, qui va faire de lui l'un de ses ministres.

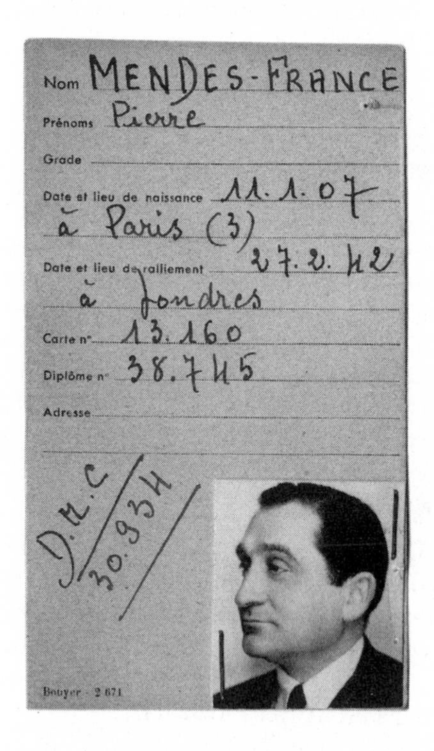

Nom MENDES-FRANCE

Prénoms Pierre

Grade

Date et lieu de naissance 11.1.07
à Paris (3)

Date et lieu de ralliement 27.2.42
à Londres

Carte n° 13.160

Diplôme n° 38.745

Adresse

D.R.C
30.334

Bouyer - 2 871

Fiche du Bureau Résistance de Pierre Mendès France.

✦

« UNE JEUNE PERSONNE INDISCRÈTE »

Lettre de Pierre Mendès France au délégué de la France libre à Lisbonne, 24 juillet 1942

Cher Monsieur,

Je réponds à votre lettre du 18 juin au sujet du petit incident qui s'est produit à la fin de mon séjour à Lisbonne. Le 10 février, veille de mon départ, vers 20 heures, j'ai reçu à la pension Lis la visite d'une jeune femme blonde qui parlait très bien le français tout en ayant un accent anglais prononcé. Elle était au courant de ma situation, connaissait mon vrai nom et la plupart des détails concernant mon aventure. Je n'ai pu malheureusement noter son nom. Elle m'a dit seulement avoir autrefois longuement vécu à Paris. Elle m'a dit aussi qu'elle travaillait avec le correspondant à Lisbonne du *Daily Mirror*, et m'a demandé pour ce dernier un interview avec si possible une photographie de moi, etc. Inutile de vous dire que j'étais à la fois ennuyé et intrigué. J'ai refusé tout interview et toute confidence en expliquant que je me trouvais dans une situation très particulière qui nécessitait encore beaucoup de prudence et je lui ai demandé comment elle était informée de ma situation.

Elle a refusé de me répondre mais m'a laissé entendre qu'elle avait recueilli ses renseignements auprès du colonel Leslie et qu'elle savait que j'avais été reçu à deux reprises par ce dernier. Elle m'a dit m'avoir également rencontré dans la rue avec M. Maurice Wohl, un Anglais qui résidait alors à Lisbonne et M. Maurice Weissmann, un Polonais alors à Lisbonne et maintenant en résidence forcée à Caldache da Reinha.

Name (in block capitals)	MENDES FRANCE
Nationality at Birth	Français
Nationality at present	Id.
Age Né à Paris 11-1-07	35 ans
Address for last 3 years	Louviers (Eure) Prisons militaires Casablanca " " Clermont Ferrand
Previous employment	Député Avocat
Previous military service	Officier aviateur breveté personnel navigant
Languages	Français Allemand
Passport Date Place of Issue No.	Passeport faux polonais n° 5659 VIII dont j'indiquerai l'origine en cas de besoin.
Medical history	Bonne santé.
Details of family	Marié, 2 enfants mon père Cerf M. F. né Limoges 1874 ma mère Sarah Cahn née à Strasbourg 1880
Have you any money?	oui
What do you wish to do in England?	Je désire m'engager dans les Forces aériennes des F.F.L.
Present address	Je suis actuellement à la pension Lis, avenue d. l. Liberté, sous le nom de Jan Isemberg, de nationalité polonaise.

Normal Signature.

Formulaire britannique rempli en français par Pierre Mendès France, qui indique sa volonté de s'engager dans les Forces françaises libres.

Après avoir éconduit difficilement cette jeune personne indiscrète et lui avoir recommandé le silence, j'ai vu le soir même vers 21 heures, MM. Wohl et Weissmann que je connaissais en effet, bien qu'ils n'aient joué aucun rôle dans mon affaire, ni ne m'aient aidé en aucune manière. J'avais rendez-vous ce soir-là pour leur dire au revoir puisque je prenais l'hydravion vers minuit. J'ai eu l'occasion de leur parler de cette Anglaise qu'ils identifièrent sans difficulté. Ils me dirent ne pas l'avoir vue depuis assez longtemps, en tout cas depuis mon arrivée à Lisbonne. (Ce n'est donc pas par eux qu'elle savait quoi que ce soit à mon sujet.)

Ils ajoutèrent qu'ils la connaissaient comme très indiscrète et m'invitèrent à me méfier beaucoup d'elle, ce qui était d'ailleurs superflu puisque je partais le soir même.

[SHD-DIMI 16P410280]

ESPION MALGRÉ LUI À MAUTHAUSEN

Un témoin de l'enfer concentrationnaire

Dominique Missika

De prime abord, c'est un banal rapport de gendarme, daté du 5 novembre 1941. En réalité, il s'agit d'un document d'une immense valeur historique. Son auteur : le gendarme Maurice Godignon, trente-sept ans, marié, sans enfant, affecté à la brigade de Doyet dans l'Allier. Du fait d'une horrible méprise, il est le témoin oculaire de l'enfer concentrationnaire et un rescapé de la première heure du camp de Mauthausen.

Capturé en Alsace en juin 1940, Maurice Godignon est d'abord détenu dans un camp de prisonniers de guerre, le Frontstalag 140. Souffrant du cœur, il est transféré à l'hôpital militaire de Belfort avec trente-trois camarades, le 13 décembre 1940, le jour du renvoi de Pierre Laval par le maréchal Pétain, qui promet le retour rapide des prisonniers.

L'odyssée du gendarme commence un mois plus tard, le 13 janvier 1941, quand il prend place dans une voiture de troisième classe, chauffée, de la Compagnie de l'Est. Le plus incroyable, c'est qu'il croit sa libération imminente. Hélas pour lui et ses camarades, le convoi comporte des wagons à bestiaux où s'entassent quinze cents « Espagnols rouges » que les services de la Gestapo ont identifiés dans les différents stalags. Combattants de l'armée républicaine, réfugiés en France et enrôlés à l'intérieur des camps d'internement français dans des compagnies de travailleurs étrangers, ils ont partagé le sort des forces françaises, employés la plupart du temps à l'entretien ou à l'édification des fortifications.

Le gendarme ignore encore le sort que les vainqueurs leur réservent. Assimilés par la propagande nazie à des agents du communisme international, ils sont considérés comme des ennemis politiques dangereux et systématiquement internés dans les KL — *Konzentrazionslager*, camps de concentration — depuis août 1940.

Le train roule jusqu'au camp de prisonniers de Fallingbostel (Stalag XI B), près de Hanovre. On désigne aux soldats français la même baraque que les Espagnols. Pour deux jours seulement, lui dit-on. Jusque-là rien d'anormal. Le gendarme Godignon est confiant. Pourquoi ne le serait-il pas ?

« L'escalier de la mort »

25 janvier 1941. Nouveau départ. Deux jours de voyage, de fréquents arrêts, des noms de villes qui ne lui disent rien. Quand enfin le convoi s'immobilise dans la gare de Mauthausen, à vingt kilomètres de Linz, ville de Haute-Autriche où Hitler passa une partie de sa jeunesse, le choc est violent. Le gendarme Godignon fait face à des rangées de SS arborant l'uni-

forme noir à tête de mort, casqués, la baïonnette au canon. À la descente du train, ce ne sont que hurlements, vociférations et aboiements de chiens policiers.

« C'est un bagne », écrit le gendarme, qui découvre le spectacle saisissant de « l'escalier de la mort » : les 186 marches de la carrière d'où les déportés remontent des blocs de granit à dos d'homme, sous les coups des kapos et des SS. Saisi de stupeur, il voit les gardiens frapper des détenus avec férocité.

Dépouillé de son uniforme de soldat français et de ses effets — linge de corps, nécessaire de toilette et objets de valeur —, le gendarme est rasé. On lui jette des sous-vêtements, une chemise en drap, une paire de galoches et un treillis rayé bleu et blanc avec un calot. Désormais il n'a plus de nom, mais un chiffre matricule — 6614 — inscrit sur la manche gauche de sa veste, avec un triangle bleu réservé aux apatrides et un S pour *Rotspanier* — « Espagnol rouge ». Le voilà classé dans la catégorie des ennemis du Reich, destinés à mourir.

Six mois d'horreur. Après douze heures de travail forcé, sous la neige ou la pluie, il passe ses nuits dans une baraque sans chauffage toutes fenêtres ouvertes par moins vingt dehors. Sa couche : un châlit pour deux avec une seule couverture ; son repas : un liquide noirâtre en guise de soupe avec une boule de pain. Il l'entend dire : il ne sortira que par la cheminée du crématoire.

Déporté politique

En avril 1941, enfin, les trente-quatre Français réussissent à se faire entendre et, après enquête de la Gestapo, à prouver l'erreur de triage au départ du train.

Mais le cauchemar va se poursuivre. Épuisé, brisé moralement, Maurice Godignon s'attend à un rapatriement sanitaire. Erreur ! Il est enfermé dans un wagon cellulaire qui s'arrêtera sept fois en route. À chaque arrêt, on le force à sortir menottes aux poignets et à dormir en prison. Après dix-huit jours de périple, il réintègre le Stalag XI B, Fallingbostel, d'où il était parti.

Redevenu simple prisonnier de guerre, il lui faut encore patienter et attendre un congé de captivité, demandé auprès de la mission Scapini : ainsi désigne-t-on, du nom de l'ambassadeur qui la dirige, l'administration habilitée à négocier avec le gouvernement allemand sur ces questions, le Service diplomatique des Prisonniers de Guerre (SDPG). Enfin, le 14 octobre 1941, un ordre de libération lui parvient et, quatorze jours plus tard, il est renvoyé à la brigade de Doyet « par mesure spéciale de l'OKW (Commandement suprême des forces armées allemandes), pour réparation d'erreur ».

Ce n'est que quatre ans plus tard, à la fin de la guerre, qu'on lui reconnaîtra la qualité de déporté politique. S'il a d'abord partagé le sort des 1,8 million de soldats français capturés par la Wehrmacht victorieuse en juin 1940, la suite de sa captivité est celle

KONZ... TIONSLAGER MAUTHAUSEN
...utzhaftlager

Lagerschreibstube

Mauthausen, den 7. Mai 1941

Ph. Aftlg

Veränderungsmeldung für den 6. Mai 1941

Abgang: 34 Franzosen lt. Liste (Kriegsgefangene)

1.	Boulanger	Jean	5200	15.7.11	Bacarat M...
2.	Boury	René	5203	10.11.16	Estrees Aisne
3.	Breysse	Victor	5205	31.12.15	S. Etienne Loire
4.	Benoit	Maurice	6815 · 3155	9.9.02	Roiffe
5.	Bruneau	Maurive	5207	3.2.12	Mirabeau de P.
6.	Courbot	Pierre	5263	17.10.09	Denney Belfort
7.	Davy	Albert	5285	30.7.11	Paris
8.	Degournay	Maurice	5293	8.9.10	Le Mesnil Oisne
9.	Delabande	Georges	5299	27.3.15	Commont sur Orn
10.	Dreyfus	Robert	5343	17.12.05	Belfort
11.	Ehrle	Jean	6601	23.11.10	St. May
12.	Fabre	Marcel	6603	8.3.08	Ribeyrevieille
13.	Godignon	Maurice	6614	28.11.03	Vallion en Sully
14.	Guirello	Lange	6621	25.3.15	La Crau de Ch.
15.	Laporte	Emile	6627	22.5.05	La Condamine S.
16.	Hovasse	Louis	6622	1.11.10	Luneville M.
17.	Lesague	Marcel	6629	2.2.02	Beaumont Oise
18.	Magnien	Louis	6637	22.4.11	Vauvillers
19.	Maigne	Marius	6638	18.5.10	St. Etienne
20.	Maray	Ignasy	6639	20.7.99	Wysoka Pol.
21.	Hormand	Eugene	6649 · 3158	11.12.04	La Charité
22.	Orlewski	Thade	6650	13.7.21	Cracovice Pol.
23.	Plougmann	Louis	6661	8.8.18	Londres
24.	Roche	Andre	6667	31.8.97	Provencheres
25.	Perrey	Gaston	6659	30.9.07	Belemont
26.	Sawiecki	Georges	6682	25.8.16	Moscou (Rußl.)
27.	Therien	Serge	6687	29.1.20	Lachine
28.	Seyller	Henri	6684	19.9.00	Paris
29.	Thomas	Pierre	6688	7.8.04	Prunay
30.	Trier	Raymond	6691	9.1.04	Paris
31.	Vallet	Gabriel	6693	7.4.10	Gennetinnes
32.	Zinmol	Antoinne	6700	9.6.05	Krol Kuta
33.	Averous	Andre	6812	14.9.12	S. Amans
34.	Roudaire	Paul	6672 · 3157	8.4.09	S. Pierre d. Ch.

Abgang: (Entlassung)

1.	B.V.	Arnhold Martin	16	19.8.05	Neckenmarkt
2.	Schutz	Markfelder Allois	1786	23.2.06	Richt-Pfalz

Der Lagerschreiber

Leitzinger

Liste des déportés du convoi dans lequel se trouvait Maurice Godignon.

réservée par les nazis aux prisonniers politiques ou de droit commun, et plus tard aux résistants.

Un rapport glaçant

Espion malgré lui, mais formé comme tout gendarme aux techniques de renseignement, Maurice Godignon consigne dès son retour le résultat de ses observations. Son rapport, écrit dans un pur style administratif, n'en est que plus glaçant : il révèle le sort réservé aux républicains espagnols livrés par Vichy à l'occupant, met en relief la condition des prisonniers de guerre et rend compte de ce qu'il a vu et subi dans l'enfer concentrationnaire nazi. Et ce, dès 1941…

✦

SIX MOIS D'HORREUR

Rapport du gendarme Maurice Godignon sur Mauthausen, 5 novembre 1941

J'ai été fait prisonnier le 22 juin 1940 à Gérardmer (Vosges) en même temps que toute la prévôté du quartier général du 13e corps d'armée et dirigé avec trois autres gendarmes sur le camp de Neuf-Brisach (Alsace). Je suis resté dans ce camp jusqu'au 4 août 1940, date à laquelle je suis parti au Frontstalag 140 à Belfort, avec un convoi de 450 gardes et gendarmes aux fins de notre rapatriement. Seuls ceux de la zone occupée ont été libérés vers la fin août. Je suis resté dans ce camp du 5 août au 12 décembre 1940. Pendant cette période, je n'ai eu à ma connaissance aucun événement qui mérite d'être signalé, à part la nourriture qui était nettement insuffisante.

Le 13 décembre 1940, j'ai été admis à l'hôpital de Belfort où j'étais en traitement pour le cœur jusqu'au 13 janvier 1941, date à laquelle j'étais porté sortant avec trente-trois autres prisonniers français. Ce même jour, un convoi de quinze cents Espagnols rouges (prisonniers au Frontstalag 140), était formé pour partir en Allemagne ; nous avons été joints à ce convoi. Les trente-quatre Français, parmi lesquels je me trouvais seul comme gendarme, avaient pris place dans deux wagons de voyageurs chauffés. Ce convoi est arrivé à Fallingbostel (Stalag XI B) le 15 janvier, où nous n'étions que de passage. Le médecin-chef français de l'hôpital de Belfort avait déclaré au moment de notre départ que nous allions au XVII A en Autriche. Au XI B, nous n'avons pas été séparés des Espagnols et logés dans la même baraque ; nous n'avons pas cru faire de démarches à ce sujet puisque notre séjour dans ce camp devait être de courte durée.

En effet, le 25 janvier 1941, tout le convoi quittait le XI B pour l'Autriche et arrivait à destination le 27, en gare de Mauthausen. À la descente du train, des sentinelles SS nous attendaient. Sur le parcours de la gare au camp, en voyant certaines affiches, nous avons commencé à comprendre ce qui nous attendait par la suite. Quelques instants plus tard nous arrivions au camp, qui, à la place du Stalag XVII A, était le camp de concentration de Mauthausen, près de Linz (Autriche), où n'étaient internés que des prisonniers civils : Allemands, Autrichiens, Polonais, Tchèques, etc. et juifs de tous pays ; condamnés politiques, de droit commun, voleurs, meurtriers et combien d'autres catégories.

À peine entré dans ce bagne, trois officiers SS, après nous avoir fait pénétrer dans un block, nous ont invités à quitter notre tenue pour revêtir celle à rayures du camp. Parmi les trente-quatre, se trouvaient deux interprètes qui ont insisté auprès des Allemands, leur déclarant que nous étions trente-quatre Français parmi le convoi d'Espagnols et que notre envoi dans ce lieu provenait d'une erreur.

Toutes nos protestations laissaient les SS indifférents et leurs réponses étaient celles-ci : « Si vous êtes envoyés ici avec ce convoi, c'est parce que vous avez combattu avec les rouges en Espagne. » Comme nous insistions pour ne pas quitter notre tenue, deux officiers ont sorti leur revolver et s'apprêtaient à tirer. Nous n'avons plus insisté. Un moment après, nous étions transformés en bagnards avec une tenue de coutil à rayures bleu et blanc, et calot de même couleur ; les cheveux rasés. Tous nos effets, y compris linge de corps, objets de toilette, savon et objets de valeur, retirés. Après cette opération, nous avons été conduits dans une baraque, toujours mêlés parmi les Espagnols et considérés comme tels pendant cent jours, où nous avons été soumis au régime et à la discipline de fer de ce pénitencier qui est le plus dur d'Allemagne.

Le lendemain, notre premier travail a été de demander le rapport du commandant du camp, qui a été renouvelé chaque semaine ; toutes nos demandes restaient sans réponse. Le plus pénible, c'était d'être sans nouvelles de nos familles et de ne pouvoir leur écrire ; c'est ainsi que courant mars, une lettre a pu toucher le commissaire du camp, où nous demandions de pouvoir écrire. Celle-ci a été envoyée à Berlin, et huit jours après, le commandant du camp était invité à fournir la liste des Français internés à Mauthausen avec nos pièces d'identité à l'appui. Une enquête menée par la Gestapo aboutissait un mois et demi après, où il était reconnu que l'erreur avait été commise par le Stalag XI B qui avait omis de faire le triage des Français au passage du convoi. Aussitôt notre affaire éclaircie, les SS ont été plus bienveillants envers nous et les mauvais traitements et brimades de toutes sortes, commis aussi bien par les chefs de blocks, qui étaient des détenus, que les sentinelles, ont pris fin.

Pendant ma détention dans ce camp, j'ai été employé avec mes autres camarades dans une carrière de granit qui était toute proche. Au mois de février, la durée du travail était de douze heures par jour, par tous les temps, sous la neige ou la pluie. Il était interdit de s'abriter et de lever la tête une seconde, sous risque de recevoir des coups, soit par les SS ou certains détenus qui étaient chefs de chantiers. Le soir au départ de la carrière, il fallait que chacun emporte une pierre de taille qui variait de 20 à 30 kg jusqu'au camp en grimpant un escalier de 157 marches (*sic*) d'une inclinaison de 70 à 80 degrés. Les chambres étaient sans feu ; nous couchions deux par lit à une personne, avec une couverture. Il fallait laisser les fenêtres ouvertes toute la nuit avec une température de 30 à 35° au-dessous de zéro. Nous n'avions aucun effet de rechange. Il m'est arrivé plusieurs fois de me coucher sans chemise et de la reprendre toute mouillée et glacée le lendemain, de rester dans cet état huit jours de suite avec des effets qui ne séchaient que sur le corps. Nous ne changions de chemise que toutes les six semaines. Pas de désinfection ni douches, que le jour de notre départ. La nourriture était la même que dans le Stalag, complètement insuffisante pour fournir un travail forcé. Il était interdit de se faire porter malade, sous peine d'être expédié dans un autre camp à proximité qui servait de tombeau. La porte de sortie qui nous était indiquée était le crématorium.

Personnellement, j'ai reçu plusieurs coups de poings par des chefs de baraques qui étaient prisonniers civils. J'ai été témoin de plusieurs incidents ; je ne citerai ici que les principaux : vers le courant février, alors que j'accomplissais une corvée au camp avec quelques Français, j'ai vu le chef Averousse André, domicilié rue de Verdun à Castres (Tarn), recevoir de violents coups de poings et de bottes par un officier SS sans aucun motif. Les sergents français Peynet Gaston, domicilié à Delmont (Suisse) ; Seller Henri, 114, rue de la Roquette à Paris XIe ; Trier Raymond, 56, rue de la Chapelle à Paris XVIIIe et le soldat Guirello Lange, à Lacrau-de-Châteaurenard (Bouches-du-Rhône), ont reçu également des coups assez sérieux, à des dates que je ne peux préciser, par les chefs de blocks ; j'ai été témoin de ces faits ; mais j'ignore le nom des auteurs ; sans aucun motif, des sentinelles nous faisaient faire parfois des heures, la marche en canard, le pas de l'oie et combien d'autres genres de brimades qu'il serait trop long d'énumérer.

Pendant la durée de détention à Mauthausen, du 27 janvier au 6 mai 1941, je n'ai pu écrire ; ma famille est restée sans nouvelles du 3 janvier au 11 juin. Nous avons quitté le camp de concentration le 6 mai à destination du Stalag XI B où nous sommes arrivés le 24, après avoir voyagé par wagons cellulaires et voitures cellulaires, en passant par sept prisons qui sont les suivantes : Vienne (du 7 au 13 mai), Brun (Tchéco, du 13 au 14), Marich Schunberg (du 14 au 15), Breslau (du 15 au 16), Berlin (du 16 au 19), Hanovre (du 19 au 22), Lüneburg (du 22 au 23 mai). Nous avons été remis à l'autorité militaire à Lüneburg pour rejoindre le Stalag XI B le même jour. À ce moment, nous étions tous dans un état physique lamentable, et le moral était sérieusement atteint après avoir subi cette terrible épreuve. Au Stalag XI B, nous avons fait aussitôt une lettre qui par l'intermédiaire de l'homme de confiance a été adressée à la mission Scapini pour la mettre au courant de notre aventure ; le 14 octobre 1941, la Kommandantur recevait l'ordre de libérer les 34 prisonniers de Mauthausen. J'ai été rapatrié le 28 octobre 1941 de l'OKW pour réparation d'erreur. Je détiens la liste des 33 autres Français qui ont subi le même sort. [...]

[SHD-DGN]

LE PILLAGE DE LA FRANCE

Les activités de la Firme Otto sous l'Occupation

Grégory Auda

Hermann Brandl, *alias* Otto, aura été l'un des meilleurs officiers des services de renseignement allemands. Rédigés en 1947, les rapports des Renseignements généraux parisiens sur son compte ne laissent pourtant deviner qu'un homme de l'ombre, organisant le pillage économique de la France. Né le 1er juillet 1896 à Uttlau, en Bavière, cet ingénieur entre en 1925 dans une société belge. On suppose que c'est à cette époque qu'il rejoint les rangs de l'Abwehr, le service de renseignement de l'état-major allemand.

Brandl, matricule 03069 DT, travaille alors avec le colonel Rudolph et recrute des agents en France, en Suisse, en Espagne, au Portugal et en Afrique du nord. En 1934, il appartient au poste de Cologne, antenne de celui de Munster qui manipule des espions opérant en France. C'est donc un véritable spécialiste qui arrive à Paris en juillet 1940, avec le premier contingent chargé d'y implanter un organe de collecte et de centralisation des informations. Installée dans les somptueux locaux de l'hôtel Lutetia, l'Abwehr France relève directement des services centraux de Berlin dirigés par l'amiral

Canaris. Jaloux de leur liberté d'action, ses chefs encouragent le développement d'organismes à façade commerciale — les « bureaux » — qui permettent de lever des fonds sans avoir besoin d'en référer aux contrôleurs de l'armée.

La chasse aux marchandises

Ces bureaux vont servir à recycler les centaines de millions versées par la France au titre des frais d'occupation. Ces montagnes de papier-monnaie, il faut les transformer en métal, en or, en textile, en cuir... Autant de denrées qui doivent permettre à l'Allemagne de vaincre. Les marchandises sont acheminées vers l'Allemagne par la Rohstoffhandelsgesellschaft ou Roges (Société pour le commerce des matières premières), une société entièrement contrôlée par l'État nazi, qui avance par ailleurs les fonds nécessaires aux achats. Avec le capitaine Radecke, Otto crée donc une vaste organisation de bureaux d'achats, dont les directeurs sont des hommes acquis aux services de l'hôtel Lutetia : ce réseau d'entreprises va entrer dans l'Histoire sous le nom de « Firme Otto ». Brandl installe ses services dans trois immeubles, aux 18, 23 et 24 square du Bois-de-Boulogne. Le bureau est divisé en cellules chargées chacune d'un secteur précis : textile, cuir, outillage, métaux, meubles, vêtements... L'activité est telle que, dès février 1941, Otto réquisitionne la société des Magasins généraux de Paris, ainsi que divers hôtels particuliers où s'établissent d'autres officines.

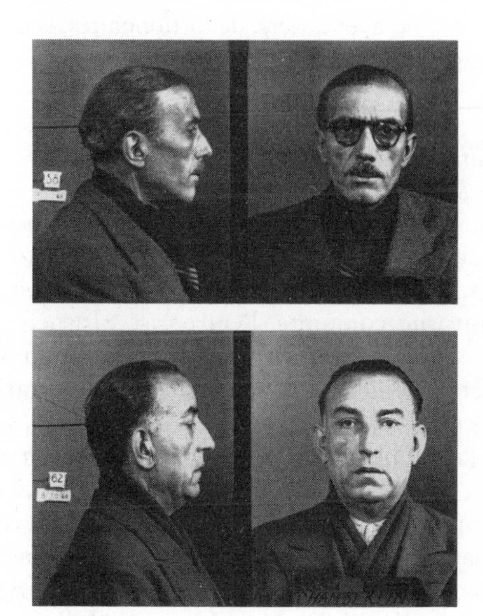

Bonny et Lafont.

Le policier révoqué, Bonny, et le truand, Lafont, deux mercenaires de la Gestapo française au service de l'entreprise de pillage Otto. SHD

Ces organismes, confiés à des agents allemands, recrutent des auxiliaires français ou étrangers qui ont prouvé leur fidélité au Reich. Parmi eux, le Suisse Max Stocklin, les Français de la bande Bonny-Lafont ou du groupe de Rudy de Mérode, le Belge Masuy, le Géorgien Odicharia, le Néerlandais Gédéon van Houten... Un ramassis d'aventuriers, de tortionnaires, issus de ce qu'on appellera « les Gestapos françaises ».

40 milliards de francs

Otto va s'affranchir ensuite du contrôle trop intéressé de Radecke et s'adjoindre le beau-frère de ce dernier, le Dr Fusch, un ancien avocat berlinois. Sous leur autorité conjointe, l'entreprise prospère et les fournisseurs, de plus en plus nombreux, pratiquent une véritable chasse aux marchandises, à Paris, en province et jusqu'en zone libre. La transaction, simplifiée à l'extrême, autorise tous les abus. Les prix pratiqués par les bureaux d'achats, démesurément élevés par rapport à ceux fixés par le gouvernement, ruinent ainsi par avance tous les efforts en vue de maintenir le niveau de vie des Français. Il faut faire main basse sur tout ce que la France peut fournir. Ainsi, les cuirs verts, dont le prix officiel a été fixé à 8 francs le kilo, peuvent se vendre jusqu'à 72 francs !

Surtout, le trafiquant, qui n'a aucune pièce d'identité à fournir, peut présenter son offre sous un simple prénom ou sous un nom d'emprunt. Il n'a plus qu'à se présenter à la caisse, rue Adolphe-Yvon, afin de se faire payer. Le caissier avouera aux enquêteurs des RG qu'il payait chaque jour entre 150 et 300 millions de francs aux différents fournisseurs. On estime à plus de 40 milliards la valeur des marchandises dirigées vers l'Allemagne. À la fin de 1942, l'activité des bureaux décroît. Ce système, qui favorise la corruption et le gaspillage, pousse les Allemands à changer de stratégie. Otto est alors nommé « commissaire du Reich pour le commerce supplémentaire », terminologie administrative qui le désigne comme l'un des principaux acheteurs allemands en Europe. Otto conçoit donc un vaste plan commercial au-delà des Pyrénées : des « planques » d'argent, de bijoux, de pierres précieuses sont constituées en Espagne et au Portugal. Ces fortunes n'ont pas été perdues pour tout le monde. Otto, quant à lui, n'en dira jamais rien. En mars 1947, dans une prison américaine en Allemagne, il se donne la mort plutôt que de livrer aux Alliés les secrets de son entreprise.

✦

ENQUÊTE SUR LA FIRME OTTO

Les enquêteurs analysent le réseau de pillage économique mis en place par Hermann Brandl alias *Otto, sans pouvoir le reconstituer complètement : les policiers des RG dactylographient ce rapport quatre mois après le suicide de Brandl.*

Enquête sur les activités de la Firme Otto, 26 *juillet* 1947

À la suite d'une information signalant l'activité suspecte durant l'Occupation de plusieurs individus qui auraient été les collaborateurs et les rabatteurs de la Firme Otto (bureaux d'achats allemands), il a été procédé à une enquête sur chacun d'eux, à savoir sur les nommés Zavaritzky, Krasnic, Koulikoff, Kock, Blagovestchensky, Telefian, Smoular père et fils, Toussaint, Soubbotine, Segal, Rodoliakis, Sergente époux Polouektoff, Giry, Boudault, Challencin.

Ci-après les renseignements recueillis :

L'ensemble des bureaux d'achats allemands installés dans la capitale connus sous la dénomination de Firme Otto et qui furent créés en juillet 1940, avaient pour directeur et principal animateur le nommé Brandl Hermann *alias* Otto, né le 1er juillet 1896 à Uttlau (Allemagne) de nationalité allemande qui, arrêté en mai 1945 par les services américains, se serait suicidé par pendaison dans sa cellule.

Avant 1939, Brandl, sous les ordres du colonel Rudolph, recrutait des agents pour le compte du SRA. Il portait à l'Abwehr le n° d'immatriculation 03069 DT. Il a eu dans ce domaine une grande activité en France, en Espagne, au Portugal, en Suisse et en Afrique du Nord.

Arrivé en France en juillet 1940 en même temps que les services de contre-espionnage allemands du capitaine Radecke qui s'installèrent à l'hôtel Lutétia, il déploya durant toute l'Occupation une grande activité au sein de cet organisme, sous la tutelle de Radecke, Brandl fut chargé, peu de temps après son arrivée, de créer une vaste organisation de bureaux d'achats dont les directeurs furent des hommes éprouvés des services de l'hôtel Lutétia.

Ces bureaux d'achats étaient chargés de recueillir toutes sortes de marchandises, même au marché noir. Ces marchandises devaient être ensuite emmenées en Allemagne et pour une période de deux ans, on estima à plus de 40 milliards la valeur de celles ainsi exportées.

Brandl installa ses services dans trois immeubles 18, 23 et 24, square du Bois-de-Boulogne et par suite de l'importance croissante de cette entreprise, il fit en février 1941, réquisitionner la société des Magasins généraux de Paris. D'autres services furent créés par la suite. Parmi ses principaux collaborateurs figurait Max Stocklin, qui le mit ensuite en rapport avec Bonny-Lafont, Masuy, Van Houten, Folmer et Odicharia, tous agents de la Gestapo.

Par la suite, Brandl supplanta Radecke et s'adjoignit le beau-frère de ce dernier, le Dr Fusch, ancien avocat de Berlin. Sous son autorité, l'entreprise s'amplifia et les fournisseurs de plus en plus nombreux firent une véritable chasse aux marchandises dans plusieurs villes de zone libre, notamment à Lyon, Marseille, Castres, Millau, Grenoble.

Pour le transport, ceux-ci obtenaient de Brandl toutes les autorisations nécessaires et les marchandises étaient amenées square du Bois-de-Boulogne pour y être réceptionnées. On affirme que le caissier de Brandl payait ainsi chaque jour une somme variant entre 150 et 300 millions de francs.

De par ses relations avec une foule de gens de toutes espèces, on peut dire que la Firme « Otto » a été en outre une véritable officine de renseignements.

[APP 1 W 230]

Les docks de Saint-Ouen.

Le bureau Otto finit par réquisitionner d'importants espaces aux docks de Saint-Ouen : magasins, entrepôts de stockage, quais de transbordement, voies ferroviaires... Une foule de près de deux cent cinquante employés s'affaire chaque jour au chargement et à la vérification des lots en partance pour le Reich : magasiniers, porteurs, coursiers, voituriers, contrôleurs, contremaîtres...

GERMAINE TILLION, FEMME COURAGE

Du réseau du musée de l'Homme à Ravensbrück

Stéphane Longuet

Dès août 1945, à peine revenue de déportation, Germaine Tillion a soin de décrire minutieusement son parcours, à travers le questionnaire que chaque agent doit remplir à la Libération. Du réseau du musée de l'Homme à Ravensbrück, elle décrit avec une minutie de scientifique ses activités de renseignement. Ethnologue en Algérie, Germaine Tillion rejoint Paris en juin 1940. Patriote, elle refuse l'attentisme et souhaite agir. Avec le colonel Hauet, elle réactive une association d'entraide, l'Union nationale des Combattants coloniaux, pour porter assistance aux prisonniers de guerre issus de l'Empire. Sous cette couverture légale, elle collecte des renseignements, recense les camps de prisonniers et contribue à organiser des filières d'évasion vers l'Espagne.

Le groupe Tillion-Hauet établit la liaison avec d'autres groupes de résistance, dont celui constitué au musée de l'Homme par Boris Vildé, Yvonne Oddon et Anatole Lewitsky. Ce réseau élargi est l'une des toutes premières tentatives de constitution d'un groupe, avec une volonté de cumuler renseignement, évasion et propagande. Deux filières d'évasion vers l'Angleterre sont mises sur pied, l'une par la Bretagne, l'autre par l'Espagne, disposant de relais à travers la France. Il faut en effet trouver des caches sûres, des guides, des passeurs. L'activité de renseignement nécessite tout un réseau de collecte, avec de nombreuses boîtes aux lettres, et des moyens d'acheminement à destination de Londres. Les informations à caractère militaire sont transmises par divers canaux comme l'ambassade des États-Unis, la légation hollandaise et la radio. Après les coups de filet qui déciment les pionniers du palais de Chaillot, en 1941, Germaine Tillion prend la tête du réseau et étend ses contacts à d'autres organisations : Valmy, Ceux de la Résistance, Combats Zone Nord, Gloria SMH.

Trahie par l'abbé Alesch, un agent double travaillant pour l'Abwehr, elle est arrêtée le 13 août 1942. Le réseau du musée de l'Homme a vécu.

Une ethnologue en camp de concentration

Incarcérée quatorze mois au secret, à la Santé puis à Fresnes, elle parvient à prendre des notes et ne cesse d'imaginer des moyens d'entrer en communication avec ses camarades. Elle fait passer, sur le tissu intérieur du sac à linge sale, des lettres décrivant l'univers carcéral et donnant les noms et adresses des prisonniers pour qu'on puisse prévenir les familles. Elle est déportée fin octobre 1943 à Ravensbrück : prisonnière NN (*Nacht und Nebel*), elle devrait ne jamais revenir.

J) Tableau schématique de votre organisation ou de votre réseau dans son dernier état connu de vous, à la date du... 13 Août 1942

1940 et début de 1941

groupe de Béthune et du Nord : mme Lelen (Andrieu + fusillé - Sen-dral + fusillé etc)

groupe de Bretagne : Waquet, Dizerbo etc

groupe du journal Résistance : Y. Oddon, Lewitsky + fusillé, etc

groupe de la Marne (évasions, renseignements) mme Fernande Heissat +, de Jonquières, mme Henrion, les Charles Hubin

groupe du Sud-Ouest : R. P. de Jabrun + à Buchenwald, Mch. Taleb (déporté)

camps indochinois du Sud Est : mme Pieltre

etc →

Vildé + fusillé transmettant par melle Oddon au colonel de la Rochère appartenant à notre réseau
colonel de la Rochère + déporté

UNCC (2 rue Brguet) (le colonel Hauet et moi)

renseignements militaires transmis par lieutenant Tréchaut (5e bureau), Gautier (I. S.), Jacques Legrand (I. S.), de Russel, etc
Puis Jacques Lecompte-Boinet (manipulé)

Évasions
faux papiers fournis par Y. Gouineau, mme Rougerie, les Hubin, etc
Hébergements par : Volvey, M. Monnanché, Studler, etc
Ravitaillement : par général Andlauer, commandant Sidler
Passage régulier par colonel de Bousies, capitaine Giebel
Passage clandestin par Léon Beaslay, Léo Leymarie, etc

Propagande gaulliste
générale : tract, diffusions de journaux (commissaire Sezin, Ausrech, etc)
milieux indigènes : mellemme Manché, Hubin, cuisinier, Florence Nz Ragazy, melle Jouin, lieut. Caston, melle Lacour, Porter, Miller etc

Plus tard maquis
transport d'armes dans nos camions
ravitaillement de réfractaires, faux papiers etc
(melle Pardat, mme Pieltre, Y. Gouineau, etc)

fin 1941 et 1942

Renseignements militaires
Évasions isolées, passages d'anglais :
par le Bureau privé du colonel Hauet, rue Boissy d'Anglas et mon domicile, 40 avenue du Grand Chêne (St Maur)

Propagande gaulliste
Évasions militaires régulières
Ravitaillements indigènes
par l'U.N.C.C. 2 rue Brguet
(commandant Bouret, capitaine Valet)

Questionnaire du Bureau Résistance.

C'est avec une grande précision qu'en août 1945 Germaine Tillion remplit à la main ce questionnaire « très secret », dans lequel elle dessine l'organigramme de son réseau.

Pendant les dix-sept mois qu'elle passe en déportation, Germaine Tillion enquête sur le système concentrationnaire nazi au moyen de nombreux stratagèmes. Elle dresse des listes de déportées et de bourreaux, collecte des documents. Elle dissimule, jusqu'aux derniers jours, la documentation accumulée, comme ces recettes de cuisine conservant, sous une forme cryptée, l'identité des principaux SS du camp, ou un mouchoir brodé portant les noms et origines de ses codétenues.

Comprendre l'horreur

Elle tient un journal des faits les plus essentiels. Depuis janvier 1944, elle conserve sur elle, enroulée autour de bouts de laines crasseux pour ne pas attirer l'attention en cas de fouille, une bobine photographique non développée, confiée par ses camarades polonaises : des clichés de jambes mutilées à la suite d'expériences pseudo-médicales.

Ces documents constituent un témoignage exceptionnel sur le système concentrationnaire nazi. Sa volonté de comprendre lui permet de supporter l'horreur en entreprenant clandestinement l'étude de ce qu'elle vit. L'ethnologue mobilise l'expérience acquise en Algérie pour mieux analyser la structure du camp, déchiffrer ce terrible univers. La logique économique de l'exploitation des prisonnières s'impose très vite à elle, mais c'est au terme d'une enquête minutieuse qu'elle parvient à découvrir que Himmler est la tête pensante du processus.

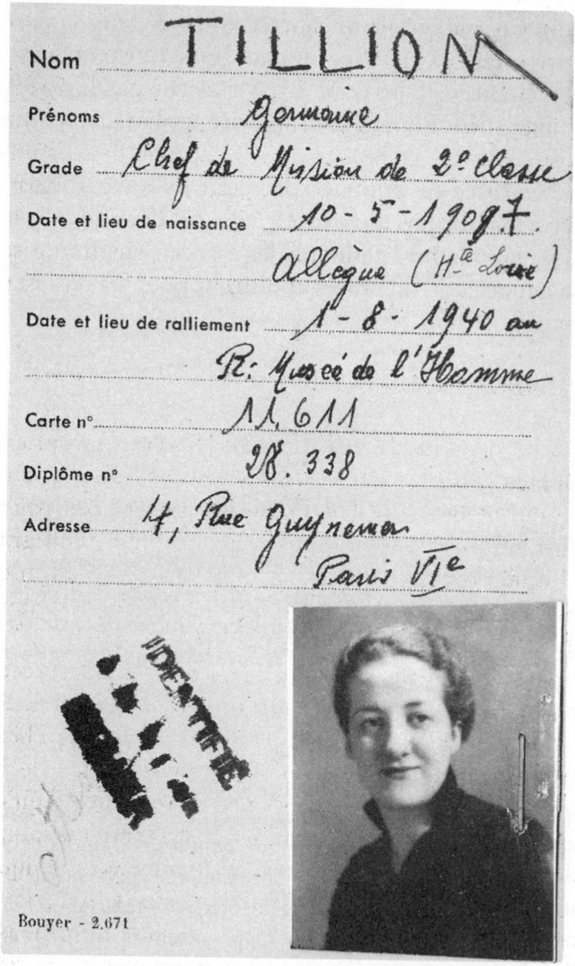

Nom TILLION

Prénoms Germaine

Grade Chef de Mission de 2e classe

Date et lieu de naissance 10-5-1907.
Allègre (Hte Loire)

Date et lieu de ralliement 1-8-1940 au
R: Musée de l'Homme

Carte n° 11.611

Diplôme n° 28.338

Adresse 4, Rue Guynemer
Paris VIe

Bouyer - 2.671

Fiche du Bureau Résistance de Germaine Tillion.

Pour soutenir le moral de ses compagnes, elle compose en cachette une opérette, *Le Verfügbar aux Enfers*, qui évoque avec humour leurs dures conditions de détention. Libérée le 23 avril 1945 par la Croix-Rouge suédoise, elle est rapatriée en France courant juillet.

Le procès des criminels de guerre de Ravensbrück a lieu à Hambourg, en zone anglaise, dès décembre 1946. C'est Germaine Tillion que les associations françaises de déportées et internées choisiront pour les représenter officiellement.

✦

DÉTENUE ET RÉSISTANTE

Détenue à Fresnes en 1943, Germaine Tillion communique avec son réseau grâce à des messages calligraphiés sur l'envers des sacs de linge sale. Elle raconte l'univers carcéral, donne des nouvelles, transmet consignes et messages de prudence, donne les noms des internés et informe des transferts de prisonniers. Une démarche et des textes vifs, qui en disent long sur sa détermination.

Sur des sacs de linge sale

1. « Ma Reine, depuis quelques jours j'ai changé de catégorie (toujours sans être interrogée) et nous sommes 3 dans ma cellule. Il y a Denise qui est très gentille et Marguerite qui est une amie. Par elles, j'ai eu des détails sur la vie au dehors et j'ai encore mesuré quel tour de force vous réalisez en nous ravitaillant comme cela [...]. Je faisais attention de ne jamais demander que des choses qui me semblaient banales telles que fil, colle ou papier et c'était pire que du caviar.

Pardonne-moi ma chérie toute cette peine. J'ai su que cela tourmentait aussi beaucoup maman, surtout à cause du poids que tu dois porter, car elle ne peut mesurer l'effrayante difficulté du ravitaillement déjà si dur quand nous sommes venues ici. Marguerite est très, très sympathique et tu l'aimeras quand tu la connaîtras. On a trouvé un poste émetteur de radio chez elle. Son mari est ici. [...] Un dimanche où Jacqueline aurait un peu de temps elle pourrait passer en vélo à Fontenay : la mère de Marguerite aura 80 ans cette année ; on ne pourra pas longtemps lui cacher l'arrestation de sa fille et elle va s'affoler [...]. »

2. « Dimanche : Reine chérie, j'ai mille choses à te dire et d'abord te remercier pour tout ce que tu fais. [...] À partir de maintenant (sauf cas grave), Marguerite ne mettra pas de courrier dans mon colis, ni moi dans le sien, pour diminuer les risques. Si l'une de nous est prise, l'autre au moins continuera à recevoir des colis et à la ravitailler. Il ne faut pas être prises ensemble. [...] J'ai gardé les choses réellement importantes pour la fin. Voici : le lendemain du jour où elle a été à la visite médicale, maman a été à l'anthropométrie (moi j'y ai été en octobre 1942), elle était avec 2 personnes, mal portantes et peu compromises. J'ai pu communiquer avec l'une d'elles et j'ai appris qu'elle est dans la même affaire que nous. D'où j'ai conclu que la mesure venait du tribunal, ce qui m'a inquiétée non sans raison, car le vendredi suivant, la plupart des femmes de notre procès sont parties pour une destination que je suis parvenue à connaître. Romainville. [...] »

3. « À part ça, je suis bien contente de ne pas connaître de communistes ou de juifs parce que je n'en dormirais pas la nuit. Ils sont battus à mort, même les femmes, avec une sauvagerie incroyable. [...] Ma seule joie pendant les 4 premiers mois c'était la fureur de mon commissaire : il hurlait, il écumait. Au dernier inter[rogatoire], il a été au contraire plus que respectueux. (Leur méthode d'enquête est idiote,

ils ne savent que crier et cogner.) Je me suis copieusement et ouvertement foutu d'eux. Le plus beau mot, c'est celui d'un de mes commissaires poussant un gros soupir : "Vous ne nous avez pas fait plaisir." Je peux être jugée en Allemagne, je ne sais pas si on me laissera emporter ma couverture, c'est pourquoi, si ça ne prive pas ma chère petite Catherine, je voudrais bien qu'elle m'envoie son burnous (le mien est une loque ignoble). Je lui en rapporterai un bien plus beau bientôt après la victoire. »

[Musée de la Résistance
et de la Déportation de Besançon]

Des recettes de cuisine codées

Beinz
« En fait : Binz. Gardien-chef du camp, jeune et cruel. »

Binder
« Battait beaucoup les femmes, jusqu'à la mort parfois. »

Random
« En fait : Ramdohr. Gestapiste du camp, spécialiste en tortures raffinées. »

Gellinger
« En fait : Hellinger. Dentiste du camp qui enlevait les dents en or des mortes. Pesées minutieusement, elles étaient envoyées à la Deutsche Bank. »

Kegel
« Commandant du camp jusqu'en avril 1943. »

Potage maigre 4/43

Kub
epinards ou oseille
gruyère rapé
eplucher quelques legumes de saison
lait à volonté

KEGEL

Commandant du camp jusqu'en avril 43.
(voir en haut du petit papier 4/43)

ecrevisses à la basquaise

hacher ail et oignon
ecrevisses
lait ou crème
incorporer l'ail dans une sauce blanche
napper avec la sauce
grattons frits
emincés de jambon
rhum

Germaine Tillion

GELLINGER

en fait : HELLINGER

dentiste du camp qui enlevait les dents en or des mortes.

Cet or était minutieusement pesé et envoyé à la Deutsche Bank

Des *recettes de cuisine codées.*

Déportée en octobre 1943 à Ravensbrück, Germaine Tillion rédige sur de petites fiches des recettes de cuisine sur lesquelles on retrouve en acrostiche l'identité des principaux SS du camp. À la Libération, elle donnera cette liste de noms, qu'elle complétera d'un petit commentaire précisant les fonctions de chacun.

Gebhardt

« Professeur de médecine et chirurgien. Il s'est livré pendant un an à d'abominables expériences de vivisection sur de jeunes Polonaises en bonne santé. »

[Musée de la Résistance
et de la Déportation de Besançon]

LE PLAN SUSSEX

Des agents français pour renseigner les Alliés

Dominique Soulier

En mars 1943, les grands réseaux de la Résistance française ont subi de lourdes pertes. L'Abwehr et surtout la Gestapo exécutent ou déportent de nombreux combattants de l'ombre. Ces réseaux qui ont pour noms Ajax, Alliance, Brutus, Cohors, Confrérie Notre-Dame, Castille, F2, Marco Polo, Phratrie, Prosper, Saint Jacques, risquent d'être entièrement démantelés avant le Débarquement, au moment où on aurait le plus besoin d'eux. C'est pourquoi l'état-major du général Eisenhower imagine le « plan Sussex », visant à mettre en place, dans toutes les zones potentielles de combat au nord de la Loire, des équipes d'officiers français parachutés en civil : un observateur et un radio, qui devront fournir des informations sur l'état moral et matériel de l'armée allemande, ses mouvements de troupes, ses dépôts de munitions, ses rampes de lancement de bombes volantes V1 et V2…

Ces agents ont pour consigne de ne pas entrer en contact avec la Résistance locale. Pour des raisons de sécurité, ils doivent créer leur propre réseau d'information. Seule exception : le comité de réception qui les accueille le soir de leur parachutage.

L'avant-garde alliée

Pour cette opération secrète tripartite, le colonel Gilbert Renault *alias* Rémy, du BCRA, a pour interlocuteurs le commander britannique Kenneth Cohen du SIS (*Special Intelligence Service*) et le colonel américain Francis Pickens Miller de l'OSS (*Office of Strategic Services*). Les équipes Sussex ont été divisées en vingt-cinq binômes baptisés « Brissex » opérant en zone d'action britannique et vingt-neuf binômes « Ossex » en zone d'action américaine. Les deux premières équipes, dont celle d'une femme, Jeannette Guyot, sont parachutées au titre de la mission *Pathfinder* (éclaireur) dans la nuit du 8 au 9 février 1944 à Loches (Indre-et-Loire), pour préparer l'accueil et les terrains de saut des autres équipes. Celles-ci, cinquante-deux en tout, arriveront entre avril et septembre 1944.

Chaque agent est muni d'un équipement très complet : poste émetteur-récepteur, Colt 45, dague de commando, stylo lance-gaz lacrymogène, deux grenades, des cartes de la région, une boussole, un télescope de poche, un couteau d'évasion à plusieurs lames et, pour échapper à la torture, une capsule de cyanure, dissimulée dans une chevalière au chaton amovible. Au moins quatorze agents seront tués en mission, dont une femme, Évelyne Clopet, et le capitaine Jacques Voyer, fait Compagnon de la Libération à titre posthume.

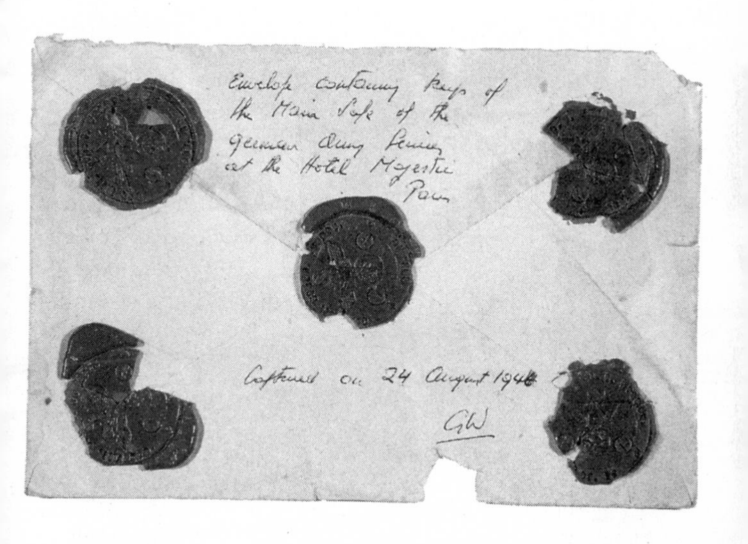

Envelope containing keys of
the Main Safe of the
German Army Service
at the Hotel Majestic
Paris
Captured on 24 August 1944
GW

Enveloppe contenant les clés du coffre-fort de l'état-major allemand.

Elles ont été saisies par le capitaine Guy Wingate à l'hôtel Majestic lors des combats de la libération de Paris.

En décembre 1944, le général Donovan, commandant en chef de l'OSS à l'état-major du général Eisenhower, déclare lors de la cérémonie de remise des décorations sur les Champs-Élysées : « Vous les Sussex avez été l'avant-garde alliée et vous avez fait un travail capital et déterminant pour la victoire. »

ESPION, SABOTEUR, ASSASSIN

Otto Skorzeny, « l'homme le plus dangereux d'Europe »

Grégory Auda

« Wanted : Skorzeny ». Les affichettes dont les Alliés fleurissent les palissades de la France libérée montrent, par leur sobriété même, à quel point l'individu leur paraît redoutable. Cent kilos, 1 m 95, la joue gauche entaillée d'une large balafre : cet homme au physique impressionnant semble taillé pour l'aventure. Né à Vienne en 1908, il a rejoint le parti nazi autrichien en 1931, la SS dès 1934 et participé activement à l'Anschluss quatre ans plus tard. En 1940, il intègre la division SS *Das Reich*. Campagne de France, batailles des Balkans, front russe : il acquiert rapidement une réputation de combattant courageux et intrépide.

Promu *Hauptsturmführer* (capitaine) en 1941, Otto Skorzeny est nommé deux ans plus tard à la direction du centre d'instruction de la Waffen SS d'Oranienburg : il crée une école de commando dont l'objectif est de recruter et d'entraîner les agents qui formeront le groupe d'élite Friedenthal. Celui-ci, avec l'aide des parachutistes du *Lehr Bataillon Mors*, les fameux « Diables verts », est chargé d'une mission audacieuse : la libération de Mussolini.

Le Duce, en effet, a été arrêté à la fin du mois de juillet 1943, après un vote de défiance du Grand Conseil fasciste et un désaveu du roi d'Italie, Victor Emmanuel III. C'est un prisonnier sous haute surveillance dont la prison, tenue secrète, change régulièrement. Ses geôliers ont reçu pour consigne d'abattre leur ancien chef si ce dernier tentait de leur échapper. Or, Hitler a fait de la libération de son allié une question de principe : ce sera l'opération *Eiche* (Chêne). À l'issue d'une enquête rapide, Skorzeny et ses hommes découvrent le lieu de détention. Le 12 septembre 1943, vers quatorze heures, douze planeurs atterrissent au Campo imperator, sur le Gran Sasso, dans les Abruzzes. La manœuvre est périlleuse et l'un d'entre eux va se briser à flanc de montagne, entraînant ses occupants dans la mort. Ces cinq paras allemands seront les seules victimes d'une opération pour laquelle un taux de 80 % de pertes a été jugé admissible par Skorzeny lui-même. Le 14 septembre 1943, Hitler et Mussolini peuvent poser ensemble pour la postérité.

Un guerrier de propagande

Goebbels exulte : « Cette action a eu un énorme effet psychologique ; elle a considérablement accru notre prestige dans le monde et elle nous assure aujourd'hui un semblant d'autorité dans la région que nous occupons [le nord de l'Italie] », écrit-il dans son journal le 25 janvier 1944.

La propagande nazie s'empare du héros : « Même l'ennemi déçu et amer doit admettre que le sauvetage

WANTED

SKORZENY

SPY

SABOTEUR

ASSASSIN

Name : OTTO SKORZENY
Rank : SS Obersturmbannfuehrer
(Lieut. Colonel)

Age : 37
Height: About 6' 4"
Weight: About 220 lbs

Complexion: Dark
Hair : Dark and wavy
Ears : Large, close to head
Chin : Protruding
Moustache : Hitler-type, may be clean-shaven
Scars : Sabre scar from left cheekbone to corner of mouth

This man is extremely clever and very dangerous. He may be in American or British uniform or civilian clothes. He usually wears a signet ring on third finger of left hand.

Any information concerning this man should be furnished to the nearest G-2 office without delay.

Avis de recherche, placardé par les Alliés en 1944.

La balafre de Skorzeny, qui accentue l'effet impressionnant de son physique, provient d'un duel à l'épée entre étudiants.

du Duce est l'un des événements les plus hardis et sensationnels de cette guerre », annoncent les informations allemandes. Nommé *Sturmbannführer* (commandant), Otto Skorzeny est décoré de la Croix de fer par Hitler lui-même. Dans la mystique nazie, il incarne désormais le modèle du guerrier SS. Il sera dès lors l'homme des missions périlleuses.

Au début de l'année 1944, afin d'affaiblir la résistance yougoslave, il tente sans succès d'enlever Tito. En juin, alors que le régent de Hongrie, Milos Horthy, s'apprête à signer une paix séparée avec les Soviétiques, Skorzeny enlève son fils pour le ramener à de plus sages dispositions envers l'Allemagne.

Opération « sous faux pavillon »

En décembre 1944, durant la bataille des Ardennes, c'est encore Skorzeny qui dirige l'opération *Greif* (Griffon) : derrière les lignes ennemies, des soldats allemands portant l'uniforme américain ou anglais sèment la confusion par tous les moyens. Sabotages et dégradations, inversion ou destruction des panneaux : l'opération crée une véritable psychose chez les Alliés. Les généraux Eisenhower et Bradley se voient imposer des consignes de sécurité drastiques, tandis qu'on arrête d'authentiques soldats américains, suspectés d'être des agents allemands infiltrés... Mais l'opération ne constituera pas un réel danger pour les Alliés et les équipes de Skorzeny seront rapidement neutralisées. Le 15 mai 1945, à Salzbourg, celui que le Führer a proclamé « l'homme le plus dangereux d'Europe » se constitue prisonnier. L'opération *Greif* aurait pu lui coûter la vie, car la convention de La Haye prohibe les actions « sous faux pavillon ». Mais comme les deux camps ont usé de ce stratagème, Skorzeny est acquitté des accusations de crime de guerre. Il reste cependant jusqu'en 1948 dans un camp de dénazification.

Skorzeny se retire ensuite en Espagne, où il apparaît comme le leader de la *Bruderschaft* (Fraternité SS clandestine), le personnage central d'un vaste réseau mondial d'assistance aux anciens nazis. Dans les premiers jours de juillet 1975, des dizaines de vieillards forment une haie d'honneur devant une église de Madrid. Vêtus d'uniformes bruns et noirs constellés de décorations, ils retrouvent avec nostalgie des gestes qui paraissent

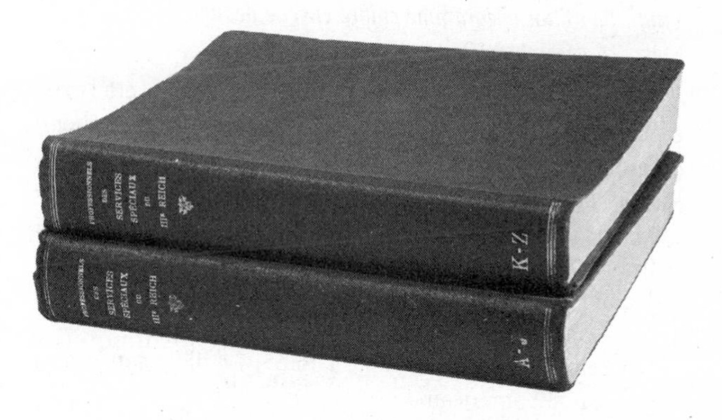

Le dictionnaire de la DST.

Comme tous les responsables nazis ayant survécu à la défaite de l'Allemagne, Otto Skorzeny fait l'objet d'une notice dans le *Dictionnaire des agents des services spéciaux du* IIIe *Reich*.

hors du temps. Ils lèvent le bras droit et entonnent des chants nazis au passage du cercueil : en cet instant où ils saluent Otto Skorzeny une dernière fois, sans doute ressentent-ils confusément qu'ils enterrent avec lui leurs dernières illusions.

✦

WANTED : SKORZENY

En décembre 1944, pendant la bataille des Ardennes, l'infiltration de Skorzeny et de ses hommes ne risque pas seulement de semer la confusion chez les Alliés, c'est la sécurité même du général Eisenhower qui se trouve menacée.

Traduction d'un télégramme chiffré envoyé depuis Metz, 24 décembre 1944

Prisonniers allemands tenue américaine ont révélé l'existence d'un complot ayant pour but l'assassinat du général Eisenhower, chef du complot Skorzeny, libérateur de Mussolini, 35 à 40 ans, 2 m environ, 100 kilos, basané, cicatrice duel, ne parle pas ou peu l'anglais.

Primo, commandant Lorenze, Britannique, âgé (groupe indéchiffrable) taille 1 m 70, 72 kilos, teint rose, yeux bleus, jambes arquées.

Lieutenant Schmert, 34 ans, 1 m 65, 72 kilos, carré, yeux bruns, parlant américain.

Commandant von Schrœter, 45 ans, 1 m 62, 75 kilos, blond, yeux bleus, basané, athlète, moustache, parlant anglais.

Capitaine von Sayr, 50 ans, manifestant 2 m, 100 kilos, cheveux blancs, pâle, mâchoire avancée légèrement.

Lieutenant Fresse, 1 m 70, 72 kilos, légèrement hâlé, figure osseuse, parlant anglais, grade porté avant action en cours.

Skorzeny entré avec hommes dans nos lignes avec 6 véhicules américains, uniforme anglais, faux papiers, lettre recommandée, destination Paris, possibilité changement véhicules, tenues avant Paris, tous ci... (groupe indéchiffrable). Alerter BSM sur suite.

[DCRI]

Lettre secrète du directeur des services de documentation au chef de la liaison américaine, 22 mai 1945

L'arrestation de Skorzeny par l'armée américaine présente pour les services français un intérêt considérable.

En effet, Skorzeny chef des services de sabotage allemands, a principalement dirigé son activité vers la France ; il doit être au courant des dépôts de matériel de sabotage constitués en vertu des plans « Talisman » et « Osterei ».

La sécurité de nos installations industrielles et ferroviaires exige que tout soit mis en œuvre pour retrouver dans le délai le plus bref les dépôts enterrés en France.

Un interrogatoire serré de Skorzeny par des officiers qualifiés de la section contre-sabotage devrait aboutir, sinon à la récupération des dossiers se rapportant aux dépôts constitués, du moins à la localisation d'une grande partie d'entre eux.

Je vous serais particulièrement obligé si vous pouviez obtenir l'autorisation, pour ces officiers, de communiquer avec Skorzeny et de l'exploiter pendant une durée de deux à trois jours.

[DCRI]

MINISTERE DE L'INTERIEUR

DIRECTION GÉNÉRALE DE LA SURETÉ NATIONALE

Contrôle Général de la Surveillance du Territoire

RÉPUBLIQUE FRANÇAISE

FICHE DE SUSPECT au point de vue national

N° S — / —

Prière de rechercher :

NOM SKORZENY SURNOM

Prénoms Otto

né le vers 1909 ou 1905 à

fil de et de

Nationalité allemande Profession

Domicile

SIGNALEMENT

Taille 2 mètres – 100 Kgr.

Cheveux

Yeux

Front

Nez

Bouche

Teint basané

Corpulence

Signes particuliers

Cicatrice duel

Renseignements divers :

Entré dans les lignes américaines avec plusieurs individus, en voiture américaine. Habillé en uniforme anglais.

Motif de la recherche : But : Assassinat haute personnalité.

EN CAS DE DECOUVERTE : Incarcérer en lieu sûr et aviser téléphoniquement ou télégraphiquement le C. S. T. de Paris (Tél. Anjou 24-20) dans la forme suivante : "L'individu faisant l'objet de la fiche S. — / — a été découvert" En aucun cas ne dévoiler l'état-civil.

Fiche de recherche de la Sûreté. Considéré comme « suspect au point de vue national », Otto Skorzeny est activement recherché quand on apprend qu'il est passé, sous un uniforme allié, de l'autre côté du front.

Fiche de renseignements sur Otto Skorzeny

Ingénieur, ancien militant des corps francs en S[t]yrie.

Entré dès 1934 dans les SS. A participé activement à l'Anschluss. Commandait, le jour de l'événement, une unité motorisée.

Entré en 1940 dans les Waffen SS avec le grade d'Ostuf. A participé avec la division Das Reich aux campagnes de France, des Balkans, et de Russie. Y acquiert une réputation de grande bravoure.

Transféré en 1943 au SD comme Hptstuf, recrute et entraîne des agents pour une mission spéciale. Cette mission, c'est, en septembre 1943, la libération de Mussolini — devient Stubaf.

Depuis fin 1943, assure de nombreuses responsabilités. Chef de la section VI/S du RSHA dont le rôle est de préparer des missions de sabotage (missions effectuées notamment dans les pays baltes et les Balkans).

Chef du service de sécurité du QG du Führer, chef de l'Amt mil. F. (anciennement Abwehr II) où il a remplacé le major Naumann chef du Stab Solar intégré à l'EM de la 150e division blindée (mission de contre-espionnage et de sabotage) — projet d'enlèvement d'Eisenhower pendant l'offensive des Ardennes en décembre 1944. Organisation des SS Jagdverbände pour la résistance aux alliés à l'intérieur de l'Allemagne.

Animateur de toutes les missions de sabotage sur tous les fronts. Préparait également toutes les missions de sabotage sur tous les fronts. Préparait également une entreprise sur l'AFN — PC à Baruth (Belinde) Friedenthal et Orianenbourg.

Détenu à Dachau d'où il s'est évadé.

[DCRI]

Joséphine Baker dans son uniforme de chevalier de la Légion d'honneur. Vers 1945.

JOSÉPHINE BAKER CONTRE LES NAZIS

Un agent de charme pour la France libre

Frédéric Guelton

Alger, 23 mai 1943. Joséphine Baker signe un « engagement définitif pour la durée de la guerre » au sein de l'armée de l'Air. La star du music-hall, adulée du Tout-Paris depuis qu'elle s'est produite dans la Revue nègre, devient « élève stagiaire rédactrice de 1re classe », une qualité à laquelle s'ajoute, dans son état des services, une annotation plus étrange encore : « officier de propagande » ! Joséphine Baker, une espionne ? Nul ne s'en doute alors, mais cela fait déjà quatre ans qu'elle travaille pour les services français.

Née dans le Missouri en 1906, Américaine naturalisée Française, la chanteuse noire déteste l'idéologie raciste des nazis. Dès 1939, elle parcourt le front et donne des spectacles au profit des soldats, qui souvent la préfèrent à Maurice Chevalier. Ses déplacements n'ont rien de discret : c'est ce qui attire le capitaine Jacques Abtey, du 2e Bureau. Il prend contact « sur recommandation » et la recrute comme agent d'information bénévole ou, dans le langage de l'espionnage, comme « honorable correspondant » (HC).

Celle qui côtoie chaque soir chefs d'État, ministres et diplomates étrangers, devient une source importante de renseignements. Le 2e Bureau veut-il savoir ce que pense le gouvernement japonais de l'Indochine ? Joséphine le demande négligemment à son ami Renzo Sawada, ambassadeur du Japon à Paris. S'inquiète-t-on de l'attitude de l'Italie mussolinienne ? La belle chanteuse noire interroge l'attaché militaire italien, qui lui voue une admiration sans bornes. Elle recueille ainsi les petites confidences des diplomates, jeunes et moins jeunes, qui veulent parader devant elle et qu'elle manipule avec adresse.

Un agent sous couverture

En juin 1940, elle quitte Paris pour son château des Mirandes, en Dordogne. Abtey l'y rejoint. Tous deux veulent rallier le général de Gaulle à Londres. Ce n'est pas une mince entreprise. Ils s'en ouvrent au capitaine Paillole, l'ancien chef d'Abtey, qui vient d'organiser, en dépit de l'interdiction allemande, un service clandestin de contre-espionnage sous la couverture d'une organisation agricole, les « Travaux ruraux ». Paillole les encourage, estimant qu'il faut reprendre contact avec l'Intelligence Service. Il leur procure de faux passeports et trouve judicieuse l'idée de Joséphine Baker : elle servira de couverture à Abtey, qui devient son « secrétaire » et organisera ses tournées au Portugal puis en Amérique du Sud.

Sous l'identité de Jacques-François Hebert, celui-ci s'affaire. Paillole lui remet des informations secrètes,

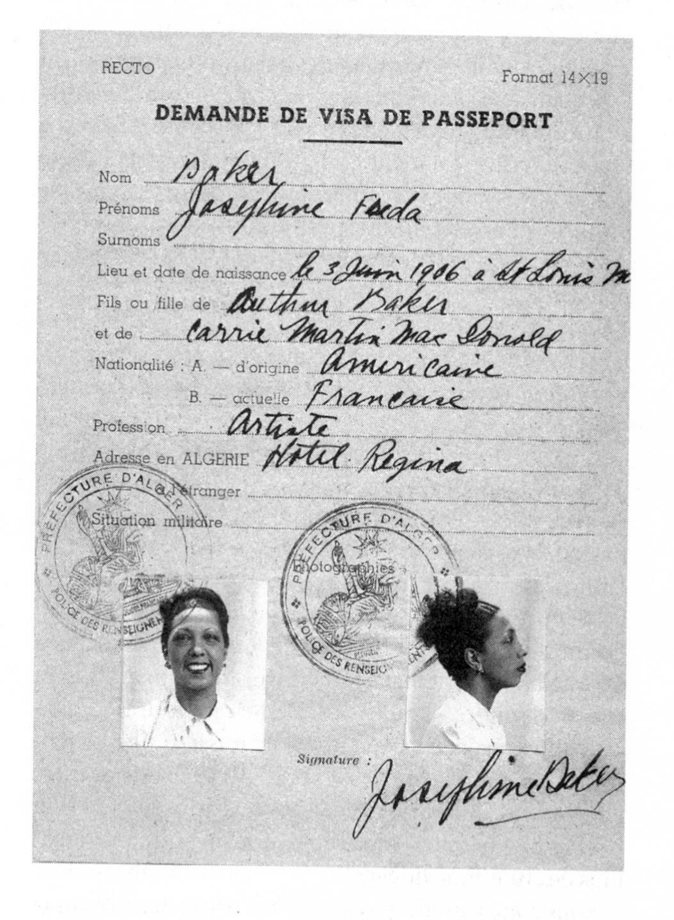

RECTO

Format 14×19

DEMANDE DE VISA DE PASSEPORT

Nom .... Baker

Prénoms .... Joséphine Freda

Surnoms ....

Lieu et date de naissance .... le 3 Juin 1906 à St Louis M.

Fils ou fille de .... Arthur Baker

et de .... Carrie Martin Mac Donald

Nationalité : A. — d'origine .... Américaine

B. — actuelle .... Française

Profession .... Artiste

Adresse en ALGERIE .... Hotel Regina

l'étranger ....

Situation militaire ....

Photographies

Signature : Joséphine Baker

Formulaire de demande de visa rempli par Joséphine Baker.

dont la photo des péniches de débarquement que les Allemands pensent utiliser pour envahir l'Angleterre. Restent les visas. Déployant tous ses charmes, Joséphine Baker obtient tout de l'ambassadeur du Brésil, qu'elle connaît bien, puis des consuls d'Espagne et du Portugal. Elle fait même apposer sur le visa d'Hebert la mention : « Accompagne Mme Joséphine Baker. » Qui douterait de l'identité d'Hebert mettrait en doute la probité de la star. Joséphine joue gros : que se passera-t-il si le subterfuge est découvert par la police de Vichy, par les douaniers espagnols ou portugais, par des agents infiltrés allemands ?

À la fin de novembre 1940, Joséphine Baker et Abtey franchissent sans encombre la frontière pyrénéenne avec les fameux documents. Les douaniers n'ont d'yeux que pour la vedette ; personne ne prête attention à ce quadragénaire moustachu, affublé d'épaisses lunettes, qui la suit avec déférence.

Avec aplomb et décontraction

Arrivés à Lisbonne, ils transmettent les documents à un agent de l'Intelligence Service. Mais Joséphine et son « secrétaire », qui voudraient rejoindre les Français libres, reçoivent une nouvelle mission. Ils doivent s'installer au Maroc et servir d'intermédiaires entre Paillole et l'Intelligence Service. Joséphine part à Marseille chercher un nouveau visa pour traverser l'Espagne. Elle l'obtient directement de l'ambassadeur d'Espagne au Portugal, qui n'est autre que Nicolas Franco, le propre frère du Caudillo. Au moment de son départ, elle est saluée par le directeur de la radio portugaise : « À bientôt Joséphine ! Si vous voyez Hitler, dites-lui que nous l'attendons ici avec impatience... pour l'envoyer à Sainte-Hélène. »

Sillonnant le Maroc, la France, le Portugal et l'Espagne, Joséphine Baker donne de nombreux spectacles, glane des informations et transporte régulièrement des documents secrets avec un aplomb, une décontraction et une insouciance extraordinaires.

En juin 1941, elle tombe gravement malade. Luttant contre la mort, elle demeure hospitalisée presque sans interruption jusqu'à la fin de 1942. Sa chambre se transforme à l'occasion en un salon où l'on cause mais sans éveiller de soupçons. Une nouvelle liaison secrète se met en place entre Paillole en France, le duo Baker-Abtey au Maroc et les Américains, qui se préparent à débarquer en Afrique du Nord. À peine remise, Joséphine reprend ses activités de music-hall au profit des unités alliées. Tunis, Le Caire, Beyrouth, Tel-Aviv, Jaffa, Damas : partout, elle défend la cause du général de Gaulle. La voilà agent d'influence de la France libre.

En 1946, elle reçoit la médaille de la Résistance. De Gaulle la félicite personnellement. La Légion d'honneur sera plus longue à venir récompenser ses services, mais grâce à l'insistance de ses anciens chefs, elle finira par l'obtenir en 1956.

✦

LES ÉTATS DE SERVICE D'UNE ARTISTE

Déclaration du capitaine au Corps franc d'Afrique Maurice Abtey, Londres, 24 juillet 1943

Je soussigné, Abtey Maurice, capitaine au Corps franc d'Afrique déclare sur l'honneur ce qui suit :

Le 24 novembre 1940, c'est-à-dire cinq mois après l'armistice, j'ai quitté la France pour rejoindre l'armée du général de Gaulle.

Grâce à la bienveillante complicité de mon chef, le commandant Paillole de l'EMA 2e Bureau SCR, et du capitaine d'Hofflize, du même service, je pus traverser l'Espagne, étant muni d'un faux passeport français au nom de Jacques Hebert.

Je pus profiter au cours de mon voyage d'une couverture exceptionnelle : la profession figurant sur ce passeport étant celle d'artiste, je me fis accompagner par la grande artiste Joséphine Baker qui se rendit spécialement avec moi à Lisbonne, d'où elle revint aussitôt en France.

À Lisbonne, j'entrai immédiatement en relations avec l'attaché de l'air anglais, à qui je demandai de me faire mettre en route sur Londres, afin d'y rejoindre l'armée de la France combattante.

Je donnai comme référence le major anglais Dunderdale, l'ancien chef de l'IS à Paris, avec qui j'étais en relations de service avant la guerre.

L'attaché de l'air anglais me présenta à un officier de l'IS que je pense être le chef de ce service à Lisbonne. Cet officier avait alors le pseudonyme de « Bacon » et occupait la fonction officielle d'attaché financier à l'ambassade d'Angleterre à Lisbonne.

J'expliquai à M. Bacon que j'avais pu arriver à Lisbonne grâce à mes anciens camarades du 2e Bureau, et je lui indiquai que ces derniers étaient prêts à communiquer aux Alliés

FRANCE COMBATTANTE
Etat-Major Particulier
du
Général de Gaulle

Londres le 24 juillet 1943.

B. C. R. A.
Afrique du Nord & Colonies
-
N° 3736
-

SECRET

=-=

Je soussigné, ABTEY Maurice, Capitaine au Corps Franc d'Afrique déclare sur l'honneur ce qui suit :

Le 24 novembre 1940, c'est-à-dire cinq mois après l'armistice j'ai quitté la France pour rejoindre l'armée du Général de GAULLE.

Grâce à la bienveillante complicité de mon chef, le Commandant PAILLOLE de l'E.M.A. 2ème Bureau S.C.R. et du Capitaine d'HOFFLIZE, du même service, je pus traverser l'Espagne, étant muni d'un faux passeport français au nom de Jacques HEBERT.

Je pus profiter au cours de mon voyage d'une couverture exceptionnelle: la profession figurant sur ce passeport étant celle d'artiste, je me fis accompagner par la grande artiste Joséphine BAKER qui se rendit spécialement avec moi à LISBONNE, d'où elle revint aussitôt en France.

A LISBONNE j'entrai immédiatement en relations avec l'attaché de l'Air Anglais, à qui je demandai de me faire mettre en route sur Londres, afin d'y rejoindre l'Armée de la France Combattante.

Je donnai comme référence le Major Anglais DUNDERDALE, l'ancien Chef de l'I.S. à PARIS, avec qui j'étais en relations de service avant la guerre.

L'attaché de l'Air Anglais me présenta à un Officier de l'I.S. que je pense être le Chef de ce service à LISBONNE. Cet officier avait alors le pseudonyme de "BACON" et occupait la fonction officielle d'Attaché Financier à l'Ambassade d'Angleterre à Lisbonne.

J'expliquai à M. BACON que j'avais pu arriver à Lisbonne grâce à mes anciens camarades du 2ème Bureau, et je lui indiquai que ces derniers étaient prêts à communiquer aux Alliés tous renseignements qu'ils seraient susceptibles de recueillir sur les troupes allemandes en France.

M. BACON qui, en référa au Major DUNDERDALE à Londres me déclara qu'il attacherait une très grande importance à ce que je retournasse en France afin d'y organiser une liaison de renseignements entre mes anciens camarades et lui-même.

Je répondis à M. BACON, et M. BACON confirmera certainement mes dires, que j'étais venu pour rejoindre l'Armée de la France Combattante, et que je ne retournerais en France que :

sur sa demande instante; à la condition que je sois reconnu par l'I.S. comme étant un Officier de la France Combattante, et que cette qualité me serait acquise.

M. BACON me donna toutes assurances sur ces points.

Il était entendu que dès que mon service serait établi, je reviendrais alors au Portugal pour être mis en route sur Londres. Il était convenu également que l'on m'aiderait par tous les moyens à rejoindre.

Le 23 Décembre 1940 je quittait donc LISBONNE pour rentrer en FRANCE.

Rapport du capitaine Abtey décrivant les missions qu'il a remplies sous couvert de tournées artistiques, 24 juillet 1943.

tous les renseignements qu'ils seraient susceptibles de recueillir sur les troupes allemandes en France.

M. Bacon qui, en référa au major Dunderdale à Londres, me déclara qu'il attacherait une très grande importance à ce que je retournasse en France afin d'y organiser une liaison de renseignements entre mes anciens camarades et lui-même.

Je répondis à M. Bacon, et M. Bacon confirmera certainement mes dires, que j'étais venu pour rejoindre l'armée de la France combattante, et que je ne retournerais en France que sur sa demande instante ; à la condition que je sois reconnu par l'IS comme étant un officier de la France combattante ; et que cette qualité me serait acquise.

M. Bacon me donna toutes assurances sur ces points.

Il était alors entendu que dès que mon service serait établi, je reviendrais alors au Portugal pour être mis en route sur Londres. Il était convenu également que l'on m'aiderait par tous les moyens à rejoindre.

Le 23 décembre 1940, je quittais donc Lisbonne pour rentrer en France.

J'avais pour mission de m'établir à Casablanca dans les bureaux de la Compagnie chérifienne d'armement, d'où, avec la complicité d'un Français du nom de Lantz, je devais faire partir mes renseignements par l'entremise du patron d'un petit voilier phosphatier, qui faisait la navette entre Lisbonne et Casablanca.

[SHD-DIMI]

Lettre du commandant Gillet,
3 octobre 1946

Mon général,

Lorsque j'ai quitté l'armée de l'Air, vous m'aviez chargé de mettre à jour un travail de sanctions concernant mes « Filles de l'Air ». Parmi les quatre propositions pour la croix de la

Légion d'honneur, j'avais donné le nom de Mlle Joséphine Baker ; votre chancellerie a retiré ce dossier disant que Mlle Baker avait déjà fait l'objet d'une proposition. J'apprends aujourd'hui que la croix lui a été refusée.

J'ignore si la couleur et la forme ont influencé ce refus, mais je tiens à vous redire mon général, en toute impartialité et en vous demandant que cette lettre serve de nouvelle proposition, que Joséphine Baker a été une admirable et grande patriote française. Son action au Maroc pendant la période trouble fin 1943-début 1944 a été officiellement reconnue comme ayant puissamment étayé la situation très précaire de la France. Pendant un an, le général Billotte (alors chef de l'état-major particulier du général de Gaulle) a chargé « Joséphine » de missions particulièrement délicates qu'elle a toujours remplies avec une intelligence et un dévouement qui ont surpris nos brevetés d'état-major ! Je puis parler à qui de droit du détail de ces missions. Il ne faut pas non plus oublier que « Joséphine », par ses galas de bienfaisance, a rapporté des sommes considérables versées au profit de la Résistance, elle a parcouru des dizaines de milliers de kilomètres en jeep à travers les déserts et qu'en somme, nous lui devons beaucoup alors qu'elle nous doit la compromission presque irrémédiable de sa santé.

Essayez, mon général, de faire rectifier cette erreur de préjugé, c'est une action honnête et juste à accomplir ; croyez, mon général, à mon dévouement fidèle et à ma respectueuse amitié.

Alla Dumesnil-Gillet.

P.-S. Il y a bien eu les croix de Raquel Meller, Maurice Chevalier, ont-ils fait autre chose que de nous distraire ?

[SHD P6679]

Machine Enigma

L'opérateur saisit le message clair sur le clavier, la traduction chiffrée est indiquée par des voyants lumineux ; une autre machine, réglée à l'identique, restitue le texte d'origine quand on dactylographie le cryptogramme reçu. Des milliers de machines Enigma ont équipé l'armée allemande. La Luftwaffe (aviation), la Kriegsmarine (marine de guerre) et l'Afrika Korps de Rommel l'utilisent également, avec leurs propres conventions. DGSE.

LES CODES SECRETS DE L'OCCUPANT

Chiffrement et cryptanalyse dans le Reich en guerre

Bruno Fuligni

Les codes secrets sont aussi anciens que l'écriture, qui constitue elle-même un code d'ailleurs. Jules César, déjà, employait une méthode par substitution en replaçant chaque lettre par un caractère situé trois rangs plus loin dans l'alphabet. Mais un code aussi simple reste facile à « casser », par l'analyse des fréquences : en français par exemple, la lettre E est statistiquement plus fréquente que les autres, de sorte qu'il suffit de décompter les caractères pour identifier celui qui la chiffre — et découvrir la règle de substitution utilisée.

Dès lors, les cryptographes n'ont cessé d'imaginer des systèmes de plus en plus complexes pour brouiller les pistes et réserver « le clair » — le contenu du message — à son seul destinataire. Ainsi, on chiffrera différemment les voyelles et les consonnes, ou bien on disposera l'alphabet à l'envers, ou en commençant par les lettres d'un mot clé : le nombre des possibilités est infini...

Il existe en outre des méthodes par transposition : à l'école d'Hausen, les apprentis espions de l'Allemagne hitlérienne ont appris à transposer les lettres en notes

6°/- <u>Système dit de la Croix gammée</u> -

<u>Construction de la grille</u> : La grille est formée d'après les principes déjà étudiés.

On forme ensuite dans cette grille une croix gammée comme l'indique la figure.

N	A	T	E	S
B	C	D	F	G
H	I	J	K	L
M	O	P	Q	R
U	V	X	Y	Z

<u>Chiffrement</u> : La lettre centrale, J dans l'exemple choisi, ne change pas. Les lettres comprises dans la croix gammée se substituent les unes aux autres :

N = Z et réciproquement
B = R - -
S = U - - etc...

Les lettres se trouvant dans les cases libres se substituent également :

A = Y et réciproquement
C = Q -
M = G -
O = F -

On obtient ainsi un alphabet réciproque servant au chiffrement des messages :

A B C D E F G H I J K L M N O P Q R S T U V X Y Z
Y R Q P V O M L K J I H G Z F D C B U X S E T A N

Ce document est extrait d'un recueil de 98 pages qui donne rétrospectivement l'explication de tous les codes secrets des services de renseignement allemands (SRA) *ou pro-allemands cassés par la police des communications radioélectriques. Diffusé au sein de la* DST *en* 1947, *ce recueil n'a été déclassifié qu'en* 1986.

de musique, donnant aux messages les plus stratégiques l'apparence anodine d'une partition...

La guerre des codes

La Seconde Guerre mondiale, en amont des opérations militaires, est en effet une guerre des codes, d'autant que les messages voyagent aussi sur les ondes, grâce au doigté des « pianistes » qui transmettent par radio d'ésotériques séries de lettres ou de chiffres.

Par la radiogoniométrie, les services allemands traquent les émetteurs clandestins avec une redoutable efficacité : l'espérance de vie d'un « radio » est de six mois dans la France occupée. De leur côté, les Français libres et les Alliés interceptent les messages des postes nazis et s'efforcent de les décrypter. Ils y parviendront avec un certain succès, comme en témoigne l'importante synthèse réalisée après-guerre par la DST. « Tous les procédés examinés ont été employés », précise Roger Wybot. Codes de l'Abwehr, de la Gestapo, mais aussi de mouvements collaborationnistes comme le Parti populaire français (PPF) de Doriot ou le Parti national breton (PNB), ils sont tous là, classés par catégorie : méthodes à substitution ou à transposition, systèmes mixtes, sans oublier les techniques requérant un cadran ou une réglette.

Les plus simples reposent sur une grille de cinq cases sur cinq : débarrassé de la lettre W — détestée des espions pour qui elle signifie « agent double » —, l'alphabet tient dans ces petits carrés de vingt-cinq cases qui servent à interpoler plus ou moins savamment les lettres. Les plus pittoresques se structurent autour d'un motif formant une croix gammée ou les runes SS…

La machine Enigma

Aussi astucieux soient-ils, tous les codes ont pourtant une faille. La Wehrmacht a cru préserver le secret de ses transmissions au moyen d'une machine à coder légendaire : Enigma, fabriquée à partir de 1923 par Arthur Scherbius. Dotée de rotors brouilleurs, cette merveille d'électro-mécanique est capable de faire évoluer en cours d'encodage la règle de chiffrement utilisée, rendant normalement les messages impénétrables. Mais les Allemands ignorent qu'un des leurs, Hans-Thilo Schmidt, a vendu les plans d'Enigma. Au bureau du Chiffre polonais, pendant les années 1930, Marian Rejewski utilise une copie de la machine pour percer les cryptages. En 1939, les Polonais menacés communiquent les résultats de ses travaux à leurs alliés français et britanniques…

À Bletchley Park, en Angleterre, travaille bientôt une équipe de linguistes, de cruciverbistes et de cryptanalystes entièrement dédiée au déchiffrement des communications allemandes. L'un d'eux, le mathématicien excentrique et homosexuel Alan Turing, conçoit des machines mystérieuses et bruyantes, surnommées « bombes ». Programmables, celles-ci permettent d'explorer rapidement la multitude de combinaisons produites par Enigma : les premiers ordinateurs de l'Histoire sont nés.

À LA VEILLE DU JOUR « J »

La Résistance dans les préparatifs du Débarquement

Emmanuelle Braud

« La flèche ne percera pas », « Il fait chaud à Suez », « Les dés sont sur le tapis », « Ne faites pas de plaisanteries »... Parmi les étranges messages que diffuse la BBC, lors de son émission quotidienne *Les Français parlent aux Français*, ceux du 5 juin 1944 vont avoir une portée historique. Aux maquis, aux réseaux, ils donnent les signaux attendus depuis longtemps : enfin les plans Vert, Violet, Bleu, Bibendum et Tortue sont déclenchés, après des mois de préparatifs.

Afin d'être associée aux opérations de débarquement qui vont libérer la France, la Résistance intérieure a dû prouver aux Alliés, sceptiques, ses capacités opérationnelles. Concentré depuis 1940 sur une activité de renseignement qui a permis de fournir de précieuses informations sur le dispositif ennemi en France, le BCRA se penche depuis décembre 1943, et dans l'urgence, sur les moyens de passer à l'action. Les études se multiplient, cartes à l'appui, si bien qu'en février 1944 les plans d'action de la Résistance pour le jour « J » sont établis, en anglais et en français, afin d'être exposés devant le commandement allié.

La première étude, intitulée « Les conditions militaires du débarquement allié en France », envisage les diverses hypothèses en distinguant quatre zones possibles d'invasion. Alors que la zone Nord est pressentie comme le futur théâtre des opérations depuis le printemps 1943, l'étude démontre que les capacités d'action de la Résistance y sont plus faibles qu'en zone Sud. Afin de préciser son rôle et ses moyens avant et après le jour « J », une deuxième étude porte sur « La Résistance française dans son action militaire ». Enfin, les instructions des plans de sabotage sont révisées, notamment celles du plan Vert qui font l'objet d'une troisième étude.

Des centaines de messages codés

Ces plans prévoient une intervention massive de la Résistance au moment du Débarquement. Il faut chercher par tous les moyens à attaquer l'armée allemande dans ses points faibles, et notamment par le sabotage, permettant d'éviter des bombardements coûteux ou d'en compléter l'effet. Pour y parvenir, les forces clandestines reçoivent quatre missions. Le plan Vert consiste à perturber le trafic ferroviaire et à saboter les voies ferrées dans la zone du Débarquement : parachutée près d'Alençon le 24 février 1944, la chimiste Jeanne Bohec, spécialiste des explosifs, y participera activement. Le plan Violet doit permettre d'interrompre les communications allemandes en sabotant les lignes télégraphiques et téléphoniques. Le plan

I

PLAN GENERAL DES POSSIBILITES D'INVASION

A - Opération Escaut-Somme.
(voir détails sur plans AI-AI1-AII-AIII-AIII3)

B - Opération Normandie-Bretagne.
(voir détails sur plans BI-BI1-BII-BIII-BIII3-BIV-BIV3)

C - Opération Aquitaine.
(voir détails sur plans CI-CI1-CII)

D - Opération Méditerranéenne.
(voir détails sur plans DI-DI1-DII)

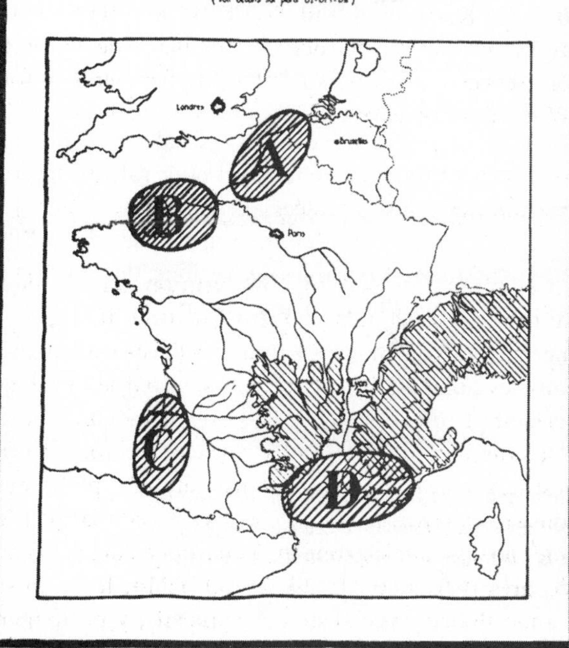

Rapport du BCRA *sur les conditions militaires du Débarquement allié en France, janvier* 1944.

Bibendum prévoit de freiner la marche des renforts et le plan Bleu doit perturber la distribution d'électricité. Le commandement allié ayant approuvé ces plans, les réseaux et les maquis vont pouvoir donner leur pleine mesure.

Sur le terrain, des agents du BCRA sont parachutés de Londres pour recruter ceux qui vont constituer les équipes chargées de mettre ces plans en application. Il faut s'approvisionner en matériel et en explosifs, mettre en place l'instruction, assurer les liaisons entre les différents groupes, transmettre les consignes et les messages. La mission Action-plan Tortue, commandée par le colonel Rondenay sous le pseudonyme de Jarry, doit ainsi organiser des équipes spéciales de saboteurs et de francs-tireurs en zone Nord pour ralentir la progression des unités blindées allemandes au jour « J ». Le 5 juin, les centaines de messages codés de la BBC indiquent aux responsables des régions, des réseaux et des groupes que l'heure d'agir a sonné.

✦

LES CONCLUSIONS DU RAPPORT

Étude no 1 de la Direction générale des services spéciaux de la présidence du comité français de la Libération nationale (extrait), Londres, 20 janvier 1944

[...]

a) Importance d'une saine appréciation

Il faut noter tout d'abord que cette armée ne peut tirer sa protection que de son invisibilité : elle n'a pas de lignes de retraite. Il en résulte que, l'action clandestine mise à part, cette armée ne peut et ne doit pas être ouvertement déployée que pour des opérations décisives. Une appréciation très sûre de la valeur militaire de ces derniers est donc indispensable à ceux qui auront la responsabilité de décider de l'opportunité et de l'ampleur du mouvement intérieur français.

b) Valeur de chaque opération

Nous résumerons ainsi le jugement porté sur les diverses hypothèses.

A) Opération Escaut-Somme. Exige de très gros moyens pour la conquête d'un objectif stratégique direct et de valeur décisive.

B) Opération Normandie-Bretagne. Exige aussi de très gros moyens pour la conquête d'un objectif qui ne sera pas forcément décisif. Sa combinaison avec l'opération D (Méditerranée) libère une partie importante du territoire français.

C) Opération Aquitaine. Sans doute plus aisée et moins coûteuse que les autres, mais dont l'objectif limité ne peut servir que de point de départ à une nouvelle campagne.

D) Opération Méditerranée. S'avère difficile tout en exigeant des moyens importants. Son but est également limité, et comme pour l'opération C (Aquitaine), ne deviendrait décisif qu'à la suite de ses répercussions morales ou politiques sur les états satellites de l'Allemagne, entraînant un effondrement total de l'armée allemande.

La difficulté de réussite des opérations A et B est soulignée. Ces opérations, même menées avec des moyens très supérieurs à ceux de l'ennemi, n'offrent encore que 50 chances sur cent de succès.

Les opérations C et D présentent sans aucun doute plus de possibilités d'issue favorable à moindre frais et peuvent ainsi être plus tentantes pour le haut état-major allié, comme diversions d'opérations menées sur d'autres théâtres européens.

c) Intérêt des combinaisons possibles

L'on ne peut dire que l'ennemi soit mieux préparé à faire face à l'une ou à l'autre hypothèse. L'articulation de son dispositif en France, si dispersé qu'il paraisse au premier abord, présente en fait une assez grande souplesse et permet à l'armée allemande d'intervenir assez rapidement (dans un délai de 8 jours), en force assez considérable (de 15 à 21 divisions) dans la région menacée, sans pour cela affaiblir les défenses des autres fronts côtiers. En particulier, la défense de la Méditerranée semble constituer un ensemble autonome et relativement indépendant.

Deux débarquements simultanés n'affecteront donc que bien peu la densité de la défense allemande dans les régions attaquées.

Par contre, l'exécution de débarquements simultanés sur 3 théâtres d'opérations, différents et éloignés — à la condition qu'il s'agisse pour chacun d'eux d'une opération de grande envergure visant chacune à la décision, et non de simples diversions — divisera l'importance des renforts à envoyer sur chacun d'eux et pourra même créer une certaine hésitation, et un retard dans leur emploi.

À ce titre, la combinaison de plusieurs débarquements apparaît particulièrement avantageuse.

d) Appui aérien

L'examen des diverses hypothèses fait apparaître des différences nouvelles si on les considère du point de vue de l'appui aérien.

1) Troupes parachutées. L'emploi massif des troupes parachutées ne peut se concevoir que dans les régions limitées au rayon de protection de l'aviation de chasse (cas A et

B). Même dans ces deux cas leur rôle ne sera pas décisif, ces troupes devant se heurter à des moyens de défense prévus.

2) Emploi de l'aviation. L'emploi intensif de l'aviation de protection ou de coopération exige une coordination parfaite avec les mouvements et les efforts des troupes terrestres. L'efficacité de cet appui direct de l'aviation diminue considérablement lorsque la distance entre le champ de bataille et les terrains de départ augmente. La synchronisation des opérations terrestres et aériennes est sans doute réalisable dans les cas A et B (opérant sur la mer du Nord et de la Manche) ; elle paraît infiniment plus difficile à obtenir dans les cas C et D. On peut craindre, dès lors, tout particulièrement dans ces deux dernières hypothèses, que l'aviation de bombardement reçoive principalement des missions d'action d'ensemble s'exerçant sur les communications à l'intérieur de notre pays. Elle nous imposera des destructions et des blessures, sans résultats ou sans effets immédiats et déterminants sur le succès des opérations entreprises.

De nombreux exemples de bombardements aériens discutables effectués en 1943 (Rennes, Rouen, Anvers) donnent quelques fondements à ces craintes.

[SHD-DIMI]

Photographie d'identité de Jeanne Bohec.

LA PLASTIQUEUSE À BICYCLETTE

Jeanne Bohec, une chimiste pour les maquis

Stéphane Longuet

Étudiante en mathématiques, Jeanne Bohec a interrompu ses études en mars 1940 pour s'engager comme aide-chimiste dans une poudrerie de Brest. Le 18 juin, elle n'entend pas l'appel du général de Gaulle, mais ce jour-là les troupes allemandes arrivent dans le port breton : tout juste âgée de vingt-et-un ans, elle décide d'embarquer pour la Grande-Bretagne.

Là-bas, aucune structure d'accueil n'est prévue pour les Françaises. Elle ne se décourage pas et, faute de pouvoir intégrer une équipe de chimistes, elle s'engage dans le corps féminin des volontaires de la France libre. À Bournemouth, elle suit un entraînement au sein de l'école des *Auxiliary Territorial Service*, un corps d'engagées volontaires britanniques. Puis elle travaille comme secrétaire au service technique et de l'armement jusqu'au printemps 1942. Faisant valoir ses compétences de chimiste, elle intègre enfin le laboratoire créé par le BCRA pour étudier la fabrication d'engins de sabotage destinés à la Résistance. Elle forme également les agents à la manipulation de nouveaux explosifs.

Mais c'est en France, sur le terrain, que Jeanne Bohec veut agir. À force d'insistance, elle convainc les chefs du BCRA de parachuter une femme. La jeune chimiste suit donc une formation poussée, sous l'égide des services secrets britanniques.

Une armée de saboteurs

Ses qualités, son potentiel sont repérés depuis longtemps. En laboratoire, elle oriente ses recherches vers la préparation d'explosifs et d'engins incendiaires avec du matériel facile à trouver dans le commerce. André Manuel, l'adjoint de Passy, supervise la préparation des plans du soutien militaire que la Résistance intérieure doit apporter aux Alliés après le Débarquement. Il accepte de l'envoyer former les maquis.

Le sous-lieutenant Bohec, pseudonyme Rateau, est parachuté près d'Alençon le 29 février 1944. Elle enseigne à domicile la fabrication et le maniement d'engins de sabotage à des dizaines de personnes, en majorité des pharmaciens ou des préparateurs en pharmacie qui doivent à leur tour former de nouveaux élèves pour lever une armée de saboteurs. C'est à bicyclette qu'elle sillonne les routes bretonnes pour se déplacer rapidement sans éveiller les soupçons. L'instruction pour le sabotage dure une demi-journée, celle pour la fabrication d'engins, six à sept jours. Les saboteurs ainsi formés viseront des cibles stratégiques, difficiles à remettre en état, comme les pylônes, les tunnels ou les voies ferrées.

À partir du 5 juin, l'instruction est terminée : Jeanne Bohec participe directement à des actions de sabotage, dans le cadre du plan Vert qui consiste à fixer les unités allemandes en Bretagne lors du Débarquement. Elle utilise explosifs et cordons détonants parachutés par les Alliés, mais fabrique elle-même les détonateurs avec des produits trouvés en pharmacie. Puis elle rejoint le Bureau des Opérations aériennes (BOA) où elle code et déchiffre les télégrammes. Elle contribue ensuite à la prise de Quimper par les FFI et fait partie du défilé qui suit...

Sa mission terminée, elle quitte la France en août 1944 par mer avec Passy. Démobilisée en 1945, elle enseigne les mathématiques comme professeur à Paris au lycée Roland-Dorgelès. Elle devient en 1975 maire adjoint du XVIIIe arrondissement et publie un livre de souvenirs, *La Plastiqueuse à bicyclette*. Le 11 janvier 2010, s'éteint la seule femme instructeur de sabotage de toute la Résistance.

✦

EN MISSION SOUS IDENTITÉ FICTIVE

Curriculum vitæ forgé pour servir de « légende » à « Rateau »

Guichard Geneviève, Marie — fête le 3/1, née le 17 mars 1919 à Toulon (Var), fille de Jean, né en 1888, et d'Amélie Trinche née en 1895, décédée en 1936 des suites d'une pneumonie.

Le père officier de marine en retraite, habite Cannes,

7, rue Lafontaine où il s'est fixé en 1936 en raison de l'état de santé de son épouse.

De 1925 à 1928, école communale de Toulon.

De 1928 à 1936, collège de jeunes filles Angers, avenue Besnardières, demeure chez une tante Mme Trinche, habitant rue Grégoire Lachaise. 1re partie du Bac.

1937, 2e partie du Bac à Nice, suivait les cours du lycée de Cannes.

1937 à 1941, poursuit ses études tout en donnant des leçons particulières.

Carte d'identité : Cannes le 14.8.42, 7, rue Lafontaine. De novembre 1942 à juin 1943, a séjourné à Toulouse poursuivant à la faculté ses études de mathématiques. Visa de validation, police, du 27.03.43.

Carte d'alimentation : Cannes n° 55.273 du 29.12.41, 1er et 2e feuillets Cannes, 3e feuillet Toulouse, 4e feuillet Cannes cachet VT Carbon.

Carte de textiles : Cannes du 11.07.42 n° 0000224 se rend chez sa tante qu'elle n'a pas revue depuis 1936, ne pouvant continuer à vivre près de son père dont la vie est déréglée.

[SHD-DIMI]

FRANCE COMBATTANTE
Etat-Major Particulier du Général de Gaulle
B.C.R.A.

Nº. 6271. . . /BCRA/. .
REF : . . . .
CLA : . . . .

Londres le : 19. 8. 43.

TRES SECRET

DEMANDE D'AFFECTATION D'UN VOLONTAIRE

POUR MISSION

Nom et prénoms : Melle BOHEC. Jeanne Hyacinthe. Marie. Amélie

Age : 24 ans　　　　Né le : 16 fev. 1919

Grade : caporal　　　　Arme : Volontaires Françaises

Degré d'instruction : Certificat de licence. Math. generales.

Date d'arrivée en Angleterre : 21 juin 1940.

Venant de : France. Brest.

Incorporé aux F.F.C. le : juin 1940.

Position actuelle : Mle 70.085. Volontaires Françaises

Utilisation prévue : Missions.

Demandes antérieures :

Motifs à l'appui de la demande : Etant donné ses qualités techniques — elle travaille depuis plus de deux ans la question des explosifs — son cran et son sexe, Mlle Bohec pourra faire une très bon instructeur de sabotage et d'armement, avec des risques relativement restreints.

Le Chef de section.

Avis du Chef du B.C.R.A.

[signature]

~~Avis du Chef de l'E.M.P.~~
Avis de M. le Général de Corps d'Armée
Aérienne D'ASTIER, Cdt.en.C. les F.F.G.B

Avis du Général de GAULLE

Formulaire de la France combattante, demandant l'affectation de Jeanne Bohec à des missions du BCRA, 19 août 1943.

La carabine USM1 A1 *à crosse repliable du capitaine* Kernevel.

À L'ORIGINE DES FORCES SPÉCIALES

Les Jedburgh en mission dans la France occupée

Tugdual Le Guen

Nom de code : Félix. Objet : mission spéciale en territoire occupé. Sont volontaires le capitaine Souquet *alias* Kernevel, désigné chef de mission, et ses deux équipiers anglais, le capitaine John Marchant et le sergent radio Peter Colvin. Mis en alerte le 7 juillet 1944 puis briefés à Londres le 8, ils doivent organiser et armer les FFI de la partie orientale des Côtes-du-Nord.

Parachutés le 9 juillet à 0 h 45 près de Jugon, ils prennent tous les risques. Voyageant à pied, de jour et en uniforme, ils parcourent 250 km pour inspecter les maquis, malgré un contrôle sévère de l'ennemi. Par leur audace, ils galvanisent toutes les énergies. En quinze jours, ils obtiennent le parachutage par quarante-six avions, sur six terrains différents, d'un équipement permettant d'armer plus de trois mille hommes. Lors du déclenchement de l'insurrection générale en Bretagne, Souquet coordonne les attaques dans son secteur. Sous son commandement, les FFI tuent 324 Allemands et en capturent 743, avec un important matériel. Souquet obtient la reddition de la garnison du cap Fréhel en dirigeant sur elle le feu de deux canons pris à l'ennemi. Ces actions permettent de libérer tout le département et d'assurer l'avance rapide des troupes du général Patton vers Brest. Le *team* Félix regagne Londres le 23 août.

« Embraser l'Europe »

Souquet et ses équipiers sont des « Jeds », des combattants éprouvés selon le concept Jedburgh. Celui-ci est né le 7 juillet 1942 au sein du SOE (*Special Operations Executive*), créé par Churchill dès juillet 1940 pour « embraser l'Europe ». En mars 1943, son équivalent américain le *Special Operation* de l'OSS (*Office of Strategic Services*) se joint au projet. Des équipes interalliées seront parachutées derrière le front pour armer, entraîner et coordonner l'action des maquis : il s'agit d'utiliser le potentiel de la Résistance pour faciliter l'avance des troupes de libération. Cent équipes Jedburgh sont constituées : chacune comporte un opérateur radio et deux officiers dont l'un est obligatoirement issu du pays où la mission est programmée : France, Belgique, Pays-Bas.

Le BCRA recrute donc une centaine de volontaires : pas seulement des baroudeurs, mais des hommes intelligents, capables de juger d'une situation locale, de former des instructeurs et de savoir s'imposer aux chefs de maquis comme aux autorités civiles en place. Si les Américains et les Britanniques ont leur quota dès les premiers jours de 1944, les Français ne l'atteindront qu'en avril. Les volontaires « Jeds » sont regroupés à Milton Hall, splendide manoir du centre de l'Angleterre qui, sous l'appellation ME 65 (*Military Establishment 65*), va leur servir d'école secrète. Au programme : tirs intensifs, techniques de sabotage, codage de messages et manipulation Morse, brevet parachutiste. Bref, un réel entraînement commando, complété par des conférences sur la situation politique confuse qui règne au sein de la Résistance. Cette formation est nécessaire pour limiter les risques. Malgré cela, quatre Français, six Américains et six Britanniques y perdront la vie, une douzaine seront blessés. Parmi les cent quatorze Jedburgh français formés, cent trois participeront à une mission ; six d'entre eux, comme le capitaine Souquet, en effectueront une seconde en France.

Volontaires une seconde fois

Le *team* Félix, en effet, se porte volontaire pour repartir. Mis en alerte le 10 octobre 1944 et briefé le 12, il doit être parachuté en Alsace, près de Thann. Un second radio le rejoint, le sous-lieutenant Paul Scherrer *alias* Sauvage. Les quatre hommes doivent organiser un service de renseignement au profit de la 1re Armée, armer les FFI, leur désigner des objectifs et préparer une base pour une unité de parachutistes SAS britanniques. Mais les Anglais retirent leurs hommes pour les envoyer en Extrême-Orient. Le 15 octobre, une équipe totalement française est montée, sous le nom de Julian 2. Le sous-lieutenant René Meyer *alias* Mersiol rejoint le capitaine Kernevel et Sauvage. Souquet a une bonne connaissance de la région, parcourue comme chef de troupe scout avant-guerre. Ses adjoints, originaires de Sélestat et de Mulhouse, parlent l'alsacien et comprennent l'allemand. Une mauvaise météo persistante fait annuler le parachutage et un aérotransport sur Épernay ne peut avoir lieu que le 19 novembre. De là, l'équipe gagne Nancy pour un nouveau briefing destiné à étudier les possibilités d'infiltration en tenue civile jusqu'à Colmar. Le départ est de nouveau suspendu, en raison de la percée des troupes françaises à Belfort, en direction de Strasbourg, libéré le 23. L'équipe Julian 2 arrive le 13 décembre dans la métropole alsacienne, où Kernevel, doté de quatre postes radio, établit une liaison avec Londres, Mulhouse et Metz. Le commandant Marceau, chef local des FFI, lui annonce le 28 ne plus avoir besoin de l'équipe... Souquet en avise Paris et attend confirmation.

Or, le 3 janvier, une véritable panique s'empare de Strasbourg. Les Allemands retraversent le Rhin ! Les administrations civiles, préfet en tête, donnent le signal de la fuite et sont suivis par l'état-major de région. Le *team* Julian 2 décide de rester. Les Américains reviennent, bloquant les sorties de la ville. Kernevel poursuit l'organisation d'un réseau de renseignement, aidé de résistants locaux. Le 6 janvier, les Américains cèdent la défense de la ville à la 1re Armée et Souquet demande deux parachutages de la part du commandant Marceau. Le 24 janvier, la situation tourne en faveur des Alliés.

À Mulhouse, le 12 février, Kernevel apprend qu'à la suite d'une trahison, c'est la Gestapo qui l'aurait accueilli sur la *dropping zone* (zone de saut) de Rossberg, s'il avait sauté comme prévu le 20 octobre...

Le 19 février, l'équipe reçoit l'ordre de regagner Paris, d'où elle rejoint Londres le 14 mars.

À l'issue de leur mission, il est proposé aux Français diverses solutions pour continuer la guerre : rejoindre les unités SAS ou les SAARF (*Special Allied Airborne Reconnaissance Force*) destinés à protéger les prisonniers des camps en Allemagne, retourner combattre dans leur régiment d'origine, continuer à œuvrer pour les services secrets en France ou en Extrême-Orient. De nouvelles aventures, pleines de dangers. Le bilan humain parle de lui-même : un disparu sur les quatre volontaires auprès des SAARF, huit tués parmi les quarante-huit volontaires pour l'Indochine et trois morts dans les rangs de ceux qui ont choisi de réintégrer leur régiment en campagne dans l'est de la France.

Le 1er septembre 1946, la création du 11e Bataillon de Choc installe les forces spéciales au sein de l'armée française. Son noyau central ne compte pas moins de quatorze anciens « Jeds ». Le capitaine L'Helgouach définit sa doctrine d'emploi, ses effectifs ainsi que le programme d'instruction. Reprenant à son compte le meilleur de la formation dispensée à Milton Hall et dans les autres écoles britanniques, le « 11e Choc » va demeurer une unité particulière, rattachée au service Action du SDECE.

✦

R A P P O R T

AU SUJET DES ACTIVITES DE L'EQUIPE FELIX EN BRETAGNE

DU 9 JUILLET AU 23 AOUT 1944.

-:-:-:-:-:-:-:-

Captain J. Kernevel
Captain J. J. Marcaht
Sgt. P. M. Colvin.

-:-:-:-:-:-:-:-

1. MISSION.

L'équipe FELIX alertée le 7 Juillet, fut " Briefee " à LONDRES le 8 dans l'après-midi et sauta la nuit suivante près de JUGON (Cô tes-du-Nord).

Sa mission était d'organiser et d'armer la résistance dans la partie Est des Côtes-du-Nord. En arrivant elle devait rechercher de Terrains d'Atterrissage et des points de débarquement sur la côte. Des contacts devaient être recherchés avec FREDERICK et la base SA GROG (Cdt BOURGOIN).

2. DROPPING.

L'équipe fut parachutée le 9 Juillet à 00.45 hrs. à 3 kms Nor Est de JUGON en même temps qu'un envoi de 6 avions d'armes. La réc tion avait été organisée par FREDERICK. Ordre de saut : Capt. KERN VEL, Sgt. COLVIN, Capt. MARCHANT. Le Comité de Réception était bie organisé mais le terrain, qui n'avait pas été choisi par FREDERICK lui-même, était très mal placé. Il se trouvait entre deux routes n tionales importantes. Nous avons sauté à 1 km d'un Bataillon Parachutiste Allemand. Le Dispatcher nous a fait sauter dans un " Stic beaucoup trop long (12 containers - 3 hommes - 2 bicyclettes - 5 paquets) de sorte qu'il nous fallut deux heures et demie pour retrouver le poste radio.

3. PREMIERS CONTACTS.

Nous avons trouvé sur le terrain de parachutages, FRANCOIS, C Civil F.F.I. des COTES-DU-NORD - YVES, Chef Civil F.F.I. du Secteu Est - JEAN, Chef Militaire F.F.I. de la même région. Ils n'avaient

Rapport au sujet des activités de l'équipe Félix en Bretagne du 9 juillet au 23 août 1944.

✦

DES « JEDS » EN MISSION

Rapport au sujet des activités de l'équipe Félix *en* Bretagne *du* 9 *juillet au* 23 *août* 1944

1) Mission

L'équipe Félix alertée le 7 juillet, fut « briefée » à Londres le 8 dans l'après-midi et sauta la nuit suivante près de Jugon (Côtes-du-Nord).

Sa mission était d'organiser et d'armer la Résistance dans la partie est des Côtes-du-Nord. En arrivant, elle devait rechercher des terrains d'atterrissage et des points de débarquement sur la côte. Des contacts devaient être recherchés avec Frederick et la base SAS Grog (cdt Bourgoin).

[...]

8) Opérations à partir du 3 août

Au cours de nos tournées, nous avions reconnu les possibilités d'attaque des postes allemands de l'intérieur, tous à effectifs assez faibles (dépôts de munitions ou de vivres, postes radio ou de repérage). La côte, fortement fortifiée et solidement tenue, devait être simplement bloquée et coupée de l'intérieur.

Le secteur fortifié de Pleurtuit (région de Dinard) organisé depuis plus d'un an par les Allemands pour lutter contre l'intérieur devait être simplement observé dès qu'il fut certain que nous ne pouvions pas armer Dinan et Dinard.

Par ailleurs, toutes les communications devaient être coupées, et des embuscades permanentes tendues sur les routes pour harceler les convois et interdire le passage aux petits groupes.

Ce programme fut mis en œuvre et dépassé dès la

réception du message : « Le chapeau de Napoléon est-il encore à Perros-Guirec ? »

Nous disposions d'une trentaine de compagnies formant un total de 3 100 hommes armés.

Suit un tableau sommaire des opérations menées par les bataillons. Le détail en sera transmis par la voie hiérarchique :

1) Jugon :

4 attaques de convois importants.

Nombreuses embuscades.

Occupation de Jugon.

Destruction du poste d'observation de Megrit.

2) Dinan :

Capture du poste radio de Caulnes, intact.

Capture du dépôt de vivres de 8 000 T de Saint-Meen.

Capture du dépôt de munitions du Hingler.

3) Plancoët :

Capture des ouvrages de la côte à Saint-Cast.

Déraillement et mitraillage d'un train de munitions.

Nombreuses attaques de convois.

Refoulement des Allemands vers le cap Fréhel.

4) Pléneuf :

Capture des ouvrages de la côte entre le Val André et les Sables d'Or.

Refoulement des Allemands vers le cap Fréhel, où ils s'abritaient derrière un épais champ de mines antipersonnel.

5) Collinée :

Attaque d'une colonne de 500 à 600 parachutistes arrêtés 6 heures devant Merdrignac où ils fusillèrent 6 otages en représailles. Même action à Moncontour où ils tuèrent 13 otages.

6) Les Allemands restant dans la région par petits groupes furent pourchassés et les effectifs disponibles

affectés à la protection des voies de communication suivant la demande de la 3e armée américaine.

7) Douze compagnies furent envoyées au cap Fréhel pour y bloquer la garnison allemande forte de 400 hommes environ. Elles furent chargées d'empêcher la garnison allemande de se ravitailler en eau et en vivres au village de Plévenon.

Nous avons pu mettre en batterie contre elle deux canons russes de 76 mm capturés à Saint-Cast et servis par des canonniers de la marine. Tir réglé par nous et dont l'efficacité fut confirmée par l'interrogatoire des officiers allemands. Il attira une violente réaction de mortiers de 81 mm et des mitrailleuses de 20.

La garnison se rendit le lendemain aux unités américaines, dont nous avions demandé l'aide, après un violent bombardement. Pour le détail des pertes FFI et allemandes et du matériel capturé, voir l'annexe jointe. Les résultats obtenus ont été surprenants, en raison du manque d'instruction et d'encadrement et surtout de l'insuffisance de l'équipement.

Trop peu de chaussures et de chaussettes nous ont été envoyées, et trop de pointures extravagantes. On ne peut pas tout demander à des hommes qui se battent en sabots.

[Collection particulière]

Troisième partie

LES SECRETS DU FRONT INVISIBLE

1947-1989

MINISTERE
DE L'INTERIEUR

DIRECTION GENERALE
de la
SURETE NATIONALE

Très
SECRET

SURETE NATIONALE
13 MARS 1947
ARRIVÉE N° 1061

REPUBLIQUE FRANCAISE

- 6 MARS 194

SN/STE N° 3276 D
13/0.21

NOTE DE SERVICE

OBJET : Observation sur l'orientation de la S.T.
Précisions sur la présentation des affaires de C.E.

REFER.: Note de Service n° 12921/13/0.21 du 23 Août 1946.

P.J. : Un plan général de recherches de renseignements de C.E.
Un questionnaire de C.E.

La réorganisation de la S.T. telle qu'elle est exposée dans la circulaire N° 1568-15217/301 SN.ST. du 9 Octobre 1946, transmise sous bordereau d'envoi, en date du 11.10.46 a pour but d'adapter notre service aux affaires de demain. Parmi les tâches qui nous incombent, et que la liquidation du passif de l'occupation allemande, arrivée à son terme, va nous permettre d'entreprendre, la recherche du renseignement de contre-espionnage, de tout ordre, à l'intérieur, et son exploitation sont celles qui doivent retenir toute notre attention.

Il importe donc d'orienter le travail des Services de la S.T. vers ce but.

Il s'agit en premier lieu, de recueillir sur notre territoire, par des enquêtes et des filatures, une documentation sur les services de renseignements étrangers et leur personnel, camouflés dans des organismes officiels des maisons de commerce ou sous toute autre couverture. Il sera ensuite possible, d'effectuer leur "noyautage" systématique, sur une base solide.

.....

Note de service sur la réorientation de la DST,
6 *mars* 1947.

Elle est frappée du tampon « secret » mais, à la réflexion, cette note de service (ci-contre) sera un document « très secret » : le superlatif a été ajouté à la main. Le sujet n'est pas mince en effet, puisqu'il s'agit de réorienter l'action de la DST (Direction de la Surveillance du Territoire). Créée en 1944 pour traquer les anciens collaborateurs et les criminels de guerre nazis, celle-ci a été confiée à Roger Wybot, l'ancien patron du contre-espionnage au sein du BCRA.

Or, Wybot a conscience que le monde a changé. Une précédente note du 23 août 1946 étant restée sans effet, il insiste : « Parmi les tâches qui nous incombent, et que la liquidation du passif de l'occupation allemande, arrivée à son terme, va nous permettre d'entreprendre, la recherche du renseignement de contre-espionnage, de tout ordre, à l'intérieur, et son exploitation sont celles qui doivent retenir toute notre attention. »

La guerre est finie, en somme, du moins la guerre ouverte contre le nazisme. Il reste des dossiers délicats à purger et des titres de résistant à homologuer, comme dans le cas de François Mitterrand. Mais, en ce 6 mars 1947, deux mois avant que Ramadier ne chasse les ministres communistes de son gouvernement, Wybot a compris qu'un conflit plus sourd est en train de mettre aux prises les anciens alliés de l'Est et de l'Ouest. La Guerre froide commence, de part et d'autre du front invisible qui parcourt l'ensemble du monde.

Wybot assigne donc trois missions à sa centrale. D'abord, la surveillance « par des enquêtes et des filatures » et le « noyautage systématique » de tous les organismes servant de couverture aux espions étrangers — comme cette mystérieuse Banque commerciale pour l'Europe du Nord par laquelle les Soviétiques financent le communisme français. Ensuite, la « neutralisation » des activités suspectes : la DST arrêtera ainsi Georges Pâques, taupe des Soviétiques au sein de l'Otan, comme elle démantèlera le réseau Bammler-Kranick, mis en place par les services est-allemands. Enfin, l'établissement d'une documentation « vivante », c'est-à-dire à jour et facile à consulter.

Celle-ci sera d'autant plus utile que la rivalité Est-Ouest interfère de manière complexe avec les conflits de la décolonisation. La DST n'est pas seule à s'en préoccuper, d'ailleurs : les RG surveillent le nationaliste algérien Messali Hadj, qui rencontre Hô Chi Minh, le Service de Documentation extérieure et de Contre-espionnage (SDECE) s'entend avec la CIA en Indochine et intercepte avec la Surveillance maritime les livraisons d'armes au FLN. L'attentat contre le général Salan en 1957, puis les bombes de l'OAS compliquent encore la donne.

Malgré la détente, deux blocs continuent de s'affronter, par conflits locaux interposés : quand les Français interviennent au Zaïre, en 1978, c'est pour chasser de Kolwezi les « Katangais » marxistes. Dans ce contexte de tension, les Français redoutent non seulement les chars russes, mais aussi d'autres envahisseurs, venus de l'espace : ils voient des ovnis partout et la gendarmerie collecte leurs observations, dans des rapports longtemps tenus secrets.

La DST s'en tiendra à des adversaires plus classiques. Oubliant la note de 1947, elle réussira le plus beau coup de son histoire en sortant complètement de son rôle : l'affaire Farewell ne relève en rien du contre-espionnage intérieur, mais c'est elle qui va amener la fin de la Guerre froide.

12

DOSSIER D'HOMOLOGATION
DE GRADE F. F. I.

5

1er Région Militaire.

NOM : Mitterrand PRÉNOMS : François Maurice

Date et lieu de naissance : 26. 10. 1916 à Jarnac, Charente

Avis ou Décision de la Commission régionale :

Avis de la Commission nationale et Décision : Ct

N° 9253 Liste : Date : 16. 4. 46

1er Appel : N° Date :

2e Appel : N° Date :

Case n°

J. Z. 132125 [26305]

LE DOSSIER MITTERRAND

Les états de service d'un résistant inclassable

Bruno Fuligni

C'est un fin dossier comme il en existe 630 000 dans les archives du 6e Bureau de la Direction du Personnel militaire de l'Armée de Terre (DPMAT), ce « Bureau Résistance » chargé en 1948 d'homologuer les services rendus dans l'armée des ombres. Ces documents ne sont devenus accessibles aux chercheurs qu'en 2005, mais ce dossier-là est resté dans un coffre-fort cinq ans de plus : le nom de « Mitterrand », calligraphié à l'encre, explique assez ce luxe de précautions.

L'intéressé lui-même n'en aura connu que la première pièce, la fiche de renseignements qu'il signe le 15 novembre 1944. François Mitterrand, *alias* Morland, *alias* Monier, rappelle qu'il est le fondateur du MNPGD (Mouvement national des Prisonniers de Guerre et Déportés), « incorporé dans les FFI en avril 1944 ». Répondant à la question des grades obtenus dans les Forces françaises de l'intérieur, il indique : « Capitaine en décembre 1943 (Londres BCRA), commandant en janvier 1944 (chargé de mission pour la France), lieutenant-colonel en juin 1944 (Comité directeur du MNPGD). » En particulier, il a « traité personnellement les accords qui ont abouti, en avril 1944, à l'entrée des formations MNPGD dans les FFI » et « assuré la direction des opérations clandestines du MNPGD en liaison avec l'état-major général des FFI ».

Mais François Mitterrand n'a sans doute jamais lu l'appréciation manuscrite qu'un mois plus tard, le 19 décembre 1944, le chef départemental des FFI porte à la page suivante. « Intelligent. Culture générale étendue. [...] Tempérament de chef », écrit le colonel Lézé, qui ajoute cette phrase ambiguë : « Les services rendus dans la Résistance par M. Mitterrand ne sauraient être contestés, mais il semble qu'ils n'ont pas de rapport avec un grade FFI. »

Un ambitieux de trente-six ans

François Mitterrand n'en est pas moins homologué commandant FFI, le 16 avril 1946. Cinq ans plus tard, il pense donc pouvoir demander une attestation au ministère de la Défense.

C'est là que les militaires de la DPMAT commencent à penser comme le colonel Lézé. « L'action résistante de M. Mitterrand est connue de tout le monde », indique la note adressée au directeur, mais il y a un problème : le MNPGD n'est pas un mouvement reconnu au titre FFI. Ainsi, « en bonne logique », il faudrait annuler l'homologation de 1946 ! « Une telle solution ne manquerait pas d'avoir, sur le plan politique, en raison de la personnalité de M. Mitterrand, les répercussions que l'on devine », résume pudiquement l'auteur de la note en juillet 1952.

ETAT NOMINATIF DES PERSONNES DONT LA RECONNAISSANCE DES

SERVICES A TITRE F.F.I. A FAIT L'OBJET D'UN LITIGE

NOM & Prénoms	DATE de Naissance	-DECISION- d'homologation antérieure-	OBJET du Litige	NOUVEL AVIS de la C.N.H en date du I8.I2.I95I	AVIS de Mr- IVONNET	DECISION du Général Directeur
MITTERAND François	26.IO.I6	Homologué Commandant sous N° 9253 le I6.4.I946	C.A. aux F.F.I. refusé. L'activité de Monsieur MITTERAND dans la résistance n'a pas eu le caractère FFI	PAS F.F.I.		

Document du Bureau Résistance faisant état d'un litige concernant l'appartenance de François Mitterrand aux FFI, 18 décembre 1951.

Député de la Nièvre depuis 1946, déjà quatre fois membre du gouvernement, François Mitterrand était encore ministre d'État en mars. Élu et réélu sur un programme nettement anticommuniste, président du groupe UDSR (Union démocratique et socialiste de la Résistance) à l'Assemblée nationale, cet ambitieux de trente-six ans a beaucoup d'ennemis. On sait confusément qu'il a frayé avec les ligueurs quand il étudiait à Paris, dans les années 1930 : il a en effet adhéré aux Volontaires nationaux, liés aux Croix de feu du colonel de La Rocque, mais les mauvaises langues le situent plus à droite encore, chez les monarchistes de l'Action française. On le sait ami de l'industriel Schueller, fondateur de L'Oréal, et de son gendre Bettencourt : n'aurait-il pas été membre de la Cagoule, cette organisation clandestine d'extrême droite qu'a financée le même Schueller sous le Front populaire ? Quant au MNPGD, il est certain que ce réseau travaillait avec les services secrets de Vichy, avant de s'aboucher avec Londres. D'ailleurs, même s'il le nie, François Mitterrand a été décoré de la Francisque par le maréchal Pétain...

Éviter une crise politique

Lui retirer le titre de FFI provoquerait une crise, ce qu'on veut absolument éviter. La première issue consisterait à l'homologuer par « une décision d'autorité », qu'il faudrait obtenir du ministre de la Défense, Georges Bidault. Dangereux... La seconde, c'est

« essayer, dans le cadre de la réglementation, de reconnaître la qualification de FFI à M. Mitterrand » : celui-ci ayant pris part aux combats de la Libération dans la région parisienne, voyons si la qualification qu'il ne peut obtenir au plan national ne pourrait être décernée au niveau régional...

Le directeur donne son accord et, le 17 septembre 1952, est établi le précieux certificat d'appartenance aux FFI : par ce tour de passe-passe administratif, la question est réglée.

Outre les considérations politiques, une pièce du dossier a dû pousser le bureau Résistance à la mansuétude : la fiche du SDECE, qui résume les liens de « Monier » avec le BCRA.

François Mitterrand a résisté, c'est certain, mais à sa manière, florentine et solitaire. À l'aise dans les méandres de l'action clandestine, il n'entre pas dans les cases de l'administration militaire.

✦

EN LIAISON AVEC LE BCRA

Établi par le SDECE, ce relevé des services daté de 1952 atteste que François Mitterrand, s'il ne figure pas dans les effectifs du BCRA, a été pris en charge financièrement par les services secrets gaullistes.

Ière REGION MILITAIRE

Cie des Services nº I
Bureau "Liquidation"
Boite Postale 40.20
PARIS

S.D.E.C.E.

PARIS LE I8 AVRIL I952

COPIE

- RELEVE DES SERVICES -

Accomplis par Monsieur MITTERAND François

Né le 26 Octobre I916

Pseudo "MONIER - "PURGON"

Fils de : & de :

Domicilié :

Bureau de recrutement : classe :

Etabli d'après les documents d'archives détenus par la Compagnie des Services nº I Service LIQUIDATION

MUTATIONS ET POSITIONS DIVERSES

PERIODE DU I5 Novembre I943 au 27 Janvier I944

- Arrivé en Grance-Bretagne le I6 Novembre I943 et pris en compte par les service Financiers du B.C.R.A. à Londres pour compter du I5 Novembre I943 en qualité de Chargé de mission de Ière classe -
- Affecté au service Action le Ier décembre I943 -
- Dirigé sur l'Afrique du Nord le 3 décembre I943 -
- Rentré à Londres le 2 Janvier I944 -
- Acheminé en mission en France par voie maritimes, nuit du 26 au 27 Janvier I944 pour le compte du Commissariat Général aux Prisonniers (organisation des groupe de résistance des Prisonniers de guerre dans la zone Sud) -

NOTA - La Cie des Services nº I ne possède aucun renseignement sur l'activité apr le 27 Janvier I944.

-/-/-

DESTINATAIRES
Monsieur le MINISTRE de la DEFENSE NATIONALE
Secretariat d'Etat à la Guerre - Direction du Personnel Militaire de l'Armée de Terre
6º BUREAU - 23I Bld St Germain PARIS -

ARCHIVES. -

Le Lt-Colonel JOBELOT
Chef de corps
P.O. Le Capitaine adjoint
signe : illisible

Relevé des services accomplis pendant la guerre par François Mitterrand, 18 avril 1952.

Relevé des services accomplis pendant la guerre par François Mitterrand, 18 avril 1952

1re région militaire Cie des services n° 1 Bureau « Liquidation » Boîte postale 40.20 Paris	SDECE Paris le 18 avril 1952 Établi d'après les documents d'archives détenus par la Compagnie des Services n° 1 Service Liquidation

— Relevé des services —

Accomplis par monsieur Mitterrand François
Né le 26 octobre 1916
Pseudo « MONIER » — « PURGON »
Fils de : & de :
Domicilié :
Bureau de recrutement : classe :

Mutations et positions diverses

Période du 15 novembre 1943 au 27 janvier 1944

— Arrivé en Grande-Bretagne le 16 novembre 1943 et pris en compte par les services financiers du BCRA à Londres pour compter du 15 novembre 1943 en qualité de chargé de mission de 1re classe.

— Affecté au service Action le 1er décembre 1943,

— Dirigé sur l'Afrique du Nord le 3 décembre 1943,

— Rentré à Londres le 2 janvier 1944,

— Acheminé en mission en France par voie maritimes (*sic*), nuit du 26 au 21 janvier 1944 pour le compte du

Commissariat général aux prisonniers (organisation des groupes de résistance des Prisonniers de guerre dans la zone sud).

Nota : La Cie des Services n° 1 ne possède aucun renseignement sur l'activité après le 21 janvier 1944.

Le Lt-Colonel Jobelot
Chef de corps
P.O. Le Capitaine adjoint

Destinataires :
Monsieur le Ministre de la Défense nationale
Secrétariat d'État à la Guerre — Direction du personnel militaire de l'Armée de Terre
6e Bureau — 231, Bld St Germain Paris.

[SHD-DIMI]

✦

LA SYNTHÈSE DES RUMEURS

Si elle a été rédigée par un policier, ce n'est pas dans le cadre du service, François Mitterrand étant ministre de l'Intérieur en 1954. Conservée dans les archives de Guy Mollet, cette note sans en-tête ni signature reprend les rumeurs qui circulent dès 1952 et qui ressortiront après 1981. En particulier, elle dénie à François Mitterrand la qualité d'évadé et affirme qu'il a reçu la Francisque, au cours d'une cérémonie dont il subsisterait un film.

Note blanche sur François Mitterrand, septembre 1954

M. François Mitterrand appartenait avant la guerre de 1939 aux milieux d'extrême droite. Il fut très lié aux cercles estudiantins d'Action française. Puis, en 1937, il entra en rapport avec le groupe activiste qui devait créer le Csar, c'est-à-dire la « Cagoule ».

Le Csar fut à l'origine (1936) constitué par une fraction de la section d'Action française du 16e arrondissement parisien, qui recruta des officiers d'activé et de réserve en vue de combattre le Front populaire et plus particulièrement les groupements dits marxistes.

Mais le Csar (Comité secret d'Action révolutionnaire) n'était pas un groupement de propagande et d'action politiques ouvertes. Il était exclusivement une formation occulte de combat, d'où le surnom de « Cagoulards » donné à ses membres par Charles Maurras, mécontent de cette hérésie.

Organisé sur un plan strictement militaire et conspiratif, le Csar préparait ses cadres et ses groupes en prévision d'une tentative éventuelle de putsch communiste et pour le briser par la force. Son organisation était très ramifiée dans l'armée, parmi les officiers de réserve, les activistes de droite et certains milieux industriels.

Ses principaux chefs étaient les généraux Duseigneur, Duffieux, le colonel Groussard, le commandant Bouvier, le capitaine François Méténier et, parmi les officiers de réserve, le colonel Heurteaux, le commandant de Bernonville, l'ingénieur de la marine Eugène Deloncle, le capitaine Agnely et son compagnon d'armes le lieutenant Joseph Darnand (chef de la Milice sous Vichy), etc.

Le Csar comportait plusieurs sections (celle des renseignements dirigée par le docteur Martin, celle des opérations dirigée par le commandant Bouvier et le capitaine Méténier).

C'est dans ce milieu que M. F. Mitterrand évoluait et qu'il connut les frères Deloncle, le docteur Martin, F. Méténier, dont il faudra reparler, puis Della-Torre, agent de renseignements, enfin le futur colonel Fourcaud de la SDEC (*sic*) qui, à l'époque, n'était que capitaine mais collaborait à la section de renseignements du Csar. C'est là aussi que M. F. Mitterrand connut l'industriel Schueller (de la firme L'Oréal, Monsavon et autres produits de parfumerie) qui subventionnait le Csar. Sous l'Occupation, le même Schueller devait participer activement à la fondation du premier RNP (Rassemblement national populaire) avec E. Deloncle, Vanor, Goy des Anciens combattants, Fontenoy ancien journaliste du PPF et Marcel Déat.

Le Csar commença dès fin 1936 à faire agir sa section d'opérations, c'est-à-dire d'exécutions. Plusieurs assassinats et attentats terroristes sont à inscrire à son actif. C'est un groupe de tueurs du Csar qui assassina les frères Rosselli, antifascistes italiens, en Normandie. Il semble bien que ce meurtre fut perpétré à la demande des dirigeants fascistes d'Italie qui subventionnaient le Csar.

C'est également un groupe du Csar qui, sous la direction de F. Méténier, perpétra l'explosion de la rue de Presbourg, à Paris, qui coûta la vie à un gardien de la paix. Cet attentat contre le siège des organisations patronales devait être le point de départ d'une série de provocations qu'on aurait attribuées au Parti communiste afin de créer un climat favorable à sa suppression. D'autres attentats moins importants eurent lieu en province. À Paris, on a attribué aussi le meurtre de l'économiste russe Navachine aux tueurs du Csar.

En 1940, l'assassinat de Marx Dormoy, ancien ministre de l'Intérieur et député-maire socialiste de Montluçon, fut l'œuvre d'un groupe de tueurs de la Cagoule dont le principal élément se nommait André Mouraille.

En 1940, F. Mitterrand fut fait prisonnier. Certaines biographies publiées lors de son accession à des fonctions ministérielles relatent qu'il se serait évadé en 1942. Cette version n'est pas soutenable. Car il eût été difficile sinon impossible à F. Mitterrand de collaborer officiellement au Mouvement des prisonniers à Vichy s'il avait été prisonnier évadé d'Allemagne.

Les principaux militants de l'ex-Cagoule affirment que F. Mitterrand fut libéré par les autorités allemandes sur les démarches pressantes du docteur Ménétrel, de Deloncle, chef du MSR, et de Della-Torre, un des meilleurs agents de renseignements de la Cagoule.

Par la suite, F. Mitterrand collabora au secrétariat du Mouvement des prisonniers, à Vichy, dirigé par le groupe Pinot-Aries-Cornuau. Cette équipe abritait derrière la façade officielle du Mouvement des prisonniers une action clandestine de résistance en liaison avec Henry Fresnay et le général Revers.

À cette époque, F. Mitterrand était toujours en contact avec les ex-Cagoulards, et en particulier avec F. Méténier, Della-Torre et Servan.

F. Méténier avait adhéré au PPF de Doriot. Ancien capitaine d'artillerie de carrière, il fut « démissionné » de l'armée en 1938, lors des poursuites engagées contre le Csar par la justice. Il resta en prison jusqu'à la guerre où il demanda à partir dans une unité combattante. Dès ce moment, il reprit contact avec tous ses amis.

En 1940, le cabinet du maréchal Pétain s'efforce d'organiser une police parallèle et supplétive. Le colonel Groussard devient inspecteur général du ministère de l'Intérieur. Il se crée à Lyon un organisme de renseignements qui double celui des Renseignements généraux. Cet organisme officieux est civil et militaire. Il se nomme le CIC et a pour chef

Groussard. À côté de cet office, une véritable police auxiliaire est organisée sous le nom de GP (Groupes de protection). C'est F. Méténier qui dirige les GP. Ce sont ces GP qui agiront le 13 décembre 1940 lors de la destitution et l'arrestation de Pierre Laval.

Par la suite, F. Méténier sera arrêté par les Allemands, à cause de l'affaire du 13 décembre, et écroué à la prison de la Santé. J. Doriot obtint sa libération et F. Méténier adhéra au PPF en 1941, pour y devenir un des chefs des opérations occultes de ce parti.

Della-Torre était un agent double et même triple qui travaillait pour les services de renseignements français (ORA), pour les services anglais et aussi pour l'Abwehr allemande. Quant à Servan, qu'il ne faut pas confondre avec Servan-Schreiber, il était lieutenant à la LVF, puis chargé de mission dans les cabinets de Brinon et de P. Laval. Il a ensuite épousé la fille de Deloncle.

Étonnant imbroglio que celui de l'ancienne Cagoule : une partie de ses chefs travaillait directement avec les Allemands, une autre était au service des Anglais et une troisième louvoyait entre les deux.

C'est par le milieu cagoulard entourant l'industriel Schueller (commanditaire de Deloncle) que F. Mitterrand connut M. Bettencourt, gendre de Schueller. C'est lui, F. Mitterrand, qui intervint à plusieurs reprises pour obtenir la grâce de F. Méténier, condamné à vingt ans de travaux forcés par la cour d'assises de la Seine pour les attentats terroristes commis avant la guerre par la Cagoule (rue de Presbourg).

F. Méténier travaille présentement chez Schueller avec la caution de F. Mitterrand, dont les liens étroits avec cet industriel ne sont pas un mystère.

Actuellement, F. Mitterrand utilise les services de l'équipe cagoularde (Dr Martin, Della-Torre, Fourcaud, Méténier, Servan, etc.) mais il est aussi utilisé par elle.

Le docteur Martin, spécialiste du renseignement depuis trente ans, a organisé un important réseau d'informations en France et en Afrique du Nord. Il dispose de correspondants et de relations efficaces dans tous les milieux.

F. Mitterrand a regroupé ces éléments autour de lui et s'en sert pour son information personnelle et aussi pour organiser certaines opérations. Par exemple, ce sont eux qui diffusent la version suivante sur l'éviction du Préfet de police, J. Baylet : ce dernier aurait été éliminé de la PP car il voulait systématiquement organiser des provocations en vue de discréditer le gouvernement. Ce serait M. Baylot, d'après les gens en question, qui aurait préparé la manifestation du 14 juillet et c'est pour l'empêcher que F. Mitterrand aurait pris deux mesures : le renvoi du Préfet et l'interdiction de la manifestation. Ce sont aussi ces éléments qui ont édité et expédié à certains députés les lettres de menaces de mort à propos de leur vote éventuel en faveur de la CED.

Il faut se souvenir que les « documents » copieux dénonçant la « trahison » de MM. Pleven et autres à propos de la CED provenaient de la même source.

Sur le plan politique, actuellement, F. Mitterrand utilise cette équipe et toutes ses relations pour neutraliser un certain nombre de députés et sénateurs de droite qui lui étaient hostiles.

Sur le plan fonctionnel, les anciens cagoulards essaient d'influencer F. Mitterrand pour faire placer certains d'entre eux dans des fonctions capitales. C'est ainsi qu'on parle avec insistance de la nomination du colonel Fourcaud à la direction générale de la SDEC (*sic*), en remplacement de M. Boursicot.

P.-S. : Sous l'occupation allemande, M. Mitterrand a été décoré de la Francisque, à Vichy, avec le parrainage de Claude Jeantet (du journal pro-nazi : *Je suis partout*). Il existe un film enregistrant cette cérémonie. Ce film était en possession de M. Jean-Pierre Bloch, ex-directeur de la SNEP, qui n'a pas osé s'en servir pour « couler » M. Mitterrand mais l'a vendu (1 million de francs) à M. Lazurick, présumé plus courageux. M. Lazurick a préféré donner ce film à M. Berlow, directeur du *Journal du Parlement*, qui doit reproduire quelques « cadres » dans une édition spéciale. Mais M. Berlow risquera-t-il de s'attirer l'inimitié des cagoulards ?

[Ours, Fonds Guy Mollet]

GUERRES SECRÈTES EN INDOCHINE

Les contradictions de la CIA

Jean-Claude Guillebaud

Peu de gens le savent, des avions de la CIA effectuent des rotations régulières à Dien Bien Phu, au printemps 1954, et cela au plus fort de la bataille que la France va perdre le 7 mai de cette même année. Pilotés par d'anciens mercenaires en chemise à fleurs et lunettes Ray Ban, ces avions C-119 Flying Boxcar — que les soldats français appellent les « Packets » — appartiennent à une compagnie privée, la CAT (Civil Air Transport), rachetée et contrôlée depuis 1949 par la toute jeune CIA (Central Intelligence Agency) américaine, qui a remplacé l'OSS (Office of Strategic Services) en 1947.

Plusieurs de ces « Packets » sont d'ailleurs abattus par la DCA nord-vietnamienne, et leurs pilotes tués. Ainsi peut-on dire que, paradoxalement, les premiers Américains morts au Vietnam, le sont dans la cuvette de Dien Bien Phu, durant la guerre française. Ce renfort logistique accordé par les États-Unis aux soldats français assiégés — à la demande expresse du général Salan — ne débouche pourtant pas, le moment venu, sur le soutien aérien massif que réclament *in extremis* les Français quand, à partir du mois d'avril 1954, ils perdent le contrôle de la situation.

Il est vrai que les généraux français, au tout début du siège, ont refusé la proposition des Américains de bombarder préventivement les collines entourant Dien Bien Phu en utilisant des superforteresses Boeing B-29 capables de voler à haute altitude. D'abord dédaignée, cette opération Vautour sera vainement réclamée par la suite. En détruisant la DCA et l'artillerie nord-vietnamiennes, elle aurait sans doute permis de desserrer l'étau et d'éviter la défaite française. Le président américain Dwight Eisenhower s'y refusera, alors même que son vice-président Richard Nixon y était plutôt favorable.

Le dilemme américain

Ces hésitations américaines au sujet du sauvetage de Dien Bien Phu sont la suite logique d'une longue série de contradictions et d'atermoiements qui caractérisent la politique extrême-orientale de Washington, à la sortie de la Seconde Guerre mondiale. Dès 1945, alors que la France cherche à reprendre pied en Indochine après en avoir chassé les Japonais, les agents américains de l'OSS sont déjà omniprésents dans la péninsule. Ils y soutiennent la lutte engagée par les nationalistes vietnamiens conduits par Hô Chi Minh, lutte qui se révèle peu à peu moins défendable.

Au départ, c'est une lutte anticoloniale. En cela, elle a tout pour séduire l'administration américaine — surtout celle de Roosevelt, qui affirme vouloir favoriser partout dans le monde l'émancipation des anciennes colonies. Mais la lutte nationaliste menée par Hô Chi Minh est aussi d'obédience clairement communiste, surtout après la révolution chinoise de 1949, ce qui plaît beaucoup moins à Washington. Les Américains sont donc tout à la fois tentés de soutenir Hô Chi Minh contre les Français, au nom de l'anticolonialisme, et de le combattre, au nom de l'anticommunisme. Devant ce dilemme, les présidents américains successifs n'auront pas tous la même attitude : Roosevelt — même s'il change parfois d'avis — affiche une option plutôt anticolonialiste et donc antifrançaise ; ce ne sera pas le cas de Truman, ni même d'Eisenhower.

Une chose est sûre : par le truchement de l'OSS, les maquis vietminh d'Hô Chi Minh bénéficient au tout début d'une aide militaire importante de la part des Américains. Des milliers de carabines et pistolets-mitrailleurs sont parachutés au nord du fleuve Rouge en 1945 et une « mission d'entraînement » est installée par l'OSS dans la brousse, près du quartier général vietminh. Le 2 septembre de la même année, plusieurs officiers de l'OSS sont présents à Hanoï, au moment de la célébration unilatérale de l'indépendance. Ce jour-là, des avions américains survolent ostensiblement la ville et des officiers de l'US Army campent à la tribune d'honneur, aux côtés du futur général Vo Nguyen Giap. Un orchestre vietnamien va même jusqu'à jouer l'hymne national américain !

À droite : télégramme en « réservé absolu »
du Haut-Commissaire français en Indochine.

Ce document « très secret » du 23 mars 1952 porte la signature de Georges Gautier, Secrétaire général du Gouvernement général de l'Indochine. Il est adressé à Jean Letourneau qui vient tout juste d'être nommé Haut-Commissaire (« Haussaire ») en Indochine, après la mort, le 11 janvier, du général de Lattre de Tassigny. Une copie du document est adressée au général Salan, qui commande depuis le 6 janvier 1952 les troupes françaises en Indochine. Cette note se réfère au « bulletin 91 du SDECE colonel [Maurice] Belleux », patron local des services spéciaux français. Il est question de « récents contacts secrets » entre les Américains et les « nationalistes chinois », une des affaires les plus ténébreuses qui soient. À partir de 1950 en effet, après la déroute des armées nationalistes chinoises, vaincues par les communistes, les services américains tentent de réarmer un millier de ces soldats nationalistes réfugiés en Birmanie. Il s'agit alors — en pleine guerre de Corée — d'ouvrir un front anti-communiste à la frontière sino-birmane. Cette opération — d'abord approuvée par le général Mac Arthur — est désavouée par le président Truman. Elle est néanmoins poursuivie par la CIA, à l'insu de la Maison Blanche. En 1953, le fiasco est avéré et « l'armée du Guomindang » de Birmanie est lâchée par Tchang Kaï-chek. Elle s'éparpille en milices de trafiquants de drogue qui vont régner sur le « Triangle d'or » (Birmanie-Chine-Thaïlande). Leurs descendants y sont toujours actifs.

HAUT-COMMISSARIAT DE FRANCE
EN INDOCHINE

N° de Diffusion : 81 /RAD

CHIFFRÉ
TRÈS SECRET

TÉLÉGRAMME DÉPART
RÉSERVÉ ABSOLU

Urgence (1)
Priorité absolue
Urgent
Normal

SAIGON, le 23 Mars 1952

DE HAUSSAIRE SAIGON

POUR ETATS ASSOCIES.

pour Monsieur LETOURNEAU.

N° 30208

Diffusion

Sce RÉDACTEUR : Cabinet Militaire

COPIES A :

- Monsieur GAUTIER
- Général SALAN

LE GENERAL SALAN ET MOI MEME CROYONS DEVOIR APPELER VOTRE ATTENTION SUR LE BULLETIN N° 91 DE S.D.E.C.E. COLONEL BELLEUX RELATIF A CERTAINS RECENTS CONTACTS SECRETS ENTRE DES REPRESENTANTS OFFICIELS LOCAUX AMERICAINS ET CHINOIS NATIONALISTES - J'AI PRIE LE COLONEL BELLEUX DE DEMANDER A SA DIRECTION S.D.E.C.E. DE PARIS DE VOUS FAIRE COMMUNIQUER CE BULLETIN DONT IL EST EMMINEMMENT SOUHAITABLE QUE VOUS EN AYEZ CONNAISSANCE IN EXTENSO - SIGNE GOUVERNEUR GENERAL GAUTIER.

040023/03

(1) Indiquer le degré d'urgence en rayant les mentions inutiles.

Présenté par le Cabinet Militaire le 23 Mars 1952.
Sous le N° 476 /CAB/MIL.

Visa d'approbation N°
du Haut-Commissaire
Signé : GAUTIER

IL EST FORMELLEMENT INTERDIT DE REPRODUIRE LE TEXTE DE CE TÉLÉGRAMME

Des échanges SDECE-CIA

Succédant cette même année à Roosevelt, le président Harry S. Truman ne suivra pas cette ligne. Plus sensible à la nécessité de « contenir » le communisme en Asie, il se révèle donc, *de facto*, plus favorable aux Français. En témoignent deux documents « très secrets ». Dans une note adressée le 5 septembre 1951 au général français René Cogny — celui-là même qui choisira le site de Dien Bien Phu —, il est clairement fait mention d'un « échange de missions Action » entre le SDECE et la CIA afin de suivre les opérations en Corée et en Indochine. La fourniture par la CIA au SDECE de cent postes de radio est également mentionnée.

Rédigée l'année suivante, l'autre note, datée du 10 mai 1952, est encore plus explicite concernant la coopération entre les services américains et français. Elle précise que « le colonel de réserve M. Hall, messieurs Caswell et Patton, de l'ambassade des USA à Saigon constituent la représentation de la Central Intelligence Agency ». Mieux encore, elle spécifie qu'un « protocole intergouvernemental franco-américain » décide de rattacher cet organisme au représentant en Indochine du directeur général du SDECE. On ne saurait mieux marquer la volonté politique de faire collaborer les services français et américains ou, à tout le moins, de ménager les susceptibilités françaises.

Les Français évincés

Cette « collaboration » reste néanmoins toute relative. Quelques années auparavant, en effet, avant même la création de la CIA en 1947, l'OSS a noué avec le Vietminh des liens particuliers. Le chef de l'OSS, le général William Donovan, entretenait avec Hô Chi Minh une relation personnelle et durable. On ne se défait pas aussi facilement de tels liens. Pour toutes ces raisons, les services secrets américains ne sont pas toujours, sur le terrain, en plein accord avec les options changeantes de la Maison Blanche.

Ces contradictions donnent la clé du soutien, puis du lâchage par les Américains de la garnison française de Dien Bien Phu. Certes, les Américains viennent de perdre cinquante mille soldats en Corée et ne veulent pas, en bombardant les collines de Dien Bien Phu, se confronter à nouveau avec la Chine maoïste. Mais des raisons plus secrètes ont joué. Prononcées juste après la chute de la place forte, deux phrases acides de John Foster Dulles, secrétaire d'État du président Truman, résument la dégradation du climat entre la France et les États-Unis : « À quelque chose malheur est bon, déclare-t-il. Nous avons maintenant une base très claire [au Vietnam] sans la tache du colonialisme. »

Une « base très claire », en effet, pour mener la guerre en lieu et place des colonialistes français, providentiellement évincés. Or c'est par CIA interposée que cette deuxième guerre — dite « du Vietnam » — commence, avant d'entraîner peu à peu les États-Unis dans l'engrenage que l'on sait.

Au début des années 1960, c'est à la CIA qu'incombe, par exemple, la création de maquis anticommunistes au Laos, maquis dirigés par un chef Hmong, le général Vang Pao ; la politique d'assassinats ciblés de leaders communistes sud-vietnamiens, c'est-à-dire l'opération Phoenix qui fera entre vingt et trente mille victimes ; la coordination de l'intervention des Bérets verts, ces unités spéciales de l'armée américaine dont les premiers éléments arrivent au Vietnam et au Laos dès 1957, sur les talons des Français. Ironiquement, quatorze petites années après Dien Bien Phu, en 1968, l'armée américaine est à deux doigts de subir la même défaite. Retranchés près du 17e parallèle dans la cuvette de Khe Sanh, elle aussi entourée de collines, six mille GI y sont assiégés et bombardés pendant quatre-vingt-huit jours. Ils ne devront leur salut qu'à une gigantesque campagne de bombardements aériens — l'opération Niagara —, celle-là même qui, sous le nom de « Vautour », a été refusée aux Français en 1954.

✦

ACCORDS SECRETS AVEC LA CIA

Ce rapport du 5 septembre 1951 fait le point sur les échanges entre services français et américains, après le voyage du directeur général du SDECE à Washington et la venue à Paris du général Walter Bedell Smith, directeur de la CIA. Si le rédacteur anonyme salue « l'effort de compréhension » de l'Agence, il juge « inopportun de solliciter une aide financière des services américains et d'évoquer le problème de l'implantation de la CIA à Saigon », du moins à l'échelon local.

Fiche « très secrète » sur les liaisons avec la CIA, *Saigon,* 5 *septembre* 1951

Échanges avec la centrale CIA spécialisée sur le Sud-Est asiatique.

Nous n'avons aucun contact avec cette centrale. Nous ne l'avons même pas localisée. Est-elle encore à Washington, ou à Tokyo, Formose, Manille, nous n'en savons rien. Il serait très utile que nous puissions entrer en rapport avec elle et que nous ayons même auprès d'elle un représentant.

Pour schématiser, il faudrait que les Américains admettent travailler avec nous comme les Britanniques, à savoir :

— un représentant IS [Intelligence Service] est à Saigon détaché auprès du SDECE ;

— un officier du SDECE est détaché auprès de la centrale IS (SIFE) à Singapour.

Il y a deux ans que les Anglais ont monté cette centrale de Singapour, leur section Sud-Est asiatique fonctionnant avant à Londres.

Il faudrait en outre que les Américains décident, si cela n'existe pas, de créer sur place, une centrale Sud-Est asiatique de renseignement, à mon avis elle devrait s'installer à Manille.

[SHD]

Rapport « très secret » à l'attention du général Cogny, 5 *septembre* 1951

Les différentes questions mettant en cause les relations de la CIA et du SDECE en Indochine, ont été traitées au cours du voyage du directeur général à Washington, en mai-juin dernier. L'accord conclu avec le général Bedell Smith et

TRÈS SECRET

PARIS, le 5 Septembre 1951

NOTE à l'attention de Monsieur le Général COGNY

Les différentes questions mettant en cause les relatio[n]
de la C.I.A. et du S.D.E.C.E. en Indochine, ont été traitées au co[urs]
du voyage du Directeur Général à WASHINGTON, en Mai-Juin dernier.
L'accord conclu avec le Général BEDEL SMITH et ses collaborateurs
- M. Allen DULLES et M. WISNER - a été immédiatement communiqué a[u]
Haut-Commissaire par l'intermédiaire du Colonel BELLEUX.

Au terme de cet accord:

1°/ - Les services échangeront des missions ACTION en Indochine et en Corée pour y suivre les opérations, se documenter sur les techniques employées, et apprécier la valeur du matériel.

2°/ - La C.I.A. fournira au S.D.E.C.E., dans les plus brefs délais, 25 postes de radio à valoir sur un envoi global de 100 poste[s] dont l'expédition sera terminée à la fin du premier semestre 1952.

En ce qui concerne les demandes de la compétence du P.[A.]
les services américains appuieront les demandes des services fran[ç]
afin d'obtenir satisfaction au maximum.

. . .

A l'occasion du récent passage en France de M. DULLES,
ce dernier a pris l'engagement d'envoyer à PARIS, avant son départ
pour SAIGON, le Chef de la Mission ACTION de la C.I.A. (le Lieuten[ant]
Colonel STILWELL, Adjoint de M. WISNER, n'a jamais été désigné pou[r]
représenter son service en Indochine).

.../...

Rapport « très secret » à l'attention du général Cogny,
5 septembre 1951.

ses collaborateurs — M. Allen Dulles et M. Wisner — a été immédiatement communiqué au haut-commissaire par l'intermédiaire du colonel Belleux.

Au terme de cet accord :

1) Les services échangeront des missions Action en Indochine et en Corée pour y suivre les opérations, se documenter sur les techniques employées, et apprécier la valeur du matériel.

2) La CIA fournira au SDECE, dans les plus brefs délais, 25 postes de radio à valoir sur un envoi global de 100 postes dont l'expédition sera terminée à la fin du premier semestre 1952.

En ce qui concerne les demandes de la compétence du PAM, les services américains appuieront les demandes des services français afin d'obtenir satisfaction au maximum.

À l'occasion du récent passage en France de M. Dulles, ce dernier a pris l'engagement d'envoyer à Paris, avant son départ pour Saigon, le chef de la mission Action de la CIA (le lieutenant-colonel Stilwell, adjoint de M. Wisner, n'a jamais été désigné pour représenter son service en Indochine).

[SHD]

Fiche « très secrète » sur les liaisons avec le CIA, *Saigon, 5 septembre* 1951

MATIÈRE DES ÉCHANGES

Actuellement les échanges portent sur :

1 – *de notre part* :

— tous renseignements permettant l'établissement des dossiers d'objectif militaire :

— voies de communication, usines, aérodromes, écoles militaires, dépôts, etc.

— mouvements de troupes,

— marine communiste chinoise, etc.

— renseignements sur guérillas nationalistes en Chine et contre-mesures communistes,

— à titre d'essai quelques synthèses de contre-espionnage telles que : étude sur le PCC [Parti communiste chinois], VM [Vietminh], Siam.

2 – *de la part des Américains* :

— nous serions heureux que les Américains fournissent un questionnaire sur les renseignements qui les intéressent, critiquent les renseignements que nous leur donnons. Les attachés navals et de terre ont déjà fourni des critiques.

— il y aurait peut-être lieu d'élargir le champ des échanges de l'étendre à d'autres régions du Sud-Est asiatique telle que la Chine du Sud.

— À la conférence de Singapour les Français avaient demandé brutalement aux Américains des renseignements sur les ordres de bataille de Formose et des Philippines. Ces informations peuvent plus directement être obtenues par l'intermédiaire des services spéciaux.

[SHD]

Fiche « très secrète » sur les écoutes radioélectriques vers la Chine, Saigon, 5 septembre 1951

Il est possible que le général Bedell Smith fasse état de la source particulière de renseignements ayant pour origine les écoutes et le décryptement. Il serait souhaitable qu'un jour les Français, les Anglais et les Américains travaillent en commun sur la Chine en se répartissant les zones d'écoute. C'est un problème technique qui ne peut être traité que par les services spéciaux et qui a déjà été abordé par eux.

Orienté exclusivement sur les écoutes Vietminh nous avons des difficultés sérieuses pour monter nos tables d'écoute sur la Chine du Sud et pourtant le SDECE a en place en France et en Indochine des techniciens spécialistes du décryptement qui ont été affectés pour faire des études sur les textes chinois.

La fiche qui est jointe énumère quelques conditions à remplir pour arriver à lire les télégrammes chinois actuellement susceptibles d'être interceptés. Ici encore nous sommes arrêtés par des questions de matériel, de crédit et de personnel. Ces écoutes ne seraient d'ailleurs qu'un commencement.

ANNEXE

AU SUJET DES AMÉLIORATIONS À APPORTER AUX ÉCOUTES CHINOISES

Le service 28 doit normalement arriver à lire les télégrammes chinois actuellement interceptés (trafic aviation, trafic PTT de la Chine du Sud). Pour arriver à ce résultat il lui faut toutefois un volume très important de télégrammes.

1 – En fonction de ce qui précède il serait nécessaire de décider :

— le maintien de toutes les tables d'écoute travaillant actuellement sur la Chine,

— la création de deux tables nouvelles,

— la transformation en tables d'écoutes permanentes de deux tables d'écoute existantes mais ne fonctionnant actuellement que de jour,

— l'installation au Tonkin de cinq ondulateurs et leurs téléimprimeurs (ces cinq ondulateurs travaillent déjà sur la Chine mais à partir de Saigon et dans de mauvaises conditions).

2 – Les moyens supplémentaires en personnel et en matériel à mettre en œuvre sont :

— quatre postes radio récepteurs,

— treize opérateurs (8 pour les deux tables nouvelles, 5 pour les tables semi-permanentes à rendre permanentes).

D'autre part quatre postes radio-récepteurs parmi ceux utilisés par le GCR pour les écoutes chinoises sont en mauvais état et doivent être changés.

3 – Actuellement on espère que ces moyens pourraient être réalisés dans les conditions suivantes :

— en ce qui concerne les postes radio ils pourraient être prélevés sur ceux que le GCR attendraient prochainement,

— en ce qui concerne le personnel treize opérateurs radio devraient être affectés au GCR en plus de ses effectifs actuels. Les crédits supplémentaires seraient de l'ordre de 85 000 piastres par mois (traitement moyen d'un radio 6 500 piastres).

[SHD]

Note du Haut-Commissariat de France en Indochine sur les services spéciaux américains en Indochine, 10 mai 1952

Le colonel de réserve M. Hall, MM. Caswell et Patton de l'ambassade des USA à Saigon, constituent en Indochine la représentation de la *Central Intelligence Agency* (CIA), c'est-à-dire du service central de renseignements des USA.

Un protocole intergouvernemental franco-américain a précisé la mission en Indochine de cet organisme et l'a rattaché au représentant en Indochine du directeur général du SDECE.

L'attention des destinataires est attirée sur le fait que pour des raisons de sécurité évidentes, aucune communication ne doit être faite à ces personnels étrangers en dehors du canal ci-dessus précisé.

[SHD]

UNE ÉTOILE POUR L'ALGÉRIE

Messali Hadj, un nationaliste épié par les RG

Benjamin Stora

Lorsque Messali Hadj arrive à Paris, en juillet 1946, il est déjà un personnage important dans le petit monde des responsables « indigènes » hostiles à la présence coloniale française. Il a été condamné en mars 1941 à de lourdes peines par le régime de Vichy — seize ans de travaux forcés et confiscation de tous ses biens — et a été emprisonné au bagne de Lambèze, dans le Sud algérien, puis déporté à Brazzaville. Sa libération a été demandée avec force par des milliers de manifestants algériens le 8 mai 1945, et ces manifestations sont à l'origine de troubles et de la terrible répression qui a eu lieu dans le Constantinois. C'est pourquoi il est tant surveillé, filé, mis sur écoute par la police dès son arrivée à Paris.

Messali Hadj connaît déjà bien la capitale française. Il y est venu une première fois en 1923, quittant sa ville de Tlemcen où il est né en 1898. Soldat de la Première Guerre mondiale, il ne pensait qu'à revenir vers la métropole coloniale, une fois démobilisé. Il adhère au PCF en 1925, au moment où les communistes s'engagent contre la guerre du Rif, et se lance avec fougue dans la construction du mouvement nationaliste L'Étoile nord-africaine en 1926. Il en est élu secrétaire général à vingt-huit ans. Lorsque l'Étoile est dissoute en 1929 par le gouvernement français, Messali Hadj est brouillé avec les communistes qui avaient encouragé la création de l'association. En 1933, il lance une nouvelle Étoile qui se prononce pour un gouvernement issu de l'élection d'une Assemblée constituante. Le journal porte pour titre *El Ouma* (la communauté des croyants). Messali devient le chef d'un nationalisme à base ouvrière, mais aussi arabo-musulman. L'Étoile est dissoute par le Front populaire en janvier 1937, et tout de suite il annonce la fondation du Parti du peuple algérien (PPA). Pendant la Seconde Guerre mondiale, il refuse les propositions de collaboration du régime de Vichy et il est arrêté.

Un leader très surveillé

Durant son séjour parisien de l'été 1946, il rencontre Hô Chi Minh et le leader nationaliste algérien Ferhat Abbas, comme le révèlent les rapports de surveillance de la Préfecture de police. Puis il se rend en Algérie où il fonde le Mouvement pour le Triomphe des Libertés démocratiques (MTLD) en octobre 1946. Messali n'est pourtant pas à l'origine du déclenchement de l'insurrection, le 1er novembre 1954, mais un noyau de militants plus jeunes, qui vont former le Front de libération nationale (FLN). Il devient la cible favorite d'un FLN rassemblant ses anciens adversaires coalisés contre lui. Il espère faire prendre un nouvel élan à son organisation,

Messali Hadj.

Fondateur du premier mouvement politique qui revendique l'indépendance de l'Algérie, il est progressivement écarté de la scène politique par le FLN.

rebaptisée Mouvement national algérien (MNA) en décembre 1954. Les divergences dégénèrent vite en règlements de comptes sanglants. En France, entre 1956 et 1962, l'affrontement coûte la vie à quatre mille Algériens.

Vaincu, Messali Hadj se retire progressivement de la scène politique. Il s'éteint le 3 juin 1974 dans une clinique parisienne. Ses funérailles, dans sa ville natale de Tlemcen, ne sont pas annoncées publiquement, mais rassemblent des milliers de personnes.

Le 5 juillet 1999, l'État algérien décide de donner son nom à l'aéroport de Tlemcen — reconnaissant tardivement sa dette envers l'homme épié par les RG en 1946, l'un des pères spirituels de l'indépendance.

✦

LE DOSSIER DES RG

Note blanche sur Messali Hadj et les élus du Manifeste, 7 août 1946

On dit dans les milieux nord-africains de la capitale, qu'une entrevue aurait prochainement lieu entre Messali et Ferhat Abbas. Ce dernier serait mis en demeure de préciser ses intentions. S'il ne se décide pas à présenter à l'Assemblée les revendications majeures du peuple algérien, comme il s'y était engagé, il serait mis à l'index ainsi que tous les élus de son parti.

La récente visite à Messali des élus communistes Alice Sportisse et Pierre Fayet, est commentée par les Nord-Africains qui espèrent qu'un front unique pourra se constituer en faveur de l'autonomie algérienne avec Ferhat Abbas, s'il donne des garanties ou sans lui si c'est nécessaire.

[APP Ga M4]

Le 23 août 1946.

Objet : Activité de Messali Hadj, nationaliste algérien

MESSALI HADJ Ould, né le 18 mai 1898 à Tlemcen (Algérie), est arrivé à Paris, par avion, le 31 juillet, venant de Brazzaville. Il loge chez un compatriote Maiza Brahim 5 bis rue Joseph Bara (6e).

A sa descente d'avion, il a été accueilli par quelques membres de la colonie nord-africaine de la région parisienne.

Depuis et journellement, il est l'objet d'un mouvement de sympathie de la part des nord-africains qui se rendent à toute heure de la journée à son domicile.

Le dimanche 4 août, une manifestation spontanée a été organisée rue Joseph Bara à son intention, par deux cents indigènes, Messali Hadj, qui était réclamé par les manifestants, est descendu dans la rue et a harangué en arabe, ses coreligionnaires qui se sont retirés aussitôt après.

Le dimanche 11 août, une nouvelle manifestation a eu lieu. Plusieurs taxis ont amené rue Joseph Bara des groupes d'Algériens. Ceux-ci qui portaient une gerbe de fleurs qu'ils voulaient offrir à Messali, ont dû se retirer sans avoir vu le leader nationaliste.

Indépendamment de ces manifestations de sympathie, Messali Hadj a pris contact avec la colonie nord-africaine de la région parisienne lors d'une réunion qu'il a présidée le 11 août, salle Wagram, en présence de 6.500 personnes environ.

Salué par des applaudissements frénétiques, le leader nationaliste s'est exprimé au cours d'un bref exposé, successivement en arabe et en français.

Il a tout d'abord retracé les souffrances endurées au cours de sa captivité et protesté contre l'obligation qui lui avait été faite, de venir à Paris, alors qu'il envisageait de se rendre directement à Alger, siège principal du P.P.A.

Après avoir retracé son activité depuis 1923, rappelé les déboires de sa vie de militant et demandé à tous ses compatriotes de s'unir au sein du P.P.A., il a déclaré se considérer libre de quitter Paris dès que sa mission serait terminée et vouloir se rendre à Alger pour y continuer la lutte.

Par ailleurs, le 14 août, il a présidé une soirée artistique organisée en son honneur à la salle des fêtes de la mairie de Clichy et à laquelle assistaient 2.500 personnes environ.

S'exprimant en arabe, il a souhaité pouvoir se retrouver un jour prochain dans une Algérie indépendante.

Il a préconisé l'assimilation de la civilisation européenne dans ce qu'elle peut avoir d'utile à l'essor de l'Afrique du Nord et a recommandé à ses auditeurs de ne pas abandonner les coutumes arabes et de conserver toujours les heureux principes de la religion islamique.

En français, il a repris son exposé avec plus de modération.

Indépendamment de ces manifestations d'amitié, Messali Hadj reçoit à son domicile, journellement, des dirigeants plus ou moins influents des mouvements séparatistes algériens et des commerçants.

Parmi ces derniers, quelques-uns ont pu être identifiés : Ferhat Abbas , député à la Constituante, président du "Parti du Manifeste", - Ali Bouzid, boucher, président du "Comité d'Entr'Aide des Musulmans Nord-Africains, - Sibah El Hocine, 52 rue Vercingétorix,-

Note des Renseignements généraux de la Préfecture de police sur l'activité de Messali Hadj, 23 août 1946.

Rapport sur les activités de Messali Hadj, *nationaliste algérien,* 23 *août* 1946

Messali Hadj Ould, né le 18 mai 1898 à Tlemcen (Algérie), est arrivé à Paris, par avion, le 31 juillet, venant de Brazzaville. Il loge chez un compatriote Maiza Brahim 5 bis rue Joseph-Bara (6e).

À sa descente d'avion, il a été accueilli par quelques membres de la colonie nord-africaine de la région parisienne. Depuis et journellement, il est l'objet d'un mouvement de sympathie de la part des Nord-Africains qui se rendent à toute heure de la journée à son domicile.

Le dimanche 4 août, une manifestation spontanée a été organisée rue Joseph-Bara à son intention, par deux cents indigènes, Messali Hadj, qui était réclamé par les manifestants, est descendu dans la rue et a harangué en arabe, ses coreligionnaires qui se sont retirés aussitôt après.

Le dimanche 11 août, une nouvelle manifestation a eu lieu. Plusieurs taxis ont amené rue Joseph-Bara des groupes d'Algériens. Ceux-ci qui portaient une gerbe de fleurs qu'ils voulaient offrir à Messali, ont dû se retirer sans avoir vu le leader nationaliste.

Indépendamment de ces manifestations de sympathie, Messali Hadj a pris contact avec la colonie nord-africaine de la région parisienne lors d'une réunion qu'il a présidée le 11 août, salle Wagram, en présence de 6 500 personnes environ.

Salué par des applaudissements frénétiques, le leader nationaliste s'est exprimé au cours d'un bref exposé, successivement en arabe et en français. Il a tout d'abord retracé les souffrances endurées au cours de sa captivité et protesté contre l'obligation qui lui avait été faite, de venir à Paris, alors qu'il envisageait de se rendre directement à Alger, siège principal du PPA.

Après avoir retracé son activité depuis 1923, rappelé les déboires de sa vie de militant et demandé à tous ses compatriotes de s'unir au sein du PPA, il a déclaré se considérer libre de quitter Paris dès que sa mission serait terminée et vouloir se rendre à Alger pour y continuer la lutte.

Par ailleurs, le 14 août, il a présidé une soirée artistique organisée en son honneur à la salle des fêtes de la mairie de Clichy et à laquelle assistaient 2 500 personnes environ. S'exprimant en arabe, il a souhaité pouvoir se retrouver un jour prochain dans une Algérie indépendante.

Il a préconisé l'assimilation de la civilisation européenne dans ce qu'elle peut avoir d'utile à l'essor de l'Afrique du Nord et a recommandé à ses auditeurs de ne pas abandonner les coutumes arabes et de conserver toujours les heureux principes de la religion islamique. En français, il a repris son exposé avec plus de modération.

Indépendamment de ces manifestations d'amitié, Messali Hadj reçoit à son domicile, journellement, des dirigeants plus ou moins influents des mouvements séparatistes algériens et des commerçants.

Parmi ces derniers, quelques-uns ont pu être identifiés : Ferhat Abbas, député à la Constituante, président du « Parti du manifeste », Ali Bouzid, boucher, président du « comité d'entraide des musulmans nord-africains », Sibah el-Hocine, 52 rue Vercingétorix, Sohia Ahmed, 12 rue Tiphaine, Seddiki Ahmed, 19 rue des Vertus, docteur Somia Ahmed, 24 rue de Clichy, Ben Salah Ahmed, propagandiste anti-français chargé de la diffusion de tracts ronéotypés reproduisant le discours d'Habib Bourguiba, président du Parti constitutionnel tunisien.

Par ailleurs, quelques sujets français auraient été reçus, notamment M. André Marty, secrétaire du Parti communiste français, MM. Meunier Marius, 15 rue Rouanet, Point René, 52 rue Récamier. Enfin une délégation marocaine, arrivée récemment à Paris a eu, dans la journée du 16 août, à l'hôtel Lutétia, une entrevue avec le leader nationaliste algérien. La question du Maroc aurait été soulevée et Messali aurait assuré les délégués de son complet accord avec le Parti communiste français.

Aujourd'hui même, Messali a rendu visite au président Hô Chi Minh, président du Vietnam.

Il semble que Messali ait terminé le cycle de ses entretiens en France.

D'une part, il s'est entretenu avec tous les chefs séparatistes actuellement à Paris et il y a tout lieu de supposer qu'une ligne de conduite générale a été arrêtée entre eux.

D'autre part, il a certainement donné des consignes à ses partisans pour continuer leur action revendicatrice et il ne lui reste plus qu'à retourner en Algérie où il va certainement préparer immédiatement les prochaines élections.

[APP Ga M4]

Note confidentielle sur le séjour à Paris de Messali Hadj, leader nationaliste algérien, 24 août 1946

Hier, les visites au domicile de Messali Hadj ont été moins nombreuses qu'au cours des journées précédentes.

Le leader nationaliste algérien a quitté sa résidence 5 bis rue Joseph Bara (5e), à 14 h 35. Il s'est rendu en voiture automobile à Soisy-sous-Montmorency (Seine-et-Oise), où il a eu un entretien avec M. Hô Chi Minh, président de la République du Vietnam.

Il est rentré à son domicile à 17 h 35.

Sorti à nouveau à 20 h 20, il est allé en taxi au restaurant *Le Savoyard*, 5 rue Gay-Lussac, où il a rencontré Ferhat Abbas, député, président du Parti du Manifeste.

À 23 h 50, les deux leaders ont quitté cet établissement et se sont rendus à pied, par le boulevard Saint-Michel et le boulevard Montparnasse, à hauteur du restaurant *La Coupole*, où ils se sont séparés.

Messali Hadj est rentré à son domicile à 0 h 15.

[APP Ga M4]

Note blanche sur deux personnalités du monde arabe, MM. Messali Hadj et Fodil, 9 octobre 1948

Une information parue dans le journal *Combat* du 8 octobre signalait le départ d'Orléans à destination de Melun, du leader du Parti du Peuple Algérien (PPA) Messali Hadj en compagnie de deux députés algériens « MM. Khider et Foudil ».

Le premier de ces deux personnages est effectivement député d'Alger. Quant au second, on croit savoir qu'il s'agirait de Fodil Larbi ben Mohamed, né le 5 juillet 1903 à Ait Frah (Algérie). Ce dernier aurait une grande influence sur Messali Hadj et jouerait également un grand rôle au sein de la Ligue arabe.

Selon certains renseignements dignes d'intérêt, il aurait effectué récemment un voyage en Syrie, Liban, Irak et Mésopotamie, au cours duquel il aurait aplani de nombreux différends entre les chefs de la Ligue arabe, en vue d'unifier la position de celle-ci à l'égard des puissances occidentales... Fodil est arrivé en France en novembre 1942 venant d'Algérie afin d'assister au congrès du Parti Populaire français de Paris.

À la suite du débarquement allié en Afrique du Nord, il n'a pu regagner Alger et s'est installé en France, où il a mené de front les affaires et la politique.

Dans le passé, les affaires de Fodil avaient été mauvaises. En 1929, il a été déclaré en liquidation judiciaire à Dra el Mizan où il était établi. Par la suite, il s'est installé 126 rue

Sadi-Carnot à Alger, en qualité d'exportateur en fruits et en primeurs. Pendant les hostilités, il a exploité, rue J.-Papillon, dans la même ville, une usine pour le traitement des figues, dattes, etc. Il possédait, par ailleurs, à Tizi Ouzou, un bureau d'achats. Ses affaires étaient devenues prospères. Lorsqu'il fut bloqué en France, il a trafiqué sur une grande échelle avec les Allemands, en matière de textiles notamment, et a installé des bureaux 61 avenue Victor-Emmanuel-III qu'il occupe toujours. Il a acquis, en 1944, une villa à Saint-Maur, 2 avenue de Villiers.

Entre-temps, Fodil était devenu secrétaire général de la Ligue de défense des musulmans à Paris. Il était l'ami intime de El Maadi Mohamed, directeur du journal *Er Rachid*, organe collaborationniste financé par Fodil.

Après la libération, Fodil a été inquiété à plusieurs reprises, mais semble-t-il des protections puissantes auraient réussi à le faire mettre hors de cause.

Représenté dans son entourage comme un personnage sans scrupule, ayant acquis une grosse fortune du fait de sa collaboration avec les Allemands, Fodil a été noté par la DGER comme agent de ceux-ci.

Dans certains milieux, il est considéré comme un agent de la Grande-Bretagne alors que par ailleurs on affirme qu'il a partie liée avec les Soviets. Ses moyens seraient de plus en plus importants et on assure qu'au cours de son récent voyage en Orient, il aurait acquis quatre concessions pétrolifères, qu'il chercherait actuellement à placer auprès de capitalistes occidentaux.

Il semble que Fodil et Messali Hadj aient l'intention de concentrer leur activité politique dans la région parisienne.

À toutes fins utiles on peut signaler que Messali Hadj est toujours locataire d'un petit logement au sixième étage de l'immeuble situé 6 rue du Repos (20e), où il fut autrefois domicilié. Ce local est quelquefois occupé par son fils Ali, interne au lycée Sainte-Barbe. Il pourrait servir à nouveau d'asile à Messali Hadj, au cas où celui-ci séjournerait à nouveau à Paris.

De très bonnes sources, ont fait connaître qu'à plusieurs reprises Messali Hadj aurait eu des rendez-vous importants alors qu'on le croyait en Algérie.

[APP Ga M4]

Note blanche sur Messali Hadj, 3 avril 1952

Messali Hadji Ould Ahmed, né le 16 mai 1898 à Tlemcen (Algérie), est marié. Il a un enfant, Ali, âgé de 21 ans environ.

De 1927 à 1937, il a résidé 6 rue du Repos à Paris (20e), où il vivait maritalement avec la nommée Briscot Émilie, née le 3 mars 1901 à Neuves-Maisons.

Par la suite, il a été domicilié à Bouzaréah (Alger).

Revenu en France, il a résidé depuis le 7 octobre 1947 à Brie-Comte-Robert (Seine-et-Marne), et dernièrement il était en résidence surveillée à Chantilly (Oise).

Toutefois, on croit savoir qu'il aurait quitté cette résidence dans le courant du mois de février 1952 dans l'intention de retourner en Algérie.

Ex-secrétaire adjoint et fondateur de L'Étoile nord-africaine en 1927, il a été élu président de cet organisme en 1933.

Le 5 novembre 1934, il a été condamné à six mois de prison et 2 000 fr. d'amende pour reconstitution de L'Étoile nord-africaine précédemment dissoute.

Dirigeant et fondateur du Parti du peuple algérien, dissous en 1939, il a été condamné en 1941 à seize années de travaux forcés pour propagande anti-française.

Il a été libéré en octobre 1944, par le Gouvernement provisoire de la République française, mais il a été placé en résidence surveillée à Chellala d'abord, puis ensuite à Bouzaréah où il était domicilié depuis 1946.

Messali Hadj est actuellement président du MTLT (Mouvement pour le Triomphe des libertés démocratiques).

Le président du MTLD aurait déclaré qu'une union effective entre l'Algérie, la Tunisie et le Maroc ne peut se réaliser que sur le « plan moral » et de ce fait, l'Algérie se voit dans l'obligation de lutter seule pour aboutir à l'indépendance.

En raison de la situation déplorable créée par le colonialisme français aux classes laborieuses, l'Algérie a présentement besoin d'une indépendance économique et sociale.

L'indépendance politique serait moins urgente.

Pendant la session de l'ONU au Palais de Chaillot, Messali Hadj a offert, le 3 décembre, un déjeuner à l'hôtel du Parc à Chantilly.

Une quarantaine de personnes y assistaient, parmi lesquelles on cite :

— M. Azzan Pacha, secrétaire général de la Ligue arabe,

— M. Choukaiay, secrétaire général adjoint de la Ligue arabe,

— M. Salah El Din Pacha, ministre des EA égyptien,

— M. Ibrahim Sayed Hassan, chef de la délégation du Yémen,

— M. Phares El Khoury, chef de la délégation syrienne,

— M. Tarazi, de la délégation syrienne,

— M. Gailany, de la délégation irakienne.

Outre ces personnalités, on a remarqué également la présence de journalistes égyptiens, anglais, M. Bouhafa, correspondant de *Al Misri*, de nationalité tunisienne et M. Boatman.

Le 7 janvier 1952, il recevait de 15 h 10 à 15 h 40, Al Jamali, chef de la délégation irakienne.

Le 20 janvier 1952, il recevait M. Azzam Pacha, à son hôtel, dans le courant de la matinée. Puis les deux personnalités ont déjeuné au restaurant de la Tour à Gouvion et se sont entretenues en tête à tête jusqu'à 18 heures.

Enfin, il a également reçu miss Pope, correspondante du journal tangérois *Munbar El Shab*.

Messali Hadj est noté comme suit aux sommiers judiciaires : 20 ans de défense et 16 ans de travaux forcés, le 17 mars 1941, atteinte à la sûreté extérieure de l'État, atteinte à l'intégrité du territoire national, reconstitution de la ligue dissoute, manifestation contre la souveraineté française.

[APP Ga M4]

Doumeng, le « milliardaire rouge ».

Fils d'un métayer très pauvre, membre du Parti depuis l'âge de seize ans, Jean-Baptiste Doumeng bâtit sa fortune autour de la société Interagra, qui obtient le monopole du commerce de produits agro-alimentaires avec l'URSS. Maire de Noé (Haute-Garonne), ce brasseur d'affaires familier du Kremlin admettra être « le communiste le plus riche du monde ».

LA BANQUE DES SOVIETS

Les argentiers du communisme sous surveillance

Bruno Fuligni

« L'argent de Moscou », thème inépuisable des discours anticommunistes : c'est sur sa trace que se mettent les Renseignements généraux quand, en pleine Guerre froide, ils tentent de lister les « sociétés commerciales françaises en rapports avec les firmes des pays situés à l'est du rideau de fer, généralement par l'intermédiaire de la BCEN ». Ce sigle renvoie à une raison sociale anodine, la Banque commerciale pour l'Europe du Nord : créée en 1921 par des négociants russes, elle a été reprise par les institutions bancaires de l'URSS dès 1925. Le gouvernement du Cartel des gauches, dirigé par Édouard Herriot, voit alors d'un bon œil l'existence d'un établissement français à capitaux soviétiques : il sera ainsi possible de commercer avec Moscou et peut-être de réexaminer un jour l'irritante question des emprunts russes...

Or, la BCEN obéit à des mobiles très différents. En accordant des prêts, en finançant des échanges commerciaux régis par le monopole et commissionnés, elle se trouve en mesure de subventionner la révolution dans le cadre légal du capitalisme... En outre, les dépôts du Parti, de la CGT et des autres associations communistes permettent d'évaluer leurs effectifs et leur capacité de mobilisation. La « banque des Soviets », comme on la surnomme, s'efforce de rester discrète, même si l'assassinat de son directeur, Dimitri Navachine, attire l'attention sur elle en 1937 : les républicains espagnols perdent leur premier bailleur de fonds.

Mise sous séquestre en 1940, la BCEN a cessé toute activité sous l'Occupation. La situation change radicalement après la Libération, quand le PCF tient le haut du pavé. Lié à une foule d'associations, de journaux et d'entreprises amies, le Parti brasse beaucoup d'argent. Outre les RG, la DST est chargée du dossier. Le 14 juin 1945, son patron, Roger Wybot, demande des renseignements sur le nouveau PDG de la banque rouge. Charles Hilsum vit en France depuis l'âge de trois ans, travaille à la BCEN depuis 1925 mais, né à La Haye en 1898, il est de nationalité néerlandaise. Juif étranger et financier du communisme, il s'est caché dans le Lot dès 1940, et a joué un rôle actif dans la libération du département. L'écrivain résistant Jean Cassou l'a remarqué et accrédité comme conseiller financier auprès de la préfecture.

Un voyage à Moscou

Hilsum, qui avait sollicité vainement sa naturalisation en 1939, l'obtient par décret du 5 novembre 1945. Devenu Français, l'ancien chef comptable peut légalement prendre la direction de la banque qu'il sert depuis vingt ans.

À partir de 1947, éclate en France une série de grèves insurrectionnelles, soutenues financièrement par les Tchécoslovaques. Les fonds gérés par Hilsum préoccupent à ce point le gouvernement que, le 16 novembre 1948, la BCEN est attaquée par le ministre de l'Intérieur : le socialiste Jules Moch dénonce à l'Assemblée « cet aimable banquier soviétique à façade française » qui aurait consenti jusqu'à 68 millions de francs de découvert au PCF et à ses organisations. Tollé sur les bancs communistes, d'où réplique trois jours plus tard Jacques Duclos, membre du Comité central : « Cette banque-là est une banque comme les autres, soumise aux lois et règlements de la République française. »

Charles Hilsum reste en fonction, entretenant les meilleures relations avec le secrétaire général du Parti, Maurice Thorez, qui pour ses cinquante ans reçoit un rapport d'activité dédicacé… Les actionnaires soviétiques, pour leur part, finissent par se montrer sourcilleux. La Gosbank (Banque d'État) et la Roscombank (Banque du commerce extérieur) détiennent 99,7 % du capital de la BCEN. Elles sont représentées à Paris par un directeur général soviétique, Zaitsev, dont Charles Hilsum s'est fait un ami. Trop conciliant, Zaitsev est remplacé par Serguei Alexeiev en octobre 1956. Quant à Hilsum, il doit se rendre à Moscou le 15 février 1957 et la DST s'interroge sur ce « financier de grande classe », qui a acquis une certaine indépendance et risque de recevoir « un sévère avertissement ».

L'année suivante, les RG mettent en fiche Alexeiev, soulignant qu'il habite au 18, boulevard Suchet, la résidence des attachés commerciaux soviétiques… Quant à l'administrateur français Jean Braun, numéro trois

Pièces Parvenues
le - 2 DEC 1954
aux Archives Centrales

Décembre 1954.

Liste des sociétés commerciales françaises
en rapports avec les firmes des pays situés à l'est du rideau de fer, généralement par l'intermédiaire de la B.C.E.N., de la Société Mory, du Comptoir Européen d'Exportation et d'Importation, de la S.O.R.I.C.E., d'Interagra ou du Comité Français pour le Commerce International.

S.A.R.L. Aciéries de Micheline 85 Bd Félix-Faure à Aubervilliers	CHINE	1954	
Société Auxiliaire d'Etudes pour le Commerce et l'Industrie (S.A.C.I.), 35 Bd Haussmann	HONGRIE	1954	
Société Algérienne de Produits Chimiques	CHINE	1953	superphosphates
Société ARTIMA (Maison de Blanc)	TCHECOSLOVAQUIE	1954	tissus
Ateliers Lavalette - 22 Av. Michelet à Saint-Ouen	HONGRIE		
Société ASSOUS et Cie (Import-Export), 50 rue des Petites-Ecuries	U.R.S.S.	1953	plomb
Société BAMACO, 8 Bd Magenta	CHINE	1954	
Société BAVEL	U.R.S.S.	1953	palplanches
Société BEAUMONT-GODOT	HONGRIE	1953	
Bureau d'Etudes et de Recherches pour l'Industrie Moderne (B.E.R.I.M.), 17 rue Bachaumont		1953	
Comptoir Européen d'Exportation et d'Importation, 20 Av. de l'Opéra	POLOGNE HONGRIE	1953-1954	import-export
Agence de Voyages CEDOR, 49 Av. de l'Opéra			

Liste des entreprises de droit français commerçant avec l'Est, décembre 1954.

S'il est naturel que les importateurs de caviar Petrossian et Kaspia s'approvisionnent en URSS, d'autres entreprises éveillent les soupçons des RG, comme la SORICE (Société de Représentation Industrielle et de Commerce pour l'Europe), qui finance le Parti sous couvert d'import-export, ou encore

S.A.R.L. ERLANGER 11 rue A. Briand à Belfort	HONGRIE	1954	transports
Société EVALD	TCHECOSLOVAQUIE	1952	représentation
Société pour l'Expansion de l'Industrie et du Commerce en France, 58 rue de Chateaudun	CHINE	1954	métallurgie
Ets. FACTOR, 52 rue Marcadet	TCHECOSLOVAQUIE	1953	fournitures pour tailleurs
Ets. FAIN et Cie	TCHECOSLOVAQUIE	1954	
Sté. Franco-Anglaise de Pelleterie, 52 rue d'Hauteville	U.R.S.S.	1952-1954	fourrures
Sté. France-Cameroun	U.R.S.S.	1954	allumettes
Sté. des Cycles GUYOT et OSCAR BIGG	U.R.S.S.	1954	bicyclettes
Sté. Industrielle MOY	U.R.S.S.	1953	minerai
Sté. INTERAGRA, 6 rue Auber	HONGRIE TCHECOSLOVAQUIE	1950-1954	produits alimentaires
Sté. LATEX, 28 Av de l'Opéra	CHINE U.R.S.S.	1953	produits sidérurgiques chaudières
Sté. KASPIA CAVIAR (conserves) 17 Place de la Madeleine	U.R.S.S.	1954	conserves poisson
Sté. LATIC, 149 rue de Longchamp	U.R.S.S.	1954	charbon
Sté. GASTON LEGENDRE	U.R.S.S.	1954	viande congelée
Sté. Léon ELYSEE de Roubaix	BULGARIE	1952	machines
Sté. LONGOVICA	HONGRIE	1954	bois charpente
Sté. Lorraine de Produits Sidérurgiques à Paris	TCHECOSLOVAQUIE	1954	produits sidérurgiques
S.A.R.L. MARTHOS de Tourcoing	HONGRIE TCHECOSLOVAQUIE	1953	laine

Interagra, fondée en 1947 par un militant communiste qui bâtit un empire dans l'agro-alimentaire, Jean-Baptiste Doumeng. Établie d'abord au 26, avenue de l'Opéra, puis au 21, rue de l'Arcade à partir de 1946, la BCEN s'installera en 1965 dans des locaux modernes, au 79, boulevard Haussmann.

de la BCEN, il est l'époux de l'ancienne députée communiste Madeleine Braun : elle dirige avec Aragon la maison d'édition littéraire Les Éditeurs français réunis — qui a son compte à la BCEN…

Occupés à pister clients et cadres de la banque, les RG comme la DST laissent toutefois de côté l'essentiel : les flux financiers eux-mêmes. Or, depuis la guerre de Corée en 1953, l'URSS et ses alliés recyclent leurs dollars *via* Paris. La BCEN étant connue dans la profession sous l'adresse télégraphique « Eurobank », on appelle vite « eurodollars » cette masse de dollars flottants qui échappe à tout contrôle étatique et que les argentiers du monde vont apprendre à utiliser comme une place offshore. Ironie de l'Histoire : selon certains économistes, la « banque des Soviets » aura ainsi engagé la libéralisation de la finance mondiale.

✦

CHARLES HILSUM, PDG DE LA BANQUE ROUGE

Le PDG, qui travaille depuis trente-deux ans à la BCEN, a pris des habitudes d'indépendance et gère directement les flux de métaux précieux. Il va devoir subir les critiques de la Gosbank, mais devrait selon la DST s'en tirer par un simple avertissement : « Ce n'est pas au moment où l'Union soviétique a de très gros besoins de devises […] qu'elle se risquerait à désorganiser son unique service financier. » Charles Hilsum restera en effet à la tête de la BCEN jusqu'à sa mort, en 1963. Il aura pour successeur Guy de Boysson, aristocrate converti au communisme et ancien député de l'Aveyron.

Rapport sur le voyage à Moscou du président de la Banque commerciale pour l'Europe du Nord, 20 février 1957

Charles Hilsum s'est envolé dans la matinée du 15 février à destination de Moscou, via Prague.

Ce voyage était initialement prévu pour le 20 janvier dernier, mais Hilsum, peu pressé de rendre des comptes, a prétexté une grande fatigue pour aller passer quelques jours à Salerne, à peu près à la même époque.

Le président de la Banque commerciale pour l'Europe du Nord (filiale française de la Banque d'État soviétique « Gosbank », plus connue dans les pays de l'Est européen sous le nom d'« Eurobanque ») se rend officiellement à Moscou, d'une part pour mettre au point avec ses supérieurs les nouvelles relations financières extérieures de l'URSS et de ses satellites, mais, d'autre part et peut-être même surtout, pour s'expliquer sur sa politique jugée trop personnelle au gré de Moscou.

Depuis un certain temps déjà, on s'était rendu compte « en haut lieu » de l'indépendance de plus en plus grande que prenait Charles Hilsum dans la conduite de la BCEN. Or, si la compétence de ce financier, reconnue de tous, en fait un auxiliaire précieux, son manque de souplesse ne pouvait manquer de provoquer, à la longue, certaines réactions. La première a été en octobre 1956 le remplacement, au poste de vice-président de la BCEN, de Zaitsev Yvan Yvanovitch, ami d'Hilsum, par Serguei Alexandrovitch Alexeiev.

Ce dernier, qui paraît avoir été placé auprès d'Hilsum pour le surveiller, n'a pas manqué de signaler à leur supérieur commun, Constantin Ivanovitch Nazarkine (de la banque d'État soviétique), qu'il soupçonnait Hilsum de donner à son personnel des instructions pour ne traiter aucune affaire de métaux en son absence, ajoutant même qu'il soutenait fortement la ligne « Culte de la personnalité ».

Il ne se trompait pas. Hilsum a de bonnes raisons, en effet, de ne permettre aucune opération sur les métaux précieux lorsqu'il n'est pas personnellement là pour les traiter. Ses clients (toujours les mêmes) ont pour habitude — et à sa demande — de lui notifier officiellement les achats auxquels ils procèdent à un cours, puis de lui adresser une fiche de commission représentant la différence entre le cours effectivement pratiqué et celui auquel ils sont censés avoir été traités. Par ailleurs, le directeur de Soyouz Prom Export, organisme officiel soviétique chargé des ventes de métaux précieux, reproche à Hilsum de vouloir établir à son profit une espèce de monopole des ventes de métaux.

Plusieurs faits sont, au demeurant, symptomatiques de la méfiance des dirigeants de « Gosbank » de Moscou à son égard. C'est ainsi qu'un des plus importants acheteurs d'or soviétique, la « banque Montaigu » de Londres, vient de dépêcher un de ses représentants à Moscou pour traiter directement avec les autorités soviétiques.

Dans le même ordre d'idées, un ami dévoué d'Hilsum, Imery Hertzog, directeur de la banque d'État de Hongrie, par l'intermédiaire de laquelle s'effectue la plus grande partie des opérations sur les métaux précieux, a été mis à la retraite brusquement le 14 février, au grand désarroi de ses collaborateurs et d'Hilsum lui-même, qui a considéré la nouvelle comme mauvaise et l'intéressant personnellement.

Il y a tout lieu de penser, pourtant, que les autorités de la banque d'État de l'URSS se contenteront d'adresser un sévère avertissement à leur principal représentant en Europe occidentale. Jusqu'à maintenant, en effet, toutes les opérations financières traitées par l'URSS et ses satellites se faisaient par l'intermédiaire de la BCEN. Ce n'est pas au moment où l'Union soviétique a de très gros besoins de devises, peut-être par suite de l'aide qu'elle est obligée de donner à ses satellites, qu'elle se risquerait à désorganiser son unique service financier.

[DCRI]

L'*arme du crime*.

Il n'y a pas à proprement parler de « bazooka » dans l'affaire, mais un engin artisanal formé de deux tuyaux de descente d'eau (photo ci-dessus) par lesquels un dispositif électrique de mise à feu a permis aux activistes de l'Oraf de tirer deux roquettes sur l'immeuble abritant l'état-major de la Xe région militaire. SHD-DGN

L'AFFAIRE DU BAZOOKA

Attentat ou complot ?

Denis Lefebvre

Alger, 16 janvier 1957, 19 heures… Une explosion ravage le bureau du général Salan, rue d'Isly. Raoul Salan : l'officier le plus décoré de l'armée française, qui commande la Xe région militaire, l'un des hommes clés de ces « événements » d'Algérie qui, depuis 1954, ont tous les traits d'une guerre coloniale. Vingt minutes auparavant, il a quitté ce bureau, convoqué de manière impromptue par Robert Lacoste, ministre résidant en Algérie.

Salan échappe à la mort, mais pas son aide de camp, le commandant Rodier. Revenu à la hâte, le général entre dans le bureau. Dans ses Mémoires, il raconte : « Le spectacle est atroce. [...] Basset me montre dans le coin de la pièce, derrière son bureau, son camarade projeté au sol, avec une énorme blessure au flanc gauche, la poitrine ouverte. Le malheureux a été presque partagé en deux. Sur le parquet et au plafond, le sang a giclé en larges plaques. »

On découvre que les projectiles ont été tirés d'un immeuble situé en face des bureaux de Salan. Sur le toit, l'arme utilisée, abandonnée à la hâte : deux tuyaux et quelques morceaux de fil électrique, pour la mise à feu. Ce lance-roquettes artisanal aurait-il été bricolé par les indépendantistes du FLN ?

Un complot contre la sûreté de l'État

Le fil électrique, d'un modèle peu usité, constitue un précieux indice, comme l'indique un rapport de la Sûreté urbaine d'Alger en date du 8 février 1957 : « Sous l'apparence du fil électrique habituel, chaque conducteur n'était formé que de 14 brins alors que la norme est de 19 brins. Il restait donc à rechercher qui, à Alger, vendait du tel fil. »

S'ensuit une vague d'arrestations, dont celles du docteur René Kovacs, fondateur d'un groupement d'extrême droite dénommé l'Oraf (Organisation de Résistance en Afrique du Nord), et de ses lieutenants Philippe Castille et Michel Fechoz. Dans ce même rapport, le commissaire de police évoque leurs buts : « Faire disparaître le général Salan de la scène algérienne où sa présence était inopportune. »

Une affaire de cette importance préoccupe Paris : l'attentat a visé l'un des principaux chefs de l'armée française, celui-là même à qui le gouvernement vient de donner les pleins pouvoirs pour rétablir l'ordre à Alger, alors que le terrorisme urbain s'installe, avec son cortège d'horreurs. Le président du Conseil de l'époque, le socialiste Guy Mollet, suit l'affaire au jour le jour et les rapports de police arrivent sur son bureau.

L'affaire prend une nouvelle dimension le 11 février, au vu d'un nouveau document : « L'attentat était la première manifestation d'un complot contre la sûreté intérieure de l'État », comme le révèlent les auditions des trois suspects… Une fois Salan éliminé, l'objectif était le suivant : « Instauration à Paris d'un gouvernement de salut public ou d'union nationale grâce à la neutralisation du Parlement susceptible d'être opérée par M. le député Pascal Arrighi en ce qui concerne l'Assemblée nationale et par M. Michel Debré pour le Conseil de la République », nom officiel du Sénat à l'époque. « C'est M. Jacques Soustelle qui devait prendre, pour une période de deux ans, la tête de ce gouvernement de salut public, auquel il était question que succède une dictature, celle du prince Napoléon étant envisagée. »

Le Comité des six

L'auteur du rapport donne ainsi les noms d'un certain nombre de personnalités figurant dans un mystérieux « Comité des six » à l'origine du complot : outre les noms déjà cités, apparaissent ceux du général Faure et de Valéry Giscard d'Estaing, député du Puy-de-Dôme depuis 1956. À signaler que dans d'autres rapports en provenance d'Alger, ce dernier est parfois confondu avec Roland Boscary-Monsservin, député de l'Aveyron.

Ce rapport confirme le télégramme chiffré que, dès le 2 février, Guy Mollet a reçu de Robert Lacoste : « Les policiers de la sécurité publique d'Alger sont arrivés au terme de leur enquête sur l'attentat perpétré contre le général Salan. L'affaire va être passée à la

DST, puis à la justice. Kovacs a avoué être l'instigateur de l'attentat. Personne ne l'a commandé. Cependant, il a déclaré avoir été en relation avec un "Comité des six" comprenant Pascal Arrighi, Michel Debré et Giscard d'Estaing. » Ce mystérieux comité aurait fait connaître à Kovacs son projet d'une prise de pouvoir à Alger.

Un long feuilleton judiciaire

« Lesdits amis considéraient Salan comme gênant. Cependant, ils n'en demandèrent pas la suppression, mais l'idée germa dans l'esprit de Kovacs d'un attentat contre la Xe région. » S'ouvre ensuite un long feuilleton judiciaire, qui laisse penser à l'opinion que les gouvernements successifs veulent enterrer l'affaire. Il faut attendre octobre 1958, après le retour au pouvoir du général de Gaulle, pour que les auteurs de l'attentat soient jugés. Ils comparaissent à Paris, où le dossier a été transféré. Philippe Castille, le tireur, est condamné à une peine de réclusion criminelle. Kovacs, en fuite, est condamné à mort par contumace. Réfugié en Espagne, il s'établira comme médecin, devenant un spécialiste mondial de l'auriculothérapie. Il est amnistié en 1968, comme les autres protagonistes de cette affaire, et retrouve une certaine audience en janvier 1976, à l'occasion de son passage à l'émission *Radioscopie* de Jacques Chancel. Bavard sur ses activités médicales, il refuse de s'exprimer trop longtemps sur l'affaire du Bazooka, lançant à l'animateur : « Il est inutile de revenir en arrière. »

Y avait-il réellement quelqu'un derrière Kovacs et ses amis ? Des personnalités nationales, sans donner l'ordre formel d'éliminer Salan, ont-elles influencé ces activistes enflammés ? Les dessous de cette affaire n'ont jamais été éclaircis.

✦

UN ATTENTAT POLITIQUE

***Télégramme chiffré*, 2 *février* 1956**

Les policiers de la sécurité publique d'Alger sont arrivés au terme de leur enquête sur l'attentat perpétré contre le général Salan. L'affaire va être passée à la DST, puis à la justice. Kovacs a avoué être l'instigateur de l'attentat. Personne ne l'a commandé. Cependant, il a déclaré avoir été en relation avec un « Comité des six » comprenant Pascal Arrighi, Michel Debré et Giscard d'Estaing. C'est un nommé François Knecht qui assurait la liaison entre ce comité et Kovacs. Arrighi est venu deux fois à Alger en décembre, et a vu Kovacs. Il était accompagné chaque fois de Griotteray, officier au cabinet de Cogny.

Kovacs a eu le 16 décembre à 17 heures une entrevue avec Cogny de peu d'importance semble-t-il. Cependant, Arrighi et Griotteray ont entretenu longuement Kovacs d'un projet de prise de pouvoir à Alger, pour lequel ils entendaient se servir de Cogny. Ce coup d'État à Alger devait retentir sur la situation politique à Alger et la transformer complètement. [...] Lesdits amis considéraient Salan comme gênant. Cependant, ils n'en demandèrent pas la suppression, mais l'idée germa dans l'esprit de Kovacs d'un attentat contre la 10e Région.

[Ours, Fonds Guy Mollet]

Courrier « très secret » du chef de la sûreté urbaine d'Alger au commissaire central d'Alger (extrait), 11 *février* 1957

Dans le rapport spécial cité en référence, j'ai eu l'honneur de vous rendre compte de l'activité de mon service dans la réalisation de l'affaire relative à l'attentat dirigé contre l'hôtel de la 10e Région militaire.

Dans ce rapport, je n'ai fait qu'effleurer les mobiles du crime en mentionnant que : « Le but recherché par les instigateurs et les auteurs de l'attentat était de faire disparaître le général Salan de la scène algérienne où sa présence était jugée inopportune. »

En réalité, les causes en étaient beaucoup plus profondes puisque l'attentat n'était que la première manifestation d'un complot contre la sûreté intérieure de l'État. L'objectif choisi pour l'attentat, l'hôtel de la 10e Région militaire, ne paraissant pas entrer dans le cadre de l'activité antiterroriste à laquelle nous étions habitués, tant vous que notre collègue Constant et moi-même avons cherché plus loin les raisons de ce crime.

Après que vous ayez traduit notre scepticisme au docteur Kovacs quant au mobile invoqué (nous pensions à l'époque qu'il pouvait avoir travaillé pour une puissance étrangère) nous l'avons repris très longuement durant plusieurs jours, M. Constant et moi.

Nous avons, dans le même temps, fait le siège de Castille Philippe qui « décrocha » le premier et nous dévoila les grandes lignes du complot.

C'est en pleine nuit que le docteur Kovacs, après de longues hésitations, nous donna le schéma du complot auquel il participa. C'est en votre présence qu'il s'étendit sur ce complot dans un procès-verbal d'audition dressé à votre nom en la seule présence de M. Constant et de moi-même. Des déclarations de Kovacs, Castille et Fechoz, il ressort ce qui suit : « Au début du mois de décembre 1956, M. Knecht François, habitant Paris, de passage à Alger, désirant prendre contact avec une organisation agissant sur le plan "Actions contre-terroristes", rendit visite au docteur Kovacs qu'il savait représenter l'Oraf dont il lui demanda le concours pour la réalisation d'un complot dont le but était le renversement du régime et l'instauration, d'ici deux ans, d'une dictature. »

Les instigateurs de ce complot seraient constitués en un comité de six membres, dont les noms connus sont : MM. Debré Michel, sénateur, Arrighi Pascal, député ; et seraient : MM. Soustelle Jacques, député ; Giscard d'Estaing, le général Faure.

Ce comité a entretenu, dans la période incluse entre octobre 1956 et janvier 1957, des relations avec le triumvirat de l'Oraf : Kovacs, Castille et Fechoz par l'intermédiaire de MM. Arrighi Pascal, député ; Knecht François, employé au Comité national de recherches scientifiques Paris ; le commandant Griotteray Alain (de l'état-major du général Cogny) ; Sauvage Jacques, en résidence au Maroc.

Le général Cogny prit lui-même contact avec Kovacs en l'hôtel Saint-Georges à Alger, le 16 décembre 1956. Le but du complot, rapporté par Kovacs et consorts, était le suivant :

1) Élimination du général Salan et son remplacement immédiat par le général Cogny, avec ou sans l'accord du ministre résidant.

2) Instauration à Paris d'un gouvernement de « salut public » ou d'« union nationale » grâce à la neutralisation du Parlement susceptible d'être opérée par M. le député Arrighi Pascal en ce qui concerne l'Assemblée nationale et par M. le sénateur Debré Michel pour le Conseil de la République.

C'est M. Jacques Soustelle qui devait prendre, pour une période de deux ans, la tête de ce gouvernement de salut public auquel il était question que succède une dictature, celle du prince Napoléon ayant été envisagée.

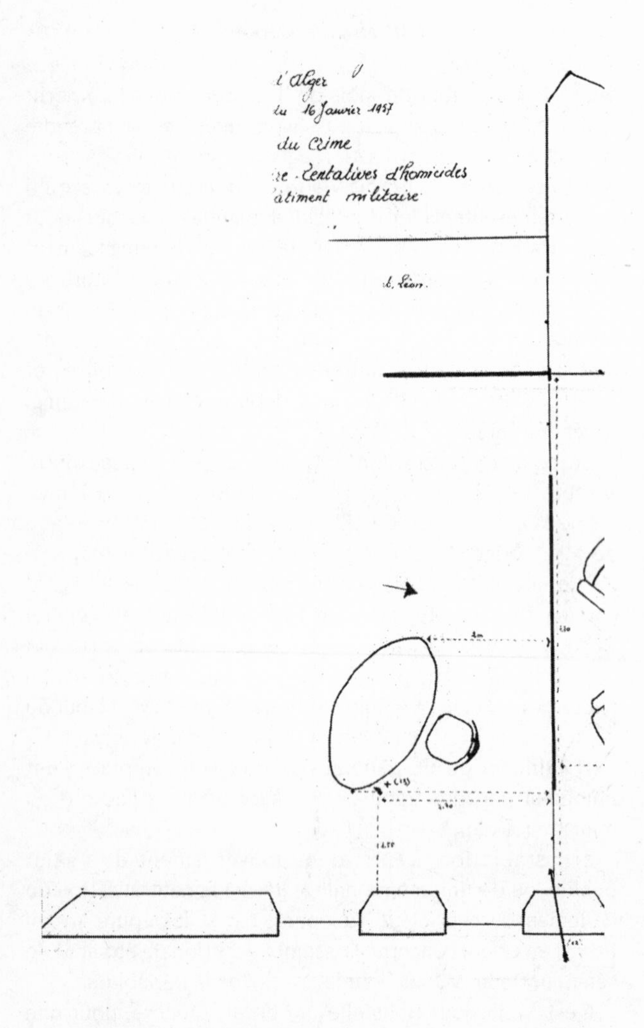

Croquis pris par la gendarmerie, montrant l'emplacement du corps du commandant Rodier ainsi que les dégâts causés par les deux roquettes.

Pièce n° 2 c

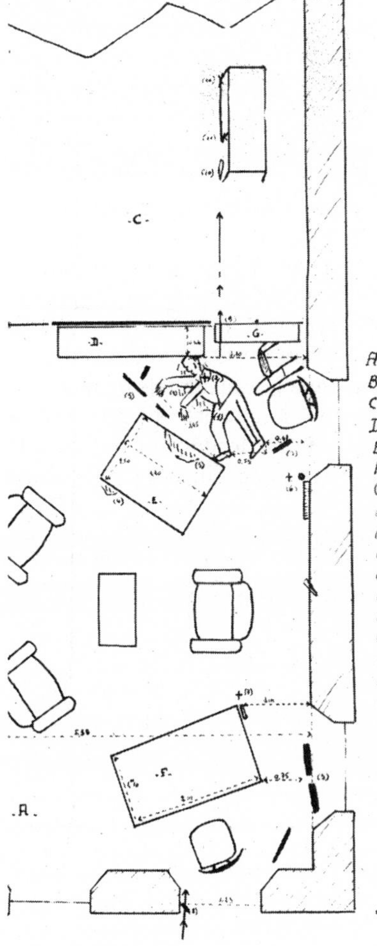

Légende

A. Bureau du Directeur de Cabinet
B. Bureau du Général
C. Bureau des aides de Camp
D. Armoire
E. Bureau de la victime
F. Bureau du Lt Colonel BASSET.
G. Petite table
(1). Victime Cdt RODIER.
(2) + Cône du projectile dans la plaie
(3) Flaques de sang.
(4) Débris de chair
(5) Débris de la fenêtre [illegible]
(6) + Collerette du projectile
(7) + Tube de propulseur du projectile
(8). Persienne brisée. Entrée du projectile
(9) Point d'impact du petit projectile.
(10). - id - id sur le parquet
(11) - x - id - - id - sur bas [illegible]
(12). x - id et lieu découverte petit projectile
(13). Impact et entrée du 2e petit projectile.
(14). 2ème petit projectile.

Échelle : 1/50ème

Dans ce gouvernement, le général Cogny aurait eu un poste de sous-secrétaire d'État à la Guerre, soit « à la rigueur » (*sic*) le portefeuille de ministre de l'Afrique du Nord.

Il est à noter que le général Cogny n'a eu qu'un entretien de quelques minutes avec Kovacs, le 16 décembre dernier, entretien « de prise de contact » seulement au cours duquel « l'affaire » n'aurait pas été évoquée.

Le coup d'État devait voir son déclenchement durant les dernières vacances parlementaires de Noël-jour de l'an, aux dates suivantes : 22 ou 29 décembre 1956 ou 5 janvier 1957. Néanmoins il semble que la date du 29 décembre 1956 avait été plus spécialement retenue puisqu'un télégramme susceptible de provoquer la venue à cette date à Alger du général Cogny lui a été adressé par le docteur Lagrot à la demande de Kovacs : télégramme qui ne reçut aucune réponse.

[Ours, Fonds Guy Mollet]

CARGAISONS D'ARMES POUR LE FLN

La chasse aux navires suspects en Méditerranée

Alexandre Sheldon-Duplaix

Le 14 octobre 1956, un avion Privateer de l'aéronautique navale, en patrouille au large des côtes algériennes, repère un yacht à moteur sans pavillon à 88 nautiques du cap Palos. Longtemps stationné dans le port de Syracuse, le bâtiment a été signalé en juin par la *Marina militare* italienne et Paris l'a répertorié dans la liste noire des bâtiments suspectés de contrebande. D'après le bulletin de l'assureur Lloyd's, ce yacht, le *Saint-Briavels*, serait de nationalité britannique et aurait été rebaptisé *Athos*. Le lendemain, un appareil Neptune décolle de la base aéronavale de Lartigue pour retrouver le navire, qui se trouve désormais sur la côte oranaise, simulant une route vers l'Espagne. Alertés, l'aviso *Commandant de Pimodan*, l'escorteur *Cimeterre* et le chasseur P703 l'accompagnent à distance.

Constatant que la route de l'*Athos* s'infléchit vers la côte africaine, le *Pimodan* l'intercepte le 16 octobre à 7 h 45 du matin. Le capitaine est incapable de fournir les documents réglementaires. Le *Pimodan* déroute alors l'inconnu sur le port algérien de Nemours afin de procéder à une visite qui révèle une impressionnante cargaison : 65 tonnes d'armes et de munitions, principalement d'origine canadienne.

L'*Athos* est alors remorqué jusqu'à la base navale de Mers el-Kébir, où la Marine dresse l'inventaire des armes transportées : 15 mortiers, 40 mitrailleuses, 2 252 fusils, 31 carabines, 74 fusils mitrailleurs, 242 pistolets mitrailleurs, 619 000 cartouches, 2 147 coups pour mortier et 84 charges creuses antichar. Les onze hommes d'équipage, grecs et allemands, sont encadrés par six passagers qui se disent Marocains ou Soudanais. L'un d'eux se déclare le propriétaire du yacht : il croyait transporter « des médicaments » et ne se serait rendu compte de la vraie nature de sa cargaison qu'après l'appareillage... Il affirme que son bateau devait se rendre à Tanger.

Des cargos bulgares

Un carnet de notes trouvé à bord révèle que le contrevenant a embarqué gasoil et approvisionnements le 3 octobre dans le port d'Alexandrie, avant d'être conduit le 4 à l'arsenal où la marine égyptienne a chargé les caisses et installé un poste de radio militaire. La destination finale est la plage algérienne de Bufadis, où des bateaux de pêche devaient transborder les armes. Trois mois après la nationalisation du canal de Suez, le *rais* égyptien Nasser est donc identifié comme le principal soutien à la rébellion algérienne : l'engagement français dans l'expédition de Suez en découlera directement.

L'acheminement par voie maritime des armes destinées au FLN va se poursuivre jusqu'à l'indépendance.

Armement allemand.

Parmi ces armes, beaucoup proviennent des stocks de la Wehrmacht saisis et reconditionnés par les pays de l'Est. Ci-dessus, une caisse de MG 42.

Ces mouvements passent surtout par les ports de Tunisie et du Maroc, qui ne sont plus sous contrôle français et dont les gouvernements soutiennent les « fellaghas ». À partir de 1959, la Yougoslavie et les pays de l'Est dominent ce trafic. Dépositaire d'une importante quantité d'armes allemandes, abandonnées après la Seconde Guerre mondiale, la Bulgarie figure alors au premier rang des nations susceptibles d'armer le FLN.

À Paris, le 2e Bureau de la Marine supervise directement les opérations d'arraisonnement effectuées par l'escadre de Méditerranée et par les forces navales de la IVe région maritime à Oran. Ne pouvant décréter le blocus du Maroc et de la Tunisie, la France doit identifier les contrevenants en amont. Cette tâche revient principalement au SDECE, qui infiltre les milieux des trafiquants d'armes.

Soupçons de sabotage

Entre juin 1956 et août 1961, la Marine nationale effectue 132 visites sur des navires appartenant à vingt-cinq nations. La marine marchande bulgare subit le plus grand nombre d'arraisonnements — vingt et un — après le succès du cargo *Bulgaria*, qui échappe à l'escorteur rapide *Savoyard* pour gagner Tanger dans la nuit du 19 novembre 1960. Outre l'*Athos* anglo-soudanais, la marine saisit des armes à bord de trois bâtiments allemands, deux danois et cinq autres navires, battant pavillons yougoslave, hollandais, panaméen et tchécoslovaque.

Le SDECE sera pour sa part soupçonné de plusieurs

sabotages qui expédient opportunément d'autres cargaisons d'armes par le fond : un cotre coulé à Tanger le 28 septembre 1956, le cargo égyptien *Elkahira* à Ostende le 13 mars 1959, le cargo *Marmara* endommagé par une explosion à Hambourg le 15 janvier 1960…

En revanche, aucun navire soviétique ne sera inquiété. Le gouvernement français n'ose pas défier Moscou, laissant l'URSS acheminer sous son pavillon des armes au Maroc, avec la bénédiction du roi Mohammed V qui les livre ensuite au FLN.

L'Athos *dans le port de* Mers el-Kébir.

✦

L'ÉGYPTE MISE EN CAUSE

Traduction de renseignements sur le Saint-Briavels *donnés par les autorités navales italiennes, juillet* 1956

[...] Le 11 juin dernier, à 18 heures, a abordé aux quais de Syracuse le yacht à moteur battant pavillon britannique Saint-Briavels, en provenance de Malte avec 7 personnes d'équipage et aucun passager. Lors de l'enquête de la police, le capitaine déclara que le navire partirait le 12 du même mois pour Beyrouth ; cependant, le 17, l'unité était toujours à Syracuse, attendant — semble-t-il — quelqu'un devant venir de Rome.

Le navire est continuellement et étroitement surveillé par la police et, jusqu'à maintenant, il n'y a rien eu de nouveau ; subsiste toutefois la possibilité — étant donné l'état négligé de la coque — que ce navire soit destiné à la contrebande en général, sinon précisément à celle des armes pour l'Afrique du Nord et pour Israël.

Ci-joint la liste des membres de l'équipage et une photographie de l'unité.

Caractéristiques :

— coque d'un blanc sale,

— une cheminée jaune,

— un mât à l'avant.

[SHD-Marine]

*Notes du 2e Bureau de l'état-major de la Marine sur l'affaire de l'*Athos, *13 novembre* 1956

Le 16 octobre, l'*Athos* (portant encore sur la coque son nom précédent de *Saint-Briavels*) naviguant sans arborer aucun pavillon, a été visité par un navire de guerre français, le *Commandant de Pimodan*, au large du cap des Trois Fourches, aux fins d'enquête du pavillon.

Cette visite ayant révélé l'absence de tout document de bord hors le rôle de l'équipage et la présence d'armements à portée de l'équipage et des passagers, l'*Athos* fut conduit dans le port de Nemours, où les autorités françaises de police et de douanes constatèrent que le bâtiment transportait un très important chargement d'armes et de munitions (liste en annexe) ainsi que six passagers clandestins.

Selon les déclarations de l'armateur, du commandant et des radiotélégraphistes, le navire a été chargé dans la nuit du 3 au 4 octobre à Alexandrie où, venant du quai n° 30, il a été piloté par un officier de marine égyptien en uniforme vers le port militaire se trouvant dans une « zone interdite ». Un train de sept wagons remplis d'armes attendait à quai. Cent cinquante militaires en uniforme ont participé au chargement qui a duré quatre heures. Vers 4 heures 30 du matin, le bateau a appareillé sous pilotage d'un officier de marine égyptien vers le mouillage en grande rade. Diverses formalités ont été alors accomplies par les autorités égyptiennes : retrait des passeports et des papiers divers de l'équipage. Six passagers ont été embarqués, auxquels ont été enlevées également leurs pièces d'identité. À 9 heures le bateau a quitté la rade d'Alexandrie.

Selon les mêmes déclarations, le lieu d'accostage devait être la baie de Boufadès, près du cap de l'Agua à la limite du Maroc et de l'Algérie ; des bateaux de pêche devaient venir décharger le navire ; les armes étaient destinées au chef du maquis de Turenne près de Tlemcen.

Il a été également établi par l'enquête que les six passagers clandestins venaient de suivre des stages d'entraînement militaire en Égypte. L'un est radio et a été formé par l'école militaire de radio égyptienne de la caserne Dezerna

MESSAGE

[illegible]/4424/12 21 12 Z

HSC : 16 22 20 Z

ATTR : M/CM
EMG/0
EMG/3
EMG/2
ARCHIVES.

SECRET N° 5119
Exemplaire N° 4

PREMAR QUATRE — 16 17 46 — TRÈS SECRET / SECRET / SECRET CONF. / DIFFUS. REST / NON CLASSÉ — FLASH / EXTRÊME URGENT / URGENT OPÉR / URGENT / ROUTINE / DIFFÉRÉ

AUTORITÉS DESTINATAIRES

POUR ACTION : MARINE PARIS

POUR INFORMATION : AL MED – PREMAR TUNISIE – GOUVERNEMENT GENERAL CROD 10ème REGION MILITAIRE.

NR. 61.023

SECRET – STOP –

Bateau liste noire nr 2336 reconnu le 14 après midi après explora tion aérienne méthodique effectuée les 13 et 14 Octobre – STOP – Suivi discrètement pendant la journée du 15 et la nuit du 15 au 16 il a été arraisonné le 16 au matin et conduit à NEMOURS – STOP – Chargement très important – STOP – Détails complémentaires suivront.

EMG/2

MARINE CHIFFRE PC

16 OCT 1956

INSTRUCTIONS À NE PAS TRANSMETTRE: TICAL

INSTRUCTIONS POUR LE MESSAGE

Nom et signature du Rédacteur ou de l'Opérateur: TRUC — Téléphone — VISAS DIVERS — Signature du Cdt ou Chef d'É. M.

VISA DU CHEF DE SERVICE

*Télégramme secret annonçant l'arraisonnement de l'*Athos*, le 16 octobre 1956.*

au Caire ; il devait participer à la mise en place de la chaîne radio organisée par le maquis algérien. Les cinq autres venaient de suivre des stages d'instruction au camp d'Inchas et des cours de sabotage à l'école militaire égyptienne du Caire. Le chef de ce groupe était porteur d'une lettre adressée au destinataire des armes, en l'occurrence, le chef du maquis de Turenne.

L'enquête a révélé que le bâtiment avait été acheté par l'entremise des services secrets égyptiens. Son armateur, Ibrahim Mohamed En Nayal, travaillant depuis trois ans pour les services de renseignements égyptiens dans la section « Afrique du Nord », où il était chargé des envois d'armes.

L'ensemble des faits qui précèdent fait apparaître de façon irréfutable la responsabilité directe de l'État égyptien dans la rébellion en Algérie puisque l'aide militaire apportée à celle-ci est fournie par des services de l'État égyptien. Cette aide militaire est contraire au principe de droit international appelé le principe de « non-intervention » et qui s'analyse en une interdiction pour les États étrangers d'intervenir dans les affaires intérieures d'un État. Le respect de l'indépendance des États a été également mis en cause puisque, par son aide militaire à des éléments de population en rébellion l'Égypte porte atteinte à la souveraineté de l'État français et à ses autorités légitimes. De telles violations du droit international engagent la responsabilité du gouvernement égyptien et constituent une véritable agression de sa part.

En annexe :

— inventaire des armements et munitions saisis à bord de l'*Athos*.

— note juridique sur la légitimité de la saisie de l'*Athos*.

Annexe 1 : *armements saisis sur l'*Athos

ARMES :
Mortiers de 3 pouces : 12
Mortiers de 2 pouces : 63
Fusils canadiens de 7/7 : 1997
Baïonnettes pour fusils canadiens : 152
Pistolets mitrailleurs Beretta : 247
Chargeurs pour PM Beretta grands : 236
Chargeurs pour PM Beretta petits : 248
Mitrailleuses de 7.62 marque inconnue : 6
Fusils mitrailleurs Bren 7.7 : 74
Mitrailleuses MG allemandes de 7.92 : 34
Fusils marque et calibre inconnus : 255
Fusils belges de calibre 7.7 : 20
Pistolets mitrailleurs italiens calibre 6.5 : 31
Affûts de mortiers : 43 colis
Chargeurs de Bren — courbes 99 caisses soit : 1 199
droits : 15

MUNITIONS :
276 caisses de 1 000 cartouches de 7.7 à balle ordinaire
50 caisses de 1 248 cartouches de 7.7 à balle incendiaire
2 caisses de 1 350 cartouches de 7.7 à balle incendiaire
100 caisses de 1 000 cartouches de 7.92 à balle ordinaire
49 caisses de 2 000 cartouches de 9 mm
2 caisses de 2 500 cartouches de 9 mm pour revolvers S. et W.
39 caisses de 1 800 cartouches de 11.25
1 caisse de 1 000 cartouches de 7.65
1 caisse de 1 000 cartouches de 8 mm modèle 32 M.
81 caisses de 24 grenades défensives à main avec détonateur
321 caisses de 3 coups complets pour mortiers de 3 pouces
7 caisses de 12 charges creuses antichars
107 caisses de 12 coups complets pour mortiers de 2 pouces

1 caisse de 2 pistolets lance-amarres avec 4 torpilles complets

MATÉRIEL RADIO :

4 ensembles VHF portatifs Telefunken type 107/2 sortis d'usine en août 1956,

6 fréquences pilotées par quartz,

5 quartz en place distants de 5 KOS entre 68 725 KOS et 19 125 KOS. Alimentation batterie incorporée,

2 chargeurs de batterie spéciaux pour ensemble VHF Telefunken.

[SHD-Marine]

Note secrète du SDECE *sur l'inquiétude au Caire après la capture de l'*Athos

Le bruit court avec persistance, dans les milieux généralement les mieux informés du Caire, que le colonel Nasser se montrerait très irrité de la maladresse de Nayel, commandant de l'*Athos*, qui n'aurait pas observé à la lettre les directives reçues avant son départ d'Alexandrie.

Par ailleurs, tout en déplorant la perte d'un chargement d'armes dont les rebelles avaient le plus grand besoin, les milieux officiels de la capitale égyptienne feignent de se préoccuper de la situation désagréable que la capture de l'*Athos* crée pour les autorités marocaines ! Mais en fait, la véritable inquiétude des dirigeants égyptiens réside dans leur crainte que, lors de leur interrogatoire, les membres de l'équipage du bateau pirate révèlent, au moins partiellement, le réseau de liaisons existant entre l'Algérie et l'Égypte.

[SHD-Marine]

« ALGÉRIE FRANÇAISE ! »

Le dossier secret des RG sur Georges Bidault

Jean-Pierre Rioux

Le 16 septembre 1959, le général de Gaulle a fait le choix, décisif, de promettre « l'autodétermination » à tous les Algériens. Il annonce le 4 novembre 1960, à la télévision, l'inévitable avènement d'une « République algérienne ». Le 8 janvier 1961, consultés par référendum, les Français de métropole approuvent ces initiatives à 75 %. Il faudra certes attendre plus d'une année, au prix de beaucoup de sang et de larmes, pour aboutir aux accords d'Évian du 18 mars 1962 et à l'indépendance algérienne, mais la roue tourne, inexorablement.

Contre la « politique d'abandon »

Des Français d'Algérie de plus en plus nombreux, rejoints par des éléments séditieux de l'armée française présente là-bas, décident de répliquer ; en métropole, nombre d'opposants de droite et d'extrême droite à de Gaulle les soutiennent, persuadés que la France peut et doit gagner cette guerre subversive. Ils complotent et passent à l'acte, contre la « politique d'abandon ».

Mais les Renseignements généraux, très actifs, surveillent ce qui se trame dans les milieux politiques, comme le montrent les notes et rapports qui constituent le dossier secret de Georges Bidault, député de la Loire, fondateur du MRP (Mouvement républicain populaire) et ancien chef du gouvernement. Dès le 19 septembre 1959, il préside un « Rassemblement pour l'Algérie française », qui le dépêche à Alger, à Bône et à Constantine, pour une tournée de propagande dont le programme est très tôt divulgué au Préfet de police.

Vers l'action clandestine

Dans un rapport confidentiel du 17 octobre 1959, les RG signalent les contacts pris par le député de Paris Jean-Marie Le Pen, président du Front national combattant, avec ses collègues Georges Bidault et Pierre Lagaillarde pour « organiser la lutte contre la sécession » et « se préparer des refuges où les services de police ne puissent les atteindre ».

Du 24 janvier au 1er février 1960, Alger connaît une « semaine des barricades » orchestrée justement par Pierre Lagaillarde et Joseph Ortiz, un cafetier d'extrême droite. Georges Bidault et ses amis se montrent très offensifs en métropole lorsque Lagaillarde et ses complices sont incarcérés en France, en mai, puis jugés et condamnés en novembre, ou lorsqu'en octobre 1960 le général Salan, ancien commandant en chef en Algérie éloigné par de Gaulle, est venu grossir les rangs des rebelles.

Purement factuels, les rapports ne font que signaler l'amorce d'une action clandestine violente, sans analyser le processus qui conduira en février 1961 à la constitution d'une Organisation armée secrète (OAS) décidée à défendre « l'Algérie française » par tous les moyens, y compris le terrorisme et les attentats.

Rien n'aurait pu laisser supposer que Georges Bidault, l'agrégé d'histoire leader de la démocratie chrétienne, le successeur de Jean Moulin à la tête du Conseil national de la Résistance en 1943, l'ancien ministre des Affaires étrangères et le président du Conseil de la IVe République qui avait applaudi au retour du général de Gaulle en 1958, puisse virer aussi violemment de bord.

Condamnation, exil et mort politique

Ce virage l'entraînera plus loin encore après le « procès des barricades », l'entrée en scène de l'OAS et le « putsch des généraux » des 22-25 avril 1961 en Algérie, qui échouera grâce au loyalisme des soldats du contingent : Georges Bidault appellera à voter « non » au référendum de janvier 1961 et, s'il ne soutient pas directement le putsch, ses contacts suivis avec l'OAS encore clandestine sont attestés au fil de l'année 1961.

Passé en Suisse en mars 1962, d'où il dirigera la branche « métropole » de l'Organisation après l'arrestation de Salan, qui le désigne pour successeur, il ne désavouera pas en août l'attentat du Petit-Clamart contre de Gaulle. Condamné pour complot contre la sûreté de l'État, il errera en Europe, puis au Brésil. Amnistié en 1968, il rentrera en France mais y restera un mort politique. Chez lui, outre la haine grandissante pour un de Gaulle qu'il n'a jamais aimé, c'est sans doute le sentiment amer de n'avoir pas su sauver l'Indochine avant 1954, puis la crainte de voir émerger au sud de la France une Algérie plus soviétisée que « nationale », qui expliquent son nouvel engagement. Au service d'une cause désespérée qui a fait de l'ancien résistant héroïque un ennemi du régime.

vous n'avez rien vu
rien entendu
OAS

✦

ORGANISER LA LUTTE CLANDESTINE

Rapport confidentiel au sujet des contacts pris par Jean-Marie Le Pen, 17 octobre 1959

Selon certains observateurs des milieux d'extrême droite, M. Jean-Marie Le Pen, député de Paris, entretiendrait des liaisons très étroites avec ses collègues à l'Assemblée nationale, MM. Georges Bidault et Lagaillarde, dans le but « d'organiser la lutte contre la sécession ».

M. Lagaillarde serait parti dans la journée d'hier pour Alger, afin de voir sur place les possibilités d'action susceptibles de donner le départ à une opération pouvant avoir des répercussions en France métropolitaine.

Dès à présent, certains responsables du Front national combattant, dont M. Le Pen est le président national, auraient la consigne « de se préparer des refuges où les services de police ne puissent les atteindre ».

[APP Ga B8]

Note au sujet de la création d'un comité de liaison parlementaire pour l'Algérie française, 22 *octobre* 1959

Le mardi 20 octobre, les membres du groupe « Unité de la République » avaient convié tous les députés décidés à affirmer leur position en faveur de l'Algérie française, à se réunir avec eux aujourd'hui. Cette réunion a eu lieu ce soir au Palais-Bourbon, de 17 heures 30 à 21 heures.

Elle groupait autour des élus algériens une trentaine de députés dont les Indépendants formaient la plus forte majorité : on remarquait, en outre, M. André Marie, Georges

Bidault (isolé), Roger Souchal et les autres démissionnaires de l'UNR.

Au cours de cette réunion, il a été décidé de créer un comité de liaison parlementaire pour la défense de l'Algérie française.

Les représentants du groupe « Unité de la République » à ce comité seront désignés demain.

Les indépendants doivent envoyer MM. François-Valentin, Trémollet de Villers, Legendre, Vatron et de Villeneuve.

MM. André Marie, Georges Bidault et Souchal feront également partis de ce comité.

M. Georges Bidault, au cours de la réunion, a réaffirmé ses thèses sur la fidélité de l'Algérie française et souligné la nécessité d'épargner toute rupture à l'unité française. « Il n'est pas nécessaire », a-t-il dit, « de comploter pour que les régimes s'effondrent ; ils croulent d'eux-mêmes et celui-ci s'effondrera s'il ne défend pas l'intégrité de la République. »

Parlant des conditions dans lesquelles le peuple algérien sera appelé à définir son choix, après le cessez-le-feu, M. Bidault a déclaré : « Le problème est de faire savoir si le bachaga Boualem, député d'Orléansville, vice-président de l'Assemblée nationale, aura à la radio française le même temps de parole que M. Ferhat Abbas. »

[APP Ga B8]

Note très confidentielle au sujet d'un voyage de M. Georges Bidault en Algérie, 10 décembre 1959

M. Georges Bidault, président du Rassemblement pour l'Algérie française, accompagné de son secrétaire, M. Capron, doit effectuer une tournée de propagande en Algérie, à partir du 17 décembre.

CONFIDENTIEL

Pièces Parvenues
le 20 OCT 1959
aux Archives Centrales

17 Octobre 1959.

Objet : A.S. des contacts pris par M. Jean-Marie LE PEN.

Selon certains observateurs des milieux d'extrême-droite, M. Jean-Marie LE PEN, Député de Paris, entretiendrait des liaisons très étroites avec ses collègues à l'Assemblée Nationale, MM. Georges BIDAULT et LAGAILLARDE, dans le but "d'organiser la lutte contre la secession".

M. LAGAILLARDE serait parti dans la journée d'hier pour Alger, afin de voir sur place les possibilités d'action susceptibles de donner le départ à une opération pouvant avoir des répercussions en France Métropolitaine.

Dès à présent, certains responsables du Front National Combattant dont M. LE PEN est le Président National, auraient la consigne "de se préparer des refuges où les services de police ne puissent les atteindre".

Rapport confidentiel, 17 octobre 1959.

Les Renseignements généraux de la Préfecture de police signalent les contacts pris par le député de Paris Jean-Marie Le Pen, président du Front national combattant, avec ses collègues Georges Bidault et Pierre Lagaillarde pour « organiser la lutte contre la sécession ».

Le prix du voyage, y compris la location d'un avion, utilisé pour les déplacements à travers les départements algériens, dépasserait 500 000 francs.

Cependant, des difficultés de dernière heure pourraient amener l'ancien président du Conseil à annuler son voyage.

En effet, des députés du groupe Unité de la République auraient, dit-on, menacé de boycotter le RAF si M. Bidault ne renonçait pas à se rendre en Algérie.

[APP Ga B8]

Note très confidentielle au sujet d'une tournée de propagande effectuée par M. Georges Bidault, 3 janvier 1960

Sous l'égide du « Rassemblement pour l'Algérie française », M. Georges Bidault, accompagné de quelques dirigeants de ce groupement, effectuerait dans le courant du mois de janvier une tournée de propagande dans le sud de la Métropole et en Algérie.

C'est ainsi que du 10 au 20 janvier, des réunions seraient organisées dans le Sud-Ouest, et notamment dans la région de Bordeaux.

Ensuite, M. Bidault et ses amis se rendraient en Algérie où ils prendraient la parole dans les villes suivantes :

— vendredi 22 à Alger,

— samedi 23 à Bône où une réunion aurait lieu à 18 heures,

— dimanche 24 à Constantine où une manifestation serait prévue pour la matinée.

Les dirigeants du RAF gagneraient ensuite en voiture Batna et y passeraient la journée du lundi 23 janvier.

Le 26, ils tiendraient à Orléansville un meeting auquel

participerait M. Boualem, député de la circonscription et vice-président de l'Assemblée nationale.

Le retour à Paris serait fixé en principe au mercredi 27 à 10 heures.

Le programme de cette tournée de propagande est susceptible de subir des modifications d'ici le 10 janvier.

[APP Ga B8]

Note très confidentielle au sujet du général Salan et de l'opposition à la politique du général de Gaulle, 20 octobre 1960

Depuis qu'il réside à Paris, le général du cadre de réserve Raoul Salan, directement ou par l'intermédiaire de M. Yves Gignac, secrétaire général de l'« Association des combattants de l'Union française », est en rapport avec de nombreuses personnalités politiques, dont M. Georges Bidault est l'une des plus marquantes.

Il paraît actuellement vouloir cristalliser autour de son nom l'opposition métropolitaine à la politique du général de Gaulle.

C'est ainsi que le général Salan a rencontré aujourd'hui, au domicile du capitaine Ferrandi, 10 avenue de Lowendal (7e), le bachaga Boualem et M. Pierre Poujade. Au cours de cette réunion, aurait été décidé le principe d'une conférence de presse du général Salan qui se tiendrait à l'hôtel du Palais d'Orsay mardi 29 octobre, à 16 heures.

Pour asseoir son audience en province, il aurait accepté le principe d'une action commune avec M. Pierre Poujade. Ce dernier organiserait dans les jours à venir une série de manifestations dans les départements de l'Ouest (notamment à Cholet et à Angers) où il disposerait de troupes suffisamment nombreuses pour assurer avec des chances de succès des rassemblements de masse.

Enfin, on constate que l'opposition de caractère activiste n'entend plus limiter ses attaques à la seule politique algérienne. En effet, il est apparu que le slogan « Algérie française » n'était pas une idée-force capable de sensibiliser l'opinion publique métropolitaine. Aussi présente-t-elle maintenant la défense de l'Algérie comme un élément essentiel de la lutte contre le communisme. Par ailleurs, pour élargir sa clientèle elle s'attaque maintenant à la politique étrangère et militaire du gouvernement qui est, selon elle, de nature à éloigner la France de l'Otan et de ses alliés traditionnels.

[APP Ga B8]

UNE VIE DE COUPS TORDUS

Perquisition chez l'ancien directeur adjoint du SDECE

Bruno Fuligni

Dans le petit matin froid du 20 novembre 1961, un groupe de policiers investit l'immeuble cossu du 23, avenue Charles-Floquet, en bordure du Champ-de-Mars. Il n'est que 6 h 45 quand ils commencent à perquisitionner le domicile d'un suspect de choix : le colonel Fourcaud, ancien directeur général adjoint du SDECE, dont le nom figure sur une liste de contacts récemment saisie chez un activiste de l'OAS...

Les RG le savent, Pierre Fourcaud est passé maître en l'art des coups tordus. Né à Saint-Pétersbourg, le 27 mars 1898, d'un médecin français et d'une Russe, trois fois blessé pendant la Première Guerre mondiale, il entre après 1920 au service du 2e Bureau en Scandinavie. Combattant en 1939, il rallie de Gaulle dès juillet 1940. Un des premiers agents du colonel Passy en France, il monte les réseaux Fleurs puis Brutus et Lucas : c'est lui qui recrute le jeune Warin dit Wybot, futur patron de la DST. Prisonnier, évadé, patron du contre-espionnage au sein du BCRA puis de la DGSS et de la DGER, il est nommé dans toutes les sombres histoires de la IVe République.

Quand le directeur général du SDECE, Henri Ribière, est victime d'un accident de voiture qui le laisse plusieurs mois entre la vie et la mort, c'est Fourcaud que Wybot soupçonne d'avoir voulu prendre la place du chef. Quand, accusé de détournement de fonds, le colonel Passy est déshonoré, c'est Fourcaud qu'on dit à l'origine de la rumeur. Et en 1949, quand un rapport secret du général Revers, chef d'état-major de l'armée de terre, se retrouve entre les mains du Vietminh, c'est encore Fourcaud qui est à la manœuvre. Limogé par Ribière en 1950, le même Fourcaud constitue son propre service de renseignement, une officine qui travaille directement pour la présidence du Conseil.

Expert de l'esquive

C'est dire si le personnage a du métier. Ce sexagénaire discret n'est pas homme à laisser traîner chez lui des documents compromettants. La perquisition ne donne rien, mais les RG continueront d'avoir à l'œil le tonton flingueur de l'avenue Charles-Floquet. Un « blanc » rapporte ainsi qu'en novembre 1965, il a voulu prendre un vol Genève-Casablanca sous un faux nom, portant sous le bras « un assez gros paquet de journaux ayant trait à l'affaire Ben Barka »... Ce qui ne prouve en rien l'implication de Fourcaud dans le mystérieux enlèvement de l'opposant marocain, mais plutôt son goût de l'intrigue et la crainte qu'il va longtemps inspirer, jusqu'à sa mort, le 2 mai 1998. Expert de l'esquive, le colonel Fourcaud aura vécu centenaire.

565.767

Pièces Parvenues le 25 NOV 1961 aux Archives Centrales

20 Novembre 1961

Objet : Perquisition au domicile de M. FOURCAUD Pierre.

Ce jour, à 6 h.45, les services de la Police Judiciaire ont procédé à une perquisition au domicile de M. FOURCAUD Pierre, né le 27 Mars 1898 à Pétrograd, de nationalité française, demeurant 23 avenue Charles Floquet à Paris (7ème).

Cette perquisition, effectuée en exécution d'une Commission Rogatoire délivrée par M. AURIC, Juge d'Instruction (affaire DIRLER), n'a donné aucun résultat, aucun document ni objet suspect n'ayant été découvert.

M. FOURCAUD est actuellement à la disposition de la Brigade Criminelle.

Direction des Renseignements Généraux
Archives Centrales

565.767

EXTRAIT DU DOSSIER N° 369 528/SC

[illegible]

le 2 Mars 1962

Nom et prénoms : FOURCAUD P.

Date et lieu de naissance :

Profession ou Fonction : Colonel

Adresse : 23 Av. Charles Floquet à Paris 7ème

RENSEIGNEMENTS : L'intéressé figure sur une liste de personnes sur lesquelles il y a lieu d'exercer une surveillance en raison de la sympathie active qu'elles manifestent en faveur de l'O.A.S.

Rapport des RG du 20 novembre 1961 au sujet de la perquisition au domicile de Pierre Fourcaud et extrait de son dossier. APP Ga F3

✦

UN « BLANC » DES RG

Document sans en-tête ni signature, cette synthèse biographique de six pages suit l'activité foisonnante et parfois brouillonne de Fourcaud, du BCRA à l'enlèvement de Ben Barka (extrait ci-dessous) en passant par l'affaire des Généraux.

Une perquisition effectuée le même jour à son domicile n'a donné aucun résultat. Par ailleurs, en septembre 1962, M. Fourcaud a été entendu comme témoin lors du procès des auteurs de l'attentat commis à Pont-sur-Yonne contre le général de Gaulle.

Enfin, le 15 novembre 1965, il a attiré l'attention des autorités suisses de contrôle à l'aéroport de Genève-Cointrin, où il était en transit.

En effet, après avoir pris un billet pour Casablanca, il est revenu sur sa décision, a parlé de se rendre à Annemasse ou à Genève, puis après plusieurs hésitations, s'est décidé à prendre l'avion pour Casablanca via Lisbonne, titulaire d'un billet « cédé par un ami » et établi au nom d'« Albrecht ».

M. Fourcaud portait à ce moment sous le bras un assez gros paquet de journaux ayant trait à l'affaire Ben Barka.

Il a présenté au contrôle le passeport 65.BT25.550, n° 329.158, établi le 22 juillet 1965 par la Préfecture de police, valable jusqu'au 21 juillet 1968.

Cette pièce d'identité portait déjà de nombreux cachets relatifs à des voyages entre Paris, l'Espagne, le Portugal et Tanger, notamment aux dates ci-après :

— 25.7.65 : Lisbonne (entrée)

— 28.7.65 : Lisbonne (entrée)

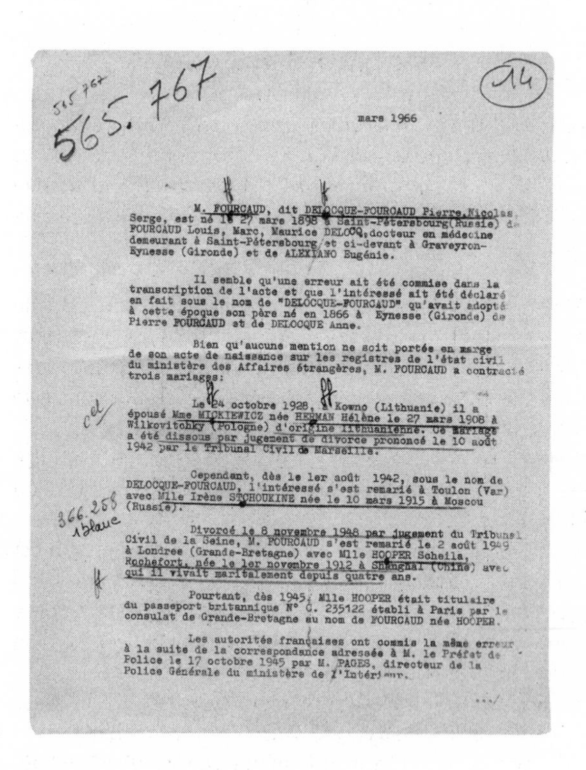

565.767

mars 1966

M. FOURCAUD, dit DELOCQUE-FOURCAUD Pierre, Nicolas Serge, est né le 27 mars 1898 à Saint-Pétersbourg (Russie) de FOURCAUD Louis, Marc, Maurice DELOCQ, docteur en médecine demeurant à Saint-Pétersbourg et ci-devant à Graveyron-Eynesse (Gironde) et de ALEXIANO Eugénie.

Il semble qu'une erreur ait été commise dans la transcription de l'acte et que l'intéressé ait été déclaré en fait sous le nom de "DELOCQUE-FOURCAUD" qu'avait adopté à cette époque son père né en 1866 à Eynesse (Gironde) de Pierre FOURCAUD et de DELOCQUE Anne.

Bien qu'aucune mention ne soit portée en marge de son acte de naissance sur les registres de l'état civil du ministère des Affaires étrangères, M. FOURCAUD a contracté trois mariages:

Le 24 octobre 1928, à Kowno (Lithuanie) il a épousé Mme MICKIEWICZ née HERMAN Hélène le 27 mars 1908 à Wilkovitchky (Pologne) d'origine lithuanienne. Ce mariage a été dissous par jugement de divorce prononcé le 10 août 1942 par le Tribunal Civil de Marseille.

Cependant, dès le 1er août 1942, sous le nom de DELOCQUE-FOURCAUD, l'intéressé s'est remarié à Toulon (Var) avec Mlle Irène STCHOUKINE née le 10 mars 1915 à Moscou (Russie).

Divorcé le 8 novembre 1948 par jugement du Tribunal Civil de la Seine, M. FOURCAUD s'est remarié le 2 août 1949 à Londres (Grande-Bretagne) avec Mlle HOOPER Scheila, Rochefort, née le 1er novembre 1912 à Shanghai (Chine) avec qui il vivait maritalement depuis quatre ans.

Pourtant, dès 1945, Mlle HOOPER était titulaire du passeport britannique N° C. 235122 établi à Paris par le consulat de Grande-Bretagne au nom de FOURCAUD née HOOPER.

Les autorités françaises ont commis la même erreur à la suite de la correspondance adressée à M. le Préfet de Police le 17 octobre 1945 par M. PAGES, directeur de la Police Générale du ministère de l'Intérieur.

.../

Note Blanche de mars 1966.

Document sans en-tête ni signature, cette synthèse biographique de six pages suit l'activité foisonnante et parfois brouillonne de Fourcaud, du BCRA à l'enlèvement de Ben Barka en passant par l'affaire des Généraux. APP Ga F3

— 28.7.65 : Tanger
— 31.7.65 : Lisbonne (sortie)
— 20.8.65 : Orly (sortie)
— 3.9.65 : Tanger
— 18.9.65 : Barcelone (entrée)
— 28.9.65 : Orly (entrée)
— 2.10.65 : Tanger
— 5.10.65 : Orly (sortie)
— 31.10.65 : Orly (sortie)

Ancien vice-président de la Confédération et de la Fédération des Amicales des Réseaux de Renseignements et d'Évasions de la France combattante, M. Fourcaud était, en 1963, vice-président du « Comité d'Action de la Résistance » (CAR).

[APP Ga F3]

UNE TAUPE À L'OTAN

Georges Pâques, un idéaliste manipulé

Pierre Assouline

Le 10 août 1963 à Feucherolles (Yvelines), à l'heure du déjeuner, un étranger à la ville marche sous la pluie en regardant nerveusement sa montre. Une 403 bleue passe et repasse. Alors que l'homme inspecte les horaires à l'arrêt de bus, le conducteur descend de voiture et en fait autant. Ils se parlent sans se regarder. Quatre hommes ne perdent rien de la scène : quatre inspecteurs de la DST assis dans un véhicule un peu plus loin. Ils guettaient une confirmation : ils l'ont. L'homme, c'est Georges Pâques, chef adjoint du service de presse de l'Otan ; le conducteur, un Soviétique nommé Khrenov, officiellement diplomate à l'ambassade à Paris. Celui qui vient de les faire « tomber » est Anatoly Golitsyn, responsable d'un directorat — une branche — du KGB, passé à l'Ouest en décembre 1961. Nom de code : « Martel ». Sa mémoire stupéfie les services occidentaux, qui obtiennent de lui de véritables listes d'agents.

Deux jours plus tard, Georges Pâques est arrêté. La taupe des Soviétiques à l'Otan, c'était lui. Depuis près de vingt ans... Il nie, puis s'effondre. Un traître, cet homme jovial, au visage plein, au sourire franc, amateur de bonne chère, volontiers ironique ? On a du mal à le croire, et pas seulement parce que le fil rouge au revers de sa veste inspire confiance. Son dossier, sa carrière plaident *a priori* en sa faveur. À qui viendrait l'idée que ce haut fonctionnaire si français et profondément catholique, normalien et agrégé d'italien, est un espion à la solde de Moscou ? Pâques a connu une brillante ascension dans maints cabinets ministériels, avant de diriger un service à l'état-major de la Défense nationale et un séminaire à l'Institut des hautes études de la Défense nationale. C'est un homme classé à droite, dont chacun sait qu'il approuve l'OAS.

Scandale retentissant

Le Dr Imek Bernstein, un ancien des Brigades internationales, est l'homme qui lui a mis le pied à l'étrier, en 1944 à Alger, où Pâques est alors chef de cabinet du ministre de la Marine de la France libre. Son mentor lui présente Alexandre Guzovski, attaché à l'ambassade soviétique. L'URSS est encore une alliée et il n'y a pas malice à bavarder régulièrement avec l'un de ses représentants. Petit à petit, il donne de moins en moins d'opinions et de plus en plus de renseignements. Il vient de mettre le doigt dans l'engrenage : le KGB réalise là un investissement à long terme. L'affaire provoque un scandale retentissant. Le procès s'ouvre le 6 juillet 1964 devant la cour de Sûreté de l'État. Georges Pâques risque la peine capitale, en vertu de l'article 72 du code pénal punissant le crime de trahison.

1

D.

C. A. B. B.

Fic

Sig

Cl. n° val :

Passeport DE 48 713 - 24 - 1 - 1960

Date d'entrée en France :

Motif :

Refoulé. - Expulsé le

Examen de situation :

Filatures :

IMP. M.I.

NOM : PAQUES alias :

Prénoms : Georges Jean Louis

Né le 29 - 1 - 1914 à Châlons/S/Saône de Charles et de DEROUSSIN Pauline

Nationalité : Française

Situation de famille : Marié — 1 fille

Domicile : 101 rue de Grenelle PARIS 7e Tél. :
5 Square des Écrivains Combattants PARIS 16e

Profession : Professeur Agrégé Voiture :

Lieu de travail : Attaché au Service de Presse Tél. (Chef Adjoint) de l'O.T.A.N.

Activité extra-professionnelle :

Instruction : Ancien Élève de l'École Normale Sup. - Professeur agrégé d'Italien,

Langues étrangères : Anglais, Espagnol, Turc.

Situation militaire :

Condamnations : Arrêté le 12 Août 1963

Fiche A.

Liste R. K. Liste Interd. Fiche S.

Fiche de la DST sur Georges Pâques.

Après que ses anciens condisciples de Normale sup, Maurice Clavel, Yvan Audouard, Pierre Boutang, ont défilé à la barre pour le défendre haut et fort, il a lui-même le mot de la fin dans son adresse au tribunal : « Je ne nie pas ma responsabilité. Je vous prie de me croire quand je dis que je n'ai agi que dans l'intérêt de la France. Je ne suis pas un agent soviétique, même pas un marxiste. J'ai été poussé par un sentiment religieux et moral. J'ai même pensé au sacrifice suprême pour les intérêts de la France. Si j'ai eu tort à vos yeux, décidez. Mais je crois que les efforts accomplis pour tenter de sauver les hommes méritent autre chose que d'être envoyé devant un peloton d'exécution. » Après une heure vingt de délibérations portant moins sur la question de la culpabilité — acquise, pour tous — que sur celles des circonstances atténuantes, la cour condamne Georges Pâques à la détention criminelle à perpétuité, une peine politique moins sévère, pratiquement, que la réclusion de droit commun. Maigre consolation pour un homme qui s'estime coupable de naïveté politique et de pacifisme dévoyé.

L'homme des coulisses

Celui que l'on consacre comme « le Kim Philby français » aime être l'homme des coulisses, celui qui sait ce qu'ignore le commun, celui qui connaît le dessous des cartes et fréquente les responsables qui tirent les ficelles. Avec son orgueil démesuré et sa solitude volontaire, c'est là un facteur psychologique fondamental, à rapprocher d'un trait de caractère mis en avant par tous ses anciens condisciples de Normale sup à son procès : il a toujours exprimé un profond mépris pour les imbéciles. Il ne peut mieux concrétiser ce sentiment que par un travail clandestin, au cœur de l'histoire en train de se faire.

Il a vécu dix-neuf ans dans cette illusion qui n'en était peut-être pas une : peu de gens peuvent mesurer le préjudice causé à la France par sa défection. Aussi son arrestation est-elle une libération voluptueuse : démasqué, il est enfin consacré dans son rôle. En février 1968, le président de Gaulle réduit sa peine à vingt ans. Deux ans plus tard, l'ex-normalien Georges Pompidou devenu président de la République, il bénéficie d'une mesure de libération conditionnelle : il quitte la maison centrale de Melun pour retrouver les siens, dans son appartement du XVIe arrondissement, afin de vivre loin de ses souvenirs.

Sympathies communistes

Pâques fait à nouveau parler de lui quand il obtient un emploi dans un organisme économique dépendant de l'État. Certains journaux, qui ont de la mémoire et ne sont pas de gauche, crient au scandale. Puis il se fait oublier. Au milieu des années quatre-vingt, il reconnaît volontiers en privé qu'il a toujours eu des sympathies communistes de longue date et que la solution communiste lui paraît la plus juste, du moins sur le plan économique et social. Avec le recul, ses positions sont moins tranchées ; il s'interroge davantage sur l'opportunité de son action mais croit avoir fait le bon choix, finalement. Il s'éteint en décembre 1993 à l'âge de 81 ans. Quand on le croisait dans l'autobus, sur la ligne qu'il empruntait régulièrement entre la porte de Passy et le Trocadéro, il avait tout d'un paisible retraité, encore plus anonyme que les autres.

✦

UN COMMUNIQUÉ VISÉ PAR L'ÉLYSÉE

Ce texte dactylographié, soumis au président de la République, comporte deux corrections manuscrites du général de Gaulle, indiquées entre crochets.

Projet de communiqué, août 1963

Le ministre de l'Intérieur communique :

La DST [a procédé] à l'arrestation de Georges Pâques, 49 ans, chef adjoint du service de presse de l'Otan pour communication de renseignements secrets à une puissance étrangère.

Georges Pâques, qui avait occupé depuis la Libération des fonctions dans différents cabinets ministériels, avait été détaché en 1958 à l'état-major de la Défense nationale, [puis] mis à la disposition de l'Otan fin 1962.

Recruté sur des bases idéologiques il y a plusieurs années, il a fourni à des membres des services de renseignement d'une grande puissance de l'Est des informations politiques et militaires intéressant la France et les pays de l'Otan.

Après avoir fait des aveux complets, l'intéressé a été déféré à la Cour de sûreté de l'État et écroué.

[DCRI]

ORGANISATION DU TRAITÉ DE L'ATLANTIQUE NORD
NORTH ATLANTIC TREATY ORGANIZATION

PLACE DU MARÉCHAL
DE LATTRE DE TASSIGNY
PORTE DAUPHINE
PARIS XVI
KLEber 50-20

LE SECRÉTAIRE GÉNÉRAL
SECRETARY GENERAL

17 AVR 1964

D. S. T.
-4 MAI 1964
Nº 11914

Evaluation d'ensemble du préjudice causé à l'Alliance Atlantique par la communication à l'Union Soviétique de documents OTAN par M. Georges Pâques

Les documents classifiés OTAN qui, selon le projet de note de l'Autorité nationale française de sécurité OTAN ont été compromis par M. Georges Pâques, contiennent la plupart des éléments essentiels permettant à l'ennemi d'évaluer pleinement les doctrines et la politique fondamentale de l'OTAN en matière de défense, ou d'en obtenir confirmation. Ils contiennent également des éléments d'information suffisants pour permettre d'établir une liste assez complète des faiblesses existant dans la situation des forces de l'OTAN.

Dirk U. Stikker
Secrétaire Général de l'OTAN
Président du Conseil de l'Atlantique Nord

Évaluation du préjudice causé à l'Otan par Georges Pâques, 17 *avril* 1964.

✦

VINGT ANNÉES DE TRAHISON

Le 12 août 1963, Georges Pâques est arrêté par la DST. Sur treize pages manuscrites, dont certains extraits sont reproduits ci-dessous, il raconte le long parcours et les mobiles qui l'ont conduit à fournir des secrets d'État à l'URSS.

La confession de Georges Pâques, 12 août 1963

L'histoire a commencé à Alger en 1944. Depuis quatre ans nous vivions dans une atmosphère tendue et nos esprits ne se proposaient plus que deux buts : abattre l'Allemagne et préparer un monde dans lequel la guerre serait impossible.

Je m'entretenais souvent de cet avenir avec mon directeur, Imek Bernstein. C'était un rescapé de nombreux camps d'internement, et il était profondément communiste. Je pensais, avec lui, que l'URSS aurait un rôle capital à jouer après la victoire qui était en grande partie sa victoire. Par ailleurs, lorsque j'étais au cabinet du général Giraud, j'avais assez vu avec quelle désinvolture les Américains traitaient la France pour penser que nous n'avions pas grand-chose à attendre d'eux lors du règlement final, et qu'il ne serait pas mauvais que notre pays puisse alors s'appuyer sur un allié solide. J'étais alors chef du cabinet de M. Jacquinot, ministre de la Marine, et j'étais un peu épouvanté de l'état d'esprit qui régnait au cabinet et chez les amiraux. Le ministre pouvait bien recevoir aimablement à dîner M. Bogomolov, cela n'empêchait pas les militaires d'évoquer ouvertement les perspectives d'un conflit futur avec la Russie. Je tremblais de ce que j'estimais leur aveuglement, et j'en parlai à Bernstein. Il me suggéra de rencontrer un conseiller d'ambassade soviétique, M. Gouzovsky, et de m'entretenir librement avec lui.

Ce qui fut fait. Je rencontrai plusieurs fois de nuit ce diplomate dont la conversation était d'autant plus intéressante pour moi que nous étions pratiquement coupés à Alger de toute information valable sur ce monde soviétique dont la victoire sur Hitler montrait la puissance et l'efficacité. Gouzovsky m'emmena plusieurs fois déjeuner hors d'Alger, nous parlâmes, discutâmes, devînmes bons amis. Lorsque arriva le jour du Débarquement, il me donna rendez-vous à Paris et, en signe de bonne camaraderie, me prêta 200 dollars (une somme pour le petit lieutenant que j'étais) en me disant : « Vous les rendrez quand vous pourrez, ce sont des fonds secrets. »

À Paris, l'atmosphère était également à l'union franco-soviétique. Je fus plus d'une fois invité aux réceptions de l'ambassade. J'étais également en termes courtois avec les communistes du gouvernement, particulièrement Thorez et Tillon. Je rencontrais toujours Gouzovsky, clandestinement, car il se disait surveillé par les Américains, et je voyais moi-même avec regret la politique française prendre une tournure nettement antisoviétique.

De quoi parlions-nous lors de nos entrevues ? De la situation politique de nos deux pays et de l'espoir d'aboutir à une paix durable.

Pour connaître l'opinion de nos militaires qu'il se représentait comme farouchement bellicistes, il me demanda de lui communiquer les papiers dans lesquels ils exposaient leurs conceptions et leurs plans d'action. Je lui répondis — ce qui était exact — que je n'avais pas accès aux documents militaires, étant essentiellement chargé de la presse. Mais je lui remis des notes manuscrites dans lesquelles j'essayais d'expliquer leur position, et celle du gouvernement qu'ils inspiraient, sur les rapports Est-Ouest.

D.15
1

Document comprenant TREIZE feuillets annexé
au Procès-Verbal n° 40/3 du 12.8.1963
Le Commissaire Principal

DIRECTION DE LA SURVEILLANCE DU TERRITOIRE
SURETE NATIONALE

L'histoire a commencé à Alger en 1944.

Depuis quatre ans nous vivions dans une atmosphère tendue, les esprits ne se proposaient plus que deux buts : abattre l'Allemagne et préparer un monde dans lequel la guerre serait impossible.

Je m'entretenais souvent de cet avenir avec mon docteur, Imek Bernstein. C'était un rescapé de nombreux camps d'internement, et il était profondément communiste. Je pensais, avec lui, que l'URSS aurait un rôle capital à jouer après la victoire qui était en grande partie sa victoire. Par ailleurs, lorsque j'étais au cabinet du Général Giraud, j'avais assez vu avec quelle désinvolture les Américains traitaient la France pour penser que nous n'avions pas grand chose à attendre d'eux lors du règlement final, et qu'il ne serait pas mauvais que notre pays puisse alors s'appuyer sur un allié solide. J'étais alors chef de cabinet de M. Jacquinot, Ministre de la Marine, et j'étais un peu épouvanté de l'état d'esprit qui régnait au cabinet et chez les amiraux. Le Ministre pouvait bien recevoir aimablement à dîner M. Bogomolov, cela n'empêchait pas les militaires d'envisager ouvertement les perspectives d'un conflit futur avec la Russie. Je tremblais de ce que j'estimais leur aveuglement, et j'en parlai à Bernstein. Il me suggéra de rencontrer un conseiller d'ambassade

Première page de la confession manuscrite de Georges Pâques,
12 août 1963.

Vint, en 1947 je crois, le gouvernement Ramadier et la rupture avec les communistes. J'en demeurai effondré. C'était, à mes yeux, une grande chance de paix qui s'évanouissait. Je crus de mon devoir de communiquer aux Soviétiques tous les éléments d'information que je possédais sur la politique française, et surtout sur la politique américaine dont l'action me paraissait décisive sur les gouvernements passablement incohérents qui se succédaient à Paris. Toutes les fois qu'une crise politique se dessinait, j'essayais de l'expliquer, d'en prévoir les conséquences et d'éclairer ainsi, par le moyen de l'ambassade soviétique, les partis progressistes français dont la politique, à mon sens imbécile et tournée vers le pire, ne pouvait que compromettre les efforts en faveur de la paix. J'en vins à me persuader que, contrairement à ce que disait la propagande, il n'y avait pas du tout unité d'action entre le Parti communiste français, enlisé dans une idéologie vieillotte et des conceptions économiques inadaptées, et l'Union soviétique dont le désir de paix me paraissait évident, toutes ses forces productives étaient consacrées à la reconstruction.

Pendant cette période qui dura jusqu'en 1951, je changeai plusieurs fois d'interlocuteur. Gouzovsky partit et fut remplacé par toute une série d'attachés de presse ou soi-disant tels, dont j'ai oublié même les noms. Ils se présentaient comme des fonctionnaires subalternes et se bornaient à transmettre à leurs autorités les notes explicatives que je leur remettais. Nos rendez-vous, assez espacés, à la cadence d'un mois environ, étaient simples. Nous nous retrouvions à une sortie de métro à une heure déterminée et nous faisions dans la rue une petite promenade au cours de laquelle je parlais et posais des questions sans obtenir beaucoup de réponses.

En 1951 je crois, il y eut des élections. Je résolus de m'y présenter. Comme j'avais toujours été jusque-là dans des cabinets modérés, il m'était difficile de choisir une autre étiquette. Je n'avais pas d'ailleurs, je l'ai dit, de sympathies idéologiques à l'égard du communisme. Mon but était de contribuer à la formation d'un gouvernement centriste, assez stable et équilibré pour promouvoir en Europe une politique de paix. J'avais également été frappé lors de mes voyages aux États-Unis (je m'occupais alors de productivité) du divorce que je croyais sentir entre la volonté pacifique du peuple américain et la politique — sinon agressive, tout au moins hostile au désarmement — de ses gouvernants. J'espérais qu'un gouvernement français de coalition pourrait un jour réintégrer et assimiler les forces ouvrières françaises comme les Américains l'avaient fait avec leurs syndicats. Je me trompais sans doute. Tout au moins, je ne sus pas convaincre les électeurs.

Je revins à Paris un peu désappointé et démuni d'argent. Mes amis soviétiques, qui ne m'avaient point aidé pendant la campagne, m'aidèrent modestement à me rétablir. Nos relations demeurèrent cordiales et sans grande importance jusqu'à une date (que je ne puis actuellement retrouver, mais qu'il est facile de repérer : Edgar Faure était président du Conseil et Gilbert-Jules secrétaire d'État au Budget). J'étais alors au cabinet de ce dernier et fus chargé de mettre sur pied administrativement un organisme appelé BCDI (Bureau central de Documentation et d'Information), chargé, pour le compte de la présidence du Conseil, d'harmoniser la politique française à l'égard des pays arabes. Le général Spillmann, nommé directeur de ce BCDI et sans doute satisfait de mon travail, m'offrit d'être son adjoint. J'acceptai avec joie et je crois que mal m'en a pris.

En effet, constamment occupé de problèmes nord-africains, largement ravitaillé en informations par la Présidence, les Affaires étrangères et le SDECE, j'en vins à la conclusion que mes principaux adversaires dans le monde arabe et en Afrique étaient les compagnies pétrolières américaines et le gouvernement des États-Unis qui se faisait leur instrument. Mes amis soviétiques partagèrent, évidemment, ce point de vue, et me fournirent à leur tour un certain nombre d'informations qui recoupaient mes conclusions. Je les utilisai de mon mieux dans la rédaction ou l'inspiration des chroniques radio que le BCDI dirigeait sur le monde arabe. Vint l'affaire de Suez. Elle avait déjà échoué — j'en eus des témoignages évidents — en raison des sabotages anglais et des activités américaines, avant même que les Russes aient menacé de lancer leurs fusées. Profondément écœuré de la duplicité anglo-saxonne, je n'hésitai pas alors à communiquer aux Soviétiques les documents en ma possession. Ces documents, de peu d'intérêt militaire, consistaient surtout en télégrammes de nos ambassadeurs et en synthèses élaborées par le SDECE. Mes correspondants soviétiques, à cette période, se succédaient moins rapidement. Je vis le plus souvent l'attaché de presse Alexeief, quelques fois accompagné d'Avalof, puis son successeur Trichine.

Lorsque le BCDI fut dissous, le général Spillmann me recommanda au secrétaire général de la Défense nationale, M. de Courcelles, qui, réorganisant ses services, voulait créer une Direction commune du renseignement et de l'action psychologique. Ce poste m'enthousiasma pour deux raisons :

1) Il me permettait, bien sûr, de continuer à tenir mes amis soviétiques au courant des intentions agressives des Américains, quand je les connaissais ;

2) Il me permettait de travailler à la réalisation de la grande politique que je prêtais au général de Gaulle : reconstituer une Europe suffisamment forte pour servir de pont entre le monde américain et le monde soviétique ; pour cela, ramener dans le cadre européen les pays

actuellement satellites qui n'étaient pas de civilisation russe mais occidentale.

Je me mis donc à travailler d'arrache-pied sur ces pays que je connaissais mal, j'y fis quelques visites, et j'arrivai à la conclusion que, mise à part la Bulgarie, les pays balkaniques pouvaient un jour réintégrer le concert européen, tout en restant communistes. La contradiction, en effet, n'est qu'apparente, et la politique gaulliste, en cherchant lentement à libérer la France de l'hypothèque colonialiste et à promouvoir une Europe de style progressiste et travailliste, me semblait apte à préparer cette intégration. (Naturellement cette conception se heurte à la conception actuelle de l'Otan, échafaudage dressé par les Américains pour figer l'Europe dans sa situation actuelle.)

Ces considérations expliquent, je crois, pourquoi je n'hésitai pas à communiquer aux Soviétiques toutes les informations qui venaient en ma possession. Il m'est difficile de dresser une liste exhaustive. Voici cependant les éléments principaux :

1) En provenance de l'EMGDN :

— notes d'information établies par la division renseignements,

— bulletins mensuels établis par la même division,

— conférences des attachés militaires à Baden-Baden ou à Istanbul,

— dossiers d'objectifs de guerre psychologique (à vrai dire, le seul que j'aie eu le temps de constituer soigneusement concernait la Yougoslavie ; les autres n'étaient formés que de coupures de presse et d'études d'Hemmerlé sur l'Allemagne),

— étude établie par la division opérations sur le Moyen-Orient,

— étude établie en liaison avec le groupe Live Oak sur les mesures de propagande en ce qui concerne Berlin.

2) En provenance du SDECE :

— synthèses (couverture bleue) sur différents sujets intéressant le monde soviétique et le Proche-Orient.

3) En provenance du Shape :

— un texte organisant la guerre psychologique à l'échelon des théâtres d'opérations (texte accompagné d'une lettre du colonel Luquet),

— un programme de guerre psychologique établi par Landsouth à l'intention des pays balkaniques.

4) En provenance de l'Otan

— quelques procès-verbaux du Comité de l'information,

— des études sur les pays de l'Est et le tiers-monde établies par les comités d'experts.

5) Télégrammes d'ambassadeurs en provenance des Affaires étrangères.

Comment s'effectuait la remise de ces documents ?

Alexeiev et Trichine [m'avaient] souvent demandé de photographier moi-même les documents [mais] je suis un piètre photographe. J'essayai avec un Leica sans obtenir de bons résultats. Ils me remirent alors un appareil en forme d'étui à cigarette, muni de roulettes, qu'il suffisait, paraît-il, de passer sur les papiers. Là encore, je ne réussis pas bien. On en revint donc à la méthode la plus simple. J'emportais à midi les documents dans ma serviette. Je la remettais à celui qui m'attendait avenue de Breteuil et il me la rendait après déjeuner après avoir photographié lui-même. Nous fixions alors un rendez-vous pour une autre fois, sans document, afin de pouvoir discuter tranquillement. C'était généralement à 21 heures à une station de métro. Nous marchions ou nous entrions dans un café voisin (je reviendrai plus tard sur ces conversations). Il était entendu que si nous venions à nous manquer, le rendez-vous était reporté au 10, 20 ou 30 du mois, à la sortie de métro République, rue du Temple. Enfin il était envisagé un système d'appel en cas d'urgence.

Si j'appelais à l'ambassade M. Vago, ou si j'étais appelé par M. Graciu, cela signifiait que nous devions nous retrouver le soir même au métro République.

Lorsque, l'an dernier, l'EMGDN fut transformé en Secrétariat général, la direction de l'information fut remaniée, et j'eus le choix entre le retour à l'Éducation nationale ou une autre activité. Je serais volontiers revenu à l'Université, mais c'était la période des vacances, et un professeur ne perçoit son traitement que lorsqu'il est installé. Il me fallait trouver quelque chose plus rapidement. J'appris qu'un poste était libre au service de presse de l'Otan. Je posais ma candidature, qui fut agréée.

Mes correspondants s'en réjouirent fort. Trichine était alors remplacé par Vlassof (après un intérimaire dont je n'ai pas su le nom). Vlassof me dit alors qu'il fallait redoubler de précautions, car si mes relations avec les Soviétiques étaient connues, je perdrais immédiatement mon emploi. Il décida qu'il valait mieux éviter Paris et nous rencontrer à la campagne. Pour cela, il me conseilla de remplacer ma vieille Dauphine par une voiture en meilleur état, et il me remit 300 000 F pour m'aider à payer la différence. Puis il m'indiqua par écrit un certain nombre de lieux de rendez-vous dans le bois de Meudon. Je m'y rendis, non sans mal, mais il déclara que ces endroits n'étaient pas assez tranquilles, et il m'indiqua d'autres endroits dans la région de Saint-Nom-la-Bretèche. Ce ne fut pas très réussi, car nous ne nous y trouvâmes jamais, soit que je n'aie pu les repérer exactement, soit pour toute autre raison. Nous restâmes donc assez longtemps sans nous voir. Je ne repris contact avec lui, sur son appel, qu'en juin, après la conférence de l'Otan à Ottawa. Je lui fis alors un récit circonstancié de la conférence où s'était manifestée une fois de plus la volonté américaine de régenter l'Europe et de réarmer l'Allemagne. Je lui remis quelques notes manuscrites, mais pas de documents. Nous eûmes encore une autre entrevue rapide à la Rotonde de la Muette où il me présenta, sans donner son nom, un grand garçon blond qui devait le remplacer pendant son séjour à Moscou, et il me donna rendez-vous pour le 8 août devant l'église de Feucherolles. J'y allai, à mon retour de vacances et ne le trouvai point. J'ai téléphoné cet après-midi à l'ambassade mais n'ai pu — et pour cause — aller au rendez-vous au métro République.

Depuis que je suis à l'Otan, par crainte du service de sécurité, et en raison de la vacuité des documents que je reçois, je n'ai pas cherché à en sortir. Je me suis borné à faire des notes manuscrites concernant les rares faits intéressants du Conseil des ministres et des Conférences ministérielles de Paris et d'Ottawa.

Voilà. Je crois avoir dit l'essentiel. S'il y a des omissions, elles sont de peu d'importance. Mais naturellement je suis prêt à répondre aux questions avec sincérité. Pourquoi ?

Je vous ai dit tout à l'heure que j'étais soulagé de mon arrestation. C'est parfaitement exact, et vous voyez que, malgré les ennemis qui m'attendent (le mot est faible !), je ne suis point abattu.

Depuis longtemps en effet, je ne suis plus satisfait de mon action. J'ai cru, au début, qu'un échange d'informations entre les Soviétiques et moi pourrait servir la cause de la paix. Je le crois encore, en principe, mais en vieillissant je suis devenu beaucoup plus humble et je ne surestime plus la portée de mon action ni l'influence que je puis exercer : ce que je puis faire n'est qu'une goutte d'eau, et il fallait toute la présomption du jeune chef de cabinet que j'étais pour s'imaginer qu'il allait peser sur les décisions gouvernementales.

D'autre part, j'ai déjà dit qu'à l'origine de mon activité, il y avait eu la conviction qu'il était possible de s'entendre avec l'URSS sans pour autant jouer le jeu du communisme. J'en suis beaucoup moins sûr. J'espère encore qu'il est possible de faire, sans rompre avec l'URSS, une Europe intégrée et une société sans classe où le communisme perdrait l'essentiel de son dynamisme et de son pouvoir revendicateur. Mais je me demande de plus en plus si cette espérance n'est pas seulement une justification de mon passé. S'il s'avérait, comme c'est malheureusement bien possible, que je me sois trompé, ma vie politique n'aurait plus de sens. J'avais tout misé sur cette espérance de paix, sacrifiant ainsi mon honneur et ma délicatesse, tenant chaque jour un rôle d'hypocrite de plus en plus pesant. Il était bien évident que dans une pareille position morale, je ne pouvais plus m'approcher des sacrements. Cet éloignement d'une Église que j'aime aurait pu, à la rigueur, être justifié par le triomphe de la politique de paix et d'entente à laquelle je m'étais consacré et, en un sens, sacrifié. Or, de plus en plus, dans mes conversations avec mes interlocuteurs soviétiques, j'ai eu l'impression de ne plus trouver de résonance ; je n'étais plus le camarade avec lequel on travaille pour édifier un monde meilleur, mais un simple agent de renseignements. Non qu'ils aient exercé sur moi des pressions ou des chantages ; simplement ils se dérobaient, il n'y avait plus de dialogue. Coupé donc de cette société future à laquelle j'avais aspiré, coupé de la société actuelle dans laquelle je ne me trouvais pas à l'aise, puisque je lui mentais, il ne me restait plus que Dieu. Et dans mon état psychologique et moral, je ne pouvais plus m'approcher de lui. Peut-être maintenant vais-je le retrouver. Il y a aussi ma femme et ma fillette. Puissent-elles ne jamais savoir. Quelle que soit votre décision à mon égard, je vous supplie de trouver une solution qui les maintienne dans l'ignorance. Ce sera d'ailleurs pour vous aussi la meilleure garantie que je disparaisse à jamais de toute activité publique.

[DCRI]

Fiche de la DST sur Georges Pâques

Nom : Pâques.

Prénoms : Georges Jean Louis.

Né le 29-1-1914 à Chalon-sur-Saône de Charles et de Deroussin Pauline.

Nationalité : Française.

Situation de famille : Marié, une fille.

Domicile : 101 rue de Grenelle, Paris 7e. 5, square des Écrivains combattants, Paris 16e.

Profession : Professeur agrégé,

Lieu de travail : Attaché au service de presse (chef adjoint) de l'Otan.

Instruction : Ancien élève de l'école Normale sup. Professeur agrégé d'italien.

Langues étrangères : Anglais, espagnol, turc.

L'intéressé a eu ses premiers contacts avec des Soviétiques en 1944 à Alger, alors qu'il était membre du cabinet du commissaire à la Marine. En relations avec Bernstein Imek, ancien combattant des Brigades internationales et militant communiste, qui lui conseilla d'entrer en rapport avec un fonctionnaire de l'ambassade soviétique.

Manipulé successivement par Guzovski Alexandre (1944 à début 1947), Avalov Ivan (début 1947 à novembre 1947), Alexeiev Alexandre (1944-1950), Gavritchev Serguei, de 1950 à 1956, Trichine Alexei, de 1956 à avril 1958, Lyssenko Nikolaï, d'avril 1958 à juillet 1962, Vlassov Wassili, de juillet à août 1962.

A eu de très nombreux contacts avec ses manipulateurs durant les dix-neuf années au cours desquelles cet agent a fourni aux Soviétiques :

— des renseignements d'ordres psychologique et biographique sur diverses personnalités civiles et militaires,

— des informations et documents intéressant la défense nationale d'origine française ou alliée. Notamment des documents relatifs à la conception et aux projets occidentaux dans le domaine de la défense, des relations avec l'Est, de l'action politique et idéologique contre l'URSS et ses satellites,

— des informations à caractère politique sur les problèmes politiques intérieurs français,

— des informations de caractère économique.

Cette transmission de documents « bruts » se faisait soit spontanément, soit à la demande de ses manipulateurs.

À l'origine, le recrutement de Pâques reposait essentiellement sur des bases idéologiques, mais il a reçu à de nombreuses reprises, en particulier lors de ses départs en vacances, des sommes d'argent variant de 50 000 à 200 000 anciens francs qui lui ont été délivrées contre reçu.

Accusé de trahison, a été condamné le 7 juillet 1964 par la cour de sûreté de l'État à la détention criminelle à perpétuité.

[DCRI]

LUMIÈRES NOCTURNES

Des gendarmes sur les traces des ovnis

François Cathala

La nuit du 6 juin 1975, un gendarme marche sur un chemin départemental longeant un bois, son appareil photographique en bandoulière. Il fait doux, le ciel est clair. Soudain, à la sortie du bois, il aperçoit deux lumières immobiles dans le ciel. Elles sont de couleur rouge orangé, de forme allongée, arrondies au centre et pointues aux extrémités, avec des contours flous. Curieux, il arme son appareil et prend deux clichés. Au moment du second, les lumières se mettent en mouvement. Elles décrivent une sorte de « S » en s'élevant et partent à grande vitesse. De retour à son unité, il ne dit rien à ses collègues. Quatre jours plus tard, il montre ses clichés à son lieutenant. « Pensant que les documents peuvent être intéressants », celui-ci en parle à sa hiérarchie qui dépêche le commandant de la brigade locale pour auditionner le témoin. Le procès-verbal d'audition est transmis à son tour au Gepan (Groupe d'Études des Phénomènes aérospatiaux non-identifiés).

La gendarmerie, implantée sur l'ensemble du territoire national, compte parmi ses missions premières la collecte du renseignement : ces militaires formés à enquêter et à rendre compte sont parfois confrontés à des récits inhabituels. Des « phénomènes aérospatiaux non-identifiés » (PAN), selon la terminologie officielle forgée par le Centre national d'Études spatiales (Cnes) de Toulouse. Le grand public, lui, parle d'« engin », de « soucoupe volante » et, plus généralement, d'« objet volant non-identifié » ou ovni.

En 1954 déjà, les observations se sont multipliées. Une nouvelle « vague d'ovnis » survient au milieu des années 1970 : parmi des centaines de dépositions, l'une des plus troublantes reste celle de ce technicien agricole qui se présente à la gendarmerie d'un village d'Eure-et-Loir au début de l'été 1974. Il demande aux gendarmes de l'accompagner dans un champ de blé afin de constater la décoloration de certains épis. Arrivés sur les lieux, ils relèvent trois zones circulaires, où les tiges de blé sont cassées et décolorées. D'un diamètre de trente centimètres chacune, elles dessinent un triangle équilatéral de six mètres de côté ; celui-ci s'inscrit dans une zone circulaire de dix mètres de diamètre. Aucune trace n'a été relevée sur la terre elle-même. En l'absence d'autres témoignages, le dossier est clos. Le rapport est adressé au Cnes.

« Je dois dire que si les auditeurs pouvaient voir par eux-mêmes la masse de rapports arrivant de la gendarmerie de l'air, la gendarmerie mobile et la gendarmerie chargée de mener les enquêtes, que nous faisons tous suivre au Centre national d'Études spatiales, ils verraient alors que tout cela est assez troublant », déclare le ministre de la Défense, Robert Galley, interviewé par Jean-Claude Bourret sur France Inter, le 21 février

1974. Environ 20 % des témoignages recueillis par la gendarmerie restent inexpliqués.

✦

PHÉNOMÈNES AÉROSPATIAUX NON-IDENTIFIÉS

Rapport du commandant de la section de Forbach (Moselle) sur une « soucoupe volante », *8 octobre* 1954

Le 7 octobre 1954, à 20 h 30, Monsieur Bou, Charles, de nationalité espagnole, né le 28-12-1924, à Barcelone, ajusteur, mécanicien, chauffeur, vendeur au service de la maison Coca-Cola, demeurant 2 rue Nationale à Stiring-Wendel (Moselle), s'est présenté à la gendarmerie de Forbach, où il a déclaré spontanément :

« Ce soir, à 19 h 20, exactement, je venais de Rosbruck avec ma camionnette Citroën, et me dirigeais sur Morsbach. En arrivant sur le pont neuf, situé à environ 40 m du carrefour formé par la RN3 et la route allant sur Cocheren, j'ai aperçu sur la chaussée une ligne lumineuse.

« Croyant à un accident et à la présence de la police à cet endroit, j'ai ralenti l'allure et je continuai tout doucement ma route jusqu'à environ dix m de la lumière en cause. Je roulais en code.

« À un moment donné, j'ai alors remarqué un engin qui encombrait presque entièrement la route. Cet engin avait une forme ovale (coupe) large d'environ 8 m et haut de 4 m. Sur le pourtour de cet engin il y avait une dizaine de faisceaux lumineux, dirigés vers le sol, faisceaux prenant naissance au milieu de l'engin et écartés de 30 à 40 cm environ. La longueur des faisceaux pouvait être 0,80 m à 1 m.

« Stupéfait de rencontrer un tel obstacle sur la route, j'ai stoppé ma voiture (point mort) et ai ouvert la portière.

« Avec une certaine appréhension, j'ai mis pied à terre juste au moment où l'engin, que je crois être une soucoupe volante, s'est élevé verticalement d'environ 15 m, puis est parti en biais vers le sud-ouest, entre Morsbach et Cocheren.

« L'engin lui-même avait une couleur bleu pétrole. Au moment où il s'est mis en mouvement, les faisceaux lumineux, d'abord laiteux, ont pris la couleur bleu lilas.

« L'engin s'est propulsé sans bruit. Je n'ai ressenti aucun déplacement d'air ni aperçu de fumée.

« J'ai pu observer l'engin à terre environ 3 à 4 secondes, pendant le temps que je stoppais ma voiture et descendais au sol.

« L'engin n'a pas mis plus de 4 secondes pour disparaître avec une vitesse incroyable.

« Je n'ai remarqué aucun être vivant à l'intérieur ni à l'extérieur de cet engin. »

1) Des renseignements pris auprès de son patron, M. Kraemer, demeurant à Petite-Rosselle, il résulte que son employé M. Bou Charles est bien considéré et n'est généralement pas hâbleur.

2) Dans sa version donnée aux gendarmes, puis au CB et enfin sur les lieux au capitaine, commandant la section, M. Bou n'a pas varié dans ses dires.

3) Aucune trace n'a pu être relevée sur les lieux de l'apparition de l'engin.

4) Aucun autre témoignage sur cette affaire n'a pu être recueilli jusqu'à présent.

Cependant, peu après la disparition de l'engin obstruant la vue et la route, deux VL, une traction et une 4 CV Renault venant en sens inverse, seraient passées près de M. Bou. Ces VL ne se sont pas arrêtés et il est probable que les occupants n'aient pas vu l'engin.

[SHD-DGN]

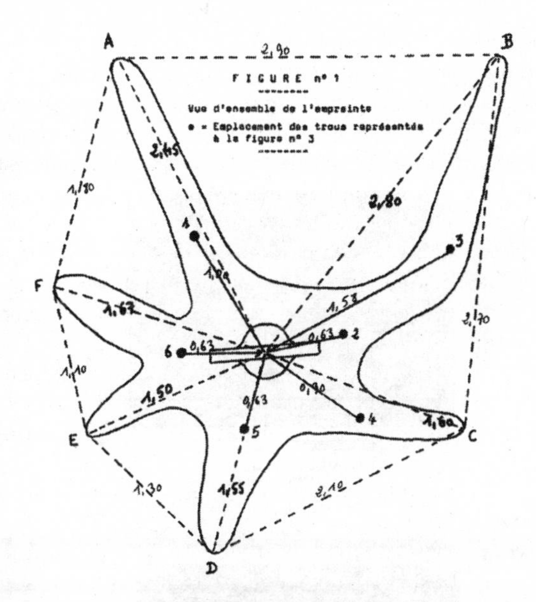

Un mouvement de terrain inexpliqué.

En mai 1967, le fils d'un propriétaire terrien de Côte-d'Or découvre des empreintes dans un champ de trèfle. Au début, on pense à un impact de foudre. Les constatations faites sur place par les gendarmes et les auditions de différentes autorités, tant militaires que scientifiques, conduisent à écarter cette hypothèse. La terre est dure comme du ciment, déshydratée dans un rayon de huit mètres et recouverte par endroits d'un voile de couleur violette. Les gendarmes constatent six empreintes cylindriques de 12 centimètres de diamètre et 80 de profondeur. Elles sont similaires à celles relevées dans un champ de lavande à Valensole, deux ans plus tôt. Le témoin d'alors disait avoir été paralysé par deux petits êtres qui se sont envolés dans leur engin. Les gendarmes décident de faire analyser le voile coloré. Il ne livrera rien de sa composition. L'affaire est close.

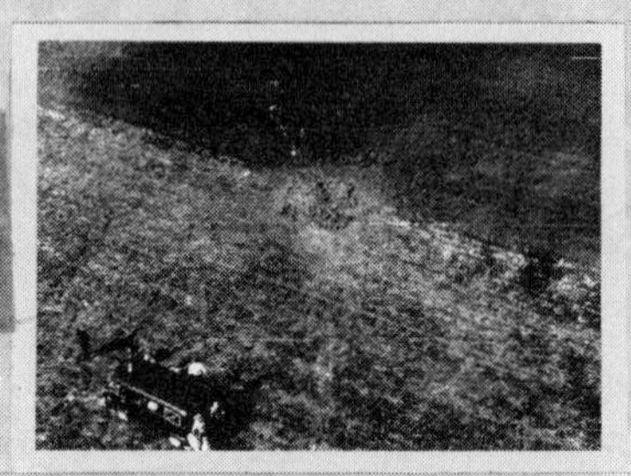

PHOTO N° I : VUE AERIENNE D'ENSEMBLE.

La comparaison avec l'estafette donne une idée de la grandeur de l'empreinte.

PV n° 309/67
BT de GENLIS
(21)

PHOTO N° 2 : VUE AERIENNE DE L'EMPREINTE TELLE QU'ELLE A ETE DECOUVERTE (Avant tout dégagement ou modification).

Procès-verbal de la gendarmerie nationale sur un « bouleversement de terre dans un champ de la commune de Marliens *»* (Côte-d'Or), 12 *juillet* 1967

Ce jour, 12 juillet 1967, nous soussigné, Thepenier, André, capitaine, commandant la compagnie de gendarmerie de Dijon, rapportons les opérations suivantes que nous avons effectuées, agissant en uniforme et conformément aux ordres de nos chefs.

Pour faire suite au procès-verbal n° 309 du 10 mai 1967 de la brigade de Genlis, nous transmettons ci-joint le rapport d'analyse établi par M. le professeur Paul Chovin, directeur du laboratoire municipal de Paris, sur réquisition du commandant de la compagnie de gendarmerie de Dijon.

Il résulte de la lecture de ce rapport que la nature exacte des traces colorées trouvées dans l'excavation de terrain à Marliens n'a pu être déterminée avec certitude, mais qu'il est possible de penser que le produit constituant les traces appartient à la classe d'un oxyde réfractaire (silice ou alumine). [...]

[SHD-DGN]

« Le code que vous avez trouvé dans la statuette me sert au déchiffrement des messages que je reçois par radio. » Hans Bammler, aux agents de la DST.

LA STATUETTE AUX SECRETS

Démantèlement d'un réseau est-allemand en France

Gérard Chaliand

Berlin. Carrefour de l'espionnage, au milieu des années cinquante. La Guerre froide est à son paroxysme. Peter Kranick est né dans cette ville en 1930. Sans diplôme, après avoir occupé une série de petits emplois, il s'est engagé à vingt et un ans dans la Légion étrangère française. Grièvement blessé à Dien Bien Phu, il est pensionné comme sergent. Revenu à Berlin, ses états de service et son bilinguisme lui permettent de travailler comme archiviste pour le compte du Gouvernement militaire français, installé au Quartier Napoléon. Un emploi subalterne.

Un jour qu'il rend visite à sa mère, qui habite Berlin-Est, son vélomoteur est renversé par une voiture-école de la police. Il est alors approché par un fonctionnaire du MFS, les services spéciaux de la RDA (République démocratique d'Allemagne). L'accident aurait-il été provoqué ? Quelques mois plus tard, il est engagé par la centrale et suit un stage de formation aux communications clandestines : capter des messages chiffrés, en transmettre au moyen du carbone blanc — l'écriture invisible — ou de micropoints.

Pour obtenir des renseignements au Quartier Napoléon, Kranick convainc le barman — allemand — d'un général français de placer des micros sous la table de conférence autour de laquelle se discutent les problèmes de l'Otan.

Lorsque le Mur est construit, en 1961, Kranick est déjà un agent chevronné, que vient épauler Hans Bammler. Ce dernier, né en 1925 à Berlin, est le fils d'un général de la Wehrmacht fait prisonnier par les Soviétiques en juin 1944. Il aurait participé au « Comité pour l'Allemagne libre » en tant qu'opposant

Photographie d'une étagère de la salle à manger de Hans Bammler, sur laquelle figure la statuette truquée.

tardif au régime. En représailles, la mère de Hans Bammler a été déportée à Dachau, d'où elle n'est jamais revenue. C'est probablement ce qui a fait choisir le camp communiste à son fils. Approché en 1960, alors qu'il est organisateur de spectacles culturels à Berlin-Est, Hans Bammler s'engage à fournir des renseignements sur le milieu des artistes vivant à l'Ouest avec lequel il est en contact. Très vite, on lui en demande davantage. Il y consent volontiers. Le voilà courrier clandestin entre les deux secteurs. Il n'a pas grand mal à franchir régulièrement le Mur. Les services de sécurité de la RDA lui ménagent un passage sous les barbelés au départ et au retour ; il suffit de n'être pas intercepté par la police de l'Ouest, moins vigilante puisque personne ne veut rejoindre l'Allemagne de l'Est.

Installation en France

Lorsque le service politique du Gouvernement militaire français quitte le Quartier Napoléon, en 1962, la centrale est-allemande décide de muter Kranick et, par la même occasion, son co-équipier Bammler. L'objectif, cette fois, est à Paris.

Tous deux tiennent à partir avec leurs compagnes. Marianne Bammler ne fait que seconder son mari. Épousée en secondes noces, la femme de Kranick est employée à l'ambassade d'Allemagne à Paris. Dès 1964, elle parvient à être affectée aux Relations publiques de l'Otan. Née Renée Levin à Paris, de parents allemands, elle connaissait les activités de

Kranick quand, en 1963, il l'a demandée en mariage. Il l'a emmenée à Berlin et présentée à la centrale.

En France, un nouveau réseau se tisse en quelques mois. Les époux Bammler s'installent à Mulhouse, après avoir contracté un nouveau mariage sous le nom de Wegner, afin de brouiller les pistes. Comme les Kranick, ils disposent d'un matériel de communication de qualité : technologie allemande, ingénieuse et performante. Les renseignements recueillis par la femme de Kranick sont transmis par celui-ci à Bammler qui les fait dactylographier par sa femme puis les photographie et les transforme en micropoints, dissimulés sous un timbre. L'accusé de réception arrive par émission radio, codé et en Morse.

Cache, codes et faux papiers

Ce réseau, discret et léger, n'en finit pas moins par éveiller l'attention de la DST. Ses hommes perquisitionnent le domicile des Bammler, où ils trouvent en particulier une statuette de bois et de cuivre : à l'intérieur, un petit appareil photographique, un code pour déchiffrer les messages reçus par radio, trois films vierges destinés à confectionner les micropoints transmis à la centrale. Elle dissimule également trois tubes cylindriques, avec un code chacun pour le chiffrement et le déchiffrement. Une autre cache recèle encore des faux papiers et des codes multiples.

Qu'est-ce qui a été transmis ? L'interrogatoire ne le dit pas : les accusés ont tout intérêt à rester discrets et les enquêteurs préfèrent n'en point trop révéler... Le 27 avril 1967, Peter Kranick est condamné à vingt ans de prison et sa femme Renée à quatorze ans. Pour Hans et Marianne Bammler, les peines sont de dix-huit et douze ans.

Insigne du 2e régiment étranger parachutiste.

KOLWEZI

Les dessous de l'intervention française

Jean-Dominique Merchet

Un dimanche après-midi à l'Élysée. Tout est calme, très calme, pour le colonel de permanence à l'état-major particulier du président de la République, quand à 16 h 45, ce dimanche 14 mai 1978, il reçoit un message du SDECE, boulevard Mortier. La situation dans le sud du Zaïre est décrite comme « très sérieuse ». Le chef de l'État, Valéry Giscard d'Estaing, est rapidement averti : « Deux bataillons de Katangais, venant de la Zambie voisine, ont attaqué la ville minière de Kolwezi, dans la province du Shaba. L'hôpital et le terrain d'aviation sont entre leurs mains. Le président Mobutu a convoqué les ambassadeurs, dont le français et l'américain, pour leur demander d'évacuer leurs ressortissants. » S'engage dès lors un processus dont les archives militaires ont conservé les traces, à travers les comptes rendus des échanges téléphoniques au plus haut niveau.

À 19 heures, l'état-major particulier prend contact avec le colonel Yves Gras, chef de la mission militaire française au Zaïre. Jeune officier des troupes coloniales, il a combattu au sein de la 1re Division française libre durant la Seconde Guerre mondiale, puis il a occupé des postes à l'étranger : il était à l'ambassade de France au Sud-Vietnam lorsque les armées communistes du Nord ont pris Saigon. Le Zaïre est son dernier poste avant la retraite.

Il signale qu'un détachement français — un officier et quatre sous-officiers — se trouve actuellement à Kolwezi, dans le cadre de l'assistance technique. Ce sont des spécialistes des blindés légers et des hélicoptères.

À 21 h 40, nouveau contact avec le colonel Gras qui prévient que l'armée zaïroise va envoyer son bataillon parachutiste à Lubumbashi, à 250 km à vol d'oiseau de Kolwezi. Ce bataillon para est partiellement encadré par des militaires français. Gras demande ce qu'ils doivent faire. L'état-major particulier se tourne vers le président qui tranche aussitôt : « Pas question d'engager des cadres français dans des opérations de combat. »

Éviter une tragédie

À Paris, la journée du lundi se passe sans événement notable, tandis que, sur le terrain, la situation se dégrade très vite. En réalité, les Katangais, des rebelles soutenus par l'Angola prosoviétique, sont entrés dans la ville de Kolwezi dès le samedi matin. Le dimanche, les pillages commencent et les rebelles, la plupart très jeunes, réclament de l'alcool. Des Libanais, nombreux en Afrique, sont exécutés, ainsi que des Zaïrois soutenant le régime de Mobutu. Les Européens se terrent chez eux.

Mardi matin, à Paris, 7 h 20 : le ministère des Affaires étrangères fait part de renseignements fournis par le chargé d'affaires belge au Zaïre. Les Belges connaissent bien le pays, qui fut leur Congo jusqu'en 1960. Selon lui, des ressortissants belges ont déjà été tués. Il réclame une intervention militaire pour la « sauvegarde » de ses compatriotes. Les autorités militaires françaises cherchent à vérifier ces informations et commencent à regarder « s'il serait possible de monter quelque chose [...] ce qui paraît sportif, vu la distance », d'autant que le terrain d'aviation est tenu par les rebelles. La Légion est désignée pour une éventuelle opération. Au grand dam des Bérets rouges du 8e RPIMa (régiment parachutiste d'infanterie de marine) qui étaient pourtant en « alerte Guépard » — c'est-à-dire premiers à partir en cas de besoin. Mais le pouvoir a tranché : l'affaire risque de provoquer des pertes, mieux vaut y envoyer les soldats étrangers du 2e REP de Calvi que des engagés bien de chez nous.

À 8 h 20, un colonel de l'état-major des armées confirme les informations du chargé d'affaires belge : « La situation des Européens à Kolwezi devient intenable. La ville a été pillée. » Dès le lundi soir, on comptait neuf tués et sept disparus. « Une intervention de notre part est indispensable, sans cela l'affaire tournera à la tragédie. » Kolwezi compte 2 200 Européens, dont 403 Français. L'Élysée autorise donc l'état-major à « phosphorer » sur l'engagement du 2e REP.

HEURES	ORIGINE	EVENEMENTS SURVENUS
		MARDI 16 MAI 1978
09 10 Z	Col. GRAS	Colonel GRAS : Il faut une surprise et la surprise c'est le largage d'un bataillon de para sur KOLWEZI même, comme l'on faisait en Indochine, c'est parfaitement possible, cela doit réussir. Nous avons ici tous les moyens de monter l'opération, nous avons les parachutes, des officiers para compétents, aucun problème pour monter l'affaire. J'irai même jusqu'à dire que cette opération devrait se ½ faire, ... on devrait reprendre KOLWEZI sans tirer un coup de feu. Je suis à peu près certain que la chute de 300 ou 350 para sur KOLWEZI provoquera la fuite des Katangais. Ainsi ils n'auraient pas le temps de se livrer au massacre que l'on craint. Donc, en gros, j'ai les moyens ici, de parachuter d'un seul coup 350 hommes, j'ai 5 C 130, Les Belges qui étaient farouchement hostiles à toute intervention et qui voulaient nous dissuader d'intervenir sont arrivés hier au soir à la même conclusion que nous. En définitive, il ne s'agit pas de venir au secours du ZAIRE Il s'agit d'aller délivrer 2000 Européens dont 400 français qui sont entre les mains d'une bande de sauvages, et dont la situation est en train de devenir dramatique.Les journalistes disent des bêtises. Il n'y a aucun engrenages à envisager. C'est une opération Entebbé pour délivrer 2000 otages. J'ai demandé au Colonel que le Général me rappelle avant 10 heures. Il faut absolument le faire, sinon, ça va tourner à la tragédie.
		MERCREDI 17 MAI 1978
$01^{h}45$	WASHINGTON	- Général à WASHINGTON nous apprend que la 82ème Brigade aéroportée, ainsi que ses moyens aériens, ont été mis en alerte sur la base aérienne de POPE à FORT BRIGGS pour, éventuellement aller protéger les ressortissants américains au Zaïre.
$07^{h}00$	ZAIRE	- Le Colonel GRAS téléphone pour réitérer sa demande d'hier concernant une OAP sur KOLWEZI. Il déclare qu'il y a là un problème d'assistance à personne en danger ; les gendarmes Katangais commencent à tout piller. A son avis, la situation est moins claire qu'hier, mais il faut agir de toute urgence.
$09^{h}16$	ELYSEE	- Colonel GERIN ROSE : 1) - demande un point éventuel sur le ZAIRE pour 12 H. à la sortie du Conseil des Ministres. 2) - Signale que le Président a été particulièrement intéressé par le message de l'AFA à WASHINGTON relatif à une entrevue avec les autorités militaires américaines qui laissaient envisager la possibilité d'une intervention commune au ZAIRE.

Relevé des conversations téléphoniques du 14 au 17 mai 1978.
Les noms de certains officiers ont été dissimulés.

Opération Bonite

À 11 h 10, le colonel Gras réclame « de toute urgence un bataillon de parachutistes pour régler cette affaire ». Cinq à huit cents Katangais tiennent la ville, à l'exception d'un « îlot de résistance » tenu par une cinquantaine d'hommes de l'armée zaïroise. Du point de vue militaire, Gras juge les Katangais « pas très virulents » : « Ils se livrent surtout au pillage, font des exactions et commencent à tuer. » Quant à l'intervention de l'armée zaïroise, l'officier français émet les plus sérieux doutes : « Je n'ai pas une très grande confiance dans le succès de cette opération. » Il ne croit guère en l'efficacité du bataillon para zaïrois « sans ses cadres français, qui font toute sa

ANNEXE 2

1°) - PERTES ENNEMIES EN PERSONNELS

247 Tués
2 Prisonniers

2°) - PERTES ENNEMIES EN MATERIELS

2 AML
4 canons S.R.
15 Mortiers
21 L.R.A.C.
10 Mitrailleuses
38 Fusils mitrailleurs
304 Pistolets mitrailleurs
151 Fusils automatiques
308 Fusils de guerre

Plusieurs tonnes de munitions de tous calibres

250 Mines AC et AP
8 Postes radio

d'importants documents.

État des pertes ennemies à l'issue de l'opération Bonite.

valeur ». Et il pèche un peu par optimisme en affirmant que « la chute de 300 ou 350 paras sur Kolwezi provoquera la fuite des Katangais » qui ne se battront pas. Aucune décision n'est encore prise ce jour-là.

Dans la nuit, l'attaché militaire français à Washington indique que les Américains viennent de mettre en alerte la 82e Airborne, division aéroportée de légende qui a pris part au Débarquement et à la guerre du Vietnam.

Le mercredi matin, dès 7 heures, le colonel Gras rappelle Paris, estimant qu'il faut « agir de toute urgence ». Une réunion se tient à l'Élysée, à la sortie du Conseil des ministres. L'engagement américain est accueilli favorablement par le président de la République.

À 10 h 30, les troupes d'intervention sont mises en alerte. Il s'agit de 634 légionnaires parachutistes du 2e REP, auxquels on ajoute discrètement « deux équipes de liaison longue distance du 13e régiment de dragons parachutistes », le régiment de renseignement de l'armée française. Ces huit hommes, spécialistes des transmissions, sont en manœuvres dans le centre de la France : ils regagnent ventre à terre leur caserne de Dieuze, en Lorraine.

À 11 h 35, le centre opérationnel des armées, dans les sous-sols du boulevard Saint-Germain, rappelle le colonel Gras pour lui demander de mettre en place une base d'accueil pour les paras, « au cas où ».

Jeudi 18 mai, 0 h 45 à l'Élysée : la décision d'intervenir est prise. Le lendemain, à 15 h 40 : « Go ! Go ! Go ! » Les premiers paras français sautent sur Kolwezi. Couronnée de succès, l'opération Bonite se soldera par la mort de cinq militaires français et quinze blessés. Les « pertes ennemies » s'élèveront à 247 tués et deux prisonniers.

MISSION ASPIRO

La section des nettoyeurs d'ambassade

Bruno Fuligni

Le 5 janvier 1973, part à l'attention du ministre français des Affaires étrangères, Michel Jobert, une lettre aussi brève qu'inquiétante. Alexandre de Marenches, directeur général du SDECE depuis la fin de 1970, l'avertit des dangers que fait courir au secret diplomatique la toute neuve ambassade de France à Varsovie : un rapport d'inspection, joint à la lettre, démontre que les locaux sont truffés de micros. « Outre l'importance du matériel clandestin découvert, ce rapport fait ressortir l'extrême vulnérabilité en matière de sécurité de l'ambassade pratiquement "ouverte" aux services adverses. » Il s'agit d'une « attaque », en jargon du métier. Diplomates et spécialistes du contre-espionnage connaissent dans ce cas la marche à suivre : c'est une mission pour Aspiro !

Au sein du SDECE en effet, une petite section est chargée de curer les locaux diplomatiques de toute installation indiscrète. Comme l'ensemble des services secrets issus de la France libre, ces techniciens d'un genre spécial ont été, à l'origine, formés par les Britanniques : Londres a ses *sweepers*, ses « balayeurs » d'ambassade, si bien que leurs homologues français, à la pointe du progrès, se sont baptisés « la section Aspiro », puisqu'ils « passent l'aspirateur » là où les services adverses laissent traîner micros et capteurs.

L'affaire des micros de Varsovie

L'ambassade de France à Varsovie, construite entre 1963 et 1971 sur un plan futuriste, redevient un vaste chantier. L'équipe Aspiro, venue avec trois cents kilos de matériel, ne se contente pas de promener ses détecteurs, mais désosse purement et simplement l'immeuble. Au cours d'une visite officielle en Pologne, le député de Paris Jacques Marette a la surprise de trouver une ambassade éventrée de partout, dont l'infrastructure recèle un impressionnant dispositif d'écoute. « J'ai pu constater sur place l'ampleur de cette installation, témoignera-t-il le 12 novembre 1973 dans l'hémicycle. Celle-ci se prolongeait par un réseau de câbles souterrains à travers le jardin. Nos services n'ont pu aller plus loin car l'extraterritorialité de l'ambassade s'arrêtait là. Pendant plusieurs semaines, il a fallu arracher les parquets, défoncer les plafonds, démonter les colonnes, attaquer les caves au marteau-piqueur... » Ingénieur de formation, ancien ministre des Postes et Télécommunications de Georges Pompidou, le député Marette n'est pas un inconnu dans le monde des « grandes oreilles » gaullistes : il ne peut cacher une certaine admiration de technicien pour « une véritable merveille d'électronique miniaturisée qui permettait d'écouter tous nos diplomates, tous nos attachés

Une « poêle à frire ».

C'est le surnom de ce modèle de détecteur de micros espions de fabrication américaine, en usage dans les années 1960. DGSE

militaires et commerciaux, dans tous leurs bureaux, certains même en son stéréophonique. Quarante-deux micros ont été découverts et mis hors service jusqu'à présent ! »

À l'Assemblée, le député ne met pas explicitement en cause la Pologne, se contentant d'évoquer un « pays de l'Est européen ». Dès le lendemain pourtant, *L'Aurore* titre sur « l'affaire des micros de Varsovie », non sans rappeler que le cas est loin d'être unique. Les États-Unis, en 1964, n'ont-ils pas découvert quarante micros dans les murs de leur ambassade moscovite ? Même l'aigle emblématique de la puissance américaine était « microtée » !

Quant aux Français, ils ont quelques splendides prises de guerre à leur actif, toutes rassemblées dans le musée secret d'Aspiro. À Prague, en 1970, on découvre que des pièces de bois piégées sont fichées dans la maçonnerie, depuis d'importants travaux de peinture : plantées en haut des murs extérieurs pour maintenir les échafaudages, elles sont restées sur le bâtiment, mais plusieurs d'entre elles, finement évidées, contiennent des micros reliés par fil à un poste d'écoute tchécoslovaque. Sous prétexte d'inspecter la toiture, l'ambassadeur emprunte une grande échelle aux pompiers pragois, qui vont prendre part à la destruction du système implanté par les services de leur propre pays : chez Aspiro, on en rit encore…

Vingt-deux installations démantelées

Dans la même ambassade toutefois, en 1975, on détectera encore une cale de porte tout à fait banale, en bois mais creuse elle aussi, dans laquelle est dissimulé un mouchard. À Sofia, en 1976, ce sont deux caméras qui, encastrées dans un mur mitoyen, filment tous ceux qui entrent et sortent de l'ambassade de France : nuitamment, Aspiro démonte le dispositif et les Bulgares, bons joueurs, jettent le lendemain quelques boîtes de pellicule par-dessus l'enceinte.

À La Havane, en 1986, les services cubains ont « vérolé » jusqu'à la bibliothèque de l'ambassadeur, dont les belles boiseries se révèlent parcourues d'un ingénieux réseau filaire. Le contre-espionnage ne se joue pas seulement à l'intérieur de l'Hexagone : ambassades, consulats, postes économiques et culturels à l'étranger constituent autant de cibles pour les services étrangers. Pendant la Guerre froide, au cours de ses visites de contrôle, Aspiro a démantelé pas moins de vingt-deux installations d'envergure. Le comte de Marenches a quitté en 1981 le commandement du SDECE, devenu l'année suivante la Direction générale de la Sécurité extérieure (DGSE). Mais en son sein, la section continue son œuvre de nettoiement, avec des moyens techniques de plus en plus perfectionnés : à l'heure des nouvelles technologies, les « aspirateurs » de la République fonctionnent à plein régime.

RÉPUBLIQUE FRANÇAISE

MINISTÈRE D'ÉTAT
CHARGÉ DE LA DÉFENSE NATIONALE

S.D.E.C.E.
231, Bd SAINT-GERMAIN - PARIS VII°

N° 61 /DG.

PARIS, LE 5 Janvier 1973

Le Ministre d'Etat
chargé de la Défense Nationale
à
Monsieur le Ministre des Affaires Etrangères

En vous adressant, en pièce jointe, le rapport d'inspection des locaux de l'ambassade de France à Varsovie faite sur votre demande, j'ai l'honneur d'attirer tout particulièrement votre attention sur les résultats obtenus et qui sont fort inquiétants !

Outre l'importance du matériel clandestin découvert, ce rapport fait ressortir l'extrême vulnérabilité en matière de sécurité de l'ambassade pratiquement "ouverte" aux Services adverses.

A l'appui de cette constatation, je joins à cette lettre une annexe qui rappelle l'essentiel des découvertes similaires faites depuis 1954 par les missions spécialisées du S.D.E.C.E. dans différents locaux diplomatiques à l'étranger.

Vous conviendrez avec moi, j'en suis certain, que des dispositions doivent être prises d'extrême urgence pour parer à ces très graves lacunes, et mon Service se tient dès maintenant à la disposition du Département des Affaires Etrangères pour lui apporter toute l'aide technique nécessaire.

Pour le Ministre d'Etat
et par délégation,
Le Directeur Général du SDECE,

Marenches

Lettre du directeur général du SDECE *au ministre des Affaires étrangères,* 5 *janvier* 1973 (*transcription page suivante*).

✦

ALERTE À VARSOVIE

***Lettre du directeur général du* SDECE**
***au ministre des Affaires étrangères, 5 janvier* 1973**

En vous adressant, en pièce jointe, le rapport d'inspection des locaux de l'ambassade de France à Varsovie faite sur votre demande, j'ai l'honneur d'attirer tout particulièrement votre attention sur les résultats obtenus et qui sont fort inquiétants !

Outre l'importance du matériel clandestin découvert, ce rapport fait ressortir l'extrême vulnérabilité en matière de sécurité de l'ambassade pratiquement « ouverte » aux services adverses.

À l'appui de cette constatation, je joins à cette lettre une annexe qui rappelle l'essentiel des découvertes similaires faites depuis 1954 par les missions spécialisées du SDECE dans différents locaux diplomatiques à l'étranger.

Vous conviendrez avec moi, j'en suis certain, que des dispositions doivent être prises d'extrême urgence pour parer à ces très graves lacunes, et mon service se tient dès maintenant à la disposition du département des Affaires étrangères pour lui apporter toute l'aide technique nécessaire.

Pour le ministre d'État et par délégation,
Le Directeur Général du SDECE,
Alexandre de Marenches

[DGSE]

L'AFFAIRE FAREWELL

La plus grande histoire d'espionnage du XXe siècle

Bruno Fuligni

Ce sont près de trois mille documents, contenant tous les secrets de la Guerre froide : les bilans d'activité du KGB, la liste des agents soviétiques dans le monde, la surveillance radar des États-Unis, le dispositif de sécurité de la Maison Blanche, les plans de la navette spatiale Columbia… Tout cela tient dans une main, en quelques pochettes remplies de microfilms de type Diazo : de petites tablettes transparentes sur chacune desquelles s'alignent soixante documents ultra-secrets au format de timbres-poste.

Mais le plus extraordinaire reste que ces « Diazos », comme disent les anciens de la DST, proviennent tous de la même source : Farewell, la taupe des Français au KGB…

Farewell, un nom de code bizarre, choisi pour brouiller les pistes. Ce traître hors norme, dont les « fournitures » — les informations qu'il livre — sont telles qu'on n'a plus assez de temps pour les analyser, s'appelle en réalité Vladimir Vetrov. Il est né le 12 octobre 1932 à Moscou, dans une famille très simple : père ouvrier, mère presque illettrée. C'est à force de volonté, de travail, que le jeune Vetrov a pu entrer dans cette aristocratie que forment les officiers de renseignement en mission à l'Ouest.

Un « employé du commerce extérieur »

Sportif de haut niveau, il possède aussi des connaissances techniques assez poussées. « Spécialiste électronique », notent les fonctionnaires de la DST quand il s'établit à Paris, en 1965. Son intérêt pour les industries de pointe leur laisse croire qu'il appartient au GRU, le service de renseignement de l'Armée rouge. Il n'en est rien : Vetrov est officier du KGB, pour lequel il vient opérer en France, officiellement comme « employé du commerce extérieur ».

Au nom de la mission commerciale de l'URSS, il noue des contacts, sous le regard de la DST qui suit ses tractations avec un ingénieur de la société américaine Beckman. « En août 1966, il lui aurait laissé entendre qu'il lui paierait n'importe quel prix tout matériel non encore autorisé à l'exportation vers l'Est, et qu'il lui serait facile d'importer des États-Unis du matériel pour des clients fictifs domiciliés en Europe occidentale. » Et en mai 1967, il demande à un autre technicien de Beckman « de lui procurer contre un chèque de mille dollars des transistors de la firme Texas Instruments »...

Vetrov et sa femme Svetlana sympathisent avec un cadre de Thomson, Jacques Prévost. Celui-ci rend même un signalé service à Vetrov, quand celui-ci emboutit une voiture de l'ambassade : Prévost la fait réparer, évitant de gros soucis à son conducteur.

Les Vetrov quittent Paris avec tristesse en 1970, pour retourner en URSS. L'espion souhaite un nouveau poste à l'étranger. C'est en 1974 que son appartenance au KGB est certaine pour la DST, qui renseigne son correspondant au Canada : « Vetrov doit prendre le poste de représentant commercial à Montréal. » Il a beau se démener « pour obtenir des renseignements sur les nouveaux équipements IBM », cette nouvelle affectation ne sera pas une réussite. L'espion est très vite renvoyé en URSS, d'où il ne sortira plus.

Une lettre de Hongrie

Voici Vetrov bureaucrate, au KGB certes, mais dans la banlieue de Moscou, où il travaille comme analyste. La rancœur le mine. Il sait que sa femme le trompe et lui-même a une liaison avec une interprète. Il ne croit plus en l'URSS, cette fausse « patrie des travailleurs » où les enfants de la *nomenklatura* ont seuls accès aux bons postes. Lui, le fils d'ouvrier qu'on laisse végéter au grade de lieutenant-colonel, décide de trahir — mais il va trahir en grand.

C'est ainsi que Jacques Prévost reçoit une lettre, affranchie à Budapest le 12 novembre 1980. Le beau-frère de Vetrov, un chanteur en vogue à l'Est, a accepté de la poster au cours de sa tournée en Hongrie, où les courriers vers l'Ouest ne sont pas contrôlés. La lettre paraît banale, mais la réapparition de Vetrov ne l'est pas et Prévost alerte la DST. Une seconde lettre arrive, plus pressante. La DST, toutefois, n'a aucun agent à Moscou. Service de contre-espionnage intérieur, elle n'a pas vocation à intervenir sur le sol soviétique. Elle a donc recours au polytechnicien Xavier Ameil, chef de l'antenne moscovite de Thomson. La rencontre a lieu dans sa voiture, le 5 mars 1981. Vetrov ne demande pas à être exfiltré vers la France, il veut fournir des informations. Les rendez-vous se multiplient, avec Ameil, bientôt relayé par un professionnel, Patrick Ferrant.

La « guerre des étoiles »

Marcel Chalet, le patron de la DST, demande à voir François Mitterrand. L'entrevue a lieu à l'Élysée le 14 juillet 1981, après la première garden-party du nouveau président socialiste. Mitterrand écoute, puis se met à rire. Quatre jours plus tard, il doit rencontrer son homologue américain, Ronald Reagan, pour le sommet du G7. Reagan, il le sait, est ulcéré que la France compte désormais des ministres communistes. Il va lui montrer qu'elle demeure un allié fidèle des États-Unis.

Les Américains, d'abord estomaqués par l'ampleur des secrets dérobés, fournissent un Minox qui permettra à Farewell de photographier discrètement les dossiers qui passent sur son bureau. Ils mesurent bientôt le retard technologique des Soviétiques, que révèlent leurs besoins de renseignements. L'URSS, à bout de souffle, ne pourra plus suivre. Reagan engage donc une partie de poker planétaire, en installant ses missiles Pershing en Allemagne, puis en annonçant un projet

C. A. B. B.

Fichiers A P S T V

NOM : VETROV alias :

Prénoms : Vladimir IPPOLITOVITCH

Né le 12/10/32 à MOSCOU de IPPOLIT et de

Nationalité : Soviétique

Situation de famille : marié à Svetlana Pavlovna née le 27/3/36 à MOSCOU, 1 fils né en 1962

Domicile : ~~78 Bd Suchet, Paris 16e~~ Tél. :

49 rue de la Faisanderie Paris 16e

Profession : employé du commerce extérieur

Voiture : propriétaire de la 403 noire 152 SR 75

Lieu de travail : nommé à la représentation commerciale de l'URSS en FRANCE (poste vacant)

Tél. :

Activité extra-professionnelle :

Signalement

Cl. n° val :

Passeport de serv. sov.

Instruction :

Date d'entrée en France : 20-8-65

Langues étrangères : Français

Motif :

Situation militaire :

Refoulé. - Expulsé le

Condamnations :

Examen de situation :

Fiche A.

Filatures :

Liste R. K. Liste Interd. Fiche S.

IMP. M.I.

Fiche de la DST *sur* Vladimir Vetrov.

L'espion est fiché dès son arrivée à Paris, où il s'installe en 1965 avec sa femme Svetlana et leur jeune fils. Ses déplacements sont épiés : « D'après les questions faites, il semble qu'il soit loin d'être un véritable spécialiste en électronique », remarque le contre-espionnage français, il « serait plutôt un administratif ».

colossal de bouclier spatial antimissile, la fameuse « guerre des étoiles »… L'URSS se ruine dans des programmes militaires démesurés.

Quand le bloc de l'Est éclate, Farewell n'est plus là pour savourer sa vengeance. Le 22 février 1982, il a tenté d'assassiner sa maîtresse et tué un milicien. Peut-être même a-t-il fait en sorte d'être envoyé en prison, pour ne pas être identifié comme espion… Mais les maladresses des Occidentaux, qui expulsent de nombreux agents soviétiques, finissent par le trahir. Il est exécuté dans les premiers jours de 1985.

Avec Vetrov finit la Guerre froide. Bientôt apparaîtront d'autres menaces, tandis que de nouvelles technologies viendront supplanter les Minox et les Diazos, remisés au musée des souvenirs. Mais ce n'est plus de l'Histoire…

✦

L'AMI FRANÇAIS

Lettre de Vladimir Vetrov à Jacques Prévost,
12 *novembre* 1980

Cher Jacques

Par l'occasion j'ai la possibilité de t'envoyer une petite lettre et de te signaler que nous, ma femme et moi, sommes sains et saufs.

Assez souvent, nous nous souvenions notre séjour à Paris et tous nos amis.

Je t'en prie quand tu seras à notre capitale de trouver un peu de temps et d'essayer de nous donner un coup de téléphone. D'habitude je suis chez moi à partir de 19 heures du soir.

Numéro de téléphone, tu dois connaître.
Je t'embrasse et à bientôt,
Amicalement.

Vladimir

[DCRI]

L'expulsion.

Le 5 avril 1983, quarante-sept diplomates soviétiques sont expulsés de France : identifiés comme espions grâce aux documents transmis par Farewell, ils s'en vont avec leur famille. Deux autocars viennent les chercher boulevard Lannes, près de l'ambassade. Cette expulsion massive désorganise les réseaux du KGB en France, mais elle convainc les Soviétiques d'une fuite importante dans leurs services. Les Américains, quant à eux, expulseront plus de deux cents diplomates.

Remerciements

Cette plongée au cœur des archives des services de renseignement français n'aurait jamais pu se faire sans le soutien d'Éric Lucas, directeur de la Direction de la Mémoire, du Patrimoine et des Archives (DMPA). Merci à Joseph Zimet et à Laurent Veyssière.

Cet ouvrage n'aurait pas non plus vu le jour sans le fidèle partenariat de la Fondation d'entreprise La Poste. Merci à Jean-Paul Bailly, président du groupe La Poste, et à Dominique Blanchecotte, directrice du cabinet, qui ont montré leur enthousiasme, soutenu le projet et mobilisé leurs équipes. Merci également à Maryline Girodias et à Patricia Huby.

Travailler dans les archives du renseignement, c'est explorer des fonds conservés par différentes institutions prestigieuses.

Le Service historique de la Défense

Merci au général de division Gilles Robert, qui nous a permis de naviguer dans les dossiers et les archives de son service. Au colonel Frédéric Guelton, qui a pris le projet très à cœur et nous a apporté son aide de tous les instants. Nous remercions également le capitaine de vaisseau Serge Thébaut, le colonel

Jean-Louis Salvador, Agnès Chablat-Beylot, Nathalie Genet-Rouffiac, le lieutenant-colonel Paul Malmassari, le capitaine Ivan Cadeau, le capitaine Stéphane Longuet, le capitaine Benoît Haberbusch, le lieutenant Gilles Krugler, l'aspirant Mathieu Le Hunsec, l'adjudant-chef Patricia Hory, le caporal-chef Jean-Philippe Durand. Emmanuelle Braud-Oppenheim, Sébastien Studer, Camille Castanier, Benjamin Doizelet, Hervé Grimaud, Alain Guéna, Alix Guerin, Daniel Hary, Marcellin Hodeir, Hervé Deborre, Jean-Noël Liabeuf, Mathilde Meyer, Franck Fusidet, Emmanuel Pénicaut, Patricia Schanck, Marie-Catherine Villatoux, Dominique Viola.

La Direction centrale du Renseignement intérieur

Merci à Bernard Squarcini et à ses collaborateurs.

La Direction générale de la Sécurité extérieure

Merci au Préfet Érard Corbin de Mangoux et à l'ensemble de ses agents.

La Préfecture de police

Merci au Préfet de police Michel Gaudin qui nous a renouvelé sa confiance et son soutien. À Jean-Marc Gentil, conseiller du Préfet, chef du service de la Mémoire et des Affaires culturelles. Merci également à Danielle Bourlon. Merci au personnel des Archives et du Musée, qui nous a aidés avec zèle et dévouement. Isabelle Astruc et Françoise Gicquel, Olivier Accarie-Pierson, Malik Benmiloud, Rémy Valat et Michel Graur.

Les Archives nationales

Merci à Isabelle Neuschwander pour avoir saisi l'importance du projet et nous avoir permis d'accéder à de nombreux fonds peu connus et souvent inédits. Merci à Bruno Galland,

Pierre Fournie, Christian Oppetit, Michèle Conchon, Françoise Adnès, Elsa Marguin-Hamon, Violette Andrès.

Enfin, nous remercions chaleureusement tous ceux qui ont apporté leur pierre à cet édifice : Dominique Guillaumin, Joseph Maggiori, et toute l'équipe de L'Iconoclaste, Julie Deffontaines, Aleth Stroebel, Matthieu Recarte, Juliette Gallois, Laurence Corona, Sidonie Mangin, Pierre Bottura, Taïga Media et Daniel Regard pour leur irremplaçable collaboration.

Crédits photographiques

Les documents présentés dans cet ouvrage proviennent des archives du SHD (Service historique de la Défense), des APP (archives de la Préfecture de police), des AN (Archives nationales), des Anom (Archives nationales d'outre-mer), de l'Ours (Office universitaire de recherche socialiste), de la DGSE (Direction générale de la Sécurité extérieure) et de la DCRI (Direction centrale du Renseignement intérieur), à l'exception de :

p. 163 : © Excelsior-L'Équipe/Roget-Viollet ; p. 242 : © OFPRA ; p. 279 : © Archives Irina Skobline ; p. 287 : © ACRPP ; p. 301 : © Keystone ; p. 308 : © Keystone ; p. 316 : © David King Collection ; p. 382 : © Ullstein Bild/ Akg-Images ; p. 438 : © La Collection/Bundersarchiv ; p. 443 : © Musée de la Résistance et de la Déportation (Besançon) ; p. 447 : © Collection Sussex Musée de l'Arche Hochfelden ; p. 462 : © Aky-Images / Ullstein Bild ; p. 584 : © ECPAD ; p. 651 : © Bernard Wis/Richard Jeanelle/Paris Match/Scoop.

Cotes des documents photographiques

Lorsque le document a fait l'objet d'une transcription, sa cote figure à la fin de celle-ci et n'est pas mentionnée ci-dessous.

p. 24 : SHD 16N1589 ; p. 52 : SHD 4J118 ; p. 54 : ANOM (documents) ; p. 101 : SHD 5N9 ; p. 108 : SHD 7NN2927 ; p. 120-121 : SHD 16N2250 ; p. 150 : SHD 16N1571 ; p. 145-146 : SHD 16N1571 ; p. 192 : SHD 7NN2732 ; p. 250 : SHD 7N3129 ; p. 371 : SHD 7NN2732 ; p. 375 : SHD 7NN2732 ; p. 425 : SHD-BAVCC 26P1144 ; p. 443 : SHD-DIMI 16P295725 ; p. 455 : SHD-DIMI ; p. 460 : DCRI ; p. 479 : SHD-DIMI ; p. 484 : SHD-DIMI 16P67268 ; p. 496 : DGSE ; p. 502 : DCRI ; p. 512 : SHD-DIMI ; p. 566-567 : SHD-DGN ; p. 621-622 : SHD-DGN ; p. 634-635 : SHD-DIMI 11S151.

Les auteurs

Sébastien Albertelli
Historien

David Alliot
Écrivain, éditeur

Chantal Antier
Historienne, chercheuse

Pierre Assouline
Journaliste, écrivain

Grégory Auda
Historien

Serge Berstein
Historien

Michaël Bourlet
Historien, chef du cours d'histoire militaire aux écoles de Saint-Cyr Coëtquidan

Emmanuelle Braud
Chargée de recherche au SHD

François Cathala
Historien, chercheur

Gérard Chaliand
Géostratège, spécialiste des conflits armés, écrivain

ALEXANDRE COURBAN
Historien

PIERRE FOURNIÉ
Conservateur général du patrimoine aux Archives nationales

BRUNO FULIGNI
Écrivain

JEAN GARRIGUES
Professeur d'histoire à l'université d'Orléans

FRÉDÉRIC GUELTON
Historien

JEAN-CLAUDE GUILLEBAUD
Journaliste, écrivain

GABRIELLE HOUBRE
Enseignante-chercheuse à l'université Paris VII-Denis Diderot

ANNE-AURORE INQUIMBERT
Docteur en histoire, rédactrice en chef adjointe de la *Revue historique des armées*

JEAN-NOËL JEANNENEY
Historien

CHRISTIAN KESSLER
Historien, professeur détaché à l'Athénée français de Tokyo

JEAN LACOUTURE
Journaliste, écrivain

DENIS LEFEBVRE
Historien, journaliste

TUGDUAL LE GUEN
Historien

STÉPHANE LONGUET
Archiviste, chargé de cours à l'université de Versailles Saint-Quentin-en-Yvelines

LAURE MANDEVILLE
Journaliste

JEAN-JACQUES MARIE
Historien

BERNARD MARREY
Historien de l'architecture

JEAN MARTINANT DE PRÉNEUF
Historien, maître de conférence à l'université de Lille III, chercheur associé au SHD

JEAN-DOMINIQUE MERCHET
Journaliste

DOMINIQUE MISSIKA
Historienne

ALAIN PAGÈS
Professeur de littérature française à l'université Paris III-Sorbonne nouvelle

FRÉDÉRIC PAGÈS
Journaliste

VINCENT PRÉVI
Maître de conférence à Sciences-Po

JEAN-PIERRE RIOUX
Historien, directeur de *Vingtième Siècle. Revue d'histoire*

ORLANDO DE RUDDER
Écrivain

ALEXANDRE SHELDON-DUPLAIX
Chercheur au SHD

GÉRARD SIARY
Historien, professeur des universités à Montpellier III

DOMINIQUE SOULIER
Conservateur de la collection Plan Sussex à Hochfelden

BENJAMIN STORA
Historien

SAMUËL TOMEI
Historien

MARIE-CATHERINE VILLATOUX
Docteur en histoire, chargée de recherche au SHD

THOMAS WIEDER
Journaliste

Préface 9

Avant-propos. Aux sources du secret 15

PREMIÈRE PARTIE
LES SECRETS DE LA BELLE-ÉPOQUE
1870-1918

Espionne et courtisane ? 29
La Païva dans la tourmente de la guerre de 1870

Au cœur de la Chine impériale 35
Le capitaine d'Amade et la « diplomatie de la canonnière »

Les secrets de la poudre « B » 47
Alfred Nobel suspecté d'espionnage économique

« Le traître, le voici ! » 51
Le dossier secret de l'affaire Dreyfus

Un marin en eaux troubles 77
Opium, amour et haute trahison

Si proche du Kaiser 85
Un espion sous couverture diplomatique

La Grande Bavarde 93
Gustave Ferrié et le poste de la tour Eiffel

Avant l'orage 99
Les télégrammes chiffrés de l'été 14

« Maggi, c'est boche ! » 103
L'espionnite en action

Des messagers dans les airs 109
La colombophilie militaire pendant la Grande Guerre

L'escadrille espionne 123
Le secret du capitaine Weiller

Les aveux de Mata Hari 129
Les liaisons dangereuses de l'agent H 21

Armes de papier 143
Des tracts pour démoraliser l'ennemi

Une espionne en jupons 155
Le confident prussien de Mistinguett

La chute de Bolo Pacha 161
« Escroc du temps de paix, traître du temps de guerre »

La guerre des ondes 185
L'invention de la propagande radio

DEUXIÈME PARTIE
LES SECRETS DE L'ÂGE D'ACIER
1918-1947

Le capitaine rouge 197
Jacques Sadoul, un Français avec les bolcheviks

Faut-il se méfier d'Adolf Hitler ? 213
Le chef du parti nazi fiché par les Français en 1924

Flagrant délit d'espionnage 219
La traque d'un couple au service de l'URSS

Dans l'intimité de Staline 243
Confession de son ancien secrétaire devant le 2e Bureau

L'enlèvement du général Miller 277
Les Russes blancs infiltrés par les Soviétiques

Français et nazi 285
Fernand de Brinon au service du Reich

L'espion du désert 291
Sur les traces de sir John Philby d'Arabie

L'affaire Fantômas 299
Enquête au cœur de L'Humanité

Le Soleil levant 305
« Une nation atteinte de mégalomanie »

Les procès de Moscou 317
Une effroyable parodie de justice

Les leçons de la guerre d'Espagne 329
À Madrid, une Blitzkrieg avant l'heure

L'insaisissable agent « K » 367
Mystérieuse disparition d'un agent triple

Le Salon de l'auto de Berlin 379
La puissance mécanique du Reich en 1939

L'œil de Moscou 391
Promenade indiscrète dans les couloirs de la Loubianka

Les agents secrets de la France libre 407
La naissance du BCRA, à Londres avec de Gaulle

La vie clandestine de Pierre Mendès France 415
Les avances d'une espionne sur le chemin de Londres

Espion malgré lui à Mauthausen 421
Un témoin de l'enfer concentrationnaire

Le pillage de la France 431
Les activités de la Firme Otto sous l'Occupation

Germaine Tillion, femme courage 439
Du réseau du musée de l'Homme à Ravensbrück

Le plan Sussex 449
Des agents français pour renseigner les Alliés

Espion, saboteur, assassin 453
Otto Skorzeny, « l'homme le plus dangereux d'Europe »

Joséphine Baker contre les nazis 463
Un agent de charme pour la France libre

Les codes secrets de l'occupant 473
Chiffrement et cryptanalyse dans le Reich en guerre

À la veille du jour « J » 477
La Résistance dans les préparatifs du Débarquement

La plastiqueuse à bicyclette 485
Jeanne Bohec, une chimiste pour les maquis

À l'origine des forces spéciales 491
Les Jedburgh en mission dans la France occupée

TROISIÈME PARTIE

LES SECRETS DU FRONT INVISIBLE

1947-1989

Le dossier Mitterrand 507
Les états de service d'un résistant inclassable

Guerres secrètes en Indochine 521
Les contradictions de la CIA

Une étoile pour l'Algérie 535
Messali Hadj, un nationaliste épié par les RG

La banque des Soviets 549
Les argentiers du communisme sous surveillance

L'affaire du bazooka 559
Attentat ou complot ?

Cargaisons d'armes pour le FLN 569
La chasse aux navires suspects en Méditerranée

« Algérie française ! » 581
Le dossier secret des RG sur Georges Bidault

Une vie de coups tordus 591
Perquisition chez l'ancien directeur adjoint du SDECE

Une taupe à l'Otan 597
Georges Pâques, un idéaliste manipulé

Lumières nocturnes 617
Des gendarmes sur les traces des ovnis

La statuette aux secrets 625
Démantèlement d'un réseau est-allemand en France

Kolwezi 631
Les dessous de l'intervention française

Mission Aspiro 637
La section des nettoyeurs d'ambassade

L'affaire Farewell 645
La plus grande histoire d'espionnage du XXe siècle

Remerciements 653

Crédits photographiques 657

Cotes des documents photographiques 659

Les auteurs 661